EDUARDO NEALE-SILVA

DANA A. NELSON

University of Wisconsin

Lengua hispánica moderna

HOLT, RINEHART AND WINSTON
New York   Toronto   London

Permissions for the reading selection at the beginning of each chapter:

1 — Germán Arciniegas, *En el país del rascacielos y las zanahorias*, Bogotá, 1945, vol. I, págs. 27-30. By permission of the author (JJ).   **2** — Alberto Zum Felde, *El problema de la cultura americana* — extractos, Buenos Aires, Losada, 1943, págs. 114-118. By permission of the author (JJ).   **3** — Carlos Vaz Ferreira, *Moral para intelectuales* — extractos, Montevideo, 1927, págs. 127-133. By permission of Sara Vaz Ferreira de Echevarría (JJ).   **4** — Ernesto Sábato, *Heterodoxia* — extractos, Buenos Aires, Emecé Editores, S. A., 1953. By permission of the author (JJ). **5** — Servicio informativo español, *España para usted* — extractos, Barcelona, 1964. By permission of El Director General de Información, Madrid (JJ).   **6** — Eduardo Toda Oliva, "Una ciudad con un coche para cada dos personas" — extractos, *Mundo hispánico*, No. 191, febr. 1964, págs. 30-35. By permission of the publisher (JJ).   **7** — Julián Marías, "La pantalla" — extractos, *Obras Completas*, Madrid, 1960, Vol. V, págs. 543-548. By permission of the author (HJ). **8** — Mariano Picón Salas, "Teoría de las 'sinfonolas' " — extractos, *Gusto de México*, México, Porrúa y Obregón, S. A., 1952, págs. 82-86. By permission of Antigua Librería Robredo (JJ). **9** — Ricardo Urgoiti, "Sobre la conquista del espacio — Estado actual y perspectivas," *Revista de Occidente*, Año I, 2ª época, No. 2, mayo, 1963, págs. 221-228. By permission of the publisher (JJ).   **10** — Julián Marías, *Obras*, Madrid, 1958, Vol. III, págs. 233-238. By permission of the author (HJ).   **11** — Rafael Lapesa, "La lengua desde hace cuarenta años," *Revista de Occidente*, Año I, 2ª época, Nos. 8 y 9, nov.-dic., 1963, págs. 193-198. By permission of the publisher (JJ).   **12** — José Luis Aranguren, *La juventud europea y otros ensayos* — extractos, Barcelona, 1961, págs. 15-23. By permission of the author and of the publisher, Editorial Seix Barral (JJ). **13** — José Ortega y Gasset, "La misión de la universidad" — extractos, *Obras completas*, Tomo IV, Madrid, Revista de Occidente, 1957, págs. 335-348. By permission of the publisher (JJ). **14** — Daniel Cosío Villegas, "Los problemas de América" — extractos, *Extremos de América*, México, Tezontle, 1949, págs. 249-272. By permission of the author (JJ).   **15** — Octavio Paz, *El laberinto de la soledad* — extractos, México, Fondo de Cultura Económica, 1950, págs. 26-31. By permission of the author (JJ).   **16** — Enrique Lafuente Ferrari, "Cara y cruz," *Mundo Hispánico*, No. 164, noviembre, 1961, págs. 9-14. By permission of the publisher (JJ).

ISBN 0-03-061885-1

Library of Congress Catalog Card Number: 67-10866
Printed in the United States of America
    1 2 3   038   15 14 13 12

Introducción

Este libro de composición española, aunque preparado para estudiantes de tercer y cuarto año, puede también utilizarse con provecho en algunas clases más avanzadas.

Materiales modernos auténticos. Los materiales que contiene han sido cuidadosamente seleccionados y constituyen un todo coherente y variado. Preocupación esencial de los autores fue escoger materiales modernos auténticos en lugar de recurrir a acumulaciones artificiales de palabras y modismos en que se sacrifiquen la naturalidad de la construcción y el estilo.

A fin de presentar modelos de diferente índole, se han incluido tanto crónicas periodísticas y artículos de revista como ensayos de autores bien conocidos, respetando siempre el estilo de cada autor. Si se señalan divergencias entre una que otra construcción y los "cánones" de la gramática, es sólo para que el estudiante vea cómo la lengua siempre sobrepasa las racionalizaciones y las teorías.

En todos los textos se hallarán múltiples observaciones sobre la vida contemporánea y una gran variedad de ideas, que el estudiante y el profesor podrán aceptar o rechazar, según su criterio personal. No es la intención de los autores inculcar ideas sino simplemente suscitar discusiones sobre asuntos de interés y vigencia.

El título del libro da a entender que se ha querido reflejar la lengua actual de los pueblos hispánicos, sin insistir mayormente en las diferencias — siempre menores — que hay entre el español peninsular y el hispanoamericano.

Los objetivos del libro. Los objetivos de este libro son los siguientes:
1. Dar pie a la práctica oral a base de un texto moderno;
2. Incrementar el vocabulario de la clase;
3. Hacer estudios varios de modismos y frases idiomáticas;
4. Examinar algunos aspectos no elementales de sintaxis española;
5. Estudiar ciertos asuntos básicos de estilística;
6. Dar oportunidad para aplicar la teoría al trabajo de composición.

Las partes de cada capítulo. Para conseguir estos fines se han preparado diez y seis lecciones divididas, cada una de ellas, en las siguientes partes:

TEXTO. Comienza la lección con un texto escrito por un autor español o hispanoamericano contemporáneo. Cada modelo fue escogido para servir de base a la práctica oral y al estudio analítico de la lengua.

CUESTIONARIO. Esta parte, como las siguientes, está presentada en orden de dificultad; en la primera sección se hallarán preguntas relativamente fáciles y, en la segunda, preguntas que apuntan a una posible discusión.

MODISMOS. Después de explicarse en español el significado de los modismos más importantes del texto se añade un ejercicio en que el alumno ha de emplear dichos modismos.

VOCABULARIO. Se estudian aquí algunos problemas lexicográficos sugeridos por el texto. Cada una de estas secciones va seguida de un grupo de ejercicios.

REPASO GRAMATICAL. Las exposiciones aquí incluidas son estudios sintéticos de algunos problemas gramaticales que han sido considerados en sus múltiples ramificaciones, no para dejar establecidas reglas cómodas e inflexibles sino más bien con el objeto de señalar matices de intención y de significado. Como otras secciones anteriores, éstas también van acompañadas de ejercicios.

ESTILÍSTICA Y COMPOSICIÓN. Estas secciones contienen breves comentarios sobre algún asunto de estilística general, como también estudios sumarios de los problemas de estilo que comúnmente se le presentan al estudiante de habla inglesa. En no pocos casos, se citan ejemplos auténticos tomados de composiciones escritas por estudiantes de tercer y cuarto año.

COMPOSICIÓN. El trabajo de composición se prescribe en dos formas: *traducción* de oraciones del inglés al español y *composiciones libres*, esto es, desarrollo de asuntos relacionados con el texto. En vez de presentar un solo glosario inglés-español al final del libro, los autores optaron por incluir un *vocabulario mínimo* en cada lección, a fin de establecer una relación directa entre la lección misma y su léxico. Dicho sea de paso, el vocabulario mínimo es bastante completo en las primeras lecciones, pero se hace algo más breve en la segunda parte del libro, quedando excluidas, desde luego, todas las palabras que un alumno avanzado debiera saber.

El glosario y el vocabulario. Al final del libro se hallará un glosario de nombres propios y un vocabulario del español al inglés, que incluye todas las palabras de los textos, las de los ejemplos y explicaciones, y también las que piden algunos ejercicios. Se excluyen, sin embargo, todas las palabras de índole elemental.

Grado de dificultad. Este libro puede usarse en diferentes formas atendiendo al grado de dificultad y a la orientación de la asignatura.

Todos los ejercicios están ordenados de acuerdo con dos planes, uno intermedio, que contiene problemas de mediana dificultad (*Sección A*), y otro, avanzado, en que aparecen problemas algo más complejos (*Sección B*). Por supuesto, nada hay que impida la combinación de ambas secciones.

Orientación de la asignatura. Es probable que algunos profesores prefieran insistir en el trabajo oral y el estudio de palabras y modismos; otros habrá que se inclinen a dar mayor importancia al repaso gramatical, al trabajo de composición y a las secciones de estilística. Y otros, en fin, optarán por combinar los elementos esenciales de los dos planes anteriores. Cualquiera que sea la intención del maestro, podrá usar siempre el texto español, pues la gran mayoría de los ejercicios están relacionados con él, directa o indirectamente.

La lengua como organismo vivo. Creemos haber preparado un texto en que se estudia la lengua como un organismo vivo en constante proceso de cambio y no siempre sujeto a reglas fáciles. Esperamos que este enfoque revele al alumno, por lo menos en parte, la riqueza de medios expresivos que pueden ser suyos una vez que sale del ámbito de la gramática elemental.

*   *   *

A los autores y a los editores de las selecciones les expresamos aquí nuestra gratitud por habernos permitido la reproducción de sus ensayos. Damos también las gracias al profesor Mack H. Singleton, quien nos facilitó sus ficheros sobre construcción y régimen, y al profesor José Luis Pensado, quien tuvo la bondad de hacernos provechosas recomendaciones.

E. N-S.
D. A. N.

Tabla de materias

❧ 1 ❧

Lecciones de inglés

GERMÁN ARCINIEGAS

Un inglés *que en algo se estime** se presenta *de esta manera:* "Soy Mr. John Nielsen, Ene-i-e-ele-ese-e-ene." *Obedece esto a que* en inglés se supone que una palabra se pronuncia de un modo — cosa que no es exacta —, pero *en todo caso* puede escribirse de mil maneras. *Ocurre*
5 *que* aun el deletreo puede no ser *del todo* claro, principalmente si se hace por teléfono. En este caso lo más discreto y acostumbrado es decir: "Mr. Arciniegas, A como en Argentina, R como en Rusia, C como en Colombia, I como en Irlanda, N como en Nicaragua, I como en Italia, E como Estonia, G como en Grecia, A como Afganistán, S como en
10 Somalilandia." De esta manera, siendo el idioma de Shakespeare — y *el lector excusará que no presente a* Shakespeare por todas sus letras —, siendo este idioma tan conciso, un apellido puede extenderse indefinidamente.

Para ofrecer al lector un caso práctico, *he aquí* lo que ayer me ocurrió.
15 Debía llamar por teléfono al profesor Nielsen, que se pronuncia Nilson, y que se deletrea *como dejo escrito.* En el libro de teléfonos busqué su nombre, y leí: "Nielsen (si usted no encuentra aquí el nombre que busca, vea Nealson, Neilsen, Neilson, Nilsen, Nilson o Nilsson)." Éstas son las siete maneras que se tienen para decir Nilson.
20 Al deletrear un apellido usted puede mostrar una deferencia especial hacia la persona a quien se dirige, tomando como guía para las letras algo que le atraiga especialmente. Si se trata de un agricultor, usted puede decirle: Arciniegas, A alcachofa, R rábanos, C coliflor, etc., y componer *una especie de* jardín de la victoria con todas las hortalizas

---

*Las palabras que se dan en cursiva son modismos explicados en la sección A. (Véanse las páginas 4-5.)

de su predilección. También algunas personas *aprovechan esta oportunidad para* hablar de su país — yo siempre digo C como en Colombia —, o para anunciar sus productos. Recuerdo que el señor Mejía, un antioqueño que *tenía* aquí *la representación de* los cafeteros, empezaba siempre a deletrear su nombre Medellín, Excelso . . . (Ésta es la mejor marca de café antioqueño.)

Las confusiones *no quedan limitadas al* minúsculo accidente de los apellidos. Como tesis fundamental usted puede decir que toda palabra inglesa es un jeroglífico. Yo publiqué un libro que, en la edición española, *se dice* EL CABALLERO DEL DORADO. Aquí, THE KNIGHT OF EL DORADO. Pero *como* en inglés *noche* y *caballero* se pronuncian *del mismo modo*, cuando hablo de mi libro nadie sabe si he escrito un nocturno o una obra de caballería. En los programas de teatro, *para salir del paso*, en vez de escribir noche "night," como está en los diccionarios, ponen "nite," que es como suena. Esto puede significar *lo mismo noche que caballero*, pero la indicación de 8:00 p. m. permite saber que *se trata de la noche.* La "gh" que han suprimido en los programas es una combinación de dos letras que en inglés se usan por despistar.

Cuando se publicó la supradicha versión de mi libro, los editores pusieron en la cubierta una advertencia: "Germán Arciniegas (se pronuncia Hair-máhn Ar-seen-yáygus)." La advertencia era indispensable. Pero si el lector quiere saber más sobre la suerte de mi apellido en este país, puedo informarle que un día en el periódico anunciaron una conferencia mía así: "Hoy dicta una conferencia sobre la América Latina el doctor Arthur Nagus."

La dificultad del inglés está, *de un lado*, en la emisión de los sonidos, que nosotros no podemos producir como los místeres. Cuando *se da cuenta* el profano *de que* cada letra de las vocales se pronuncia de cuatro o cinco modos distintos, desfallece. El esfuerzo que se realiza para producir "eres" o "eses" no sólo causa una gran fatiga a quienes estamos acostumbrados al español, sino que en el rostro deja una impresión dolorosa, de gran torpeza. Yo suelo dar siempre esta explicación a mis colegas del profesorado: "Yo no soy bobo: es que no sé inglés . . ." Esto lo digo en una forma confidencial, que ellos *hacen correr* confidencialmente, a su turno: "No, el hombre no es bobo; es que no sabe . . ."

2

Mi experiencia es la de que a lo que más se parece el idioma inglés es a una enfermedad. Es lo que, gramaticalmente, *se diría* el mal de la lengua. Sus manifestaciones son *la cara de enfermos* que ponemos al hablarlo, y la fatiga que nos deja. Cuando, después de dos o tres años, *vuelven a encontrarse* dos amigos que han viajado por los Estados Unidos, su primera conversación parece conversación de clínica: "Mira, yo *sigo* muy *mal del* inglés, he mejorado en la pronunciación, pero *me siento cada vez peor* en el espelin." ("Spelling," en inglés, significa ortografía. Nosotros, los de origen español, decimos espelin.) El único consuelo es ver a los místeres pasar los mismos trabajos en nuestra tierra.

Todos recordamos aquella bonita anécdota que se cuenta de Carlos V, que llegó a España sin saber palabra del idioma, y pasaba las horas escuchando, sin desatar verbo. Un día llegó a decirle un baturro, viéndole con la boca abierta, en la plaza del pueblo: "Majestad, cierre usted la boca y mire que las moscas de este pueblo son insolentes . . ." *Después de todo*, Carlos V no era un tonto. Y si unas veces *ponía cara de idiota* y otras de cólico, no era sino *por una cuestión de* la lengua.

(Germán Arciniegas, En el país del rascacielos y las zanahorias, Bogotá, 1945, Vol. I, págs. 27–30.)

PREGUNTAS

A

1. ¿Qué hace una persona que tiene un apellido difícil al presentarse a otra persona? **2.** ¿Cuándo resulta menos claro el deletreo? **3.** ¿De qué palabras saca el autor una letra inicial para deletrear su apellido? **4.** ¿Cuáles son las hortalizas de su predilección? **5.** ¿Cómo se titula uno de los libros del autor? **6.** ¿Por qué cambian algunos la ortografía de ciertas palabras inglesas? **7.** ¿Qué dice el autor acerca de las letras "gh" en la palabra "night"? **8.** ¿Qué se anunció un día en el periódico? **9.** ¿Qué es muy difícil para los hispanoamericanos que aprenden el inglés? **10.** ¿Cuándo tiene que hacer un gran esfuerzo el que aprende el inglés? **11.** ¿A qué se parece el idioma inglés? **12.** ¿Qué dice un amigo a otro acerca de su inglés? **13.** ¿Por qué no decía nada Carlos V al principio? **14.** ¿Por qué le dice el baturro al emperador que cierre la boca?

B

1. Se dice que el español es una lengua fonética; ¿está usted de acuerdo? ¿Por qué? **2.** ¿Qué se quiere decir cuando se afirma que el inglés es un idioma conciso? **3.** ¿Cómo se explica la gran variedad de ortografía de ciertos apellidos? **4.** ¿Por qué no ha sido posible simplificar la ortografía inglesa? **5.** ¿Cuál es la intención del autor al afirmar que cada palabra inglesa es un jeroglífico? **6.** ¿A qué tipo de libro llamaría usted una obra de caballería? **7.** ¿Cree usted que en realidad es difícil la pronunciación de las vocales en inglés? ¿Por qué? **8.** ¿Por qué da una impresión de torpeza el que comienza a hablar inglés? **9.** ¿Cuándo decimos que una persona es boba? **10.** ¿Qué es una advertencia? **11.** ¿Qué entiende usted cuando alguien le explica que le dirá algo "confidencialmente"? **12.** ¿Qué pensaría usted si alguien le dijese: "¿Cómo está usted, míster?" **13.** ¿Por qué se parece a una conversación de clínica lo que dicen de su inglés los dos amigos? **14.** ¿Qué nos dice el autor acerca de la cara de Carlos V?

A. Modismos

que en algo se estime — que tenga un mínimo de dignidad

de esta manera — así

Obedece esto a que — Esto se debe a que

en todo caso — de todos modos

Ocurre que — El hecho es que

del todo — completamente

el lector excusará que no presente a . . . — el lector me excusará si no presento a . . .

he aquí — aquí tienen ustedes

como dejo escrito — como he escrito

es una especie de — es algo así como

aprovechan la oportunidad para — se sirven de la ocasión para

tenía la representación de — representaba a

no quedan limitadas a — no se restringen a

se dice — se llama

del mismo modo — en igual forma

para salir del paso — para evitar mayores dificultades

lo mismo "noche" que "caballero" — tanto "noche" como "caballero" *se trata de la noche* — se refiere a la noche

de un lado — por una parte

se da cuenta de que — comprende que

hacen correr — divulgan

se diría — podría llamarse

la cara de enfermos — el aspecto de enfermos

vuelven a encontrarse — se encuentran nuevamente

sigo mal de — sigo sufriendo de

me siento cada vez peor — voy empeorando día tras día

Después de todo — Bien pensado

pone cara de idiota — da la impresión de ser idiota

por una cuestión de — debido a

EJERCICIOS

Emplee una frase idiomática sacada de la presente lección en lugar de las palabras en cursiva:

A

1. No estoy *completamente* seguro de que llegará hoy.   **2.** *El hecho es que* ninguno de los dos sabe inglés.   **3.** Los dos amigos *se sirven de* esta ocasión para cambiar impresiones.   **4.** Esas palabras no se pronuncian *en igual forma.*   **5.** Mi observación se refiere *tanto a los profesores como a los alumnos.*   **6.** Esa indicación dice claramente que *se refiere a* la noche. **7.** Por fin *comprendí* que era un bobo.   **8.** Cuando *se encuentran nuevamente* se saludan con toda formalidad.   **9.** Yo, la verdad, sigo *sufriendo* del corazón.   **10.** Si no me entendía era *debido al* inglés.

B

1. El público no respeta las leyes y *esto se debe a que* carece de sentido cívico. **2.** Hágalo usted *así.*   **3.** Usted, señora, *me excusará si le escribo* con tan mala ortografía.   **4.** Señalando su libro nos dijo: —*Aquí tienen ustedes* el resultado de mi trabajo.   **5.** Le dijimos que sí para *evitar mayores problemas.*   **6.** Toda persona que *tenga un mínimo de dignidad* diría la verdad. **7.** Las mujeres se encargarán de *divulgar* la noticia.   **8.** En lenguaje popular esa enfermedad *podría llamarse* "el mal de la lengua." **9.** En cuanto a salud, *va empeorando día tras día.*   **10.** *Bien pensado,* el hombre no es realmente tonto.

B. Vocabulario

A
Sinónimos

Busque el equivalente de las palabras en cursiva en la columna de la derecha.

(a) SUSTANTIVOS

1. El esfuerzo me produce *cansancio*.
2. Dejó una impresión dolorosa en su *cara*.
3. Quedó patente su *incapacidad*.
4. ¿Qué *lengua* prefiere usted?
5. Lo dejaremos para otra *ocasión*.
6. Mi *proposición* no puede ser más clara.
7. Le aseguro que no es *tonto*.
8. No me gustan las *verduras*.

   a. idioma
   b. patatas
   c. oportunidad
   d. propuesta
   e. lechugas
   f. bobo
   g. conversación
   h. fatiga
   i. hortalizas
   j. rostro
   k. explicación
   l. torpeza

(b) VERBOS

1. Esa palabra puede *alargarse* mucho.
2. Es difícil *articular* esos sonidos.
3. Lo dice para *confundir* a los preguntones.
4. Es necesario *emplear* una palabra más breve.
5. Muy pronto comenzó a *circular* el rumor de que no vendrían.
6. Tuve que *hacer* un gran esfuerzo.
7. Usted no debe *omitir* nada.
8. Eso no volverá a *suceder*.

   a. usar
   b. deletrear
   c. correr
   d. publicar
   e. realizar
   f. suprimir
   g. anunciar
   h. extenderse
   i. ocurrir
   j. pronunciar
   k. informar
   l. despistar

B
Diferencias de significado

1. Advertencia — aviso.

Se entiende por **advertencia** el enunciado oral o escrito con que se destaca algo, o se previene a otros:

    Tengo que hacer una advertencia. *I have a remark to make.*
    Tengo que hacerte una advertencia. *I have to give you a warning.*

También puede tener un significado moral, en cuyo caso es igual a "consejo":

Espero que recuerdes mis advertencias. *Conseils* ✗

Advertencia puede significar también "introducción," esto es, escrito preliminar de un libro.

La palabra **aviso** tiene varias acepciones:

(a) Coincide con **advertencia** en significar prevención (*warning*):

Éste será mi primero y último aviso.

(b) También significa anuncio escrito:

Vi en el periódico el aviso de la Casa Ruiz.

(c) Se usa en oraciones idiomáticas:

Está sobre aviso. *He has been forewarned.*
Le dejo [pongo] sobre aviso. *I am forewarning you.*

2. Rostro — cara.

Significan lo mismo (*face*), pero **rostro** es palabra literaria:

Deja en el rostro una dolorosa impresión.

La palabra **cara** tiene muy variados usos:

(a) Anverso y reverso de algo:

Esto hay que verlo por ambas caras (*both sides of the question*).

(b) Aspecto de algo:

Esto tiene mala cara. *This does not look good.*
Tiene cara de buena persona [idiota, buen bebedor]. *He looks like a nice person [an idiot, a hard drinker].*

(c) En frases coloquiales que contienen la preposición **de:**

Anda con cara de fiesta [de viernes, de vinagre, de corcho]. *He looks gay [wan, sour, unabashed].*

(d) En combinación con diferentes verbos:

Siempre tengo que dar la cara por usted (*come out in your defense*).
Me echó eso en cara. *He threw that in my teeth.*
¡No me ponga usted mala cara! *Don't look so displeased!*

3. Indicaciones — instrucciones.

Las **indicaciones** son observaciones por medio de las cuales se informa u orienta a otros:

Le agradezco las indicaciones que usted me ha hecho (*the suggestions you have given me*).

Las **instrucciones,** en cambio, son las reglas que se han de seguir para hacer algo: tienen, pues, carácter, didáctico o normativo:

> Instrucciones para armar la silla. *Instructions for assembling the chair.*

4. Habla — idioma — lengua — lenguaje.

El **habla** es la expresión lingüística como facultad humana o como capacidad física:

> El habla (*speech*) es lo que distingue al hombre de los animales.

En sentido figurativo se usa **habla** como equivalente de peculiaridad o modo de hablar una lengua:

> En el habla popular hay muchas expresiones de gran exactitud y valor gráfico.

Idioma es el conjunto de sonidos y modos de expresión que caracterizan a un pueblo o nación:

> El español es el idioma de los argentinos.

Lengua equivale a **idioma** en la conversación cotidiana, pero se diferencia de **idioma** en ser el término preferido en discusiones científicas. En lingüística se habla de "lenguas romances, lenguas indoeuropeas," etc., y no de idiomas romances o indoeuropeos. **Lenguaje** es palabra que, por lo común, lleva envuelta una idea de especialización:

> lenguaje callejero (forense, técnico, comercial, vulgar, etc.).

5. Manera — modo.

(a) Se usan, con el mismo sentido, en expresiones introducidas por la preposición **de:**

> El problema se puede resolver de esta manera [de este modo].
> Me contestó de mala manera [de mal modo] (*ill-humoredly*).
> De todas maneras [de todos modos], hay que resignarse a hacerlo.

(b) La expresión **a manera (modo) de,** seguida de sustantivo, es igual a **como:**

> Este instrumento se usa a manera [modo] de martillo (*like a hammer*).

Sobremanera es adverbio de intensidad y significa "excesivamente, en extremo":

> Esa experiencia es sobremanera edificante.

6. Acordar — acordarse de — recordar — recordarle a uno.

Acordar significa "llegar a un acuerdo" (*to agree*):

> Acordaron instalar parquímetros en las calles principales.

Acordarse de y **recordar** traducen por igual, en la mayoría de los casos, la acción de reconstruir algo mentalmente (*to remember*):

>Me acordé de [Recordé] sus días juveniles.

Recordar, sin embargo, tiene varios usos especiales.

(a) Asemejarse:

>Esos movimientos recuerdan (*resemble, remind you of*) los de la ardilla.

(b) Rememorar, esto es, traer a la memoria mediante un esfuerzo de concentración:

>Estoy recordando (*I am trying to remember*) palabras del Sr. Zapata que están en el Diario de Sesiones.

El verbo **recordarle a uno** puede significar también "traer a la memoria," sea la propia o la de otra persona:

>Esto me recuerda (*This reminds me of*) algo que ocurrió hace muchos años.
>Quiero recordarle (*I want to remind you*) que la reunión es mañana.
>¿No le recuerda nada esta fecha? *Doesn't this date remind you of anything?*

Frase hecha:

>Si mal no recuerdo (*If I remember correctly*).

7. Tratar — tratar de — tratarse de.

Tratar puede tener varios significados.

(a) Manejar:

>Trate usted (*Handle*) mi libro con cuidado.

(b) Relacionarse socialmente con alguien:

>No he tratado mucho a esa familia. *I don't know that family (socially) too well.*

(c) Manera de proceder con alguien:

>¿Por qué trata usted (*Why do you treat*) tan mal a sus criados?

(d) Discutir algo:

>Trataron el asunto en sus más pequeños detalles.

Se usa **tratar de** para:

(e) Significar "intentar":

>Trató de aparcar [estacionarse] frente a una calzada de acceso.

(f) Dar título o trato especial a alguien:

>Me trata de usted. *He uses the polite form of address with me.*

(g) Referirse al contenido de un escrito:
> ¿De qué trata este libro?

Tratarse de se emplea para señalar un objetivo. En inglés su equivalente is *to be a question of . . .*, o simplemente, *to be:*
> Se trata de llenar todos los requisitos. *It is a question of meeting all the requirements.*
> Se trata de un admirador desinteresado. *He is an admirer with no ulterior motives.*

Frase hecha:
> ¿De qué se trata? *What is going on? What is all this about?*

8. Presentar — presentarse.

Presentar significa:

(a) Hacer un regalo:
> Al jubilarse le presentaron un reloj de oro.

(b) Poner algo en la presencia de alguien:
> Presentaron varios proyectos a la consideración de la junta directiva.

(c) Poner a dos o más personas en relación social por medio de una breve ceremonia:
> Quiero presentarte a mi amigo Luis. *I want to introduce my friend Louis to you.*

El verbo **presentar** puede ir con dos complementos. Si el complemento directo es de primera o segunda persona (singular o plural) y va seguido de un complemento indirecto en cualquiera otra, persona, habrá de emplearse éste en su forma preposicional:
> Él me presentó a él. *He introduced me to him.*
> Él te presentó a ella. *He introduced you to her.*

Por el contrario, si el complemento directo es de tercera persona (singular o plural) se habrán de emplear dos formas pronominales: el complemento indirecto primero, seguido del directo. En este caso la adición de una aclaración preposicional es potestativa:
> Él te lo presentó (a ti).
> Él se la presentó (a usted).
> Él nos lo presentó (a nosotros).

El verbo **presentarse** puede significar:

(a) Aparecer:
> El muy desvergonzado se presentó (*showed up*) en casa a la hora de cenar.

(b) Identificarse dando el nombre:

Se presentó (*She introduced herself*) a mis tíos.

En este último sentido, **presentarse** es simplemente la forma reflexiva de **presentar** (*to introduce a person*).

EJERCICIOS

I. *Llene los espacios en blanco con una de las palabras discutidas en la sección anterior:*

1. Fui al supermercado porque vi en el periódico un —— que prometía grandes rebajas.   **2.** Antes de partir el muchacho, su padre le hizo dos —— **3.** Me dicen que los físicos se expresan en un —— especial que otros no entienden.   **4.** En mis momentos sentimentales me gusta —— mis días escolares.   **5.** Para llevar a buen término esta misión, deberá usted seguir al pie de la letra las —— escritas que le dio nuestro jefe.   **6.** Los miembros del Concejo Municipal —— aumentar las tasas.

II. *Llene usted los espacios en blanco con una de las frases idiomáticas recién estudiadas:*

1. Aludiendo a la brusquedad de su respuesta, la señora dijo: Ese muchacho siempre me contesta de ——.   **2.** Deseaba saber algo acerca del contenido del libro y, por eso, le pregunté: ¿——?   **3.** Recalcando la necesidad imprescindible de asistir a la sesión, don Félix le dijo a su hijo: Tendrás que asistir ——.   **4.** Tratando de explicar por qué no conozco bien a mis vecinos, añadí: ——.   **5.** Mi primera recomendación acerca del estilo es ésta: —— de ser breve y claro.   **6.** Para darle a entender que la palabra tiene dos posibles pronunciaciones le he dicho: Esa palabra puede pronunciarse de ——.

III. *¿Qué expresión con la palabra* **cara** *emplearía usted para referirse idiomáticamente a las siguientes situaciones?*

1. Un amigo suyo le da a entender a usted con un gesto de desagrado que no le gusta nada la petición que usted le ha hecho. Usted se apresura entonces a pedirle que no le mire con ceño y que sea más condescendiente.   **2.** Jorge ha tenido que defender varias veces a su hermano menor.   **3.** Un señor ha venido a verle con expresión de disgusto.   **4.** Un conocido nuestro nos ha hecho un favor y nos lo recuerda constantemente.   **5.** Alguien ha venido contentísimo a una tertulia y manifiesta abiertamente su alegría.   **6.** Alguien alude a la cara de una persona que inspira confianza.

C. Gramática

El artículo definido
(el, la, los, las)

I. USOS MÁS COMUNES

El artículo definido se emplea en español con tantos matices de significado y con tal libertad que es imposible establecer reglas fáciles para el estudiante extranjero. Su presencia, en muchos casos, depende de una preferencia regional, o del gusto personal del que habla. Aunque esta fluctuación complica su estudio, daremos algunas normas a modo de "indicadores" que orienten al estudiante en las zonas de mayor dificultad.

Sólo para completar la discusión, señalaremos primero los usos más comunes del artículo definido:

(a) Con sustantivos empleados en sentido genérico:
> Las confusiones no se limitan al minúsculo accidente de los apellidos.

(b) Con sustantivos abstractos:
> La memoria es el atributo primordial de la inteligencia.

(c) Con sustantivos que se refieren a partes del cuerpo:
> Cierre usted la boca.

(d) Con sustantivos que se refieren a prendas de vestir:
> Ponte el sombrero antes de salir.

(e) Para destacar el sustantivo verbal:
> El comer demasiado ha sido causa de su enfermedad.

(f) Con los sustantivos **cárcel, escuela, iglesia** y otros, después de preposiciones:
> Lo llevaron a la cárcel.
> Está en la iglesia.
> Va a la escuela.

(g) Para citar los días de la semana, fechas y siglos:
> Vendrá el martes.
> Murió el cinco de febrero.
> Vivió en el siglo XV.

(h) Con los adjetivos **próximo** y **pasado:**
> La edición española aparecerá el año próximo.
> El verano pasado tenía cara de enfermo.

(i) Para referirse a los puntos cardinales, excepto en frases hechas:

Siguió caminando hacia el norte.

PERO:

Iban navegando de norte a sur.

(j) Con nombres de comidas:

Tomo el desayuno [el almuerzo, la cena] temprano.

II. OTROS USOS DEL ARTÍCULO DEFINIDO

1. Delante de un título o denominación que se usa como tal, el artículo no se amalgama con las preposiciones **a** y **de**:

Comenzaremos el análisis de *El Caballero del Dorado* en la próxima clase.

El redactor de *El Tiempo* dará una conferencia mañana.

2. Antepuesto a un nombre, el artículo tiene estos matices:

(a) Ante un apellido de hombre o mujer puede tener una connotación peyorativa:

El Pérez merece cualquier pena que reciba.

La González (*that Gonzalez woman*) ha anunciado que se paseará por la plaza del pueblo.

(b) Para establecer el sexo de una persona, hablando de escritoras o artistas conocidas:

La Pardo Bazán es de las pocas mujeres españolas que se han abierto paso en el mundo de las letras.

(c) Antepuesto a un nombre de pila, el artículo connota jovialidad o familiaridad:

Tú verás que la Josefa es incorregible.

3. No hay conformidad en el empleo del artículo con nombres de regiones, estados, países y pueblos. La práctica más general es usarlo en los siguientes casos, entre muchos otros:

la Argentina	la Coruña	la Habana	el Pakistán
el Brasil	el Ecuador	el Havre	el Perú
el Cairo	el Escorial	la Haya	la Rioja
el Callao	la Florida	la Mancha	el Uruguay
el Canadá	la Guaira	la Meca	

4. Cualquier nombre propio empleado en sentido figurado requiere un artículo:

Los Césares siempre acaban mal.

El Whitman (= sus *Obras Completas*) está en el tercer estante.

5. El artículo se emplea en aposición en los siguientes casos:

(a) Cuando se dan datos aclaratorios desconocidos para nuestro interlocutor:

Arciniegas, el autor de *El estudiante de la mesa redonda*, es colombiano.

(b) Para distinguir el referente de otro(s) del mismo nombre:

Medellín, la segunda ciudad de Colombia, es un centro fabril de gran pujanza.

(c) Para dar énfasis a un sustantivo:

Nueva York, la ciudad de los rascacielos, ha sido objeto de severas críticas últimamente.

6. El artículo definido se emplea obligatoriamente cuando un nombre propio o título (don, doña, san, santo, etc.) van precedidos de un título o calificativo:

La encantadora doña Brígida

El traidor Benedicto Arnold

7. En exclamaciones, como equivalente de **¡qué!** o **¡cuánto, -a, -os, -as!**

¡Las ansias que tengo de aprender el inglés! (¡Qué ansias tengo . . .!)

¡Las ganas que tengo de hablarte! (¡Cuántas ganas tengo . . .!)

8. El artículo se usa no sólo para referirse a partes del cuerpo, como ya se dijo, sino también para aludir a actos o funciones psico-físicas del cuerpo:

No pudo contener la respiración.

Bastaba fijarse en la mirada para comprender sus intenciones.

9. En modismos con **la** o **las,** el artículo definido representa un sustantivo femenino:

Hubo la de San Quintín. (la batalla)   *There was a rumpus.*

¡La de cosas que sabe! (la cantidad)   *How many things he knows!*

Está pasando las de Caín. (las penas)   *He is having a very difficult time.*

Tomó las de Villadiego. (las calzas)   *He beat it.*

NOTA: Construcción parecida es la que emplea el complemento directo **la (s)**:

> ¡Buena la ha hecho usted! *A fine mess you've made of it!*
> Se las da de sabio (las ínfulas). *He puts on the air of a learned man.*

10. Hoy día va haciéndose cada vez más común la combinación del verbo **haber** con un artículo definido, patrón sintáctico que rechazaban antes los puristas:

> En la cima del montículo hay los restos de un monumento que tiene jeroglíficos.
> Ésa es la amistad perfecta; claro está, también hay las formas imperfectas de amistad.

11. Los nombres de enfermedades, empleados como sujetos, llevan artículo:

> El cólico lo producen los alimentos indigestos.
> El cáncer ya no es incurable.

12. En frases hechas:

(a) Construcciones verbales

> No olvides dar las gracias (*to say thanks*).
> Nunca me da los buenos días. *He never says good morning to me.*
> No me gusta jugar a las cartas (*to play cards*).
> Sé que estás perdiendo el tiempo (*wasting time*).
> Las herramientas hay que tenerlas a la mano (*to have them at hand).*
> Se vinieron a las manos. *They came to blows.*

(b) Construcciones preposicionales

> Tuve que hacerlo a la fuerza (*against my will*).
> Siempre llega a la hora de comer (*at dinner time*).
> A la media hora (*After half an hour*) decidió marcharse.
> A los nueve años (*When he was nine*) ya componía versos.

(c) Construcciones nominales

> Yo prefiero el arte por el arte (*art for art's sake*).

III. OMISIÓN DEL ARTÍCULO DEFINIDO

1. Aunque la regla pide el artículo al hablarse de horas y días de la semana, se habrá de omitir el artículo en los siguientes casos:

(a) Cuando se expresa un hecho repetido mediante la expresión **de . . . a:**

> Se entrevistará a los solicitantes cada tarde de tres a cinco.
> De viernes a domingo se da licencia preferentemente a los oficiales.

(b) Cuando se establece una serie de días, en cuyo caso basta ponerlo delante del primer miembro de la serie:

El periódico trae el anuncio los lunes, miércoles y viernes.

2. El artículo se omite en exclamaciones que comienzan con un adjetivo:

¡Pobre diablo! No entiende la tesis fundamental del libro.
¡Desgraciado! ¡La cara de idiota que tiene!

3. En enumeraciones coordinadas, cuando los sustantivos se conciben como entes indeterminados:

Los alumnos fueron depositando en el patio libros, cuadernos y cartapacios.

4. Si una preposición y el sustantivo que le sigue forman un solo concepto, es decir, si la fuerza de la frase preposicional es marcadamente adjetival, se omite el artículo después de la preposición:

No hables con los pasajeros de tercera clase (*third-class passengers*).
Ésta es una lección de primer año (*first-year lesson*).
Las estadísticas de comercio (*Trade statistics*) se consiguen en el quinto piso.
El trabajo de laboratorio (*Laboratory work*) es a veces monótono.

Compárese la última oración con ésta:

El trabajo del laboratorio (*Work in the laboratory*) es fundamental.

5. Aunque lo común es que los días de la semana vayan precedidos de artículo definido, éste se omite en los siguientes casos:

(a) Después del verbo **ser:**

Hoy es sábado.

(b) Cuando los nombres de los días aparecen en una frase preposicional introducida por **de o en:**

Vino en traje de domingo a la plaza.
La fiesta cae en domingo.

6. Se omite el artículo definido en frases hechas:

(a) Construcciones verbales

Por fin pudo levantar cabeza (*get on his feet*).
Los jóvenes tienen derecho a protestar (*have the right to protest*).
¿Qué se trae usted entre manos? *What are you up to?*

(b) Construcciones preposicionales

Lo haremos a beneficio de los pobres (*for the benefit of the poor*).
Vive a expensas del fisco (*at the expense of the government*).
Vendrá a fines de mayo (*at the end of May*).

Estaban a merced de las olas (*at the mercy of the waves*).
Fue una lucha a muerte (*a fight to the death*).
Se botaban las embarcaciones a razón de dos por semana (*at the rate of two per week*).
Lo hizo a riesgo de parecer bobo (*at the risk of appearing to be a fool*).
Siempre llega a última hora (*at the last minute*).
No quiere estudiar de día (*in the daytime*).
Es un recipiente en forma de botella (*in the shape of a bottle*).
Lo hizo en plena calle (*in the middle of the street*).
El trabajo lo haremos por hora (*by the hour*).
Lo hacía por primera vez (*for the first time*).
Les hablo por última vez (*for the last time*).

IV. USO POTESTATIVO

1. Cuando una enumeración es una serie de sustantivos referidos a una persona, el artículo puede omitirse en todos los miembros después del primero:

La buena voluntad, inteligencia y honradez de Juan lo hacen el candidato ideal para conferenciar con los místeres.

2. El artículo definido puede anteponerse a un nombre de lengua inmediatamente después de **hablar,** cuando el uso es contrastivo o enfático:

Te equivocas cuando dices que habla (el) ruso; lo que habla es (el) polonés.

3. Refiriéndose a las disciplinas del saber se usa o se omite el artículo después de la preposición **en,** según el grado de especificidad que se desee:

En (la) sociología no hay leyes mecánicas.
En (la) ética se estudia todo lo relacionado con las nociones del bien y el mal.

4. Comúnmente se emplea el artículo definido con los nombres de las estaciones del año, pero hay vacilación cuando aparece la preposición **en:**

En (el) invierno mucha gente se enferma.

5. Con los nombres de parentesco se puede usar u omitir el artículo. La vacilación ocurre especialmente con los sustantivos **tío** y **tía:**

Se dirigió primero a papá y después a (la) tía Elvira.
¿Qué dice (la) mamá?

6. Hay algunos nombres geográficos que se usan con o sin artículo:

En (el) África se hablan muchas lenguas.

En (el) Asia hay viejísimas culturas.

En (la) China hubo famosas dinastías.

En (los) Estados Unidos mucha gente tiene que deletrear su apellido.

7. Hay también algunos modismos en que se puede usar u omitir el artículo:

No tengo (la) intención de hacerlo hoy.

Nos visitó con (el) objeto de presentárnoslo.

Vino con (el) deseo de agasajarla. *de bien accemllin*

Estaban a (la) disposición de todos.

EJERCICIOS

Añada usted el artículo definido donde sea necesario:

A

1. Si conseguimos la visa, pasaremos una semana en —el— Havre. **2.** Tú te bañas mientras yo preparo —la— cena. **3.** —La— justicia bien aplicada evita que el culpable eluda —la— pena. **4.** Allí va otra víctima de —/— parálisis infantil. **5.** —La— Garbo reinó en Hollywood durante la época de mayor esplendor del cine. **6.** La región de —la— Rioja es famosa por sus vinos. **7.** —El— acne es muy común en los años juveniles. **8.** Estuvo aquí —el— año pasado. **9.** No habla —el— alemán sino —el— francés. **10.** —La— fiebre del heno es muy común en verano. **11.** Cuando los vi por —/— última vez iban a Europa. **12.** No pierdas —el— tiempo jugando a —las— cartas. **13.** Si tiene el libro a —la— mano, préstemelo. **14.** Mientras traiga este negocio entre —/— manos, no quisiera emprender otro. **15.** El pianista debutó en Praga a —los— quince años. **16.** Todavía a —la— hora de comer no habían llegado los invitados. **17.** El hombre mató a su novia en —/— plena calle. **18.** Al verme sentada en el balcón, me dio —los— buenos días. **19.** ¡—/— pobre muchacho! ¿Quién le dará la mala noticia? **20.** Quedaron a —/— merced del vendaval.

B

1. En esta asignatura se tratan varios problemas de —l— Derecho Internacional. **2.** Llama a —la— Emilia, ¿quieres? **3.** ¡— pobre infeliz! Los médicos la han desahuciado. **4.** Todas las noches, de —/— 8:00 a —/— 10:00, paso un rato viendo la televisión. **5.** Todos reconocen la seriedad y —/— buena voluntad del postulante. **6.** De — lunes a — viernes Elena está

con reto familiar

muy ocupada para salir de noche.   7. Hollywood, —— centro de la industria cinematográfica, es ahora la reina de la televisión.   8. El embajador no habla —— francés sino —— alemán.   9. Estos problemas son muy comunes en —— lingüística.   10. En —— China ya no hay dinastías.   11. Se vinieron a —— manos por una diferencia de opinión.   12. Hace su trabajo por —— hora.   13. Si el paciente descansa una semana pronto levantará —— cabeza.   14. ¿Ha consultado usted —— Webster?   15. No tienen —— derecho a protestar.   16. A muchas mujeres no les gustan —— labores de —— cocina.   17. Volvió a —— media hora.   18. No le gusta trabajar de —— día.   19. Fue una lucha a —— muerte.   20. Lo hizo a —— razón de cuatro por hora.

D. Estilística y composición

Eufonía

Se ha dicho, y con razón, que la exactitud y la claridad de estilo son más importantes que la eufonía, esto es, el efecto acústico agradable producido por las palabras.   Así y con todo, se considera mal estilo aquel que repite con exceso los mismos sonidos.

Hay ocasiones en que es muy eficaz la repetición para reforzar una idea:
> Los sábados nos daban salida.   Esos días eran ansiados, esperados y soñados.
> La señora parloteaba, siempre igual, incansable, inagotable, intolerable.

A menos que tenga razones especiales para repetir sonidos, toda persona que aspire a expresarse con un mínimo de propiedad lingüística deberá cuidarse de no producir efectos ingratos al oído cuando se pueden evitar con facilidad.   Éstos pueden arrancar de las siguientes prácticas:

(a) Repetición de vocales:
> Entré en la tienda de Estévez y compré media docena de excelentes pasteles.

(b) Repetición de consonantes:
> Los rateros le robaron la ropa a don Roberto.
> Es claro que muchas obras clásicas resisten toda clasificación.

(c) Repetición de terminaciones iguales o parecidas:
> Un día vi que María salía de una joyería.
> El pescado salado nunca me ha gustado.
> Son contraproducentes sus palabras impertinentes y sus desplantes.

(d) Repetición de palabras:

> No teniendo nosotros café ni chocolate y, por tener predilección por estos productos, tenemos que importarlos de Hispanoamérica.

(e) Abuso de los esdrújulos:

> A mí me parecen ridículos el énfasis y la retórica de los románticos.

NOTA: En el lenguaje técnico es común y aceptable el empleo insistente de esdrújulos.

(f) Empleo de rimas asonantes (igualdad de dos vocales, una acentuada y otra inacentuada, al final de las palabras):

> — Mira, Alfredo, no puedo prestarte dinero porque debo más de lo que tengo.

EJERCICIOS

Haga usted los cambios que crea necesarios para evitar las repeticiones de sonido que a usted le parezcan inarmónicas o innecesarias:

A

1. Sé que hay una universidad de orientación liberal en que los alumnos han pedido mayor participación en la determinación de la política universitaria. **2.** Es irritante que la prensa comente un libro tan insignificante. **3.** El comité central tendrá que prestar atención a la petición contenida en nuestro memorial. **4.** Es una dama empingorotada, casquivana y muy pagada de sí misma. **5.** Los hijos de don Julián jugaban con sus juguetes en el jardín. **6.** Son célebres las obras clásicas del género drámatico. **7.** En verano nunca me levanto temprano. **8.** Se ha dedicado a hacer estudios sistemáticos de fonética y lingüística.

B

1. Este ceremonial me parece un poco impersonal y artificial. **2.** En realidad ése no es el papel de la universidad en la sociedad. **3.** Hemos llegado a un momento crítico de nuestro desarrollo político-económico. **4.** Siempre me ha molestado el desenfado y descaro de este muchacho. **5.** Era una señora extravagante, chocante y despampanante. **6.** Se oyen cada vez más claramente los clamores de las clases bajas. **7.** Estudio la lengua para hablarla, comprenderla y escribirla con más facilidad. **8.** Es evidente que es un hombre pedante pero inteligente.

Traducción

A

1. Many people suppose that English words are pronounced in one way — which is not true — and are written in many ways. **2.** I know that some family names may contain six or seven different vowel combinations but are pronounced the same way. **3.** Now I understand why so many people introduce themselves first and then spell out their family names. **4.** They may even show deference to a person by associating the letters in their family name with the initials of words he likes. **5.** These words could be the names of countries, products or vegetables. **6.** But confusion is not limited to names. Many other words are like hieroglyphs. **7.** Why? Because they have many letters that are not really necessary. They are used only to throw you off. **8.** One can now understand why those of us who are accustomed to the Spanish language feel greatly fatigued when we have to pronounce English r's and s's. **9.** The pronunciation of these sounds leaves in our faces a painful expression of awkwardness. **10.** Learning English is like undergoing an illness, judging by the sick look we have when we speak it. **11.** I always say to my friends with real sadness: "My pronunciation has not improved, and my spelling is getting worse and worse." **12.** The only consolation I have is to see that English people go through the same ordeal when they come to our countries.

B

1. Some time ago I published a book which in the Spanish edition is called *El caballero del Dorado*. **2.** In English translation it is entitled *The Knight of El Dorado*. **3.** The trouble is that knight and night are pronounced the same way. **4.** For this reason, when the title of my book is mentioned no one knows whether I wrote a nocturne or a book of chivalry. **5.** You can imagine how difficult it has been for me to learn English, accustomed as I am to Spanish pronunciation, which is so simple. **6.** It has been a painful experience which has kept me in a chronic state of fatigue. **7.** I know that when I pronounce English words I must look like an idiot. **8.** At times I have to explain confidentially to my colleagues that I am not really a fool. **9.** I can produce a few sounds but when I realize that each vowel can be pronounced in five or six different ways I almost faint. **10.** In order to get out of the difficulty I prefer not to open my mouth. I must then look like Charles V when he came to Spain without knowing a word of the Spanish language. **11.** It is said that he used to spend hours on end listening without being able to figure out a single verb. **12.** One day, a peasant from Aragon saw him in the square of his town and said to him: **13.** "Close your mouth, Your Majesty, because our flies are very impudent." **14.** The emperor was not an idiot, nor was he suffering from colic. He, like me, just didn't know the language. . . .

℗
Vocabulario mínimo

accustomed acostumbrado, -a
ago: some time — hace algún tiempo
Aragon Aragón; **a peasant from —** un baturro
awkwardness la torpeza
chivalry: book of — libro de caballería
chronic crónico, -a
colic el cólico
colleague el colega
confidentially en forma confidencial
consolation el consuelo
deference la deferencia
emperor el emperador
to **entitle: is entitled** se titula, se dice
even hasta
experience la experencia
to **(almost) faint** desfallecer
fatigue la fatiga
fatigued: to feel greatly — sentir una gran fatiga
few: a — unos cuantos
to **figure out** desatar, descifrar
fly la mosca
fool el bobo
to **get: — out of the difficulty** salir del paso
is getting worse and worse es cada vez peor
to **go: — through the same ordeal** pasar los mismos trabajos
hieroglyph el jeroglífico
how: — difficult lo difícil
to **imagine** imaginarse
to **improve** mejorar
impudent insolente
initial la inicial

to **introduce oneself** presentarse
to **judge: judging by** a juzgar por
to **keep: it has kept me** me ha tenido
learning aprender, el aprender
to **leave** dejar
letter la letra
to **like** gustar; **that he likes** de su predilección
to **limit** limitarse; **confusion is not limited (to)** la confusión no queda limitada (a)
to **listen** escuchar
look la cara; **the sick — we have** la cara de enfermos que ponemos
to **look: — like** parecerse a; **— like an idiot** poner (tener) cara de idiota
to **mention** mencionar
must deber (de)
name el nombre; **family —** el apellido
nocturne el nocturno
ordeal los trabajos
painful doloroso, -a
people: many — muchos; **so many —** tanta gente; **English —** los ingleses, los "místeres"
to **produce** producir, articular
real verdadero, -a
to **realize** darse cuenta (de)
reason: for this — por esto
sadness la tristeza
simple simple, sencillo, -a
single: a — verb un solo verbo
sound el sonido
to **spell (out)** deletrear
spelling la ortografía

to **spend** pasar; — **hours on end** pasar las
horas
those: — **of us who** los que
to **throw:** — **someone off** despistar
title el título
trouble: the — **is** lo malo es
to **undergo** sufrir

vegetables las hortalizas
way: in many —**s** de muchas (mil)
maneras; **in one** — de un modo; **the
same** — del mismo modo
whether si
which lo cual; — **is not true** cosa que
no es exacta

℞

Composición libre

A

1. ¿Por qué es difícil hablar bien una lengua extranjera?
2. Tesis: Cuando se avanza en el estudio y conocimiento de una lengua extranjera se pierde algo del dominio de la propia.

B

1. Tropiezos que halla el hispanoparlante al estudiar el inglés.
2. Tesis: En realidad nunca se aprende bien — realmente bien — una lengua extranjera.

❧ 2 ❧

Norte y sur

ALBERTO ZUM FELDE

Nos hemos referido al "utilitarismo" de los Estados Unidos, en el plano de su cultura; y *conviene* aclarar — porque *los buenos entendedores son los menos* — que no lo hacemos en la vulgar acepción del término, equivalente a simple materialismo mercantil, sino en su sentido filosófico más noble, que lo tiene; y consiste, como sabemos, en encarar toda 5 actividad humana desde el punto de mira de su utilización práctica, pero no sólo material sino también moral, y quizás moral principalmente y *en definitiva*, pues que tal sentido está ligado históricamente al espíritu del protestantismo que, *en su fondo*, es esencialmente moral, y en los Estados Unidos tiene especial tradición puritana. Así, por 10 ejemplo, vemos cómo la enseñanza de la filosofía, en sus libros y en sus aulas, tiende a asumir carácter eminentemente pragmático, es decir, que *se resuelve en* normas de ética.

Algo de este sentido pragmático, utilitario en su acepción superior, *no vendría mal adquirirlo* a los latinoamericanos, aunque el principio 15 de utilidad, esencialmente moral, que es el de ellos, y el principio de espiritualidad, esencialmente estético, que es el nuestro, *no lleguen a poder confundirse jamás*. Pero nuestro destino es buscarnos; porque en el hombre, los contrarios no se excluyen, se complementan, *en procura final del* tipo paradigmático. 20

Cada simiente histórica ha dado su árbol distinto. La colonización protestante del norte y la colonización católica del sur, definen nuestras virtudes y nuestros defectos. Pero *nadie puede ser como el otro, dejando de ser lo que él es*. Una inyección de energética yanqui, unas gotas de su optimismo pragmático — ¡pero nada más que unas gotas . . .! — 25 contrarrestarían un poco, lo suficiente, el mal de nuestra inacción; un poco de nuestro "pathos" sudamericano, daría sabor más profundo al vaso de su optimismo, demasiado simplista, quizás (al menos, para nuestro gusto). Sí, un poco — ¡pero nada más que un poco! — de nuestra sensibilidad latinoamericana, infundiría cierto estremecimiento espiritual que falta a su objetividad harto primaria.

Waldo Frank asegura que *lo que falta a sus conterráneos* es religión. ¿Religión? En verdad, su pueblo es mucho más religioso que el nuestro. Nosotros creemos que lo que les falta a los yanquis es sensibilidad, imaginación. El pueblo norteamericano *se nos aparece como* el menos estético de la tierra; una inyección del virus poético que nos apesta, a nosotros los sudamericanos, ¡cuán conveniente les sería!

Hasta el momento de anotar estas observaciones, no ha habido, todavía, en realidad, ese intercambio de influencias, ese comercio de cualidades. Nuestras relaciones de cultura con los Estados Unidos han sido unilaterales. La América del Sur está siendo influenciada fuertemente por la América del Norte, *en todo cuanto respecta a* los órdenes de la vida práctica, aunque en modo casi puramente postizo, es decir, que se han tomado las formas ya dadas, los resultados, pero no se han asimilado las virtudes creadoras de esas formas, las disciplinas que producen esos resultados. Por lo cual *volvemos a lo mismo:* a que esa yanquización externa no es un producto de nuestra propia capacidad de hacer, imprimiendo a las formas la expresión de la personalidad. Y el género de influencia saludable a que nos referíamos, no consiste en ese trasplante y esa imitación, que sólo nos extranjeriza más aún en las apariencias, sin agregar ninguna cualidad activa a nuestra vida intrínseca; consiste, por el contrario, en aquella disciplina de educación que nos permita adquirir las *facultades* de orden práctico *de que care-cemos*, capacitándonos para elaborar, independientemente, nuestro propio progreso positivo.

En cambio, es evidente que los yanquis no han tomado hasta hoy influjo alguno de nosotros. Son demasiado orgullosos de sí mismos, y *están demasiado en lo suyo*, para creer que podamos darles algo más que nuestros productos extractivos; su poderío económico y su progreso técnico *les impiden ver* en nosotros, todavía tan atrasados en ese plano, *otra cosa que* mercados para sus productos y campo propicio para sus empresas. *En el mejor de los casos*, nos ven como países integrantes de la unidad internacional panamericana, en la cual los Estados Unidos, por la gravitación inevitable de su potencialidad, ejercen la hegemonía.

Forzoso es, empero, *reconocer* que el género de cualidades que los americanos del Norte tendrían que adquirir de los del Sur es de mucha más difícil asimilación que las contrarias, las que nosotros, los del Sur, tenemos que tomar de los del Norte; porque su índole es mucho más sutil, más de la intuición, más del espíritu, tendría que operar en 5 plano más profundo de la conciencia (y aun de la subconciencia); y *por tanto*, requeriría el factor dramático de alguna crisis de su vida, que suscitara en ellos la ansiedad de esa otra cosa nuestra, así como nosotros *sentimos* dramáticamente *la necesidad de lo suyo*.

En definitiva, creemos que esa cualidad de lo espiritual, esa sen- 10 sibilidad estética, ese "pathos" nuestro, no podría ser adquirido — como nosotros podemos, sí, adquirir lo práctico, por esfuerzo y disciplina de la voluntad — pues no pertenece al reino de la pedagogía. *A lo sumo* podría ser despertada, estimulada; nuestras influencias, u otras influencias, las europeas mismas, latinas, por ejemplo, podrían 15 obrar como fermentos sobre su propia personalidad, pues tales esencias tienen que estar ya en la naturaleza de los individuos y de los pueblos; pues si no están, si fueran sólo efecto superficial de sugestión, *carecerían de todo valor* y toda autenticidad.

Por ahora, es muy claro que ellos no sienten la necesidad de otra cosa, 20 tal como la nuestra, y que su interés intelectual por la América Latina no trasciende el plano práctico de una intensificación de la política panamericanista.

Ellos, para nosotros, maestros de energía; nosotros, para ellos, maestros de sensibilidad. ¡Cómo nos completaríamos, *aunque no* 25 *llegáramos a completarnos* nunca! Porque los contrarios no se funden, pero se buscan siempre, se influencian recíprocamente, *y en algo se equilibran*. Siempre la cualidad intrínseca que les define predominará en la cultura de cada tipo. El Norte será siempre más pragmático y más potente que nosotros; nosotros seremos siempre más imaginativos 30 y más intelectuales que ellos. Y de que así sea, alegrémonos, sin vanidad; porque si aquello del Norte es muy necesario — y debemos esforzarnos en adquirirlo, hasta cierto punto — esto, nuestro, *nos es más caro aún*, y *no renunciaríamos a ello* ni por todo el poderío de Manhattan. 35

(Alberto Zum Felde, *El problema de la cultura americana* — extractos, Buenos Aires, Losada, 1943, págs. 114-118.)

PREGUNTAS

A

1. ¿Cuál es la acepción vulgar del término "utilitarismo"? 2. ¿Por qué conviene aclarar el significado de la palabra "utilitarismo"? 3. ¿A qué está ligado el utilitarismo, según el autor? 4. Cuando la filosofía es de carácter práctico, ¿en qué se convierte? 5. ¿Qué rasgos destaca el autor para contrastar el Norte y el Sur? 6. ¿Cuál es el destino de los pueblos de América, según el autor? 7. ¿Qué recomienda el autor en pequeñas gotas? 8. ¿Qué opinión tiene el autor del optimismo norteamericano? 9. ¿Qué afirma el autor acerca del espíritu religioso de los norteamericanos? 10. ¿En qué forma influyen los Estados Unidos en Hispanoamérica? 11. ¿Por qué no está satisfecho el autor con este tipo de influencia norteamericana? 12. ¿Por qué no han recibido los Estados Unidos ningún influjo de los países del sur? 13. ¿Qué ven los norteamericanos en los países hispanoamericanos? 14. ¿Cree usted que una gran crisis en la vida de este país cambiaría el carácter de los hombres?

B

1. ¿Puede tener el utilitarismo un sentido moral? 2. ¿Le parece a usted que el pueblo norteamericano es religioso? ¿Pruebas? 3. ¿A qué se refiere el autor cuando habla de la yanquización externa de Hispanoamérica? 4. ¿En qué campos están todavía atrasados los países hispanoamericanos? 5. ¿Por qué sería difícil adquirir las cualidades hispanoamericanas de que habla el autor? 6. ¿Qué entiende usted por "lo espiritual"? 7. ¿Está usted de acuerdo con el autor cuando afirma que ciertas cualidades son más fáciles de adquirir que otras? 8. ¿Tienen preocupaciones espirituales los norteamericanos? 9. El autor ha mencionado una posible "crisis" en la vida de un país. ¿A qué se refiere? 10. ¿Cree usted que el autor comprende la dificultad del intercambio de cualidades que propone? 11. ¿Tienen o no influencia en las relaciones panamericanas las diferencias de carácter que señala el autor? 12. ¿Por qué dice el autor que las relaciones culturales entre Hispanoamérica y los Estados Unidos han sido unilaterales? 13. ¿Favorece la vida actual la adquisición de esas cualidades de que nos habla el autor? 14. ¿Cuál fue la intención del autor al escribir este ensayo?

A. Modismos

conviene — es conveniente

los buenos entendedores son los menos — los que comprenden siempre están en la minoría

en definitiva — en último análisis

en su fondo — en su realidad interna

se resuelve en — se convierte en

Algo de — Parte de, Un poco do

no vendría mal adquirirlo — sería muy conveniente adquirirlo

no lleguen a poder confundirse jamás — no logren nunca mezclarse

en procura (final) de [Argentinismo] — en busca de

nadie puede ser como el otro — nadie puede ser igual a otra persona

dejando de ser lo que es — renunciando a su propia personalidad

lo que falta a sus conterráneos — lo que no tienen sus conterráneos

se nos aparece como — aparece ante nuestros ojos como

en todo cuanto respecta a — en todo lo referente a

volvemos a lo mismo — volvemos al mismo problema

facultades . . . de que carecemos — facultades . . . que no tenemos

En cambio — Por otra parte

están demasiado en lo suyo — están demasiado preocupados con lo propio

les impiden ver . . . otra cosa que — no les dejan ver nada que no sean

En el mejor de los casos — Cuando más; A lo sumo

Forzoso es . . . reconocer — Tenemos que . . . reconocer

por tanto — por esta razón

sentimos la necesidad de lo suyo — sentimos la necesidad de aquello que más les caracteriza

A lo sumo — Cuando más; En el mejor de los casos

carecerían de todo valor — no tendrían ningún valor

Por ahora — Por el momento

es muy claro que — es evidente que

aunque no llegáramos a completarnos — aunque no lográramos completarnos

y en algo se equilibran — y en alguna forma se equilibran

nos es más caro aún — lo apreciamos aún más

no renunciaríamos a ello — no lo cambiaríamos por otra cosa

EJERCICIOS

Exprese usted las ideas contenidas en las palabras en cursiva empleando modismos tomados de la presente lección.

A

(son los menos)

1. Los ricos de toda sociedad *están en la minoría.* **2.** Ya nos habían dicho *(En definitiva)* *(algo de esto)* parte de esto. **3.** *En último análisis,* su interés no trasciende el plano *(No vendría mal)* práctico. **4.** *Sería muy conveniente* decírselo. *(dejar de ser)* **5.** Nadie *puede renunciar* *(lo que es)* *(de que carece usted)* a su *propia personalidad.* **6.** Ésas son cualidades *que usted no tiene.* **7.** Después de mucho discutir siempre *volvemos al mismo problema.* *(Volvemos a lo mismo)* **8.** *Es* *(Es muy)* *(claro que)* *evidente que* no pertenece al reino de la pedagogía. **9.** Esto es *lo que no* *(lo que falta a)* tienen sus conterráneos. **10.** *Por el momento* sirvámonos de su optimismo práctico. *(Por ahora)*

B

1. *En todo lo referente al* OTAN [NATO] no, tengo opiniones. **2.** Precisamente, por ser nuestro *lo apreciamos aún más.* *(no es más caro aun)* **3.** *Tenemos que* reconocer *(forzoso es)* que ésa es la verdadera situación. **4.** *Usted está demasiado preocupado con lo propio* para poder entenderme. **5.** Eso es lo que prefiero y *nunca lo cambiaría por otra cosa.* *(En el mejor de los casos)* **6.** *Cuando más* sería una cordialidad vacía. **7.** Todos los hombres van *en busca de la felicidad.* **8.** Estos prejuicios *no les dejan ver la realidad.* **9.** El problema *se convierte* en una cuestión de palabras. **10.** Dudo que *logren* comprenderme.

B. Vocabulario

A

I. MASCULINOS Y FEMENINOS. *Estudie usted las siguientes palabras:*

el bando facción o partido
la banda conjunto musical

el cura sacerdote
la cura curación

el derecho facultad de hacer algo
la derecha lo contrario de la izquierda

el doblez pliegue
la doblez la hipocresía

el fondo la parte más baja
la fonda hostería

el frente la parte delantera de un edificio
la frente la parte delantera del cráneo

el fruto lo que contiene la semilla de un vegetal
la fruta el fruto comestible

el guardia miembro de la guardia
la guardia conjunto o cuerpo de guardias

el guía individuo que muestra el camino
la guía libro que contiene ciertos datos (señas, números de teléfono, etc.)

el lomo el dorso
la loma altura pequeña y prolongada

el mango asidero de un utensilio
la manga parte del vestido que cubre el brazo

el **modo** forma o manera
la **moda** uso pasajero de ciertas ropas
el **orden** disposición metódica de las cosas
la **orden** mandato
el **parte** comunicación breve de carácter oficial
la **parte** porción de algo
el **pendiente** adorno de la oreja
la **pendiente** el declive
el **policía** individuo que resguarda el orden público
la **policía** cuerpo de policías

el **punto** señal diminuta y circular
la **punta** extremo agudo de algo
el **resto** lo que queda, lo restante
la **resta** sustracción, operación aritmética
el **río** corriente de agua que va al mar
la **ría** estuario
el **suelo** superficie de la tierra
la **suela** parte del calzado que toca la tierra

Diga usted qué palabras de la sección anterior podrían emplearse para expresar las siguientes ideas. En cada caso emplee usted un artículo.

1. un mandato   **2.** el dorso   **3.** el que resguarda el orden público   **4.** la parte del calzado que toca el suelo   **5.** el declive   **6.** el producto o parte comestible de un árbol   **7.** el libro que contiene los números de teléfono   **8.** la hipocresía   **9.** facultad para hacer algo   **10.** asidero de un utensilio   **11.** lo que queda o sobra   **12.** adorno de la oreja   **13.** comunicación breve de carácter oficial   **14.** el extremo de un lápiz   **15.** estuario

II. *Emplee usted el verbo* **Es** *con un adjetivo de la columna de la derecha para calificar lo dicho en la columna de la izquierda.*

Ejemplo: Este señor cree que todo lo útil es bueno.
   Es pragmático.

1. Esa teoría se basa en la idea de que todo es fácil de explicar.

2. Se trata de un interés que no es mutuo.

3. Ese muchacho es conocido por su vanidad y autoestimación.

4. La muerte no se puede evitar.

5. Su influencia ha surtido muy buenos efectos.

6. Tal yanquización afecta sólo las modas, la lengua y los usos, pero no la vida interior.

7. Esa muchacha se sirve de su imaginación para todo.

8. Este pasaje es sumamente artístico y me recuerda un poema de Rubén Darío.

9. Su país es grande y poderoso.

10. La diferencia es muy pequeña y casi imperceptible.

a. imaginativo,-a,-os,-as
b. externo,-a,-os,-as
c. panamericano,-a,-os,-as
d. poético,-a,-os,-as
e. saludable,-s
f. potente,-s
g. sutil,-es
h. histórico,-a,-os,-as
i. simplista,-s
j. intrínseco,-a,-os,-as
k. inevitable,-s
l. unilateral,-es
m. dramático,-a,-os,-as
n. orgulloso,-a,-os,-as

B

Diferencias de significado

1. Vulgar — grosero — indecente.

Vulgar, por su relación con "vulgo," alude a lo común y general en las clases bajas:

> Las mujeres ahí reunidas eran más vulgares (*common*) que los hombres.
> Una vulgar (*cheap*) aventurera.
> No estamos empleando el término en su acepción vulgar (*the ordinary sense of the word*).

Por la misma razón, puede significar "trivial, de segunda categoría":

> Poco había que ver en la feria pues todo era bastante vulgar.

Vulgar no se emplea, como en inglés, para referirse a las malas maneras de una persona; en español se usa **grosero:**

> ¡Qué tío más grosero! *What a vulgar man!*

Indecente es todo lo que ofende la modestia o el decoro de los demás:

> lenguaje indecente (*vulgar language*).

2. Asumir — presumir — presuponer.

Asumir significa "tomar para sí":

> La enseñanza de la filosofía tiende a asumir (*to take on*) un carácter eminentemente pragmático.
> No puedo asumir esa responsabilidad.
> Ayer asumió el mando. *Yesterday he was inaugurated.*

Asumir no significa nunca "conjeturar"; esta última idea la expresan los verbos **presumir** y **conjeturar:**

> Hay que presumir que todos perecieron.

Obsérvese que el verbo inglés *to assume* puede significar tanto **asumir** como **presumir.**

Presumir significa

(a) Ser vano y jactancioso:

> ¡Cómo presume esa mujer!

(b) Seguido de la preposición **de,** es igual a "tener alto concepto de sí":

> Presume de sabio. *He puts on the air of a learned man.*

Presuponer tiene sentido más riguroso, pues implica dar algo por sentado o cierto, antes de tratar otra cosa. Establece, pues, una relación entre lo que se presupone y otra idea implícita o expresa. Tal relación no está sobreentendida en **presumir:**

> Si presuponemos que la vida es sólo angustia entonces no vale la pena vivirla.

3. Resolver — resolverse.

Resolver significa

(a) Dar solución a algo:

> Esto no resuelve nada.

(b) Tomar una decisión:

> He resuelto marcharme [Estoy resuelto a marcharme].

Resolverse significa

(a) Seguido de **a** es igual a "decidirse":

> No me resuelvo (*I can't make up my mind*) a presentar mi renuncia.

(b) Seguido de la preposición **en,** significa "convertirse":

> La filosofía se resuelve en normas de ética.

4. Influir — influenciar; influjo — influencia.

El verbo **influir** es intransitivo y significa "ejercer influencia o fuerza moral":

> ¿Quién puede negar que las consideraciones espirituales influyeron mucho (*had a great deal of influence*) en el ánimo del autor?

Influenciar, verbo transitivo, es un neologismo que condenan los puristas a pesar de ser ya bastante común:

> La América del Sur está siendo influenciada fuertemente por la América del Norte.

Se usa también como verbo recíproco:

> Los contrarios se influencian recíprocamente.

Influencia es de uso más general:

> Es un hombre de mucha influencia en la sociedad.

Influjo es palabra más literaria y poética y, por ello, se reserva generalmente para referirse a influencias más sutiles, de índole espiritual:

> Todo cambiaba bajo el influjo de su alma celeste.

5. Conciencia.

La palabra **conciencia** puede usarse en cuatro sentidos:

(a) Espejo moral de nuestros actos:
> Me remuerde la conciencia. *My conscience bothers me.*
> Decídase usted a hacerlo en conciencia (*in all conscience*).

(b) Capacidad de percepción sensorial:
> Con el uso excesivo de estupefacientes pierde el hombre el uso de su conciencia (*consciousness, awareness*).

(c) Escrupulosidad y sentido del deber:
> Estas cosas hay que hacerlas a conciencia (*conscientiously*).

(d) En lenguaje filosófico se entiende por **conciencia** el espíritu del hombre en su capacidad de autoconocimiento:
> Tales transformaciones tendrán que darse en el plano más profundo de la conciencia (*deepest level of man's mind*).

En las acepciones (a), (b) y (c) **conciencia** significa *conscience, consciousness* y *conscientiousness* respectivamente.

6. Espiritual.

Referido a personas, **espiritual** alude a la elevación, finura y exquisitez que pueden caracterizar la vida interior de una persona:
> La poetisa es una mujer muy espiritual (*a sensitive, soulful woman*).

La palabra **espiritual** no se aplica preferentemente, como en inglés, a los valores religiosos. Lo espiritual, en español, es el reino de lo no material o inmediato e incluye, entre otros, los valores intelectuales, morales, estéticos y religiosos.

7. Material — materialmente.

Material alude a todo lo relacionado con el mundo físico:
> Las cosas que nos rodean constituyen la realidad material (*physical reality*).

En lenguaje conceptual es lo contrario de "ideal" o "espiritual":
> Toda sociedad es conflicto de intereses materiales (*materialistic interests*) y coincidencia de intereses ideales.

Materialmente equivale a *literally:*

Trató de apoderarse del brazo desnudo que la señá Frasquita le estaba refregando materialmente por los ojos.

8. Intelectual.

(a) Todo lo relativo a la inteligencia:

El trabajo intelectual es agotador.

(b) Índole del rumbo mental que reduce lo concreto y específico a materia teórica. En este sentido es igual a "intelectualista":

Nos hemos reunido para decidir cómo se habrá de construir el nuevo camino y no para perdernos en cuestiones puramente intelectuales *(purely theoretical questions).*

El **intelectual,** sustantivo, no es, en español, sólo el que hace uso de la inteligencia sino también aquel que se acerca al mundo de las cosas por vía conceptual:

Los hispanoamericanos son de suyo intelectuales.

Empleado en plural, el sustantivo **intelectual** se contrapone a clase trabajadora o proletariado:

Los marxistas han intentado armonizar el mundo de los trabajadores con el de los intelectuales *(intelligentsia).*

EJERCICIOS

Emplee usted una de las palabras o frases discutidas en la sección anterior para expresar la idea contenida en las palabras en cursiva:

1. Ese hombre no piensa en nada noble o selecto. Todo lo que dice es *común y trivial.* **2.** Hay gentes *sin sentido de la corrección y de la moral.* **3.** No debemos *conjeturar* que ha muerto. **4.** Ese individuo es *muy mal educado.* **5.** ¿*Ha tenido alguna influencia* su campaña política en la opinión pública? **6.** Está interesado en la vida *intelectual, moral y artística* de esa nación. **7.** A esas chicas les gusta *hacer creer a los demás* que son *personas extraordinarias.* **8.** Hay que sacar provecho del mundo *de las cosas.* **9.** Esta explicación *da por sentado* que el público no sabe juzgar. **10.** Francamente no puedo *echarme encima* esa responsabilidad. **11.** Este muchacho nunca *se decide a* hacer nada. **12.** Silva fue *influido* por Poe. **13.** La disputa *se ha convertido en* una simple cuestión de gustos. **14.** Él se fija más en el aspecto *teórico* de la cuestión. **15.** Es un chico muy *vano y jactancioso.*

C. Gramática

Ser y Estar

I. SER

1. Seguido de adjetivo, **ser** denota que el que habla considera la cualidad expresada por el adjetivo como normal o duradera, esto es, como cualidad que puede asociarse naturalmente con el sustantivo y que no sufre cambios o alteraciones. Esa cualidad refleja la idea (favorable o desfavorable) que tiene el que habla de la cosa o persona a que se refiere:

> Nuestras relaciones han sido amistosas – poco cordiales; superficiales – sinceras; mutuamente satisfactorias – unilaterales.

> El Norte será siempre pragmático – optimista; orgulloso – espontáneo; esencialmente utilitario – generoso.

> El profesor puede ser apuesto – desaliñado; esbelto – regordete; elegante – cursi; barbilampiño – bigotudo; de alta posición – del montón.

Con los adjetivos determinativos (posesivos, indefinidos, numerales, demostrativos, etc.) se usa siempre **ser:**

> Los buenos entendedores son pocos.
> Su auxilio fue ninguno [nulo].
> Nuestro deseo es otro.
> Sus hijos son cinco.

2. Se usa **ser** cuando el predicado es un sustantivo, pues éste sugiere todo un conjunto de atributos que se combinan para formar el concepto normal que se tiene de una persona o cosa:

> Esas influencias son simples trasplantes.
> Su plan de vida será un fracaso.
> Esa imitación servil resultó ser una catástrofe.

3. **Ser** sirve de signo de equivalencia entre dos palabras o frases de la misma categoría gramatical:

> *Dos pronombres:* Yo no soy usted.
> *Dos infinitivos:* No ayudarlos ahora sería traicionarlos.
> *Dos adverbios de lugar:* Aquí es donde se ha de reunir el Concejo.
> *Dos adverbios de tiempo:* Ayer fue cuando prometimos pagar.

La equivalencia también puede darse entre un sustantivo y un infinitivo (**Nuestro destino es buscarnos**), entre una frase y un sustantivo (**Lo que les falta es sensibilidad**) o entre un sustantivo y un pronombre (**El intolerante es usted.**)

4. Ser se emplea en frases con **de** para denotar materia, posesión u origen:

> La urna es de alabastro.
> Esa bufanda es de Chela.
> Nuestro jefe es de Wisconsin.

5. Ser puede tener también ciertos significados propios:

> Pienso, luego soy (= existo).
> ¿Dónde será (= tendrá lugar) la fiesta?
> Nadie sabe cuándo fue (= sucedió) eso.
> Aquí es (= Éste es el lugar).

NOTA: El verbo **ser** como elemento componente de la voz pasiva se estudia en la lección 11.

II. ESTAR

1. Estar también puede ser nexo o enlace entre el sujeto y un adjetivo. La selección de **ser** o **estar** como verbo-nexo hace tropezar al angloparlante, pues su lengua natal posee una sola equivalencia, *to be*, mientras que el castellano tiene dos verbos, y éstos no son intercambiables. **Estar** se usa en relación con adjetivos para expresar una característica nueva o inesperada, esto es, una modificación del concepto original que se tenía de una persona o cosa. Por lo común, se da a entender una comparación con algo subentendido o mencionado antes. Obsérvese la diferencia en el uso de **ser** y **estar** en los siguientes ejemplos:

> Por lo común es muy sosegado y apacible, pero hoy está insoportable.
> El niño es feliz. Hoy está más feliz que nunca.
> El que antes era fuerte y musculoso hoy está enfermo y abatido.
> El viento de las Malvinas es huracanado. El viento (todo ese día) había estado huracanado.
> El clima de esta zona es frío, pero el invierno este año ha estado templado.

Hay ciertos adjetivos que se emplean en español sólo para indicar una condición cambiable, esto es, que puede alterarse de un momento a otro; por lo tanto, no se pueden usar nunca con el verbo **ser** para aludir a un estado:

> Él está contento. (*Imposible:* Él es contento.)
> La fruta está madura. (*Imposible:* La fruta es madura.)
> Este cristal está intacto. (*Imposible:* Este cristal es intacto.)

Caso parecido es el de los adjetivos que son participios de verbos perfectivos. Éstos se emplean preferentemente con **estar** porque aluden a un estado que puede prolongarse o no; el cambio se ha producido ya, o se anticipa como fenómeno posible.

> Él está agobiado de trabajo. Él está muy afligido.

Por otra parte, hay también adjetivos que se usan con **ser** y **estar.** Empleados con **ser,** señalan una característica, apuntando a una idea de persona. Por lo tanto, si se siente la presencia de los sustantivos hombre, mujer o persona se emplea ser. En este caso el inglés a menudo emplea el sustantivo *man,* o su equivalente, dando así al predicado un carácter sustantival. Empleados con **estar,** aluden al resultado de un cambio:

> Es aburrido. *He is tiresome. He is a tiresome individual.* Está aburrido. *He is bored.*
> Es alegre. *He is a man of happy disposition.* Está alegre. *He is gay. He has had more than he should.*
> Es cansado. *He is a bore* (*a boring fellow*). Está cansado. *He is tired.*
> Es limpio. *He is tidy* (*a man of tidy habits*). Está limpio. *It is clean.*
> Es listo. *He is clever* (*a clever person*). Está listo. *He is ready.*
> Es loco. *He is rambunctious* (*a playful fellow*). Está loco. *He is mad.*
> Es rico. *He is rich* (*a rich man*). Está rico. *He has become rich.*
> Es soltero. *He is single* (*a single man*). Está soltero. *He is unmarried.*

2. **Estar** se emplea para significar la situación o posición del sujeto, sea real o figurada:

> Su yerno está en el cuerpo diplomático.
> Los valores de la bolsa están hoy por las nubes.
> Tales esencias tienen que estar ya (*must be inherently present*) en la naturaleza de los individuos.

3. **Estar** se emplea para expresar sensaciones, o sea, reacciones personales ante un estímulo externo. En estos casos, el inglés emplea, por lo común, un verbo diferente:

> ¡Qué hermosa está! *How beautiful she looks!*
> Esta sopa está muy buena. *This soup tastes very good.*
> ¡Qué frío está el cristal! *How cold the windowpane feels!*

Por lo dicho se comprenderá fácilmente por qué **estar** se combina con un adjetivo para expresar una cualidad visible que contrasta con el concepto normal que se tiene de una persona o cosa:

Juan es hablador. Pero ¡qúe hablador estás, muchacho!
María es elegante. ¡Qué elegante estás!
Son muy saladas. ¡Están muy saladas!

4. Estar tiene significado propio en oraciones elípticas:

Si no está don Alberto (si no está presente don Alberto) dejaremos nuestro asunto para otro día.
Usted no puede entrar, pues el señor no está (no está en casa).
Pregúntele si ya está la comida (si ya está lista la comida).
Bueno, señores, ¿estamos o no estamos (de acuerdo)?
Aquí no hay problema: dejamos la comida a fuego lento y ¡ya está (todo arreglado)! (. . . *that's all there is to it!*)

5. Hay casos en que se usa **estar** con un sustantivo en ciertos contextos especiales. Tal combinación es, en realidad, poco frecuente y se emplea para expresar ironía o burla:

¡Buen pájaro estás tú! *A fine one you are!*
¡No estás tú mala pieza! *You're a good one!*
¡Gran pillo estás, dando con una mano y quitando con la otra!
¡Buen socialista estás, declarándote a una capitalista!

NOTA: **Estar** como componente de los tiempos progresivos se estudia en la lección 15.

EN RESUMEN: aunque históricamente el verbo **ser** es el nexo por excelencia en español, con el pasar de los siglos ha ido cediendo terreno a **estar,** a medida que se van formando combinaciones nuevas de **estar** + *adj.* Este rasgo es uno de los más sutiles que posee la lengua castellana, porque, si al verbo-nexo en sí le falta colorido, en la oposición de **ser** y **estar** el buen escritor halla un recurso estilístico para sugerir con gran sobriedad muy finos matices de sensibilidad.

Recuérdese, pues, que un adjetivo combinado con **estar** refleja una actitud subjetiva que estriba, en último análisis, en el gusto, el humor y el juicio personal del que habla. En cambio, un adjetivo ligado al sujeto por medio de **ser** expresa o bien el parecer general o una opinión aceptada por el que habla como bien fundada o invariable. El contexto es absolutamente esencial para justificar o entender el uso de **ser** o **estar** + *adj.* Si sólo decimos "era gordo, estuvo flaco, es obeso," podría parecer un contrasentido, pero en un contexto adecuado resultaría perfectamente lógico decir:

> En sus años juveniles, don José María era gordo y enérgico, pero, pasados algunos años, enfermó gravemente y, por algún tiempo, estuvo flaco y desanimado. Ahora, casado y próspero, lo veo a menudo: es obeso y complaciente.

III. SUSTITUCIONES

Es un error pensar que el verbo *to be* ha de expresarse siempre en español por medio de **ser** o **estar**. Hay muchísimos casos en que es mejor recurrir a otros verbos, ya para evitar la repetición de los mismos nexos o para expresar alguna idea sugerida por el contexto.

Entre otras posibles sustituciones están los siguientes verbos: **andar, encontrarse, hallarse, ir(se), llevar, mantenerse, mostrarse, parecer, permanecer, presentarse, quedar(se), resultar, seguir, venir, verse, vivir,** etc.

(MOVIMIENTO)	Anda un poco disgustado. *He is somewhat displeased.* Iba acompañada de su madre. *She was accompanied by her mother.* Llegamos totalmente rendidas. *We were absolutely exhausted.* Venía muy contento. *He was very happy.*
(COLOCACIÓN)	Se hallaban (*They were*) en un lugar medroso. Se encontraban (*They were*) al pie de la montaña.
(APARIENCIA)	Esto se presenta algo difícil. *This is somewhat difficult.* Se muestran muy atemorizados. *They are very frightened.*
(INMOVILIDAD)	Se quedó pasmada. *She was thunderstruck.*
(RESULTADO)	Todas las medidas resultaron ineficaces. *All the provisions made were ineffective.*
(CONTINUIDAD)	¿Cómo sigue su madre? *How is your mother?* Ante el peligro se mantiene (permanece) imperturbable. *In the face of danger he is very calm.*
(AUTOVISIÓN)	Por fin me vi libre de compromisos. *At last I was free of social obligations.*
(EXISTENCIA)	Vive muy pendiente de cuanto ocurre. *He is very much aware of everything that is going on.*
(PERMANENCIA)	¿Cuánto tiempo lleva usted aquí? *How long have you been here?*

EJERCICIOS

A

I. *Llene los espacios en blanco con la forma de* **ser** *o* **estar** *que requiere el contexto.*

1. Desde que obtuvo el ascenso Pablo *está* imposible. **2.** ¡Muchacha! ¡Con ese vestido escotado *estás* guapísima! **3.** La boda *fue* en Lima, en el año 1871. **4.** Lo adora tanto que *está* ciega y no ve sus defectos. **5.** Si no *fuera* por la subvención del gobierno, este negocio quebraría. **6.** Muy pronto comprendí que Sofía *estaba* dotada de una gracia e inteligencia extraordinarias. **7.** Ella *está* muy muerta; todo lo que hacemos para infundirle ánimos es tiempo perdido. **8.** Pepe *es* desinteresado; le choca la idea de explotar a los demás. **9.** Le pregunté a Jaime si quería ir a medias en la empresa, pero no *estaba* interesado. **10.** (La madre, con ganas de que su hija pesque un novio): Pero, hija, podías *estar* algo más atenta con los jóvenes que vienen a verte. **11.** Por ahí *es* por donde debían comenzar. **12.** He podido observar que Pedrito *está* muy maduro para su edad. **13.** El enfermo, gracias a los recientes adelantos médicos, ahora *está* sano. **14.** Yo siempre *estoy* contento con lo que proponen los demás. **15.** Tiene ochenta años y su barba *es* casi blanca. **16.** Me gusta el agua de este manantial porque *está* fresca y pura. **17.** Aunque sé que no lo eres, ¿no podías *estar* un poco más prudente hoy? **18.** Estás diciendo tonterías. ¡Tú *estás* loco! **19.** José *es* fuerte y, por eso, sus padres lo han destinado al ejército. **20.** Todo *está* intacto y tal como usted lo dejó antes de partir.

II. *¿Qué forma de* **ser** *o* **estar** *emplearía usted para llenar los espacios en blanco?*

1. (Hablando de una persona recién presentada): El Sr. Gómez vive en Chicago y *es* soltero. **2.** Ese idilio fue como un sueño. Cuando volvió a la realidad *estaba* casado. **3.** Lo malo *es* que no tengo dinero. **4.** Lo malo *está* en que, si le vendemos el auto, va a malgastar su tiempo. **5.** Ya sé que Julián ha *sido* siempre delgado. **6.** ¿No te parece que Julián ahora *está* menos delgado que antes? **7.** (Preparando una canasta de frutas). Dame ese aguacate; *es* verde, y ése es el color que falta en el conjunto. **8.** No habrá guacamole hoy; los aguacates *están* verdes, desafortunadamente. **9.** Sus explicaciones *son* muy claras y breves. **10.** Ahora todo *está* más claro que el agua.

III. *Invente usted las circunstancias que permitan emplear las siguientes comparaciones, empleando una forma de* **ser** *o* **estar,** *según el caso:*

1. borracho como una cuba 2. más fresco que una lechuga 3. más alegre que unas pascuas 4. más astuto que una zorra 5. limpio como una patena 6. más fuerte que un roble 7. más pobre que rata de sacristía 8. loco como una cabra 9. más contento que niño con zapatos nuevos 10. más viejo que andar a pie (muy antiguo)

B

I. *Llene los espacios en blanco con la forma de* **ser** *o* **estar** *que pide el sentido.*

1. Nosotros —— muy apurados, precisamente porque la situación en que nos encontramos —— muy apurada. 2. Tú me conocías cuando —— acomodado y pasaba la mayor parte del tiempo viajando. Ahora ya no —— tan rico ni tampoco tan joven. 3. Hoy, por fortuna, su salud —— buena; durante la guerra —— muy enfermo. 4. Si el libro de texto —— aburrido, es natural que los alumnos —— aburridos. 5. El jardín ya no —— el mismo que había visitado el verano anterior con su novia. Ahora todo —— distinto. 6. Su teoría —— fundada en postulados irrebatibles; por eso sus temores —— infundados. 7. María, como ama de casa, —— muy limpia; su cocina —— siempre limpia. 8. Los analistas —— de acuerdo en que las circunstancias —— alarmantes. 9. Cuando salimos del cine —— de noche y los faroles —— encendidos. 10. Paco —— callado y tímido, pero cuando le vi en la fiesta de los Asensio ¡qué hablador ——! 11. Cuando yo le conocí —— rico; me dicen que ahora —— pobre y quebrantado de salud. 12. La carretera —— en reparación; en cambio, la desviación —— en buen estado. 13. Ese señor —— alegre por naturaleza, pero con el champaña —— más alegre que de costumbre. 14. Yo creía que usted —— soltero. ¿Desde cuándo —— usted casado? 15. ¿Sabes por qué —— cansado? Porque este libraco que estoy leyendo —— muy cansado. 16. (El padre, enfadado, al niño desobediente): Te callas y te sientas, y ¡ya ——! 17. No me gusta pedirle consejos a Roberto porque sé que —— muy interesado. 18. Elena conoció a Guillermo durante sus últimas vacaciones; y, de repente, —— otra. 19. Después de la boda, ¡qué alegre —— Elena! 20. ¿Dónde —— el baile esta noche? 21. (Una señora examina el retrato que está terminando un pintor superrealista): ¿No le parece que el brazo derecho —— demasiado largo? 22. El niño se puso a recitar su poema; ¡—— tan garboso en su traje de casimir! 23. (Al chófer del taxi, al llegar

41

se refiere al hecho no al lugar.

a la casa): Aquí *está* gracias. **24.** Podrás estar enamorada de él, pero ¿casarte con él? Te digo que eso no *será* **25.** A mí no me engañas; ¡buen pájaro *eres* tú!

II. *Determine qué forma de los verbos agrupados a la derecha se podría usar en vez de* **ser** *o* **estar**:

1. Al principio estaba indeciso, pero ahora ——— resuelto a todo.

2. Es muy patriota; ——— muy atento a sus obligaciones ciudadanas.

3. El viejo no se atrevía a caminar solo; ——— siempre acompañado de su nieto.

4. No sé de fijo qué pasó ayer; todo ——— un poco borroso.

5. Al verle tan demacrado ——— estupefactos.

6. Después de dos horas de continua lucha nuestro equipo ——— derrotado.

7. Cuando llegamos al final de la senda ——— al borde de un precipicio.

8. La hermosa mujer ——— vestida al estilo oriental.

9. Los fabricantes ——— obligados a suspender la producción de objetos de lujo.

10. Tras la muerte de su padre ——— reducidos a la más espantosa indigencia.

11. El árbol ——— erguido a pesar de estar cubierto de nieve.

12. El anciano no se movía; ——— sentado, los ojos cerrados, como si estuviera durmiendo.

verse
resultar
quedar
andar
hallarse
salir
presentarse
ir
vivir
quedarse
mostrarse
mantenerse
encontrarse
venir
parecer
permanecer

III. *Emplee usted una forma de* **ser** *o* **estar** *con cada uno de los siguientes adjetivos. Las oraciones deberán ser suficientemente detalladas para que quede plenamente justificado el uso del verbo.* *Ser negligente.*

1. abandonado,-a 2. acalorado,-a 3. calvo,-a 4. descuidado,-a 5. envanecido,-a 6. húmedo,-a 7. resuelto,-a 8. mal pensado,-a 9. pesado,-a 10. precavido,-a

42

estar descuidado; desprevenido.
ser abandonada: descuidada.
estar abandonado: en abandono.
ser acalorado: vehemente agitado. (caracter)
estar acalorada: furieux (conyuncturel)

ser calvo: característica
estar calvo: un cambio después enfermedad

ser envanecido : orgullo : caractère . (vanité)
estar envanecido : conjoncturel vanité .

ser húmedo : el tiempo
estar húmeda : la ropa .
ser resuelto : da frente a las situación est.
estar resuelto : ha tomado una decisión

D. Estilística y composición

ser malpensado : Carácter . estar malpensado: mal
ser pesado: el árbol es pesado.   planificado.
estar pesado: aburrida | ser precavido: sabe
es pesado : siempre lo es   ver los riesgo
*   estar precando:*

Tono

estaba
precavido
Sin embargo
en constancia

El tono del discurso depende del nivel de la expresión, el campo a que pertenece el tema, y el efecto que se busca producir en el lector o el oyente.

Cambia el tono según se exprese el pensamiento en jerga, lengua popular, lengua coloquial, lengua escrita común, o en lengua literaria (prosa o verso). Igualmente son distintos los tonos cuando se habla de asuntos científicos, comerciales, filosóficos, políticos, jurídicos, religiosos, etc.

Hay más. El que escribe o habla puede ir tras cierto efecto: dramático, lírico, festivo, irónico, arcaizante, etc., y para ello elige ciertas palabras y no otras.

Como es sabido, las diferentes disciplinas tienen un vocabulario especializado que es incompatible con ciertos niveles de expresión. Un tema filosófico no puede verterse en lengua popular, ni puede redactarse un documento comercial en lenguaje poético. De aquí resulta que un mismo individuo, cosa o fenómeno sean nombrados mediante sustantivos diferentes, según el campo, o la intención más o menos literaria del que habla o escribe. Por ejemplo, el que ha fallecido es el "muerto" o el "difunto" en lenguaje coloquial, y el "finado," en lenguaje popular. Un juez podría referirse a la misma persona llamándola el "testador," mientras que un fiscal diría el "occiso" o el "interfecto," para hacer resaltar su muerte violenta. El poeta, en fin, olvidando prosaicas distinciones, diría el "viajero inmóvil," o algo por el estilo.

Por otra parte, una misma palabra puede tener significados distintos según el tema o la especialización del que habla. Así, por ejemplo, conciencia es la capacidad de autovaloración para un religioso, pero será la capacidad del espíritu de reconocerse en su esencia y en sus atributos para un filósofo.

En los ejemplos que siguen se indica el tono del pasaje y se señalan las discordancias tonales:

1. *Tono comercial.*

Muy señor mío: El pago a que usted se refiere en su atta. del 7 del corriente, deberá hacerse al contado. Nunca debemos dejar para mañana lo que se puede hacer hoy. Efectuada la operación se liquidará definitivamente nuestro negocio.

NOTA. La oración "nunca debemos . . . hoy" es de tono sentencioso y no tiene por qué estar en un párrafo comercial.

2. *Tono familiar.*

Después de cocida la lengua de vaca se deja en su caldo. Al otro día se sirve en tajaditas con salsa de mayonesa, coronándolas con pedacitos de lechuga y tomate.

NOTA. Es obvio que el verbo "coronar" está fuera de tono. Basta recordar lo que se va a coronar, y con qué.

3. *Tono poético.*

¡Qué tremenda sensación la que se experimenta en esa hora en que aún late en el cielo la claridad de las estrellas cercanas, y empieza a verse en el horizonte un vapor rosado flotante como un reflejo levísimo de una quemazón!

NOTA. Aquí hay, por lo menos, una palabra disonante: tremenda. Hay quienes rechazarían también "quemazón" por tener algunos significados prosaicos.

4. *Tono filosófico.*

Cuanto hacemos, frente a la realidad que nos circunda, deriva de ser el hombre un ente dotado de consistencia, buen ojo y continuidad.

NOTA. La frase "buen ojo" está, decididamente, fuera de tono.

5. *Tono coloquial.*

— Mira, no te metas en lo que no te importa. A ti no te incumben estas cosas.

NOTA. La frase "no te incumben" es libresca en extremo.

EJERCICIOS

A

Diga usted cuál de las palabras o frases que se dan entre paréntesis escogería usted para obtener una mayor armonía tonal con el resto de la oración.

1. Un sector de la población se inclina hacia los arreglos amistosos a fin de evitar un embrollo internacional. (enredo, conflicto, desconcierto)

2. Desde esa época hasta hoy el autor ha estado estudiando los problemas del hombre y, en particular, del hombre argentino. (se ha dedicado a estudiar, se ha dado a estudiar, se ha entregado a estudiar)

3. No hay identidad de niveles culturales entre los primitivos de antes y los primitivos de hoy. (de antaño, de épocas lejanas, de tiempos antiguos)

4. En conformidad con su pedido del 21 del corriente, tengo el placer de enviarle hoy por ferrocarril y en tren de carga 14 B/. de café, cuya factura encontrará usted adjunta. (tengo el gusto de enviarle, le envío, le he despachado)

5. De la fusión de los elementos musicales autóctonos con los importados por los españoles se dio el arte criollo, al abandonarse la gama pentatónica y adoptarse la diatónica. (apareció, surgió, comenzó)

6. Honorable pueblo venezolano: Tengo el placer de charlar con vosotros en ésta vuestra Capital. Vosotros que conocisteis mis deseos anhelaréis saber el resultado de mis planes militares. (dirigiros la palabra, hablar con ustedes, comunicarme con vosotros)

7. El propósito principal de este capítulo es relatar lo que los astrofísicos han descubierto acerca de las entrañas del sol. (acerca de la interioridad, acerca del corazón, acerca del interior)

8. Ello es que Castilla se quedó más pobre y filosófica, algo despoblada, algo sin hombres, echando sus cuentas, la frente agrietada, el cielo inmenso. (pensando a solas, desolada, ensimismada)

B

Indique usted las discordancias de tono en los siguientes pasajes:

1. (*Tono familiar*). En días despejados y frescos me gusta recostarme en el césped sin inhibiciones.

2. (*Tono lírico*). ¡Momentos divinos, horas de éxtasis, en que el pensamiento vuela de un lado para otro, en que penetra el enigma y respira amplia, tranquila y profundamente como respira el océano!

3. (*Tono jurídico*). Escritura No. 1473. En el Municipio de Bogotá, Dpto. de Cundinamarca, República de Colombia, Yo, Notario 4° de este circuito, y los testigos instrumentales, señor Pedro Rojas y Sr. Luis Galindo, nos vimos honrados con la visita del Dr. Julián Bastías, mayor de edad y vecino de esta ciudad, quien declaró lo que a continuación se dice:

4. (*Tono filosófico*). El sujeto espiritual es portador de un principio universal y supremo, y sufre lo indecible cuando comprueba que ese principio no ha logrado imponerse.

5. (*Tono festivo*). Misté, señó. Si no se calla usté ipso facto lo pongo entre dos rebanadas de pan centeno y me lo como, como una anchoa.

6. (*Tono dramático*). Quedó atónito ante la visión, como si tuviera clavados los pies en el suelo y, desdoblando tranquilamente su pañuelo ante sí, se arrodilló en acción de gracias.

7. (*Tono comercial*). Recibí su envío de azúcar, pero siento decirle que muchos pilones no tienen el blancor que yo esperaba.

8. (*Tono modernista*). En el jardín había glorietas cubiertas de enredaderas, ensueños de mármol junto al estanque de los cisnes, y una caseta de acero, bajo cuyo techo colgaba, orondo y majestuoso, un gran gong niponés.

Traducción

A

1. I wish to discuss with you the meaning of American utilitarianism but without using the word in the ordinary sense. **2.** This word has a philosophical meaning which it would be well to clarify. **3.** It describes an attitude according to which all human activities are viewed from a practical standpoint.   **4.** This is seen even in the teaching of philosophy, which tends to take on a pragmatic character in American universities.   **5.** However, it would not be a bad idea for (*a*) the Latin American nations to acquire some of the practical sense of their northern neighbor.   **6.** All nations influence one another and our mission in the New World is to seek each other out. **7.** The North and the South are different, but let us not forget that opposites complement each other.   **8.** Spanish America could counteract some of its passivity with a few drops — but only a few — of American will-to-do. **9.** The United States, in turn, could perhaps try to understand Latin American sensibility a little better.   **10.** What this nation needs is a little of that poetic sense which characterizes Latin American life.   **11.** Unfortunately, up to now there has been no cultural interchange.   **12.** We have seen, at best, a superficial Americanization which is not an authentic expression of the personality of those nations.   **13.** A truly healthy interchange cannot be one that is limited to the transplantation or simple imitation of external forms.   **14.** Latin America needs to discover the source of American creativity.

B

1. On the various levels of practical life American influence has been almost completely artificial.   **2.** Latin America has taken the finished product but has not assimilated the creative process which makes these products possible. **3.** What is needed — the author tells us — is to acquire those disciplines which would permit them to achieve their own material progress.   **4.** The Latin American nations are so far behind in the economic and technical fields that it is not likely that the United States will see in them anything other than possible markets for its products.   **5.** One is forced to admit that cultural exchange under these circumstances is unlikely.   **6.** The American people seem to be interested primarily in finding suitable fields for their many enterprises.   **7.** The author also believes that the United States is too engrossed in itself.   **8.** Only a dramatic crisis could awaken a desire for something else.   **9.** Furthermore, qualities of a spiritual nature cannot be acquired easily.   **10.** They must be already latent in the nature of peoples, because if they are only the result of imitation, they lack authenticity.   **11.** But let us be realistic: for the time being it is evident that the United States does not feel the need of being different from what it is.   **12.** In short, the North will always be more pragmatic and more powerful.   **13.** The South will always be more theoretical and imaginative.   **14.** Let us be glad that it is so.

Vocabulario mínimo

according to según
to **achieve** elaborar
to **acquire** adquirir (ie)
to **admit** reconocer
American norteamericano,-a; americano,-a
americanization la yanquización
anything: — other than otra cosa que
artificial postizo,-a
to **assimilate** asimilar
attitude la actitud, la postura
authentic auténtico,-a
authenticity la autenticidad
to **awaken** suscitar
behind: to be so far — andar tan atrasado,-a
best: at — en el mejor de los casos
to **characterize** caracterizar
circumstance la circunstancia
to **clarify** aclarar
to **complement** complementar
completely totalmente, puramente
to **counteract** contrarrestar
creative creativo,-a
creativity el espíritu de creación, el espíritu creativo
desire la ansiedad
discipline la disciplina
to **discover** descubrir
to **discuss** discutir
drop la gota
else: something — otra cosa
engrossed: is (are) too — está(n) demasiado en lo suyo
enterprise la empresa
even hasta
evident evidente; **it is —** es (muy) claro
exchange el intercambio
external exterior
to **face** encarar
field el plano, el campo
finished: — product el producto ya hecho, la forma ya dada
to **force: one is forced** es forzoso
furthermore además
glad: let us be — alegrémonos
healthy saludable

however sin embargo
idea: it would not be a bad — no vendría mal
influence la influencia
to **influence: — one another** influenciarse los unos a los otros
interchange el intercambio
to **lack** carecer (de)
latent: must be already — deben estar ya (latentes)
Latin: — America Hispanoamérica, Latinoamérica
level el plano
likely: it is not — no es fácil, no es probable
to **limit** limitarse
market el mercado
material material; positivo,-a
meaning el significado, la significación
nature la naturaleza; **of a spiritual —** de lo espiritual
need la necesidad
to **need** necesitar, hacer(le) falta a
neighbor el vecino
northern del norte
one: — that el que
only no más que
ordinary vulgar
passivity la inacción
people los individuos; **the American —** los (norte)americanos
to **permit** permitir
powerful potente
pragmatic pragmático,-a
primarily principalmente
process el proceso
realistic: let's be — veamos las cosas como son
to **recognize** reconocer
result el resultado
to **seek** buscar
sense el sentido, la acepción
sensitiveness la sensibilidad
short: in — en definitiva
some: — of algo de
source la fuente

Spanish: — America Hispanoamérica
standpoint el punto de mira, el punto de vista
suitable propicio,-a
to **take: — on** asumir
teaching s. la enseñanza
technical técnico,-a
to **tend** tender (ie) a
theoretical intelectual, teórico,-a
time: for the — being por ahora

transplantation el transplante
truly verdaderamente
to **try (to)** tratar (de)
turn: in — a su vez
unfortunately por desgracia
unlikely poco probable
to **use** emplear, usar
to **view** mirar, encarar
well: it would be — (nos) conviene
will-to-do la energética

Composición libre

A

1. ¿Qué aspectos de la vida de otros pueblos es fácil imitar?

2. Tesis: La yanquización de Hispanoamérica es (no es) posible.

B

1. ¿Será posible la adquisición de un sentido trágico de la vida en los Estados Unidos?

2. Tesis: La vida moderna nos obliga a ser prácticos y, por eso, el hombre contemporáneo no puede ser esencialmente espiritual.

❧ 3 ❧

El carácter

CARLOS VAZ FERREIRA

(*Versión taquigráfica de una conferencia pública*)

Si *se tratara de definirlo*, diríamos con mucha facilidad que es la disposición, o el hábito, o la práctica de ajustar siempre y en todos los casos nuestra conducta a lo que creemos bueno y deseable.

No ya definirlo, sino reconocerlo en la práctica, es cosa bastante menos fácil. 5

Puede asegurarse que la mayoría de los hombres, generalmente, no reconocen el carácter, en el sentido en que lo hemos definido; o lo confunden muy fácilmente con otras manifestaciones o variedades mentales.

Los primeros que son tomados por hombres de carácter son los 10 declamadores, esto es, los que hacen frases, o los que toman actitudes, — que son como frases en acción —, sin que corresponda todo ello al fondo mismo psicológico de su vida. Es un caso de sugestión vulgar, que a veces es hasta autosugestión; muchas veces los declamadores, ellos mismos, *acaban por tomarse por* hombres de carácter. El poder 15 de la palabra es asustador, y tenía razón el personaje de la tragedia cuando condensaba la experiencia de su vida en el temor a la palabra. Con palabras se puede alterar todo. A veces un mismo hecho, aún sin tergiversarlo *en lo más mínimo*, según las palabras con que se lo narre o se lo califique, *se nos presenta* como de alcance o mérito muy 20 diferentes, y ¡cuántas veces lo vemos, no en los grandes casos, sino simplemente en la vida ordinaria, por ejemplo, en la vida pública! Supónganse ustedes la noticia, dada por un diario, de que cierto funcionario que ha sido, por ejemplo, hostilizado en su puesto por sus superiores, *no va a renunciar el cargo*. Tomemos el mismo suelto, en el cual se anuncia que el funcionario en cuestión no va a renunciar; si yo epilogo ese suelto con una línea en que diga "El funcionario Tal no suelta el puesto, *no se desprende del puesto ni a dos tirones*," o algo 5 análogo, entonces mi suelto da la impresión de que ese funcionario es un hombre servil; si la línea agregada es, por ejemplo, ésta: "El funcionario en cuestión sabrá permanecer firme en su puesto," entonces el mismo suelto dará la impresión de referirse a un hombre enérgico . . . Pues bien: hay muchos hombres que, debido simplemente a la decla- 10 mación con que revisten sus palabras o sus actos, pasan engañosamente por hombres de carácter, y empiezan a menudo por engañarse a sí mismos.

La segunda variedad humana que da fácilmente la ilusión del carácter la constituyen "los violentos." Para el examen del público, para el 15 juicio de la mayor parte de los hombres, los violentos son hombres de carácter, *siendo así que* justamente el tipo humano supremo del débil es el violento, esto es, el que no tiene la fuerza necesaria para ser dueño ni de sí mismo, *ni mucho menos* de los otros hombres o de los acontecimientos: es el que depende de sus pasiones, es el que no puede 20 reflexionar, es el que no puede ni siquiera ponerse en la situación mental necesaria para ser recto y justo.

Un tercer tipo de hombres confundidos erróneamente también con los de carácter son "los obstinados." En algunos la obstinación *puede hacer las veces de carácter en la práctica*, pero es en sí contraria al 25 carácter. Y, por razones parecidas, también son a menudo tomados por hombres de carácter "los simplistas" y "los estrechos de espíritu", esto es, aquellos que, *por no tener* la amplitud necesaria de inteligencia y de comprensión para apreciar la complicación de las cuestiones, o para resolver los problemas con un criterio abierto y elevado, *guardan* 30 en su vida *esas actitudes* sencillísimas que se pueden reducir a muy simples fórmulas. Supongamos el caso más común: un hombre *hace oposición al gobierno*, y le hace oposición siempre, en todos los casos; todo lo que hace el gobierno es malo, y *así* lo ve y *lo califica él;* ése, para el vulgo, es un hombre de carácter. Si, en cambio, ese hombre, 35 aunque el gobierno sea malo en general, y él lo haya dicho, si en cierto caso particular, encuentra un acto bueno, y lo ve bueno, y lo califica de bueno, generalmente ese hombre, ante la opinión pública, baja: no es un hombre "de una sola pieza". . . *Lo que hay es*, sencillamente, *que* su actitud no puede resumirse con una fórmula verbal simplista, porque su criterio es amplio y su moral también.

En cuanto al verdadero carácter, suele presentarse en dos variedades — *hablo aquí por esquemas* —: unido a una inteligencia estrecha, o ₅ unido a una inteligencia bien amplia.

En el primer caso, el hombre de carácter es indudablemente más feliz: no ve las complicaciones de su actitud, no siente dudas, resuelve todas las cosas sencillamente. Posiblemente, a este tipo han pertenecido muchísimos de los grandes caracteres de la historia, sobre todo de esos ₁₀ hombres de acción que no fueron más que hombres de acción, *en el fondo*, poco complicados. Tal vez a este tipo pertenezca también el hombre de carácter *tal como suelen describirlo* ciertas ficciones optimistas (por ejemplo, los tratados de moral demasiado sencillos), que nos explican el cumplimiento del deber en los hombres de carácter ₁₅ como un acto que no sólo no suscita ninguna duda, sino que se realiza en todos los casos de una manera casi maquinal. Poco a poco, *y por este tipo* que nos parece tan respetable, se llega, sin embargo, a una variedad de hombres de carácter que casi sería inferior: especie de inconscientes. Yo afirmo, *al contrario de* lo que se enseña o se dice ₂₀ generalmente, que el hombre que no sufriera en ningún caso al cumplir su deber sería un anestésico afectivo . . . si no fuera un caso de mitología moral.

La forma más elevada del carácter existe allí donde éste aparece unido, bien combinado, con una inteligencia superior. Lo curioso es ₂₅ que esta forma de carácter es la que es más difícilmente reconocida. Para esa inteligencia elevada, los problemas dejan de ser claros y precisos; y, entonces, dejan de tener soluciones completamente hechas, no digo todos los problemas, pero muchos de los que se presentan en la vida: en moral, hay problemas claros, pero hay también problemas ₃₀ oscuros. De manera que una de las manifestaciones de esos hombres de carácter del tipo elevado es, muchas veces, la duda.

Una imagen podría expresar tal vez esto mejor que una descripción. Si se pudiera trazar el surco que la conducta de un hombre deja sobre los acontecimientos, el hombre de carácter del tipo superior no dejaría ₃₅ precisamente una línea recta, rígida, como la de una máquina: dejaría, sí, una línea de dirección general firmísima, con puntos de partida y puntos de llegada claros, pero con ciertas oscilaciones, debidas a la duda y a la piedad.

También *a este hombre* de carácter de tipo superior *le está reservado el remordimiento;* vive continuamente obseso, entristecido, "proble-
5 mizado" en su vida; porque, nunca bien satisfecho su deseo de pureza y de superioridad moral, no tiene la seguridad de haber resuelto bien los problemas. El hombre de carácter *de esa especie* es muy a menudo desconocido; no se lo puede "formular," no se puede encontrar una fórmula verbal simple que dé razón de lo que es, de lo que piensa, siente
10 y hace; parece a veces que se trata de un hombre débil, contradictorio.

Y todavía *hay que tener en cuenta que* el carácter generalmente no se revela muy especialmente en ciertos grandes "gestos" más o menos aparatosos, los cuales, *muy a menudo,* suelen corresponder a ese valor inferior que se desarrolla en el animal acorralado. Los actos de carácter
15 que hacen impresión sobre las masas son, por ejemplo, la renuncia insultante de un funcionario hostigado, la oposición política perma- nente, absoluta, de un hombre que tal vez se vea reducido a esa actitud. *Entre tanto,* otros actos de carácter, más hondos, más profundos y más fuertes, más firmes, no se ven, *por su misma naturaleza:* esos casos,
20 tan comunes en la vida, de sacrificar, por ejemplo, una amistad prove- chosa, o *malquistarnos con* un individuo del cual va a depender tal vez nuestro bienestar o nuestro éxito, por un acto de franqueza o inde- pendencia, quizá *a propósito de* una simple pequeñez — pequeñez, no moralmente, sino desde el punto de vista práctico; el sacrificio
25 inmenso y amargo del que se resigna a servir un puesto bajo la autoridad superior de un hombre inepto o malo, o compartiendo responsabilidades (por ejemplo, en una corporación) con hombres de esa especie, de manera que ante el juicio público, que no discierne responsabilidades, él, personalmente, *sufrirá en su propio crédito.* Todo eso, generalmente,
30 no se ve, o no se ve *en el acto,* o *no se aprecia su alcance;* y, por todas estas razones, los hombres de carácter del tipo más elevado tienden a no ser reconocidos. Más: cuando esa necesidad de pureza moral se lleva hasta los detalles, la impresión que se hace sobre los demás hombres es, muy a menudo, una impresión desfavorable, no porque
35 los hombres tiendan a juzgar desfavorablemente la moral, sino porque generalmente creen ver otros móviles en lo que, explicado por las solas razones de moralidad, les parecería excesivo e inverosímil. Las actitudes

firmes, fuertes, *cuando se relacionan con* hechos que pasan vulgarmente por pequeñeces o por insignificancias, casi nunca son atribuidas a razones de orden puramente moral; el que procede así es generalmente tomado por un obstinado, por un caprichoso, por un orgulloso, o simplemente por un loco.

(Carlos Vaz Ferreira, *Moral para intelectuales*—
extractos, Montevideo, 1927, págs. 127-133.)

PREGUNTAS

A

1. ¿Cómo podría definirse el carácter? **2.** ¿Quiénes son los "declamadores"? **3.** ¿Qué es un suelto? **4.** ¿Cuál sería una forma coloquial de decir que una persona no quiere renunciar su puesto? **5.** ¿Qué les ocurre a menudo a los "declamadores"? **6.** ¿Quién es el tipo supremo del hombre débil? **7.** ¿Qué es lo que no puede hacer el "violento"? **8.** ¿Qué piensa el vulgo de la persona que juzga los asuntos públicos en forma sistemáticamente hostil? **9.** ¿Qué tipo de hombre de carácter nos presentan algunos tratados de moral? **10.** ¿Qué es necesario para ser realmente un hombre de carácter? **11.** ¿Cómo describiría usted la línea de conducta que sigue un hombre de carácter? **12.** ¿Qué sacrificios tenemos que hacer a veces en la vida? **13.** ¿Por qué es difícil, a veces, trabajar bajo las órdenes de otra persona? **14.** ¿En qué circunstancias causan una mala impresión los hombres de verdadero carácter?

B

1. ¿En qué círculos de la vida pública abundan los "declamadores"? **2.** ¿Qué entendería usted si se afirmase que alguien es víctima de la autosugestión? **3.** ¿Por qué creen muchos que los "violentos" son hombres de carácter? **4.** ¿Qué entiende usted por "simplista"? **5.** ¿Cómo es, en su opinión, la persona obstinada? **6.** ¿Por qué nos es a veces doloroso y difícil cumplir con nuestro deber? **7.** ¿Qué es un funcionario público? **8.** ¿Por qué es de tipo inferior el individuo cuya conducta es siempre recta y rígida? **9.** ¿Qué cualidades debe tener, en su opinión, el verdadero hombre de carácter? **10.** ¿Por qué da el hombre de carácter la impresión de ser contradictorio? **11.** ¿Qué entiende usted por "remordimiento"? **12.** Describa usted al hombre de gestos "aparatosos." **13.** ¿Qué piensa el público de los hombres de carácter que prestan atención a ciertas "pequeñeces"? **14.** ¿Por qué no son fácilmente reconocidos por el público los verdaderos hombres de carácter?

A. Modismos

Si se tratara de definirlo — Si fuese cuestión de definirlo
No ya definirlo — No meramente definirlo
acaban por tomarse por   terminan considerándose
en lo más mínimo — en ningún sentido
se nos presenta — aparece ante nuestros ojos
no va a renunciar el cargo — no va a dejar su puesto
no se desprende del puesto — no dejará el puesto
ni a dos tirones — ni por la fuerza
siendo así que — cuando en realidad
ni mucho menos — ni tampoco
puede hacer las veces de carácter — puede tener la apariencia de carácter
en la práctica — en la vida real
por no tener — porque les falta
guardan . . . esas actitudes — mantienen esas actitudes
hace oposición al gobierno — se opone a todo lo que el gobierno propone
así . . . lo califica él — así . . . lo llama él
Lo que hay es que — La verdad es que
hablo aquí por esquemas — me expreso en términos generales
en el fondo — en realidad
tal como suelen describirlo — en la forma en que comúnmente lo presentan
y por este tipo — a través de este tipo
al contrario de — en oposición a
a este hombre . . . le está reservado el remordimiento — este hombre . . . tiene
    la capacidad de sentir remordimiento
de esa especie — de esa clase; de ese tipo
hay que tener en cuenta que — es necesario tener presente que
muy a menudo — muy frecuentemente
Entre tanto — Mientras tanto
por su misma naturaleza — debido a su propia naturaleza
malquistarnos con — perder la amistad de
a propósito de — en conexión con
sufrirá en su propio crédito — perderá prestigio
en el acto — inmediatamente
no se aprecia su alcance — no se comprende su significado ulterior
cuando se relacionan con — cuando van asociadas a

EJERCICIOS

Exprese usted las ideas contenidas en los pasajes en cursiva empleando una palabra o frase idiomática tomada de la presente lección.

A

1. Algunos poetas *terminan perdiendo* el juicio.   **2.** No creo que esto afecte sus intereses *en ningún sentido*.   **3.** *Mientras tanto,* ¿qué le ha pasado a Juan?   **4.** No podrán ir a Europa *porque les faltan* los medios.   **5.** *La verdad es que* usted no hace el trabajo como debe.   **6.** Sé que, *en realidad*, son unos desvergonzados.   **7.** No me gusta recibir noticias *de ese tipo*. **8.** *Es necesario tener presente* que él no es un experto.   **9.** *Muy frecuentemente* se reúnen aquí.   **10.** Hágalo usted *inmediatamente*.

B

1. Francamente, *no es cuestión de* convencerle.   **2.** Estas malas costumbres siempre *aparecen ante nuestros ojos* como residuos de la ignorancia y el atraso.   **3.** ¿Es verdad que usted va a *dejar su puesto*?   **4.** Me hizo esas observaciones *en conexión con* las últimas ordenanzas municipales.   **5.** ¿Por qué *se opone usted* a cuanto proponemos?   **6.** Puede usted *llamarlo* como quiera.   **7.** Yo siempre he creído, *en oposición a* lo que dice nuestro libro, que la cultura siempre avanza.   **8.** Usted no ha comprendido *el significado ulterior* de lo que aquí se ha dicho.   **9.** No quiero *perder la amistad de* mis vecinos.   **10.** Es mi intención, *no meramente* reprenderlo, sino despedirlo.

B. Vocabulario

A

I. *Hay un buen número de palabras que sirven de base para la creación de sustantivos terminados en* **-ario**. *Diga usted cuál es el significado de los siguientes vocablos, prestando atención al sustantivo que se da entre paréntesis.*

(a) SUSTANTIVOS:

> *Ejemplo:* (función) funcionario
> **Un funcionario puede ser un político o un dignatario que tiene ciertas funciones en la vida pública.**

1. (destino)   destinatario   **2.** (empresa)   empresario   **3.** (expedición)   ex-

pedicionario   **4.** (hora) horario   **5.** (propiedad) propictario   **6.** (presidio)
presidiario   **7.** (tributo) tributario   **8.** (vecino) vecindario

(b) ADJETIVOS

1. (hospital)   hospitalario,-a   **2.** (imagen)   imaginario,-a   **3.** (moneda)
monetario,-a   **4.** (origen) originario,-a   **5.** (sangre) sanguinario,-a   **6.** soledad) solitario,-a   **7.** (voluntad) voluntario,-a   **8.** (temor) temerario,-a

II. *Dé usted palabras relacionadas con los siguientes adjetivos y sustantivos:*

(a) ADJETIVOS

1. amplio   **2.** fácil   **3.** franco   **4.** insignificante   **5.** mayor   **6.** moral
7. pequeño   **8.** puro   **9.** responsable   **10.** simple

(b) SUSTANTIVOS

1. aparato   **2.** contradicción   **3.** energía   **4.** exceso   **5.** insulto   **6.** obstinación   **7.** provecho   **8.** siervo   **9.** verdad   **10.** violencia

B

Diferencias de significado

1. Hábito — costumbre — uso — práctica.

Los **hábitos** son

(a) Patrones de vida, personal o colectiva, resultantes de la simple repetición:

Es necesario corregirle los malos hábitos (*his bad habits*).

(b) Patrones intelectuales o modos de pensar:

Para conocer los hábitos mentales (*patterns of thinking*) de un pueblo, nada mejor que estudiar su literatura.

La **costumbre** se diferencia del hábito en ser un patrón tradicional que lleva implícito un contenido de aprobación colectiva:

Debemos respetar las costumbres de nuestros mayores (*the customs of our elders*).

En teoría, la línea divisoria entre las dos palabras es la que separa a la psicología **(hábito)** del folklore **(costumbre).** Sin embargo, en la vida real se confunden **hábito** y **costumbre** porque ambos son resultado de la repetición:

Tiene la fea costumbre (*the ugly habit*) de mascar goma en público.
No tengo costumbre de mentir. *I am not in the habit of lying.*

En inglés se hace una distinción más precisa y, por eso, no es extraño que esta lengua acepte sólo una de las dos palabras donde el español admitiría ambas:

El castigo es necesario para corregir malos hábitos [malas costumbres] (*bad habits*).

Uso significa "empleo continuado o habitual":

Aquí hay teléfonos para uso público.

Es una palabra de uso general (*of common occurrence*).

En sentido sociológico, **uso** alude más directamente que **hábito** o **costumbre** al modo de hacer algo. Puesto que el uso repetido puede transformarse en costumbre, las dos palabras se confunden, a pesar de haber una diferencia entre ellas:

Estos usos están reñidos con nuestras costumbres. *These practices are not in consonance with our customs.*

Me interesan los usos y costumbres de los esquimales.

La palabra **práctica** expresa un patrón de conducta con que se busca conseguir un determinado fin; no lleva envuelta la idea de tradición, ni insiste en el aspecto psicológico de lo que se hace:

El empleo de latinajos es práctica muy común entre leguleyos. *The use of dog Latin is a very common practice among shysters.*

La compra de cosas a plazos es práctica ya establecida.

2. Diverso — diferente — distinto.

Todos estos adjetivos pueden significar *different*.

Diverso lleva envuelta la idea de variedad y pluralidad:

Hemos leído composiciones literarias de diversos géneros (*various genres*).

Diferente alude a la no igualdad de cualidades o naturaleza:

Manolo es muy diferente de su hermano mayor.

El agua y el aceite son dos cosas muy diferentes (*different*).

Distinto se confunde, por lo común, con **diferente**. Es verdad que, en sentido estricto, **distinto** es todo aquello concebible como entidad aparte, separada de otra entidad, aunque ambas sean de la misma naturaleza.

Dos gotas de agua son dos entidades distintas aunque tienen la misma naturaleza, esto es, la misma composición química.

Dos monedas de cinco centavos (recién acuñadas) son dos monedas distintas pero no diferentes.

Por ser éste un discrimen demasiado conceptual, en la vida cotidiana **diferente** y **distinto** son términos sinónimos.

3. Fuerza — energía — vigor.

Fuerza es la potencia física o fortaleza moral que se evidencia en procesos físicos o en actos humanos:

> No tengo fuerza(s) para acarrear estas maletas.
> Tiene un motor de cuatro caballos de fuerza.
> No tiene fuerza de ánimo para hacer frente a la realidad.

La **energía** es la causa primera de la fuerza.

(a) En sentido físico:

> Se han hecho grandes progresos en el campo de la energía eléctrica [energía atómica].

(b) Referida al hombre, la energía puede ser eficacia física o espiritual:

> Hay que trabajar con energía (*energetically*).
> Se expresa con energía (*forcefully*).

Vigor se aplica a hombres y animales, pero no a máquinas. El vigor es reflejo de buena salud. Alude en particular a los aspectos visibles de la ejecución de algo:

> Defendió su causa con vigor, con energía (*vigorously*).

En este último sentido **vigor** es igual a **energía.**

4. Parecido — similar.

Parecido significa "semejante":

> Por razones parecidas (*similar reasons*) se cree que los simplistas son hombres de carácter.

La palabra **similar** es de uso poco frecuente en español. Se la emplea especialmente para expresar semejanza física:

> En el almacén había ruedas, cámaras, neumáticos y otros productos similares.

5. Verdadero — real — cierto.

Verdadero señala el grado de verdad que hay en algo:

> Te garantizo que es una historia verdadera (*a true story*).

También distingue lo real de lo aparente; en este caso precede al sustantivo:

> Éstas son mis verdaderas razones (*my real reasons*).
> Ésta es una verdadera ganga (*a real bargain*).

59

Real se emplea para referirse a lo que existe o ha existido:
> Éste fue un acontecimiento real.

Cierto quiere decir

(a) Indudable:
> Es cierto que hay dificultades de por medio. *It is unquestionable that there are difficulties in the way.*

(b) Verdadero:
> Lo que dice este señor es cierto.

La dificultad en el uso de estas tres palabras arranca de dos hechos: la palabra inglesa *real* corresponde a **verdadero** y **real,** y la palabra *true* puede corresponder tanto a **verdadero** como a **cierto.**

6. Razón.

(a) Modismos preposicionales:
> Se lo vendí a razón de cinco por dólar (*at the rate of five per dollar*).
> Se enfadó y con razón (*and with good cause*).
> Lo haré con razón o sin ella (*rightly or wrongly*).

(b) Modismos verbales:
> No quiso darnos razón de nada. *He refused to give us information about anything.*
> En estas cuestiones yo le doy siempre la razón al maestro (*I always side with the teacher*).
> Quiero que usted nos dé razón de sus gastos. *I want you to give an account of your expenses.*
> Perdió la razón. *He went out of his mind.*
> Pero, señor, ¡póngase usted en razón (*listen to reason*)!
> Usted no tiene razón. *You are wrong.*

7. Hondo — profundo.

El primero de estos adjetivos se refiere a una concavidad mayor o menor, pero no extrema:
> Tráeme un plato hondo (*a soup plate*).
> Dejó tras sí una honda huella. *He left behind a deep imprint.*

Profundo indica una hondura mucho mayor:
> Cayó a un pozo profundo (*deep well*).

En lenguaje figurado se usan ambos adjetivos indistintamente:
> Sintió un hondo [profundo] dolor al recibir la noticia.

8. Alcance — intención — propósito.

Alcance tiene

(a) El sentido de "significado ulterior," esto es, no inmediato:

> Usted no ha comprendido el alcance de mis palabras (*the ultimate meaning of what I said*).

(b) La idea de distancia real o figurativa, como puede verse en las siguientes frases hechas:

> Los tiene usted al alcance de la mano (*within reach*).
> Es un señor de pocos alcances (*of limited intelligence*).

Intención es el espíritu que inspira lo que hacemos:

> Usted no ha comprendido la intención de mis palabras. *You did not understand the intention [spirit] of what I said.*

Propósito es el fin inmediato con que se hace algo. El propósito no lleva la idea de ulterioridad que está implícita en **intención;** es menos oculto y más activo.

> Si piensa usted en lo que dije comprenderá que ésa no fue mi intención.
> Mi propósito es claro y definido: acabar con los quehaceres superfluos.

EJERCICIOS

¿Qué palabras o frases de la sección anterior emplearía usted para completar las siguientes oraciones?

1. A mí me parece indudable: lo que él ha dicho es seguramente ——.
2. Usted tiene que darnos —— de lo que ha sucedido. **3.** En la filosofía de Kant hay, sin duda, muy —— meditaciones. **4.** Parece ser un simplista. Yo diría que es un hombre de ——. **5.** Para tener éxito en los estudios hay que hacerse el firme —— de tomar las clases en serio. **6.** Cuando yo era joven me interesaban muy —— actividades sociales. **7.** El llevar ropas deportivas es una —— muy común entre los jóvenes de hoy. **8.** Hay, en realidad, una gran semejanza entre estas dos muchachas; tienen facciones muy ——. **9.** En los pueblos pequeños casi todo se hace de acuerdo con la ——. **10.** Creo que en el suelto hay doble ——. **11.** Tú siempre me contradices; ¿por qué no me das nunca la ——? **12.** No se ciña usted al sentido literal del pasaje; medítelo un poco más y verá cuál es el —— de lo que dice el autor. **13.** Esos informes no han aclarado nada este asunto; ahora quiero que me dé la —— explicación de lo ocurrido. **14.** Trabaja diez horas al día y no parece cansarse. Es un hombre de gran ——. **15.** No confunda usted las cosas: esta cuestión es totalmente

—— de la anterior. **16.** Nada de lo que aquí se cuenta es ficticio sino ——. **17.** Don Pedro es un "declamador": habla siempre en voz alta y gesticula para subrayar lo que dice; le gusta expresarse con ——. **18.** El gobierno de los Estados Unidos tiene tres ramas ——, la ejecutiva, la legislativa y la judicial. **19.** El —— repetido de algo lleva a la formación de ciertos hábitos. **20.** Usted es excesivamente intransigente y, por esto, no podremos hacer nada, a menos que usted se ——.

C. Gramática

Pronombres reflexivos

Por tener los reflexivos muy variados usos, las oraciones en que aparecen, tomadas fuera de contexto, son susceptibles de muy diferentes interpretaciones. Es indispensable, por lo tanto, comprender el significado de los reflexivos dentro de situaciones específicas. El siguiente ejemplo podría interpretarse en cuatro formas distintas:

Se mataron.
$\begin{cases} \textit{They killed each other (one another).} \\ \textit{They were killed.} \\ \textit{They got killed.} \\ \textit{They committed suicide.} \end{cases}$

En el siguiente resumen se harán algunas diferenciaciones de sentido, separando los usos de la serie reflexiva (que se dan abajo), de las construcciones que emplean solamente el reflexivo **se** y un verbo en tercera persona (pág. 67).

La serie "me, te, se, nos, os, se"

I. PRONOMBRES REFLEXIVOS

En combinación con formas verbales transitivas indican que el sujeto ejecuta una acción sobre sí mismo. Debe observarse que las acciones no siempre se conciben como reflexivas en inglés; hay casos en que el inglés puede emplear u omitir el reflexivo:

Ellos se engañan (a sí mismos). *Se tromper*

Se colocaron junto a la puerta.

Él se baña todos los días.

Nos levantamos temprano.

No se burle usted del gobierno.

a mí no me engañan (on ne me la fait pas)

II. PROYECCIÓN PERSONAL

Hay muchos verbos transitivos que, al hacerse reflexivos, indican la forma favorable o desfavorable en que una acción afecta a una persona. Tales verbos expresan una idea de participación y acarrean, por inferencia, toda una variedad de connotaciones secundarias, tales como ventaja o desventaja, libertad de acción o restricción, admiración o crítica, etc. Dichos contenidos se expresan en inglés por medio de preposiciones, frases, modificativos adverbiales o adjetivales, o simplemente por el tono de la voz, o el ambiente creado por el contexto. También es posible darle al verbo un tono irónico o humorístico por medio del reflexivo:

> ¡Conque se pasaron ustedes dos semanas en San Sebastián! *So you had a fling of two weeks at San Sebastián!*
>
> ¡He estado aquí esperándole desde la una! ¡Me he perdido medio día! (*. . . I surely wasted half a day!*)

1. Movimiento y reposo.

Los verbos de movimiento se usan reflexivamente cuando se piensan en relación con una persona a quien se le atribuye capacidad de autodeterminación o interés personal:

> No se lleve usted mi libro.
> Se bajó de la silla.
> Se coló en la cocina.
> Se subió al techo.

Se incluyen en este grupo los verbos que expresan conducción; éstos pueden cobrar sentido muy especial al hacerse reflexivos:

> ¿Qué se trae este tío? *What is this guy up to?*
> Se llevó un chasco. *He got fooled.*

La misma construcción es posible en español aun con verbos intransitivos:

> Se vino sola a su casa.
> Se está siempre quieto.

Son del mismo tipo: **andarse, caerse, entrarse, escaparse, marcharse, pararse, quedarse, salirse, venirse, volverse,** etc.

NOTA: Es necesario distinguir **Se volvió a casa** (*He returned home*) de **Se volvió para mirarnos** (*He turned around to look at us*).

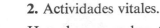

2. Actividades vitales.

Hay algunos verbos transitivos cuyo significado está relacionado con el mundo de las sensaciones. Al emplearse reflexivamente estos verbos expresan no sólo una actividad sino también una idea concomitante de agrado o desagrado:

> Se comió todo el pan.
> Se fumó un puro.
> Se bebió el café.
> Se tragó el pastel.

3. Posición o lugar.

Llevan reflexivo un buen número de verbos que aluden a cambios físicos o a cambios en la posición del cuerpo:

> Se levantan a las seis.
> Se sientan en primera fila.

Otros verbos del mismo tipo: **acostarse, acuclillarse, agacharse, arrodillarse, hincarse, inclinarse,** etc.

4. Procesos fisiológicos.

Van también con reflexivo algunos verbos de transición que aluden a procesos fisiológicos humanos:

> Al leer el suelto se desvaneció.
> Estando en la costa del Pacífico (se) enfermó.

Otros verbos del mismo grupo: **atragantarse, debilitarse, enrojecer(se), enflaquecer(se), fortalecerse,** etc. _s'étrangler_

5. Fenómenos psíquicos.

Se usan reflexivamente no pocos verbos transitivos que aluden a procesos de la vida psíquica y que también implican una forma de participación. Muchos de estos verbos se traducen al inglés por medio de los verbos _to get_ o _to become:_

> Se aburren fácilmente.
> Se imaginan mil cosas.

Otros verbos del mismo grupo: **alegrarse, apiadarse, avergonzarse, calmarse, conmoverse, descorazonarse, enfadarse, enojarse, enorgullecerse, entristecerse, espantarse, horrorizarse, impacientarse, indignarse, inquietarse,** etc.

NOTA: Entre estos verbos hay algunos que indican una forma especial de conocimiento: **creerse** (creer algo erróneamente), **saberse** (saber algo muy bien). También hay unos cuantos verbos que no pertenecen originariamente al grupo de verbos psicológicos pero que expresan algún aspecto de la vida interior al hacerse reflexivos:

> Sé lo que me digo. *I know what I am talking about (and nobody can tell me otherwise).*
> Tú te lo mereces. *You deserve it (you have earned it).*

Hay, además, un grupo de verbos intransitivos que también se emplean reflexivamente para aludir a procesos psicológicos con un sentido de participación personal. A diferencia de los del grupo anterior, no tienen estos verbos una forma transitiva correspondiente.

> Ya sé que se han arrepentido.
> Haga usted el favor de no quejarse.

A estos verbos podrían añadirse los siguientes: **atreverse, condolerse, dolerse, empeñarse, jactarse, recatarse, resignarse,** etc.

III. REFLEXIVIDAD FIGURATIVA

1. Hay verbos transitivos que aluden figurativamente a un fenómeno físico como si éste fuese causado por un sujeto que, en realidad, es incapaz de producirlo. Tales fenómenos son determinados por algún factor externo (el aire, la temperatura, etc.), al cual no se presta atención.

> Las nieves se derriten.
> El agua se enfría.

Otros verbos del mismo grupo: **arrugarse, congelarse, deshacerse, encogerse, estirarse, evaporarse, helarse, quebrarse, retorcerse, romperse, secarse,** etc.

2. Son del mismo tipo aquellos verbos que expresan acontecimientos humanos como si fueran casos de autodeterminación, cuando en realidad la causa está fuera de la esfera de la acción humana:

> El muchacho se hirió gravemente al caer al suelo.
> El obrero se mató al romperse el andamio.

3. La reflexividad es también figurada en aquellas construcciones reflexivas en que el sujeto recibe una acción ejecutada por otra

persona a quien da su consentimiento para ejecutarla. En inglés se recurre a menudo al verbo *to get* para expresar la misma idea:

> Yo me afeito en la barbería. *I get a shave at the barber shop.*
> Él se cortó el pelo hoy. *He got a haircut today.*

NOTA: Como se dijo anteriormente, estas oraciones son ambiguas si se las examina fuera de contexto, ya que también pueden significar *I shave myself at the barber shop* y *He cut his own hair today.* En casos así, el contexto dirá cuál es el significado más plausible.

4. Hay otro grupo de verbos transitivos que expresan un hecho fortuito, resultado de la casualidad más que de una decisión consciente. Por llevar estos verbos un complemento directo, que es siempre una cosa inanimada a la cual se le otorga capacidad de autodeterminación, resulta una reflexividad figurada más que real. Ejemplo:

> Se me olvidó el libro.

Hay una notable diferencia entre **Olvidé el libro** y **Se me olvidó el libro.** En el primer caso, el sujeto acepta la responsabilidad de la acción de olvidar. En el segundo, el que habla se refugia en la impersonalidad y no se siente directamente responsable de lo ocurrido. Otros ejemplos:

> APAGÁRSELE A UNO ALGO: Se me apagó la pipa.
>
> DESHACÉRSELE A UNO ALGO: Se le deshizo su proyecto.
>
> DESPRENDÉRSELE A UNO ALGO: Se le desprendió el broche.
>
> PERDÉRSELE A UNO ALGO: Se me perdió la llave.
>
> ROMPÉRSELE A UNO ALGO: Se me rompieron los pantalones.
>
> VENÍRSELE A UNO ALGO: Se me vino esa imagen a la memoria.

5. Hay también construcciones similares con verbos intransitivos en las cuales se atribuye a una cosa inanimada la capacidad de actuar sobre sí misma. Estas construcciones no tienen paralelo directo en inglés y deben estudiarse con gran atención:

> CAÉRSELE A UNO ALGO: Se le cayó el plato.
>
> ESCAPÁRSELE A UNO ALGO: Se me escapó una exclamación de repugnancia.
>
> DORMÍRSELE A UNO ALGO: Se me durmió una pierna.
>
> ÍRSELE A UNO ALGO: Se me fue el hilo de las manos.
>
> QUEDÁRSELE A UNO ALGO: Se me quedó el bolso en el coche.

La construcción recién estudiada tiene, como se ha visto, un marcado sabor idiomático, pues permite expresar una reduplicación del sentido afectivo, sea con verbos transitivos o intransitivos. A la idea de participación implícita en el reflexivo se añade un complemento indirecto que expresa el hecho de que la acción afecta a algo o alguien. En los siguientes ejemplos se dará entre paréntesis y como simple aproximación la idea añadida por el complemento indirecto:

(a) Con verbos transitivos:

> El sirviente se nos está comiendo el asado. *The servant is eating the roast (and depriving us of it).*
> No se me haga usted el inocente. *Don't pretend to be innocent (thinking I can't see through you).*
> No se me ponga tan quisquilloso. *Don't be so fussy (and make things difficult for me).*

(b) Con verbos intransitivos:

> Se nos murió el niño. *The boy died (and his death saddened us).*
> Se nos marchó la criada. *The servant left us (walked out on us).*
> No se me salga por la tangente. *Don't go off on a tangent (leaving me up in the air).*
> No se me vaya usted. *Don't go away (because I need you).*

<h3 style="text-align:center">Construcciones con "se"</h3>

En esta segunda sección se estudiarán dos construcciones que emplean el pronombre **se.**

I. "SE" PASIVO

Se usa este **se** con un verbo en tercera persona en lugar de la voz pasiva. El verbo va siempre en singular, menos cuando el complemento directo que le sigue es de cosa plural, o de personas objetivadas.

> *Cosa, singular:* No se explicó su sistemática oposición.
> *Cosa, plural:* Se aceptaron las nuevas soluciones.
> *Persona, singular:* Se necesita una autoridad superior.
> *Persona, plural*: Se recibió a los funcionarios con suma amabilidad.
> *Personas objetivadas:* Se necesitan hombres de carácter.

Se observará que la última construcción es casi igual a la segunda. Ninguna de las dos lleva **a.** Por otra parte, hay una gran diferencia entre las dos últimas construcciones. Cuando se dice **Se recibió a los funcionarios con suma amabilidad,** las personas (funcionarios) están pensadas como personas; el verbo va en este caso en singular. Si se dice, por el contrario, **Se necesitan hombres de carácter,** las personas (hombres) están reducidas a la categoría de cosas; el verbo va entonces en plural.

NOTA: En la realidad muchas veces no se observan las normas recién discutidas, especialmente en anuncios escritos: **Se vende libros.**

La construcción pasiva con **se** puede emplearse con un complemento directo, pero deberá tenerse presente que las posibles combinaciones varían según el caso:

(a) Masculino, personas: **se me, se te, se le, se nos, se os, se les.**

Se le enterró aquí. *He was buried here.*

Se les llamó a rendir cuentas. *They were called in to do some explaining.*

(b) Femenino, personas: **se me, se te, se la, se nos, se os, se las.**

Se te admira mucho. *You are very much admired.*

Se las colocó en primera fila. *They were placed in the front row*

II. "SE" IMPERSONAL

Este **se** aparece en combinación con verbos en tercera persona, singular, y su equivalente inglés es *One.* El **se** impersonal ha perdido totalmente su primitivo sentido reflejo para convertirse en una especie de sujeto parecido a *On* del francés (*On dit que* . . .) y a *Mann* del alemán (*Mann sagt* . . .). Deberá observarse, además, que hay casos en que la construcción impersonal está muy cerca de la construcción pasiva. La línea divisoria entre estas dos construcciones es a veces muy tenue, como se ve en algunos de los ejemplos que aquí se dan:

Aquí se come bien. *They serve good meals here. One can get good food here.*

En invierno se viaja mal. *Travelling in the winter is uncomfortable. One cannot travel comfortably in the winter.*

Se aplaude la superioridad moral. *One praises moral rectitude. Moral rectitude is praised.*

Esto se hace así. *This is the way one does this. This is the way this is done.*

EJERCICIOS

A

I. *Exprese usted las siguientes ideas impersonalmente, como si fuesen hechos inesperados.*

Ejemplo: Apagó el fuego.
Se le apagó el fuego.

1. Echamos a perder nuestro plan. **2.** Perdí el pañuelo. **3.** Deshicieron cuanto habían construido. **4.** Olvidaste lo más importante. **5.** Ella

[handwriting: Se me desarreglé   se les agotó]

rompió el florero.   **6.** Lo desarreglé todo.   **7.** Agotaron la única fuente de riqueza nacional.   **8.** Llenaste la casa de cachivaches.   **9.** Quemamos el pan.   **10.** Arruinasteis una magnífica oportunidad.

[handwriting: Se te llenó   se nos quemó   se os arruinó]

II. *Sírvase buscar el verbo reflexivo que más convenga a cada sujeto.*

1. Los alumnos	se derriten.
2. Las espigas	se hielan.
3. Las señoritas	se pudren.
4. Los árboles	se espantan.
5. Las máquinas	se encogen.
6. Las flores	se quejan.
7. Los hielos	se entristecen.
8. Las nieves	se paran.
9. Las frutas	se evaporan.
10. Los ríos	se marchitan.
11. Los invitados	se entumecen.
12. Los niños	se tuercen.
13. Las aguas	se aburren.
14. Las medias	se doran.
15. Los pájaros	se deshacen.

III. *Añada usted una idea de participación personal al primer verbo teniendo presente la segunda parte de cada oración.*

> *Ejemplo:* Se marcharon los clientes; estamos ahora solos.
> **Se nos marcharon los clientes.**

1. Se acabó el dinero; ¿a quién le doy ahora un "sablazo"?   **2.** Se fue la criada; ahora no saben ellos qué hacer.   **3.** Se metió en la casa; ahora sí que estás en un aprieto.   **4.** Se comió la comida; ahora vamos a pasar hambre.   **5.** Se vino abajo el techo; casi perecieron.

[handwriting: me ... les ... te ... les]

IV. *Exprese las siguientes ideas en voz pasiva, empleando el reflexivo pasivo* **se** *y un complemento pronominal.*

> *Ejemplo:* Esperan a los interesados.
> **Se les espera.**

[handwriting: Se les admira]

1. Admiran a los hombres de acción.   **2.** Respetaban a las damas.   **3.** Elogiaron a la secretaria.   **4.** Nombrarán a un inepto.   **5.** Honraron a dos hombres rectos y justos.

[handwriting: Se les respetaba   Se les elogió   Se les honró   Se le nombrará a un inepto]

69

V. *Emplee uno de los verbos de la columna de la derecha en sustitución de las palabras en cursiva.*

Ejemplo: El muchacho *insiste con tesón* en hacerlo.
El muchacho se empeña en hacerlo.

1. Cuando vi que se servía de simples fórmulas verbales *sentí vergüenza.*
2. Ante aquella escena la joven *perdió el sentido.*
3. Con la lluvia y los muchos quehaceres mi flamante traje nuevo *quedó lleno de arrugas.* *Se arrugó*
4. Al ver al desconocido que golpeaba al perro tan despiadadamente *sentí horror.* *me horrorize*
5. Como no hallaba solución al problema, don Pedro *perdió la paciencia.* *Se impacientó*
6. Al oír la noticia *le subió el rubor a la cara.* *Se ruborizó*
7. Estando una vez en el extranjero vi de repente la bandera de mi patria y *sentí orgullo* de ser español. *Se enorgulleció*
8. La pobrecilla había perdido a sus padres. Al saberlo, su tío *sintió su dolor como si fuera propio.* *Se condolió*
9. Sé que estando usted en la reunión usted *hizo alabanzas desmedidas* de su pureza moral. *Se jactó*
10. Juan tuvo que dejar el puesto. Como resultado de esa experiencia, la más bochornosa de su vida, *perdió el ánimo totalmente.* *Se desanimó.*

a. jactarse
b. enorgullecerse
c. desanimarse
d. amostazarse
e. ruborizarse
f. amilanarse
g. impacientarse
h. desalentarse
i. horrorizarse
j. arrugarse
k. desvanecerse
l. desmayarse
m. avergonzarse
n. condolerse
o. descorazonarse

B

I. *Diga usted qué ideas secundarias se han añadido en cada una de las construcciones que llevan la letra* (b)*:*

1. (a) No duerma usted en clase.
   (b) No se me duerma usted en clase.
2. (a) No vaya usted.
   (b) No se nos vaya usted.
3. (a) Murió ayer su esposa.
   (b) Se le murió ayer su esposa.
4. (a) Cayó en el lodo.
   (b) Se me cayó en el lodo.
5. (a) Apareció de noche.
   (b) Se nos apareció de noche.
6. (a) El agua sale de la bañera.
   (b) El agua se sale de la bañera.

7. (a) El libro quedó en casa.
(b) Se les quedó el libro en casa.

8. (a) Bajó del árbol.
(b) Se bajó del árbol.

9. (a) No ande usted con rodeos.
(b) No se ande usted con rodeos.

10. (a) Temo que llueva hoy.
(b) Me temo que llueva hoy.

II. *Diga usted si en las siguientes construcciones se debe usar el verbo en singular o plural. (Véanse las págs. 249-250.)*

1. No se (permite — permiten) tergiversar los hechos. **2.** Se (debe — deben) perdonar las ofensas recibidas. **3.** No se (puede — pueden) prescindir de los hombres superiores. **4.** No se (puede — pueden) resolver los problemas sin pensarlos. **5.** Se (necesita — necesitan) pruebas, no opiniones. **6.** Se (honrará — honrarán) a los hombres de superioridad moral.

III. *¿ Qué dirían las siguientes personas en las situaciones descritas a continuación?*

1. Un niño que ha perdido su libro y no quiere confesar su culpa. **2.** Una cocinera que por descuido ha quemado el pan. **3.** Un caballero que, llevado de su interés por el libro que está leyendo, descubre que la sopa está ahora fría. **4.** Un muchacho que admira a un compañero suyo porque éste sabe muy bien todas las lecciones del libro. **5.** La sirvienta que ha roto un plato y no quiere decir que ha sido por un descuido suyo.

IV. *Exprese usted las siguientes oraciones en la voz pasiva, empleando* **se** *con el verbo en cursiva.*

> *Ejemplo:* Me *pagaron* la cuenta.
> **Se me pagó la cuenta.**

1. Nos *dieron* muchas facilidades. **2.** Me *dirán* la verdad. **3.** Nos *dijeron* que era demasiado tarde. **4.** Me *permitieron* salir. **5.** Te *explicaron* lo que debías hacer. **6.** Me *avisaban* si había correspondencia. **7.** Os *concederán* muy especiales ventajas. **8.** Nos *prometen* este mundo y el otro. **9.** No creo que me *haya hecho* favor alguno. **10.** En tal caso no es probable que *nos favorezcan*.

71

D. Estilística y composición

El circunloquio

El circunloquio es un rodeo, una manera indirecta de decir algo que se puede expresar con mayor economía de palabras. El circunloquio diluye el sentido y produce en el lector, en la gran mayoría de los casos, una impresión de descuido y falta de precisión.

En los ejemplos que siguen se dan en cursiva los circunloquios y también una forma más breve entre paréntesis:

1. Para los españoles y también *para los hombres de Hispanoamérica* uno de los ingredientes indispensables del carácter es la dignidad. (Para los españoles e hispanoamericanos . . .)
2. Era costumbre de doña Gertrudis invitar a su casa a muchachas jóvenes y *hombres no casados.* (solteros)
3. *Las personas que van por primera vez a estudiar en una universidad* lo saben muy bien. (Los novatos; Los principiantes; El estudiante recién llegado . . .)
4. Él y *otros hombres de la misma edad* crearon un nuevo sistema de valores. (sus coetáneos)
5. Proceden así porque no sienten la ansiedad *como la conocen* sus hijos y otros estudiantes. (de)

EJERCICIOS

A

Diga qué variante escogería usted para evitar el circunloquio. ¡Ojo! ¡A veces hay más de una posibilidad!

1. Vivía bajo el peso de *las labores de todos los días.* (su trabajo diario; sus labores cotidianas; su labor diaria)
2. La democracia presupone que *los que viven bajo tal sistema tienen* libertad de pensamiento. (los hombres tienen; el hombre tiene; todo ciudadano tiene)
3. La juventud trata de crearse *un plan de vivir y creer.* (una filosofía de la vida; un plan de acción; una convicción)
4. *Me da mucho gusto saber* que estás mejor de salud. (Me alegro de saber; Me alegra saber; He tenido el gusto de saber)

5. En todas sus obras se ve reflejada *una personalidad que goza de libertad de acción*. ([se ve reflejado] un hombre libre; [se ve reflejada] una personalidad libre; [se ve reflejado] un liberto)

6. A esa edad es preciso que tengan un mínimum de *disciplina de sí mismos*. (control propio; autodisciplina; autodeterminismo)

7. Sé que sabrán resolver el problema *de una manera que produzca resultados*. (en forma eficaz; en forma efectiva; en forma radical)

8. Era una mujer *con un gran dolor en el corazón*. (entristecida; dolorida; angustiada)

B

Señale los circunloquios y proponga enmiendas.

1. El deber de los que asisten a la universidad es ampliar su horizonte intelectual. **2.** Los padres son los llamados a enseñar a sus hijos la manera de controlar sus acciones. **3.** Muchos automovilistas no prestan atención a los que van a pie. **4.** Esto se advierte, en primer término, en su manera de vestir. **5.** Siento no poder aceptar tu amable invitación. Lo que pasa es que se casa mi prima Ursulita. **6.** Mucho me duele tener que darte la noticia de que no podré ir a tu casa de campo el sábado próximo. **7.** El clima es del trópico. **8.** La construcción de ese ferrocarril fue un problema de gran dificultad.

Traducción

A

1. Most men cannot recognize true character, although it is fairly easy to define (it) theoretically. **2.** There are public officials who pass for men of character but they are really nothing more than just plain "windbags." **3.** The peculiar thing is that many of them end up deceiving themselves through self-suggestion. **4.** The power of words is extraordinary and frightening. Words can make right look wrong and wrong look right. This often happens in the newspaper world. **5.** Even if a news item is not falsified, one can give it a very different meaning, depending on the words with which it is qualified. **6.** Let us take as an example the news of a certain dignitary who, being persecuted by his superiors, refuses to resign. **7.** If we add the phrase "He will not let go of his position even if they pry him loose," we give the impression that he is a man without scruples. **8.** But if the line that is added is "He will stand firm at his post," we imply that he is a man of will. **9.** Perhaps the most deceptive men of character are the violent ones. These are weak individuals who do not have the strength to control themselves and who cannot be fair and just. **10.** Equally false as men of character are the obstinate, that is to say, those whose mind is inflexible and unenlightened. **11.** Finally come the "simplifiers" or men who do not have an open mind and who assume a simplistic attitude before all problems, however complex they may be. **12.** This is, for example, the man who opposes the government under all circumstances, unable to say a single kind word because he wants to be at all times a consistent person. **13.** For the public at large such an individual is a man of character. Close scrutiny shows, however, that his decisions are governed by a simplistic and unintelligent attitude. **14.** Life, on the other hand, requires us to be men of discernment, if we are to judge people and events with an open and lofty mind.

B

1. There is little to admire in the so-called "men of action" who solve all problems in a simple, machine-like fashion, and whose conduct never stirs up any doubts in their minds. **2.** The highest form of character is always associated with a superior intelligence. Unfortunately this is the kind of character that is hardest to recognize. **3.** As you know, not all problems are equally clear and, therefore, the man of true character is one whose lot it is to have doubts and to feel remorse. **4.** He is often saddened and even obsessed because he cannot be sure that he has solved problems judiciously. **5.** Most of the time, this type of man is ignored or taken for a weak individual; what the masses cannot see is that he acts in accordance with an ideal of moral rectitude. **6.** The imprint he leaves on the world of events can be compared to a line that is never absolutely straight and rigid. **7.** In his life there are definite points of departure and definite goals, but they are joined by a line of action with oscillations arising from doubt or a sense of pity. **8.** A man of this type cannot be reduced to a formula nor can we explain in a simple manner what he does, what he feels or what he thinks. **9.** We must keep in mind that what impresses the common man is the grand gesture — the disguise with which some public men dress up their actions. **10.** In the meantime, moral acts which are far firmer and more profound are not understood, precisely because they are of a moral nature and not showy. **11.** Sometimes we have to sacrifice our pride as, for example, when we have to work under the authority of an inept or immoral individual. **12.** At other times we are forced to give up an advantageous friendship or even break with someone on account of some detail. **13.** The public does not readily see our purpose or cannot see it at all when we refuse to share responsibility with an inferior man. **14.** And the worst of it is that such determined attitudes are hardly ever attributed to moral reasons. Those who conduct themselves conscientiously are considered whimsical, proud or simply mad.

Vocabulario mínimo

accordance: in — with de acuerdo con
account: on — of a causa de, a raíz de, a propósito de
to **act** comportarse
action el acto
to **add** añadir, agregar
to **admire: there is little —** hay poco que admirar
advantageous provechoso,-a
all: at — en absoluto
to **arise: arising from** causadas por, debidas a
to **assume** adoptar, guardar
to **attribute** atribuir
before ante
to **break: — with someone** malquistarse con alguien
called: so — llamado,-a
circumstance: under all —s en todos los casos
close minucioso,-a; más detenido,-a
common común; **— man** el vulgo
complex complejo,-a
to **conduct: — oneself** conducirse, comportarse
conscientiously a conciencia
consistent de una sola pieza
to **control: — oneself** gobernarse a sí mismo
to **deceive oneself** engañarse
deceptive engañoso,-a
departure la partida
to **depend: depending on** según
detail el detalle
determined firme, resoluto
discernment el discernimiento
disguise el disfraz
to **dress: — up** encubrir, engalanar
to **end: — up** acabar (por)
equally igualmente
even: — if aun cuando; **— if . . . not** aun sin + *inf.*

event el acontecimiento
evil el mal
fair recto,-a
fairly bastante, relativamente
to **falsify** tergiversar, falsear
far: — firmer mucho más firmes
to **force: we are forced (to)** nos vemos obligados (a)
friendship la amistad
frightening asustador,-a
gesture el gesto
to **give: — up** renunciar a
goal el punto de llegada
to **govern: are governed** son regidas
hand: on the other — por el contrario, en cambio
hardest más difícil (de)
hardly: are — ever no son casi nunca
high elevado,-a
however sin embargo; **— complex** por más (muy) complejo que
to **ignore** desconocer
to **imply** dar a entender
to **impress** llamar la atención (de)
imprint la huella
individual: a weak — el débil *s.*
inferior inepto,-a
to **join** unir
judiciously con discernimiento
to **judge** juzgar
just justo,-a
to **keep: — in mind** tener presente, tener en cuenta
kind *adj.* generoso,-a
to **let: — go (of)** desprenderse (de), dimitir, renunciar
lofty elevado,-a
to **look: — wrong** que se nos presente como mal
lot: whose — it is a quien le está reservado
machine-like maquinal

75

manner: **in a simple —** en forma sencilla
meantime: **in the —** entre tanto
men: **public —** funcionarios
mind la mente, el criterio
most la mayor parte de
nature la índole
news la noticia (de); **— item** el suelto
newspaper el periódico
obstinate obstinado
official: **public —** el funcionario
one: **is — who** es aquel que
open abierto,-a; amplio,-a
to **oppose** hacer oposición a
peculiar: **the — thing** lo curioso
to **persecute** hostilizar; **being persecuted** viéndose hostilizado
pity: **sense of —** la piedad
plain simple
post el puesto
power el poder
proud orgulloso,-a
to **pry: not even if you — him loose** ni a dos tirones
public: — at large el público en general
purpose el propósito
to **qualify** calificar
readily en el acto
really en realidad
to **refuse** negarse (ie) (a)
remorse el remordimiento
to **require** exigir
to **resign** renunciar, dimitir
right el bien
saddened entristecido,-a

to **say: that is —** es decir
scruple: **without —s** servil, rastrero
scrutiny el examen
self-suggestion la autosugestión
to **share** compartir
to **show** mostrar (ue)
showy aparatoso,-a
"simplifier" el simplista
simplistic *adj.* simplista
single solo,-a
to **solve** resolver (ue)
to **stand: — firm** permanecer firme
to **stir: — up** suscitar
straight recto,-a
strength la fuerza
to **take: let us — as an example** pongamos por caso
theoretically en teoría, teóricamente
therefore por lo tanto
time: **most of the —** las más veces; **at all —s** siempre
true verdadero,-a
type el tipo, la especie, la variedad
unable incapaz
unenlightened de pocas luces, estrecho de espíritu
unfortunately por desgracia
unintelligent poco inteligente
violent: **— man** el violento
weak débil
whimsical caprichoso,-a
will *s.* la voluntad
"windbag" el declamador
worst: **the — of it** lo peor
wrong el mal

Composición libre

A

1. ¿Pueden ser los políticos hombres de carácter?

2. Tesis: En mi opinión, Winston Churchill fue (no fue) un verdadero hombre de carácter.

B

1. ¿Cuáles son las causas de las oscilaciones en nuestra manera de pensar?

2. Tesis: Entre los grandes hombres de Norteamérica el que más se singulariza como hombre de carácter es. . . . Mis razones son las siguientes:

4

Heterodoxia

ERNESTO SÁBATO

Hombre y mujer

El candoroso siglo XIX no sólo culminó en la idea de que el hombre
que viajaba en ferrocarril era moralmente superior al hombre que
andaba a caballo: culminó en la doctrina más inesperada de todos los
tiempos, en la idea de la identidad de los sexos.

5   La mayor parte de las mujeres, sobre todo las mujeres de alguna
cultura — nada hay más peligroso que <u>algo</u> de cultura —, *se dejan
arrastrar* por esa teoría, sin comprender que *les hace muy poco favor*
y que las coloca en un terreno desfavorable: como si un submarino,
molesto por el prestigio de la aviación, *pretendiese ser* tan bueno como
10 un avión . . . en el aire. Si hasta parece una mefistofélica triquiñuela
inventada por un enemigo de la mujer *para hacerla quedar en ridículo.*
Con razón, Gina Lombroso *pone en guardia* a sus congéneres contra
esa tortuosa doctrina: "Es inútil negarlo, la mujer no es igual al hombre.
Buscad cualquier testimonio de la literatura antigua o moderna — una
15 novela, un poema, un mito — y tratad de masculinizar a sus heroínas.
Suponed por un instante a las mujeres del Antiguo y Nuevo Testamento: Rebeca, Noemí, Ruth, María Magdalena, convertidas en
hombres. Incluid en esta imaginaria metamorfosis a Helena, Hécuba,
Electra, o simplemente a Eugenia de Balzac, a la Rebeca de Walter
20 Scott, a la Dorrit de Dickens, y decid *en conciencia* si las figuras que
resultan de semejante operación no son ridículas o monstruosas."

El hombre, ese descabellado . . .

Pero *el espíritu* no *es* rectilíneo sino *dialéctico* y paradojal. El hombre suele partir de premisas lógicas y realistas, para remontarse a verdaderas locuras, a la fantasía y a los molinos de viento: Parménides, Colón, don Quijote, Napoleón. (Como ha dicho no sé quién: "Napoleón era un loco que se creía Napoleón.") *A la inversa*, la mujer 5 es ilógica e irrealista, insensata; pero se adhiere a sus pequeñas insensateces con furia realista y conservadora.

El hombre va de la realidad a lo descabellado, centrífugamente.

La mujer, de lo descabellado a la realidad, centrípetamente.

Razón por la cual la mujer no ha producido nunca filosofía, porque, 10 *¿qué más descabellado* que un sistema filosófico? Después de haber probado que la realidad es inmóvil, Parménides *ha de haberse quedado tan tranquilo y orondo;* mientras su mujer ha de haberlo mirado con esa mezcla de orgullo, compasión y perplejidad con que la madre observa al niño que juega seriamente a ser general en jefe de un ejército 15 invisible.

Lógica e intuición

El hombre tiende al mundo de la abstracción, de las ideas puras, de la razón y de la lógica. La mujer *se mueve mejor* en el mundo de lo concreto, de las ideas impuras, de lo irracional, de lo intuitivo.

El instinto es ilógico, pero no falla en los problemas de la vida. No 20 hay individuo más grotesco en la vida cotidiana que el cientista o el filósofo: se mueve cómodamente en un espacio de "n" dimensiones, pero *a cada paso* tropieza o se olvida del paraguas en el mundo de 3. Valéry observa qué imperfectamente se movía Henri Poincaré en uno de los tantos universos posibles. 25

El hombre sólo tiene fe en lo racional y abstracto, y por eso se refugia en los grandes sistemas científicos o filosóficos; de manera que, cuando ese sistema *se viene abajo — como tarde o temprano sucede —* se siente perdido, escéptico y suicida. La mujer *confía en lo irracional*, en lo mágico, y por eso difícilmente pierde la fe, porque *nunca el mundo* 30 *puede revelársele más absurdo* de lo que a primera vista intuye. El "credo quia absurdum" es femenino, como toda filosofía existencialista (aunque sea hecha por hombres; por hombres, *claro está*, fuertemente *propensos* a la feminidad). Racionalizar al Universo y a Dios es empresa, en cambio, típicamente masculina, *"locura" propia de hombres*.

El amor a las cosas

Dice Jung que el amor a las cosas es prerrogativa masculina, mientras
5 que es un rasgo esencialmente femenino el hacer todo por amor a un ser humano. Esto es <u>parcialmente</u> cierto, pues *habría que decir*, con más precisión, que la característica del hombre es su "amor a la cosidad," *a las cosas en abstracto*. Pues el amor concreto de la mujer a los seres que la rodean *se proyecta a las cosas* inanimadas *que de algún*
10 *modo estén vinculadas a ellos:* una pipa, un traje, un juguete y, en general, a todos los objetos que constituyen el universo casero. Es muy característico de la mujer el querer trasladarse, cuando viaja, con el máximo de cosas hogareñas, muchas de las cuales *no tienen ningún objeto*, ni son imprescindibles, excepto en el sentido de que prolongan
15 el hogar en tierras lejanas. Casi no existe marido que no discuta con su mujer en el momento de hacer las valijas, pues el hombre tiende a viajar con el mínimo de impedimenta, mientras la mujer, si fuera posible, lo haría con la casa entera.

El artista y la feminidad reprimida

Según Jung llevamos en nuestro inconsciente, más o menos repri-
20 mido, el sexo contrario. Si esta teoría es cierta, las creaciones *más vinculadas* a la inconsciencia, como la poesía y el arte, serían expresión de su feminidad. Y, *en efecto*, ¿qué más femenino que el arte, aunque <u>(o porque)</u> sea realizado por hombres? El artista sería así una combinación de la conciencia y razón del hombre con la inconsciencia y
25 la intuición de la mujer.

Defectos de la mujer

Dice La Rochefoucauld que los defectos nacen de la exageración de las virtudes. Las virtudes de la mujer son su altruismo por la especie, su capacidad de sacrificio personal por los hijos y los hombres bajo su cuidado. *Por eso mismo* su mundo es concreto y pequeño, personal, vital. Pero de ahí a las pequeñeces y, lo que es peor, a la pequeñez hay un paso; y al *egoísmo de hormiga*, al comadreo, al chismorreo pequeño, a los celos viscerales.

El hombre se equivoca, pero, al menos, se equivoca haciendo una ⁵ guerra mundial o un sistema filosófico.

La masculinización de la mujer

Con el dinero y la razón el hombre de Occidente realizó la conquista del mundo externo, empresa típicamente viril, constituyéndose así la sociedad contemporánea, *en cuyo anverso está* el capitalismo *y en cuyo reverso domina* la ciencia positiva y matemática. Ambos productos ₁₀ viriles, ambos separados — trágicamente — de la realidad concreta del ser humano. Así hemos llegado a una tremenda dicotomía del hombre contemporáneo, a una absoluta deshumanización, pues mientras *por un lado* se ha erigido un universo de signos matemáticos, *por el otro*, y dominado por esos símbolos, el hombre de carne y hueso ₁₅ se ha ido convirtiendo en el hombre-cosa, hasta la humilde impotencia del héroe kafkiano.

No debe asombrar, pues, que la crisis de nuestro tiempo sea simultáneamente una crisis de sexo y de sus instituciones. La mujer, subyugada durante varios siglos, humillada y pospuesta, resentida, se ha ₂₀ querido sublevar *mediante* los movimientos feministas, sin advertir que *de ese modo* hacía una concesión más, siniestra y paradojal, a esta civilización de machos. Porque, ¿qué es el feminismo sino masculinismo?

La masculinización de la mujer trajo un desequilibrio de la vida ₂₅ erótica, que se manifiesta en una neurosis colectiva y en una crisis del matrimonio. La enorme mayoría de los *matrimonios ciudadanos* son infelices. ¿Y cómo puede mantenerse una institución sólida sobre la base de la infelicidad, apócrifamente? Cuando las instituciones llegan a ser apócrifas *es que* han llegado al límite de la existencia. ₃₀

Entre el matrimonio medieval, en que la mujer era la sierva del hombre pero en realidad el centro del mundo, y el matrimonio contemporáneo en que, bajo las apariencias de su liberación, está verdadera-

mente esclavizada a la condición viril, *se ha ido metiendo una potentísima cuña, a medida que* la civilización de la razón y el dinero fue desarrollándose. Y el matrimonio estalla. *Es hora de* preguntarse qué ha de reemplazarlo o qué cambios materiales y espirituales habrá de experi-
5 mentar en la sociedad futura.

La civilización moderna virilizó a la mujer, falsificando, con graves consecuencias psíquicas, la esencia de su ser, esa esencia biológica que ninguna comunidad ni cultura puede impunemente alterar. Si es que la radical crisis de nuestro tiempo *ha de ser superada*, habrá que retornar
10 a una mujer femenina, pero eso implica, *a su vez*, que el hombre ha de realizar una síntesis de las antítesis que ha provocado. Deberemos volver a lo concreto sin desdeñar la abstracción, habrá que integrar la lógica y la vida, el objeto con el sujeto, la esencia con la existencia. En otras palabras: habrá que crear una sociedad que respete la unidad
15 hombre-mujer, en vez de escindirla en beneficio del hombre platónicamente puro.

(Ernesto Sábato, *Heterodoxia*—extractos, Buenos Aires, Emecé Editores, S. A., 1953.)

PREGUNTAS

A

1. ¿Qué ideas algo extravagantes tuvieron su origen en el siglo XIX?
2. ¿Quiénes se dejan arrastrar por la teoría de la igualdad de los sexos?
3. ¿Qué ocurre si masculinizamos a las grandes figuras femeninas? **4.** ¿De qué tipo son las premisas que emplea el hombre y para qué le sirven?
5. ¿Cómo ilustra Napoleón el lado irracional del hombre? **6.** ¿Para quién vale más la realidad, el hombre o la mujer? **7.** ¿En qué mundo se mueve la mujer? **8.** ¿Por qué es a veces el hombre muy grotesco? **9.** ¿Qué le ocurre al hombre cuando su sistema filosófico se viene abajo? **10.** ¿A qué objetos tiene especial amor la mujer? **11.** Cuando viaja la mujer, ¿por qué quiere llevar tantas cosas? **12.** ¿Cuáles son algunas de las virtudes de la mujer? **13.** ¿Cuáles son algunos de los defectos de la mujer? **14.** ¿En qué consiste la masculinización de la mujer moderna?

B

1. ¿Qué pruebas hay de que el hombre es un ser descabellado?   **2.** ¿Qué quiere decir el autor cuando afirma que el hombre tiene amor a la "cosidad"? **3.** Según Jung, en cada persona hay algo de hombre y algo de mujer; ¿está usted de acuerdo con esta teoría?   **4.** ¿En qué sentido es el arte una creación femenina?   **5.** Dice el autor que el hombre contemporáneo ha llegado a una absoluta deshumanización.   ¿Qué significa esto?   **6.** ¿Qué resultados indeseables ha traído la transformación de la mujer?   **7.** ¿Qué pruebas hay de lo que el autor llama "una neurosis colectiva"?   **8.** ¿Cree usted que la mujer podría llegar a ser igual al hombre?   **9.** Mencione usted algunos instintos humanos.   ¿Es verdad que la mujer, hablando en general, es más instintiva que el hombre?   **10.** ¿Cuáles son algunas de las grandes locuras del hombre en la historia?   **11.** Según el autor, ¿cuáles son los dos componentes principales de la cultura occidental?   **12.** Explique usted lo que quiere decir el autor cuando alude a la necesidad de una nueva síntesis en la sociedad contemporánea.   **13.** En su opinión, ¿en qué debe consistir la igualdad de los sexos?   **14.** ¿Con qué ideas del autor no está usted de acuerdo?

A. Modismos

se dejan arrastrar — se dejan convencer

les hace muy poco favor — no las favorece mucho

molesto por — disgustado con

pretendiese ser — quisiese ser

para hacerla quedar en ridículo — para ponerla en una situación ridícula

Con razón — Muy acertadamente

pone en guardia — previene

en conciencia — con absoluta honradez

el espíritu . . . es . . . dialéctico — la mente del hombre pasa de un extremo a otro

A la inversa — Por el contrario

¿Qué más descabellado . . .? — ¿Hay algo más irrazonable . . .?

ha de haberse quedado tan tranquilo y orondo — seguramente se quedó muy satisfecho

se mueve mejor — se siente más a gusto

a cada paso — constantemente

se viene abajo — se deshace

como tarde o temprano sucede — como ocurre siempre

confía en lo irracional — tiene fe en lo irracional

nunca el mundo puede revelársele más absurdo — nunca podrá el mundo aparecer ante sus ojos más absurdo

credo quia absurdum — lo creo porque es absurdo

claro está — naturalmente

propensos a — inclinados hacia

locura propia de hombres — locura que se puede esperar de los hombres

habría que decir — sería necesario decir

a las cosas en abstracto — al concepto que (el hombre) tiene de las cosas

se proyecta a las cosas — está orientado hacia las cosas

de algún modo — en una forma u otra

que . . . estén vinculadas a ellos — que . . . tengan relación con ellos

no tienen ningún objeto — son inútiles

más vinculadas a — que están en relación más directa con

en efecto — efectivamente; en realidad

Por eso mismo — Por la misma razón

(el) egoísmo de hormiga — la mezquindad

en cuyo anverso está . . . y en cuyo reverso domina . . . — la cual tiene dos caras, una que es . . . y otra que es . . .

por un lado — por una parte

por el otro — por otra parte

mediante — por medio de

de ese modo — así

matrimonios ciudadanos — matrimonios de ciudad

es que — es porque

se ha ido metiendo una potentísima cuña — se ha introducido un fuerte elemento perturbador

a medida que — en la misma proporción en que

Es hora de — He llegado el momento de

ha de ser superada — ha de ser mitigada

a su vez — por su parte

EJERCICIOS

A

Llene los espacios con uno de los verbos en la forma que pida el sentido:

1. Lo que usted ha dicho es muy cierto, pero en realidad —— a las mujeres.
2. Nuestro viaje será breve y, por lo tanto, —— tantas valijas.
3. Si usted va al baile con esas ropas estrafalarias usted ——.
4. He salido mal en mis exámenes y, por esto, los planes que había hecho para las vacaciones ——
5. Siempre me siento mal en presencia de personas solemnes y venerables. Yo —— entre gente joven.
6. Antes de casarse, piense bien en lo que va a hacer. Uno no debe —— las opiniones de otros.
7. Dicen que las mujeres —— lo irracional.
8. Este señor es muy conocido en nuestra sociedad por —— muchas instituciones de gran prestigio.
9. Esas chicas cultivan las apariencias porque —— hallar un buen partido.
10. Para estudiar un año en la universidad —— contar con unos dos mil dólares o más.

a. haber que
b. confiar en
c. dejarse arrastrar por
d. hacer poco favor
e. moverse mejor
f. venirse abajo
g. no tener objeto
h. pretender
i. estar vinculado a
j. quedar en ridículo

B

Dé un equivalente idiomático de las frases en cursiva:

1. *Por una parte*, la crisis de nuestro tiempo se manifiesta en una neurosis colectiva. 2. Habrá que armonizar, *en una forma u otra*, los intereses de hombres y mujeres. 3. Debemos juzgar este asunto *con absoluta honradez*. 4. Es persona de instintos y, *por la misma razón*, no pierde la fe en lo que intuye. 5. Las mujeres han hecho *así* una nueva concesión a la sociedad. 6. La mujer se ha querido sublevar *por medio de* movimientos feministas. 7. ¿*Hay algo* más absurdo que la guerra? 8. *Ha llegado el momento de* actuar con verdadero altruismo. 9. Un submarino, *naturalmente*, no puede compararse a un avión. 10. El hombre, *por su parte*, ha llegado a la deshumanización.

B. Vocabulario

A

Masculinos y femeninos

La forma femenina de ciertos sustantivos indica una cosa que por su tamaño, uso, forma u otro detalle cualquiera, se diferencia de lo denotado por la forma masculina. Estudie usted los siguientes vocablos:

el barco embarcación en general, de tamaño mayor, desde el yate hasta el transatlántico
la barca embarcación más pequeña, como la que se emplea en la pesca comercial

el canal excavación hecha por el hombre para hacer pasar las aguas
la canal conducto metálico o de otro material por el cual se hacen pasar las aguas, sean de lluvia o no

el canasto utensilio de boca estrecha y generalmente de mimbre
la canasta utensilio más grande que el canasto, de boca ancha, también hecho comúnmente de mimbre

el cuchillo utensilio empleado para cortar en general
la cuchilla cuchillo más grande o de hoja ancha; la guillotina para cortar papel; hoja rectangular de acero que se emplea en cabezales de alisadoras de madera

el jarro recipiente de vidrio, loza u otro material, de boca estrecha y que se usa para contener líquidos, especialmente agua
la jarra recipiente parecido al anterior, pero de boca más ancha y tamaño más grande

el manto prenda de vestir suelta a modo de capa, empleada por hombres y mujeres
la manta prenda de lana o algodón que sirve para abrigarse en la cama

el peso unidad monetaria de varios países; cualidad de un cuerpo pesado
la pesa pieza metálica de determinado peso

el río corriente de agua, por lo común bastante considerable, que va hacia el mar
la ría estuario

Diga cuál de los términos de la sección anterior emplearía usted para completar las siguientes oraciones. (Dé también el artículo que pida el sentido.)

1. La muchacha había puesto la ropa limpia en ——. 2. Mataba animales empleando ——. 3. Los pescadores se hicieron a la mar en sus ——. 4. Mozo, se le olvidó traerme ——. 5. Cuando voy a Europa prefiero ir en ——. 6. Toda la noche oímos el ruido de la lluvia en ——. 7. Las balanzas se venden con cuatro o cinco ——. 8. Cuando hace mucho frío en invierno pongo dos —— en mi cama. 9. Lo más hermoso del paisaje gallego son ——. 10. Tengo sed; tráeme —— de agua fresca.

B

Diferencias de significado

1. Quedar — quedarle a uno.

Quedar se usa

(a) Para indicar permanencia en un lugar sin sugerir las ideas de participación subjetiva, de ventaja o desventaja:

El libro quedó en el suelo (*remained on the floor*).

(b) Con adjetivos y adverbios para aludir a un estado:

Todos quedamos descontentos [entristecidos, desilusionados, etc.] (*were disappointed* [*saddened, disillusioned*]).
Quiero que ustedes queden bien (*make a good impression*).

(c) Seguido de preposiciones:

Quedamos en (*We agreed to*) reunirnos a las cuatro.
La carta quedó por [sin] contestar (*remained unanswered*).
Lo digo para hacerla quedar en ridículo (*to make her look ridiculous*).

(d) En una frase hecha:

¿En qué quedamos? *Make up your mind!*

Quedarle a uno es verbo impersonal:

Sólo me quedan dos días de vacaciones. *I have only two days of vacation left.*
Este traje le queda bien [mal] (*fits you* [*does not fit you*]).

2. Apariencia — aspecto — parecer.

Apariencia es la exterioridad de algo contrastada, a veces implícitamente, con su verdadera naturaleza:

No juzgue usted por las apariencias.
¿Por qué cultiva usted las apariencias?

Si aludimos a la cara de una persona habrá de decirse **aspecto**:

Era un anciano de venerable aspecto.

Aspecto también se emplea en el sentido de "semblante" para aludir al estado físico de una persona:

El enfermo tiene hoy mejor aspecto (*looks better today*).

Parecer (*s.*) se emplea para referirse a la cara de una persona; es palabra más coloquial:

Una mujer de buen parecer (*a "good-looker"*).

3. Constituir — constituirse.

Constituir quiere decir

(a) Integrar:

Examinemos los objetos que constituyen (*make up*) el universo.

(b) Organizar:

Hemos constituido una nueva sociedad anónima. *We have organized a new corporation.*

(c) Ser:

Esto constituye (*is* [*amounts to*]) un insulto.

Constituirse es igual a "hacerse una realidad, nacer":

Tras la conquista del mundo externo se constituyó la sociedad contemporánea.

4. Bajo — debajo de (*preposiciones*); abajo — debajo (*adverbios*).

Bajo alude a una posición de inferioridad que lleva implícita una relación de dependencia, obligación, protección, promesa, etc. La relación entre lo determinante y lo determinado es, pues, la característica distintiva de **bajo:**

Estábamos bajo techo (*under cover*).
Vivíamos bajo (*under*) la vigilancia de los celadores.
Prometió hacerlo bajo palabra de honor

Lo contrario de **bajo** es "sobre."

Debajo de implica solamente posición inferior, esto es, la idea de estar una cosa directamente debajo de otra, sin concomitancias de ninguna clase por parte de aquello que encubre o está por encima de la cosa de que se habla:

Debajo de (*Underneath*) la cama había un pequeño baúl.

También se combina con la preposición **por** para indicar dirección a la vez que inferioridad:

Por debajo de todo esto se adivina la presencia de algo inexplicado.

Lo contrario de **debajo de** es "encima de."

Abajo se usa

(a) Con verbos de movimiento para decir "hacia un lugar inferior":

La casa se vino abajo (*came down*).

87

(b) Cuando no hay movimiento y se señala simplemente un lugar inferior que queda a cierta distancia:

Abajo (*Down below*) unos indios miran pasmados al avión.

(c) En combinación con otras preposiciones para indicar dirección o procedencia:

Los pedazos saltaron hacia [para] abajo (*downward*).
Soy el vecino de abajo (*from the floor below*).

(d) En la interjección de desaprobación:

¡Abajo el gobierno!

(e) En frases hechas:

Lo miró de arriba abajo (*from head to foot*).
Los echó escaleras abajo (*down the stairs*).
Venía corriendo cuesta abajo (*downhill*).

Lo contrario de **abajo** es "arriba."

Debajo

(a) Empleado adverbialmente indica posición inferior, proximidad y contacto:

Y este paquete, ¿por qué lo pusieron debajo y no encima?

Si hay una idea de separación o distancia se usará el adverbio **abajo:**

Y este paquete, ¿por qué lo pusieron abajo y no arriba?

(b) Combinado con la preposición **por** indica un lugar o zona inferior y dirección:

Hubo que clavar la silla por debajo (*from underneath*).
Para sacar el dinero tendrá que meter la mano por debajo.

Lo contrario de **debajo** es "encima."

5. Grave.

(a) Serio, de mucho peso:

Ese cambio ha tenido graves consecuencias.
Discutían un grave negocio.

(b) Se aplica a una etapa de cuidado en una enfermedad:

El señor está muy grave (*very ill*).

(c) Tono bajo de la voz:

Habló con voz grave.

6. Provocar.

(a) Irritar o desafiar a una persona:

Cuando ha bebido demasiado provoca (*challenges*) a todo el mundo.

(b) Dar origen a algo:

Esto ha provocado (*has given rise to*) toda clase de disturbios.

(c) Con la preposición **a,** para decir "incitar":

Sus cursilerías provocan a risa [a lástima] (*move people to laughter* [*to pity*]).

7. Matrimonio.

(a) La institución social:

En el matrimonio medieval la mujer era la sierva del hombre.

(b) La ceremonia civil o religiosa:

La señorita Luisa Melo y D. Carlos Lizárraga contrajeron ayer matrimonio (*got married yesterday*).

(c) Marido y mujer:

Pepa y Rafael son un matrimonio modelo (*a perfect married couple*).

8. Hora.

(a) Cada una de las veinticuatro divisiones del día:

¿Qué hora será? *I wonder what time it is.*
Hora (legal) de Nueva York [Chicago, Denver, San Francisco]. *Eastern [Central, Rocky Mountain, Western] Standard Time.*
Hora de verano. *Daylight-saving time.*

(b) Seguida de la preposición **de:**

¿Cuáles son sus horas de consulta (*office hours*)?
Es hora de (*time to*) preguntarse qué va a reemplazarlo.
A la hora de la verdad (*When all is said and done* [*In all sincerity*]) quizá elijamos una comedia.
Te lo diré a la hora de comer (*at meal time*).

(c) En frases preposicionales:

La cosecha quedó arruinada con este pedrusco de última hora (*so late in the season*).
¡Que todo sea en buena hora! *I wish you the best of luck!*
El doctor no atiende fuera de horas (*after hours*).

(d) En construcciones verbales:

¡Esa mujer da la hora (*is a knockout*)!
Llegó la hora. *Time is up.*
A todos nos llega la hora. *We all have to die.*
Ponga su reloj en hora. *Set your watch.*
¡No veo la hora de llegar! *I can hardly wait to get there!*

EJERCICIOS

I. *Llene usted los espacios en blanco empleando palabras o frases de la sección anterior. Añada las palabras que usted crea necesarias.*

1. Hoy es jueves. Debo volver a mi trabajo el domingo por la noche. Sólo —— dos días de vacaciones. **2.** María Eugenia y su marido son —— más simpático que yo conozco. **3.** Llegamos a la cima de una montaña. A la distancia y muy —— se veía la línea sinuosa de un río. **4.** ¿Dónde pongo mis chanclos? — Póngalos ahí, —— la mesa. **5.** A juzgar por —— esta mujer debe ser muy rica. **6.** Creo que mi hermano se siente mejor pues hoy tiene mejor ——. **7.** La crisis económica va a —— una verdadera convulsión social. **8.** Queriendo darse importancia nos miró ——. **9.** Fui a visitar al enfermo y lo encontré muy ——. **10.** Después de una larga discusión —— cerrar el contrato hoy mismo.

II. *Emplee usted un modismo que contenga la palabra* **hora:**

1. Mi reloj anda atrasado; tengo que ——. **2.** Cuando veo a una hermosa mujer me digo para mis adentros: Esa mujer ——. **3.** Atiendo a mis enfermos de dos a seis. Ésas son ——. **4.** A fin de gozar de la luz del sol en verano algunos países han adoptado —— de última hora. **5.** Cuando hago un viaje no me gusta hacer arreglos —— porque me ponen muy nervioso. **6.** Conque ustedes se casan. Pues, que —— Sea en buena hora.

C. Gramática

Usos del infinitivo

El infinitivo puede ser en español (I) sujeto, (II) complemento de un verbo, (III) complemento de una preposición.

I. EL INFINITIVO COMO SUJETO

1. El infinitivo por sí solo puede ser sujeto de una oración. Sin embargo, cuando se quiere dar mayor sustantividad al infinitivo se antepone el artículo **el** u otros determinativos:

(El) hacerse rico era su única ambición.
(El) racionalizar al Universo es empresa masculina.
La reunión fue un charlar sin sentido.
Ese disputar por disputar me crispa los nervios.

2. Hay una pequeña diferencia de connotación entre la construcción **el** + *infinitivo* y su correspondiente sustantivo, si es que lo hay. Este último tiene un sentido más específico y menos poético. La construcción **el** + *infinitivo* es más generalizadora y más expresiva, pues añade una idea de acción, ya que el infinitivo es sustantivo y verbo al mismo tiempo. Las más veces la traducción inglesa de ambas construcciones es la misma:

El viajar es muy recomendable como medio de combatir el aburrimiento. (*Travelling . . .; The act of travelling . . .*)
El viaje es casi una necesidad del espíritu. (*Travel . . .*)
El sufrir (El sufrimiento) es inevitable en esta vida. (*Suffering . . .*)
Vivir así no vale la pena.
Un vivir tan precario no valía la pena.
Las obligaciones del diario vivir son muy graves.

3. Hay casos en que la construcción **el** + *infinitivo* tiene un equivalente en inglés que comienza con un posesivo o con la expresión *The fact that . . .*

Es característico de la mujer el querer (*her wanting*) trasladarse con el máximo de cosas hogareñas.
El haber tardado María tanto nos obligó a postergar el viaje. (*Mary's being so late . . .; The fact that Mary was so late . . .*)

II. EL INFINITIVO COMO COMPLEMENTO DE UN VERBO

1. También se puede anteponer el artículo **el** cuando el infinitivo es complemento:

Evita (el) tener que ponerla en ridículo.

Sin embargo, si el infinitivo es complemento de otro verbo y forma con éste una sola unidad de pensamiento sin ningún valor sustantival no se podrá usar el artículo. Por lo tanto, no admiten el artículo aquellas combinaciones en que el primer verbo es de los que comúnmente se asocian a un infinitivo de carácter complementario: **Desea volver a la medianoche.** (*Incorrecto:* Desea el volver . . .)

2. Verbos de percepción + infinitivo.

Cuando queremos expresar la acción oída o vista especificando también la cosa o persona que es causa de aquello que oímos o vemos, el orden de las palabras no es el mismo en español que en inglés. Comparemos:

Español: *Verbo de percepción + Infinitivo + Complemento directo*

Inglés: *Verbo de percepción + Complemento directo + Infinitivo*

(a) Cosas:

Vi llegar el coche.
Oí sonar el timbre.

(b) Personas:

Vi actuar al gran Vilches.
Oí cantar a María.

NOTA: Si el infinitivo es de verbo transitivo y va con complemento, el orden es el mismo que se emplea en inglés: **Vi al cartero entregar la carta.**

3. Verbos de percepción precedidos de complemento.

Cuando aludimos a través de un verbo de percepción a lo que oímos o vemos, especificando, además, la persona que ejecuta aquello que oímos o vemos, podemos referirnos a esta persona a través de un pronombre, como en inglés. Hay quienes hacen del pronombre un complemento indirecto, mientras que otros lo consideran complemento directo. De estas dos posibilidades, la preferida parece ser la primera:

Nunca le (la) oí decir semejante cosa.
Yo les (los) vi hacer las valijas.

4. La forma pasiva de un verbo de percepción tiene dos peculiaridades: (1) requiere el uso del reflejo pasivo (**se**), y no la verdadera forma pasiva, con el verbo **ser**: (2) emplea un infinitivo, y no un gerundio, como en inglés.

Se le oyó decir palabras injuriosas acerca de las mujeres. (*He was heard saying . . .*)

Allí se le vio estrenar sus primeros pantalones largos. (*There he was seen wearing for the first time . . .*)

5. En aquellas construcciones en que un verbo principal expresa causa (**hacer**) o voluntad (**mandar, prohibir, dejar, permitir,** etc.) en relación con una segunda acción vertida en un infinitivo, el orden de las palabras es el siguiente:

Verbo principal + Infinitivo + Complemento directo

Hicieron pintar las paredes.

Mandaron barrer las calles.

Prohibieron importar objetos de lujo.

Se observará que la acción expresada por el infinitivo apenas lleva envuelta una idea de persona. En los tres ejemplos no se dice quién pintó, barrió o importó. La misma construcción se habrá de emplear si hay una idea poco importante de persona representada por un simple pronombre:

Esto nos impidió terminar el trabajo.

6. Las construcciones reflexivas en que los infinitivos (con o sin complemento) siguen a los verbos **hacer** o **dejar** tienen un equivalente pasivo en inglés.

(a) Infinitivo con complemento:

Se dejó lavar la cara. *He allowed his face to be washed.*

Se hizo afeitar la barba. *He had his beard shaved.*

(b) Infinitivo sin complemento:

Se dejaron capturar. *They allowed themselves to be captured.*

Se hizo examinar. *He had himself examined.*

III. EL INFINITIVO COMO COMPLEMENTO DE PREPOSICIÓN

1. El infinitivo empleado después de preposiciones puede ir acompañado de un sujeto:

> Después de salir ella, comenzó el chismorreo.
>
> Con ser él tan inteligente se fía de sus intuiciones (*Even though he is so intelligent . . .*)
>
> Por saber nosotras que era un tunante no aceptamos su invitación (*Because we knew . . .*)

El sujeto puede omitirse si se ha empleado otra palabra que deja en claro la persona a quien se refiere el infinitivo:

> Me nombraron árbitro por ser (yo) mayor que los demás.

Cuando el infinitivo va tras la preposición **sin,** su equivalente inglés pide el empleo de un posesivo:

> Íbamos por esas soledades sin saber él (*without his knowing*) si ése era el camino.
>
> Se lo expliqué sin tener (yo) (*without my having*) la menor idea de las consecuencias.

2. En la combinación *sustantivo* + **por** + *infinitivo* la función del infinitivo es expresar una acción que todavía no se ha ejecutado:

> Todavía tengo dos libros por leer (sin leer).
>
> Había muchas cosas por terminar (sin terminar).

3. La combinación **al** + *infinitivo* se emplea para expresar coincidencia en el tiempo:

> Al hacerse libre perdió la mujer muchas prerrogativas.

4. El infinitivo en construcciones condicionales. (Ver pág. 414.)

5. El infinitivo, precedido o no de la preposición **a,** puede usarse en vez de un imperativo familiar, plural, cuando se desea dar una orden sin la fuerza categórica del imperativo:

> ¡(A) no discutir! (¡No discutáis!)
>
> ¡(A) trabajar! (¡Trabajad!)

IV. EL INFINITIVO EN CONSTRUCCIONES ELÍPTICAS

1. La idea de extremo asombro puede expresarse con un infinitivo al comienzo de una pregunta:

> ¿Salir yo con usted? ¡Jamás!
>
> ¿Devolver yo ese dinero? ¡Nones!

2. Se emplea el infinitivo después del interrogativo **cómo** para expresar el deseo vehemente de hallar la manera de solucionar un problema:

¿Cómo decírselo sin ofenderla?

¿Cómo evitar la crisis de nuestro tiempo?

3. Después del exclamativo **cómo** se emplea el infinitivo en su forma negativa cuando se desea expresar incredulidad, recalcando más la acción misma que la idea de persona:

¡Cómo no ver que la mujer no es igual al hombre! (*How is it possible not to see . . .!*)

¡Cómo no caer en la cuenta! *How is it possible that he did not catch on!*

EJERCICIOS

A

I. *Diga usted en cuáles de las siguientes oraciones se puede usar u omitir el artículo y en cuáles se debe omitir el artículo:*

1. De nada sirve (?) quejarse. **2.** Temían (?) descubrir la verdad. **3.** Le rogaron (?) no reírse de sus ideas. **4.** (?) Saber mentir no es ninguna gracia. **5.** Deseábamos (?) criticar toda idea absurda. **6.** Confesó (?) haber mentido. **7.** Le mandaron (?) no hacer insensateces. **8.** ¿Qué objeto tiene (?) burlarse del prójimo? **9.** (?) Tener que decírtelo me preocupa. **10.** No depende de mí (?) dártelo. **11.** Me recomendaron (?) olvidar esos pormenores. **12.** Me prohibieron (?) salir de noche. **13.** Evitaba (?) caer en errores. **14.** Preferíamos (?) llegar con un poco de retraso. **15.** Le perdonaron (?) haber salido mal en el examen.

II. *Emplee una construcción con infinitivo en lugar de las palabras en cursiva:*

1. Dejamos los niños a cargo de María *porque es* persona digna de confianza.
2. Al llegar pude ver que había varios edificios *que no habían sido terminados.*
3. En ese momento vimos *que se acercaba el autobús.* **4.** *El estudio* no hace mal a nadie. **5.** Niñas, *haced vuestras labores.* **6.** *Cuando se dio cuenta* de su desairada situación, se puso roja. **7.** —¿*Me propone usted que yo venda mi casa?* Eso, jamás. **8.** *El hecho de que tú lo digas* con tanta pasión es prueba de que estás mintiendo. **9.** ¿*Es posible que no entienda él* una cosa tan sencilla? **10.** Se lo dijimos *antes de que entrase su esposa.* **11.** *El no desear nada* es la muerte. **12.** *Si tuviese usted* más años podríamos emplearle. **13.** Se lo dimos *sin que él se enterase* de dónde procedía. **14.** Oí *que llamaban* a la puerta. **15.** Aquí tengo dos novelas *que no he*

terminado. **16.** — ¿ *Usted me pide a mí que invite* a esa mujer? Tan tonto no soy. **17.** Le recomendé volver antes de que se pusiese el sol. **18.** Educar a ese niño ha sido *una continua batalla.* **19.** ¡ *Parece increíble que no viese él* la diferencia! **20.** *El que tú lo sepas* me llama la atención.

B

I. *Exprese las siguientes oraciones en la voz pasiva con* **se.**

1. Allí *le vieron* hacer muchas ridiculeces. **2.** ¿Es verdad que *te oyeron* decir tales tonterías? **3.** *Les (Las) oyeron* cantar un conocido villancico. **4.** *Les (Los) vio* disputar con los invitados. **5.** *Le oyeron* maldecir su mala suerte. **6.** *Le mandaron* no hacer más concesiones. **7.** *Te pidieron* que desalojases la casa, ¿verdad? **8.** *Me permitieron* tomar sólo una insípida limonada. **9.** *Os ordenaron* que callaseis los defectos que ella pudiera tener. **10.** *Le prohibieron* que llevase medias caladas.

II. *Sírvase reemplazar las palabras en cursiva por un pronombre. Dé usted todas las variantes posibles.*

1. Vi *a María* cerrar las puertas. **2.** Oí *a su esposa* contar la historia de la familia. **3.** Todos los días veo *al cartero* traer la correspondencia. **4.** Siempre oye *a su marido* discutir la situación política. **5.** Era muy cómico oír *a don Pedro* hablar alemán.

III. *En cada una de las siguientes oraciones se explica una situación. Emplee una construcción causativa con* **hacer, ordenar** *o* **mandar** *y algún infinitivo sugerido por la situación misma.*

> *Ejemplo:* Cuando entramos en la casa que acabábamos de alquilar, vimos que los pisos estaban sucios y, por eso, —— **(los hicimos lavar).**

1. Vimos, además, que el jardín estaba muy descuidado y, por eso, ——. **2.** Una de las ventanas no tenía cristal y, por eso, ——. **3.** En una habitación había trastos viejos totalmente inútiles y, por eso, ——. **4.** Uno de los grifos tenía una gotera y, por eso, ——. **5.** En la parte posterior faltaba un porche y, por eso, ——.

IV. *Introduzca la idea de una segunda persona a quien el sujeto obligue o permita ejecutar la acción del verbo.*

> *Ejemplo:* Él se afeita **(Él se dejó afeitar).**

1. María se respeta. **2.** El muchacho se ajustó el cuello. **3.** Usted se engañaba. **4.** Ellas se convencerán. **5.** Espero que se limpie los zapatos.

D. Estilística y composición

Ideas afines

Uno de los requisitos esenciales de todo buen estilo es el empleo de las palabras en su correcto sentido. Para ello es preciso establecer diferencias de significado entre ideas afines. Son ideas afines las expresadas por aquellas palabras o frases que, sin ser iguales, tienen un parentesco de significado. Así, por ejemplo, son ideas afines las que aparecen en cada uno de los siguientes grupos:

I. prominente — eminente — preeminente
II. ataque — agresión — atropello
III. motivar — causar — instigar

El estudiante deberá saber, pues, (a) el significado exacto de las palabras afines y (b) en qué circunstancias se pueden emplear éstas. A veces, las distinciones entre los miembros de un grupo son muy sutiles. Tomemos, como ejemplo, un grupo de adjetivos que aluden a un tipo o grado de belleza:

bello,-a	guapo,-a
hermoso,-a	majo,-a
lindo,-a	apuesto,-a *(gentil homme.)*
bonito,-a	gallardo,-a *(Valiente)*
precioso,-a	

(a) Los cinco primeros se pueden emplear hablando de mujeres, no de hombres: una mujer bella (hermosa, linda, bonita, preciosa). **Linda** y **bonita** aluden a un grado menor de hermosura (*pretty*); **bella** indica un grado superior de hermosura; **hermosa** y **preciosa** constituyen un grado intermedio entre los dos anteriores.

(b) **Guapo,-a** y **majo,-a** se pueden aplicar a hombres y mujeres: un hombre guapo; una mujer maja.

(c) **Apuesto,-a** y **gallardo,-a** se emplean preferentemente hablando de hombres, y aluden al ánimo o disposición de la persona más que a la belleza física.

(d) Algunos adjetivos son más literarios que otros: **guapo,-a** y **precioso,-a** son adjetivos coloquiales, mientras que **apuesto,-a** y **gallardo,-a** tienen un marcado sabor libresco.

(e) No todos los adjetivos aquí estudiados implican el mismo rumbo de la mente: **mujer bella** lleva implícita una evaluación estética; **mujer hermosa (preciosa)** refleja una evaluación humana de los atractivos femeninos. Otra mujer diría, en este último caso, **mujer muy mona.**

(f) No todos los adjetivos que se han discutido se usan en igual forma en los países hispanoamericanos. Por ejemplo, en México **una mujer muy chula** es igual a una mujer bonita; en Chile, **una mujer muy dije** es, en el lenguaje de una mujer, el equivalente de **una mujer muy mona.**

EJERCICIOS

A

De las tres palabras que se dan entre paréntesis escoja usted la que más convenga a lo descrito en cada párrafo:

1. (el monte, la montaña, el montículo) Nos hallábamos en un paraje agreste, lleno de árboles, arbustos y matas. Allí esperábamos hallar abundante caza. Estábamos en ——.

2. (la cerradura, el cerrojo, el cierre) Al abrir el paquete vi que el estuchito en que el joyero había puesto el anillo no cerraba bien. Volví, pues, a la joyería para que arreglaran ——.

3. (el fin, el final, la finalidad) Decidí leer todo el libro. Hacia —— hay páginas de gran fuerza dramática.

4. (visita, visitador, visitante) Eran ya las diez de la noche cuando alguien llamó a la puerta. ¿Quién podría ser? Mi —— resultó ser un señor que buscaba a un doctor cuyo nombre me era totalmente desconocido.

5. (cubierta, cáscara, corteza) Antes de cocinar las naranjas es necesario quitarles la ——.

6. (combatiente, contrincante, enemigo) Fue un encuentro de boxeo muy desigual: mi —— era ágil, fuerte y musculoso.

7. (director, rector, presidente) La autoridad máxima de una universidad es el ——.

8. (negligencia, apatía, informalidad) Este accidente automovilístico pudo evitarse. Usted es culpable de ——.

B

Diga usted cuál de las tres palabras que se dan entre paréntesis es la que pide el sentido:

1. En mi vida he visto nada semejante: el recién llegado tenía un aspecto mongoloide, monstruoso. Todos nos quedamos (sorprendidos, atónitos, estupefactos).

2. El prestidigitador hizo ante el público (milagrosos, prodigiosos, espantosos) escamoteos.

3. Dimos brillo a los muebles con cera líquida y quedaron (llameantes, fulgentes, resplandecientes).

4. Juanito: recibirás un castigo porque eres muy (insubordinado, rebelde, desobediente).

5. Has cometido una falta de respeto, pero esta vez te voy a (indultar, exonerar, perdonar).

6. Eres un desagradecido; tú no sabes (pagar, retribuir, retornar) los favores que te hacen.

7. Los ricos debieran (simpatizar con, compadecerse de, ser altruistas con) los pobres.

8. Esas mujeres critican a todo el mundo. No hay como ellas para destruir la reputación de los demás. Parece que su única ocupación es (denigrar, injuriar, maldecir) al prójimo.

Traducción

A

1. Most women allow themselves to be misled by the theory that man and woman are identical. 2. They do not realize that such a doctrine places them in a most unfavorable position. 3. It almost seems that it was invented by someone who wanted to make them look ridiculous. 4. Or, perhaps, it is a devilish trick devised by someone who hates women. 5. Have you thought, for example, what would happen if we tried to turn the great heroines of literature or history into men? 6. You would have to admit, in

all conscience, that they would seem monstruous. **7.** It is useless and dangerous to deny that man is different from woman. This does not mean that one is superior to the other. **8.** Men begin being logical and end up creating phantasies or committing unbelievable follies. **9.** Can you think of anything more preposterous than a philosophical system? Men have produced them, women have not. **10.** Why? Because men tend toward abstract thinking, toward pure ideas. **11.** Contrariwise, women prefer to adhere to small, senseless notions with a conservative but realistic mentality. **12.** Women are more at home in the world of concrete things and intuitive matters. They are not always logical but they do not err when they face the problems of life. **13.** A man, especially if he is a scientist or a philosopher, is always stumbling or forgetting small details, such as his umbrella or his hat. **14.** Man has faith in abstract thought, but when his system of ideas comes crashing down he feels completely lost and bent on suicide.

B

1. Men attempt to rationalize the universe and even God. This is a typically masculine folly. **2.** Jung once said that love of things is a masculine trait. This is only partially true. **3.** He meant not things but "thingness," that is, things in the abstract. **4.** Women, on the other hand, love all concrete things that are somehow related to the loved ones who surround them: a toy, a suit, a pipe, etc., all the objects that constitute the domestic world. **5.** When women move from one place to another they want to travel with the maximum number of domestic objects. **6.** Many of these objects are not essential; they serve no purpose but they extend the home to distant lands. **7.** Now we understand why they argue with their husbands when it comes to packing suitcases. **8.** Woman has some defects, such as smallness, gossiping, chitchatting and jealousy. **9.** But let us not be unfair. She also has virtues and among these are her capacity for self-sacrifice and her devotion to those entrusted to her care. **10.** Man is also paradoxical: he has conquered the external world, but in so doing he has separated human beings from the world of things. **11.** He has created a state of dehumanization, a world of mathematical symbols and abstractions. **12.** In this world women have acquired more freedom but have also become more masculine. Thus, women's true nature has been falsified. **13,** This change has brought about a tremendous crisis which has had very serious consequences in the psychological sphere. **14.** Our task is to make it possible for (*que*) women to be feminine and to recognize the value of their contribution as women.

Vocabulario mínimo

to **acquire** adquirir (ie)
to **adhere** adherirse (ie)
to **admit** confesar (ie), reconocer
to **argue** discutir
to **attempt** intentar
to **become: — more masculine** masculinizarse
being *s.* el ser
bent: — on suicide suicida
to **bring: — about** provocar
capacity la capacidad; **— for** capacidad de
care el cuidado
chitchatting el comadreo
to **come: when it comes to** cuando se trata de, en el momento de; **— crashing down** venirse abajo
to **commit** cometer
to **conquer** conquistar
conscience: in all — en conciencia
conservative conservador,-a
contrariwise a la inversa
dangerous peligroso,-a
dehumanization la deshumanización
to **deny** negar (ie)
devilish mefistofélico,-a
to **devise** pensar (ie), crear
distant lejano,-a
doing: in so — al hacerlo
to **end: — up** acabar
entrusted: — to her care bajo su cuidado
to **err** fallar
essential imprescindible
to **extend** prolongar
external externo,-a
to **face** encarar, encararse con
faith la fe
to **falsify** falsificar
folly la locura
freedom la libertad
gossiping el chismorreo
hand: on the other — por otra parte
to **hate** odiar
to **have: women — not** las mujeres no
home hogar; **are more at —** se mueven mejor (más cómodamente)
identical idéntico,-a
jealousy los celos

logical lógico,-a
love: — of things el amor a las cosas
loved: — ones los seres amados
masculine: to make more — masculinizar
mathematical matemático,-a
matter: intuitive —s las intuiciones, lo intuitivo
maximum máximo,-a; **— number** el máximo
to **mean** querer decir
misled: allow themselves to be — se dejan arrastrar
most muy; la mayor parte de
to **move** trasladarse
nature la naturaleza
notion: senseless — la insensatez
object el objeto
once una vez, cierta vez
to **pack** hacer las valijas
paradoxical paradójico,-a
partially en parte
phantasy la fantasía
philosopher el filósofo
pipe la pipa
to **place** colocar
position la posición, el terreno
preposterous descabellado,-a
psychological psicológico,-a
realistic realista
to **realize** darse cuenta (de)
to **relate: to be related to** estar vinculado,-a (a)
ridiculous: to make them — hacerlas quedar (ponerlas) en ridículo
scientist el científico, el cientista (*neologismo*)
self-sacrifice el sacrificio
to **serve: they — no purpose** no tienen ningún objeto
smallness la pequeñez
somehow de algún modo
sphere la esfera
to **stumble** tropezar (ie)
to **surround** rodear
task la tarea
to **tend** tender (ie)
theory la teoría
"thingness" la "cosidad"

101

thinking *s.* el pensamiento
thought el pensamiento
thus así
toy el juguete
trait el rasgo
trick la triquiñuela

to turn: — into men masculinizar
unbelievable increíble
unfair injusto,-a
unfavorable desfavorable
value el valor
virtue la virtud

Composición libre

A

1. ¿Es verdad que la mujer norteamericana tiene más libertad que la mujer de ciertos países europeos?

2. Tesis: El autor no ha sido justo con las mujeres pues tienen éstas otras virtudes que él no ha mencionado. Mis razones son las siguientes:

B

1. ¿En qué actividades intelectuales o artísticas sobresalen las mujeres?

2. Tesis: La liberación de la mujer y su participación en las actividades del hombre tiene ventajas y desventajas. Mis razones son las siguientes:

❦ 5 ❦

Manual para turistas

(*Servicio informativo español*)

Los extranjeros

A los españoles *nos suelen caer bien los extranjeros.* Hasta, a veces, demasiado bien. *Queremos decir que* el español *da* con frecuencia *mejor trato* y *concede mayor crédito* — sin razones serias — al extranjero que al connacional. Por ejemplo, en el trabajo. Aquí, para ocupar un
5 puesto, ya sea de animador de programas de radio o de ingeniero en una fábrica, suele más bien ser ventajosa la posesión de otra nacionalidad, aunque sea necesario, en este caso, un permiso especial del Ministerio de Trabajo para poder ocuparlo.

Orgullo

Usted habrá oído decir que el español, además de abierto y acogedor
10 como pocos habitantes de este revuelto planeta, es tremendamente orgulloso. Los alemanes suelen decir "orgulloso como un español." No vaya usted a creer que el español actual sigue creyéndose capitán de los Tercios de Flandes y saca la espada cada vez que alguien le pisa un pie, entre otras civiles razones, porque *ya no usa espada;* pero sí
15 sigue siendo puntilloso con sus cosas. Y si bien él las despreciará cien veces *a lo largo del día,* no consentirá que los demás hagan lo mismo.

Simpatía

Sepa usted que el español es, por lo general, un tipo simpático. Más el del Sur que el del Norte, para los extravertidos. Más el del Norte que el del Sur, para los introversos. Es decir, que le llegará a usted
20 antes, por más directa y verbalista, la simpatía del Sur, pero sería aventurado considerarla *de más quilates* que la norteña.

103

Madrid, resumen y síntesis de España, ciudad despersonalizada aparentemente, y quizá de más rica personalidad que ninguna otra española, es particularmente cordial y efusiva. Si le decimos que en Madrid se sentirá usted como en su propia casa, no debe usted creer que *le hemos colocado un "slogan."* No hemos hecho más que expresar 5 una verdad fácil y felizmente verificable.

Cursilería

El español medio es sincero y natural. Y le molestan las hipocresías, las medias palabras y las reservas. Le fastidian, sobre todo, la pedantería y la cursilería. Ser "cursi" en España es casi un delito social, y, desde luego, la crueldad de las gentes con el "snob" exageradamente 10 afectado, *si bien incruenta,* no deja de ser bastante molesta para la víctima.

Vestido

El español suele vestir bien; la española, mejor, y los españolitos, casi todos, como si fuesen príncipes. (El niño español es el "rey de la casa" y, desde luego, *se le trata como a tal.*) El español es un sujeto 15 que *parece tener a deshonor* el que sus zapatos no aparezcan permanentemente brillantes o que la raya de sus pantalones esté desdibujada. *Por su parte,* casi todas las españolas se preocupan primorosamente de la peluquería, de que sus tacones sean altos y de que las estrellas del cine no les aventajen en esbeltez. Sólo los millonarios o los indigentes se 20 permiten, en este país, cierto desaliño indumentario.

Signos externos

Si usted tiene un automóvil deslumbrante, o el aspecto exterior de su persona es económicamente avasallador, no espere que aquí la gente — *abrecoches y recepcionistas* del hotel *aparte, y aún los menos de éstos* — vaya a otorgarle un trato especial. Cada español se cree un 25 duque y, aunque aquí las diferencias sociales y económicas son aún, ¡ay!, bastante perfectibles, no constituye normalmente valor de respetabilidad en un hombre la cifra de su cuenta corriente. Trate usted a cualquier español de igual a igual, porque éste es el trato que cualquier español le concederá a usted. 30

Se me fue un taco.

"Tacos" *malas palabras*

Con frecuencia oirá usted, en la conversación entre hombres solos, sonoras palabras, dichas con énfasis, de dudosa significación. *No hay inconveniente en que* usted las aprenda, si pretende perfeccionar el estudio de nuestro "folklore," pero *no se arriesgue a* emplearlas delante
5 de señoras.   Podría usted *pasar por* un tipo grosero.   Las mujeres españolas, aunque conocen la existencia de tales expresiones, tienen el buen gusto de no emplearlas jamás.

Piropos

Hay palabras bonitas que el español emplea también como peculiaridad racial, *al paso de* ciertas damas o mocitas de buen ver: es el "piropo."
10 Suele constituir un homenaje verbal — no solicitado, desde luego — del peatón a la belleza o al donaire de la mujer que pasa.   Lo mejor que puede usted hacer, señora o señorita que puede estarnos leyendo, es seguir su camino sin reaccionar en ningún sentido *al madrigal del espontáneo.*   Él no espera respuesta.   Se trata, *salvo* enfermizas excep-
15 ciones, de un admirador desinteresado, platónico y puro.

Amor

En España, como usted sabe, no existe el divorcio.   Absténgase de cortejar, por tanto, a cualquier mujer casada.   Hasta el simple coqueteo en este terreno *está mal, pero muy mal visto.*   El español casado aún se permite, *según las malas lenguas*, alguna *"canita al aire."*   Pero la
20 española — puede generalizarse con bastante fundamento — es de una fidelidad realmente halagadora para el varón hispano, fidelidad que éste, egoísta *por hombre*, según la mujer española, está muy lejos de agradecer.   La considera tan natural como que las encinas den bellotas.
25 Dedique usted sus preferencias sentimentales, *si* es que *le da por ahí*, a las solteras.   Pero no olvide que la mujer española suele ser muy "difícil" y tiene la fea costumbre, por muy enamorada que esté, de hacer sufrir bastante al pretendiente, hasta que está bien segura de las intenciones matrimoniales de éste.

Saludos

Salude usted dando la mano. Aunque con menos frecuencia que los franceses, los españoles emplean este saludo casi siempre. El abrazo y las fuertes y confianzudas palmadas en la espalda, que verá usted propinarse a algunos españoles *a su alrededor*, resérvelos usted aquí para los grandes amigos a los que hace tiempo no ve. 5

Fumar

Cuando sienta deseos de fumar y saque su paquete de cigarrillos, *tenga buen cuidado de* ofrecer tabaco a sus acompañantes españoles. Ellos harán siempre lo mismo con usted, y suelen tener por antipática tacañería el no hacerlo así. Cuando alguien comienza a fumar sin ofrecer y sin que los demás se hayan dado cuenta de que el fumador 10 sacó el paquete, en España solemos decir: — Oye, tú, ¿pero es que los sacas encendidos del bolsillo?

Tertulia

Quizá sea usted invitado a una tertulia de amigos, o aceptado espontáneamente en cualquiera que encuentre en un café. La tertulia es una costumbre muy española, que los nuevos tiempos, con su secuela de 15 prisas y utilitarismo, *están enfriando un poco*, pero que *aún permanece en pie*. En ella se reúnen todos los días, o periódicamente, un grupo de amigos y se habla, a veces con demasiado calor, pero siempre cordialmente, de todo lo divino y lo humano. Opine usted *tanto, cuanto y como quiera*, pero *ojo con* la política. Los españoles somos hipercríticos, 20 amamos a nuestro país "porque no nos gusta," y practicamos, *de siempre*, el catártico deporte nacional de hablar mal del Gobierno, sea el que sea. Sin embargo, a la mayoría de los españoles *les revienta en grado sumo* que *este endémico derrotismo* nuestro y esta divertida maledicencia nacional sean practicados por extranjeros, a los que, 25 según estos españoles, *"nadie les ha dado vela en este entierro."* No opine usted mucho de estos temas, si no le preguntan directamente.

Invitaciones

Alguna vez le invitarán a comer. *Por si la invitación es un simple cumplido*, no acepte usted hasta que no le insistan un poco. Una vez aceptada la invitación, envíe un ramo de flores para la señora de la 30 casa, si quiere causar una excelente impresión; acuda puntualmente y elogie el menú, aunque sin exagerar. El ama de casa española es tan vanidosa de sus habilidades como cualquier otra, pero considera normal *tratar* a sus invitados *a cuerpo de rey*.

5 Cuando llegue a una casa en el momento en que la familia esté comiendo, le dirán: —¿Usted gusta? — Esta pregunta no implica invitación seria para sentarse a la mesa. Es una mera fórmula que, si no es seguida de otras insistencias menos convencionales, *no le debe mover a usted a* aceptar nada. Usted contestará en estos casos, con la 10 frase ritual: —*Que aproveche*, muchas gracias—. Esto, para gentes sencillas. En ciertos ambientes elegantes, la expresión "que aproveche" se considera un tanto zafia, por lo que declinará usted el protocolario ofrecimiento con un —No, no, muchas gracias, — simplemente, *o algo por el estilo*.

"A su disposición"

15 También le dirán al despedirse en la puerta después de una visita: "Ha tomado usted posesión de su casa," o, mostrándole el piso: "*A su disposición*." Son simples fórmulas de cumplido y, aunque sinceras, casi siempre, *no le autorizan a usted a* llevarse ese jarrón chino que le ha gustado tanto.

"Españolada"

20 Algo que molesta a la mayoría de los españoles es la "españolada." No se ponga usted una mantilla a la cabeza, señora nuestra, a no ser en Jueves Santo. Ni diga usted "toreador" en vez de torero, ni utilice los tópicos de "pandereta" y CARMEN, para demostrar que lo español le resulta familiar. La "españolada" es un negocio de *ciertos españoles* 25 *de cara a* cierto turismo ingenuo. Usted debe ver cosas típicas para conocer nuestras peculiaridades folklóricas y porque ellas, cuando son puras, revelan una parte de nuestra forma de ser y, cuando están adulteradas, de *nuestra capacidad de desvirtuación*, pero no juzgue por ellas de la totalidad de lo español. Quedaría usted, nuestro querido 30 amigo, como un poco "paleto."

(Servicio informativo español, *España para usted* — extractos, Barcelona, 1964.)

PREGUNTAS

A

1. ¿En qué formas favorece el español al extranjero?   **2.** ¿Puede ocupar un puesto el extranjero en España?   **3.** ¿Qué buenas características tiene el español, a pesar de ser orgulloso?   **4.** ¿En qué se distingue Madrid de otras ciudades españolas?   **5.** ¿Qué expresiones de falsedad le molestan en especial al español?   **6.** ¿Cómo tratan los españoles a los niños?   **7.** ¿Es verdad que los españoles cuidan mucho de su persona?   **8.** ¿Qué no constituye un valor de respetabilidad en España?   **9.** ¿Qué se debe recordar siempre con respecto a los "tacos"?   **10.** ¿Qué es un piropo?   **11.** ¿Qué está muy mal visto en España?   **12.** ¿Cuál es la forma correcta de saludar a una persona en España?   **13.** ¿Qué debemos tener presente respecto de la costumbre de fumar?   **14.** ¿En qué forma se expresa el espíritu crítico del español?

B

1. ¿Cree usted que la actitud ante el extranjero es la misma en España que en los Estados Unidos?   ¿Por qué?   **2.** ¿Puede un extranjero trabajar en este país?   **3.** ¿Por qué no le gusta al español que un extranjero hable mal de su país?   **4.** ¿Cuál es la diferencia principal entre la simpatía del norte y la del sur de España?   **5.** ¿En qué sentido es acogedora la capital de España?   **6.** ¿Cree usted que es más común la cursilería en los países pobres que en los países ricos?   ¿Por qué?   **7.** ¿Es la ropa de la misma importancia en España que en los Estados Unidos?   **8.** ¿Cómo se manifiesta el espíritu democrático del español?   **9.** ¿Por qué no es práctica común el piropo en los Estados Unidos?   **10.** ¿Cree usted que la mujer tiene un rango de mayor igualdad con el hombre en este país que en España?   ¿Por qué?   **11.** En España todavía existen las tertulias de café.   ¿Por qué no han sido ni son comunes estas reuniones en los Estados Unidos?   **12.** ¿Qué significa la expresión "nadie le ha dado a usted vela en este entierro"?   **13.** ¿En qué ocasiones hace una invitación el español como simple fórmula de cortesía?   **14.** ¿Qué formas comunes de la "españolada" conoce usted?

A. Modismos

nos suelen caer bien los extranjeros — generalmente nos producen buena impresión los extranjeros

Queremos decir que — Esto es lo mismo que afirmar que

da mejor trato — trata con más afabilidad

concede mayor crédito — cree más

ya no usa espada — ha dejado de usar espada

a lo largo del día — durante el día

Sepa usted — Quiero que usted sepa

de más quilates — de más valor

le hemos colocado un "slogan" — hemos querido engañarle con palabras huecas

si bien incruenta — aunque no sangrienta

se le trata como a tal — es tratado como si lo fuera (rey)

parece tener a deshonor — parece considerar una deshonra

Por su parte — Por lo que (a ellas) toca

abrecoches y recepcionistas . . . aparte — sin contar abrecoches y recepcionistas

y aún los menos de éstos — y quizá sólo un pequeño número de éstos

No hay inconveniente en que — Nada tiene de malo que

no se arriesgue a — no corra el peligro de

pasar por — ser tomado por

al paso de — cuando pasan (a su lado)

el madrigal del espontáneo — el lirismo del admirador

salvo — dejando a un lado

está mal, pero muy mal visto — se reprueba en la forma más absoluta

según las malas lenguas — según los maldicientes

(echar) una canita al aire — divertirse más de la cuenta

por hombre — por ser hombre

si le da por ahí — si es que usted tiene debilidades amorosas

a su alrededor — que están cerca de usted

tenga buen cuidado de — no olvide usted

están enfriando un poco — han perjudicado un tanto

aún permanece en pie — todavía sobrevive

tanto, cuanto y como quiera — todo lo que usted quiera

ojo con — cuidado con

de siempre — desde tiempos inmemoriales

les revienta en grado sumo — les parece muy mal

este endémico derrotismo — nuestro habitual pesimismo

nadie les ha dado vela en este entierro — nadie les ha pedido que tomen parte en estos asuntos

Por si la invitación es un simple cumplido — En caso de que la invitación sea una mera fórmula social

tratar . . . a cuerpo de rey — tratar con verdadera esplendidez

no le debe mover a usted a — no debe ser motivo para que usted vaya a

Que aproveche — Que le haga a usted mucho provecho

o algo por el estilo — o algo parecido

A su disposición — Disponga usted de todo esto con entera libertad

no le autorizan a usted a — no le dan a usted derecho a

(ciertos españoles) de cara a — (ciertos españoles) interesados principalmente en

nuestra capacidad de desvirtuación — nuestra tendencia a la falsificación

EJERCICIOS

Haga usted el favor de expresar las ideas contenidas en las palabras y frases que aparecen en cursiva empleando modismos sacados de la presente lección.

A

1. *Según los maldicientes,* nosotros los españoles somos perezosos. **2.** Creo que esta invitación *es una mera fórmula social.* **3.** *Es tratado* como persona de peso. **4.** Habrá veinte invitados, *sin contar* los niños. **5.** El español *considera una deshonra* que le traten como a un inferior. **6.** *¡Cuidado* con la policía! **7.** Después de los exámenes hay quienes *se divierten más de la cuenta.* **8.** Algunas de estas tradiciones *todavía sobreviven* en los pueblos. **9.** Dígale usted "Eres una joya," *o algo parecido.* **10.** *Esto no le da a usted derecho a* faltar a clases.

B

1. *Generalmente nos producen buena impresión* las modas femeninas. **2.** *Durante el día* vemos muchos coches nuevos. **3.** *Nada tiene de malo que* usted practique nuestros piropos. **4.** Ponga usted todos los libros en el estante *dejando a un lado* los más grandes. **5.** *Se reprueba en la forma más absoluta* que los jóvenes cortejen a las mujeres casadas. **6.** Cuando voy a su casa siempre me tratan *con verdadera esplendidez.* **7.** *No olvide usted* invitar a sus amigos. **8.** Oye, tú: *nadie te ha pedido que tomes parte en estos asuntos.* **9.** *En caso de que la invitación fuese* para el domingo, no debemos aceptar otros compromisos para ese día. **10.** Si usted no da la mano *corre el peligro de* ser tomado por un paleto.

B. Vocabulario

A

I. Vocabulario del carácter. *Complete usted las siguientes oraciones, sirviéndose de los vocablos que se dan a la derecha:*

1. En lo que ha dicho yo no veo nada hostil. Al contrario, todo me pareció ——.
2. Mi novio no es orgulloso; es un muchacho ——.
3. Tú dices que Feliciano es antipático. Yo creo que es muy ——.
4. No me gustan los introversos; prefiero los ——.
5. Roberto te parece a ti muy huraño. Yo creo, por el contrario, que es muy ——.
6. Es al revés: en vez de ser formal, Luis es demasiado ——.
7. Tú crees que Micaela es una muchacha sencilla. Yo la tengo por mujer ——.
8. No tiene espíritu calculador. Es más bien un hombre ——.
9. En realidad no es persona impasible. Cuando usted llegue a conocerle verá que es ——.
10. Yo no diría que es una persona artificial sino ——.
11. No me digas que es un hombre falso; yo sé que es ——.
12. Cuanto usted me ha dicho no me es desagradable sino muy ——.
13. No es un hombre fino sino ——.
14. Usted no sabe ser desprendido; usted es demasiado ——.
15. No es persona interesada sino ——.

extravertido,-a
halagador,-a
cordial
impertinente
confianzudo,-a
vanidoso,-a
honrado,-a
ingenuo,-a
acogedor,-a
efusivo,-a
desinteresado,-a
natural
egoísta
modesto,-a
puntilloso,-a
sincero,-a
simpático,-a
avasallador,-a
grosero,-a

II. *Sírvase emplear los siguientes verbos impersonales en oraciones que comiencen con (a)* **Al español** *y (b)* **A los españoles:**

gustar
caer bien
fastidiar

molestar
resultar fácil
reventar

111

B

Diferencias de significado

1. Extranjero — extraño — forastero.

Extranjero es el que procede de otro país:

Dan mayor crédito a los extranjeros.

Extraño, como sustantivo, es la persona que no pertenece a nuestra familia o grupo de amigos o conocidos:

En mi casa nunca damos entrada a extraños (*strangers*).

Si la persona a que aludimos es foránea, esto es, de otro lugar o pueblo, dentro del mismo país, es entonces un **forastero:**

Ayer vino un forastero a pedirme las señas del alcalde.

2. Actual (actualidad).

Actual significa, exclusivamente, "en el tiempo presente":

En la época actual [En la actualidad] hay una generación de insatisfechos.

La palabra inglesa *actual* debe traducirse por medio de "real" o "verdadero,-a":

Es una verdadera necesidad.

3. Mujer — señora — dama.

La palabra común para referirse a una persona del sexo femenino es **mujer.** Como vocativo tiene un sentido afectuoso:

Pero, mujer (*dear*), ¿cómo voy a comprar todo eso?

Entre amigos **mujer** es igual a "esposa":

Quiero que usted conozca a mi mujer (*my wife*).

En Hispanoamérica es común evitar el uso de **mujer** en este último sentido, prefiriéndose "mi esposa" o "mi señora."

Señora es la palabra común para decir *lady*.

La palabra **dama,** por el contrario, se reserva para aludir a mujeres nobles o de gran distinción; no tiene nunca un significado despectivo:

Dirijo estas palabras a las damas (*ladies*) que están aquí presentes.

4. Admirador — cortejante — pretendiente — novio.

El **admirador** es sólo el que admira.

El **cortejante** es el que galantea a una mujer.

El **pretendiente** es el que ha iniciado una pretensión matrimonial.

El **novio** es el prometido (*fiancé*), como también el que va a casarse (*bridegroom*). Las palabras **novio, novia** presuponen un entendimiento formal entre dos contrayentes.

En España no hay palabra para decir *boyfriend*, *girl friend*, pero se oyen las frases "el que sale con . . .," "la que sale con . . .," para indicar un grado de amistad mayor entre dos personas jovenes. La misma idea la expresan las frases "el amigo favorito de . . .," "la amiga favorita de . . ." Hay, por fin, quienes usan la palabra "galán" en tercera persona para decir *boyfriend*, a sabiendas de que es una artificialidad, pues "galán" se usa en literatura más que en la vida real para referirse a un hombre airoso y de buen parecer que galantea a una joven:

> Mi hija ha salido con su galán.

N.B. En algunos países de Hispanoamérica hay localismos para decir *boyfriend*, *girl friend*, pero éstos, las más veces, no tienen circulación más allá de las fronteras nacionales.

5. Sentido.

Se usa esta palabra

(a) Para aludir al significado de algo, especialmente frases y oraciones más que palabras:

> Este pasaje no tiene sentido (*makes no sense*).

(b) Rumbo o dirección:

> Cuando iba por la calle vi a Juan que venía en sentido contrario.

(c) Cada una de las cinco facultades por las cuales se captan las impresiones de los objetos:

> El más importante de los sentidos es la vista.

(d) Modo de entender las cosas:

> Los americanos del norte tienen sentido práctico.

(e) Expresiones idiomáticas:

> Al caer perdió el sentido (*she fainted*).
> Ponga usted sus cinco sentidos en lo que hace. *Pay strict attention to what you are doing*.
> ¡Aguce el sentido! *Be on the alert!*
> No reaccione usted en ningún sentido (*at all*).
> Esto es aceptable en todo sentido (*in every respect*).

6. Piso — apartamento — apartamiento.

Se emplean en el sentido de *apartment*.

La palabra **piso** tiene varios usos.
(a) Conjunto de habitaciones:
> Hemos alquilado un hermoso piso.

(b) Pavimento de una habitación:
> Quedó una enorme mancha en el piso.

(c) Cada una de las varias plantas de una casa:
> Hizo construir una casa de tres pisos (*floors*).

(d) Usos especiales:
> un cohete de cuatro pisos (*a four-stage rocket*)
> caminos de excelente piso (*roadbed*)
> una mesita de varios pisos (*shelves*)
> un autobús de dos pisos (*double-decker bus*)

En algunos países de Hispanoamérica se use el sustantivo **apartamento** por influencia del inglés; esta palabra ha ido ganando cada vez mayor aceptación en España, a juzgar por las planas de anuncios de los periódicos.

Apartamiento parece ir perdiendo terreno, quizá por sugerir las ideas de alejar y separar.

7. Parte.

Hay un buen número de construcciones que incluyen el sustantivo **parte.**

(a) Frases preposicionales:
> Le traigo un mensaje de parte de Juan (*a message from John*).
> Las cosas han estado así de un mes a esta parte (*for a month now*).
> Yo, por mi parte, (*I, on my part*) haré todo lo posible.
> Ellas, por su parte (*in their turn*), se preocupan mucho de la peluquería.
> Por una parte (*On the one hand*), tiene algunas desventajas. Por otra parte (*On the other hand*), tiene algunas desventajas.

(b) Expresiones verbales:
> Tendré que dar parte a la policía (*inform the police*).
> En esto lo mejor es ir por partes (*to take one thing at a time*).
> Creo que Juan lleva la mejor [la peor] parte (*is winning* [*is losing*]).
> Usted siempre se pone de parte del débil (*take the side of the weak*).
> Lo sé de buena parte. *I have it on good authority.*
> No me gusta tomar parte en sus diversiones.

8. Reserva — reservación.

Reserva puede significar

(a) Prevención:

Al español le molestan las reservas (*mental reservations*).

(b) Discreción:

"Agencia de Detectives": Garantizamos absoluta reserva (*secrecy*).

(c) Aquello que se guarda para emplearlo después:

Tenemos una considerable reserva (*stockpile*) de materias primas.

También se usa en frases preposicionales:

Tengo que hablarle con mucha reserva [bajo la mayor reserva] (*in the strictest confidence*).

Se lo entregó a reserva de (*but reserved the right to*) pedírselo más tarde.

Éstas las guardaré de reserva (*in reserve*).

Reservación es un anglicismo difundido en Hispanoamérica por las compañías de aviación. Alude a la acción de reservar billetes, asientos, etc., como también a la cosa reservada:

Llamé al aeropuerto para hacer dos reservaciones.

En España se expresa la misma idea por medio de un circunloquio:

Quiero reservar dos billetes. *I want to make two reservations.*

¿Dónde están los billetes que reservé? *Where are my reservations?*

EJERCICIOS

I. *Llene los espacios en blanco con una palabra o frase tomada de la sección anterior:*

1. La casa era demasiado grande. Ahora vivimos en un ———. **2.** Ésta es una cuestión absolutamente privada y, por eso, quiero hablarle ———. **3.** Creo que esta palabra se emplea hoy en dos ——— diferentes. **4.** La marquesa de Santillana fue una distinguida ——— de la más rancia nobleza española. **5.** En la ——— nadie puede hacer planes definitivos para el futuro. **6.** Tengo que ir a la agencia de viajes para ———. **7.** Como llevaba ropas muy diferentes de las nuestras, supusimos que era ———. **8.** Que yo sepa, Juanita no está comprometida. Es sólo ——— de Enrique. **9.** Vi ante mi puerta un sujeto a quien no conocía. No sé por qué los ——— siempre me ponen en guardia. **10.** Los preparativos de la boda los hace siempre la familia de la ———.

115

II. *Llene usted los espacios en blanco con una expresión preposicional o verbal que contenga la palabra* **parte.**

1. Otra vez defiendes a tu hermano. ¿Por qué te pones siempre ——?
2. Estoy mejor enterado de lo que tú crees. Te aseguro que he obtenido mis informes de ——. 3. Es verdad que la ocasión es propicia, pero, por ——, no debemos salirnos de nuestro presupuesto. 4. Como es una persona muy tímida, no le gusta —— en las discusiones. 5. Al entrar en mi despacho anunció que me traía un mensaje —— mi madre. 6. He venido observando, de un tiempo ——, que usted descuida el trabajo de laboratorio. 7. Este problema es, en verdad, múltiple. Para hallarle solución lo mejor es ir ——. 8. Es un hombre de suma habilidad y, por esto, siempre lleva ——.

C. Gramática

Uso de los tiempos

A fin de que se puedan hacer comparaciones sobre el uso de los tiempos en español y en inglés, se darán, en la mayoría de los casos, dos variantes: (a) una forma verbal que pudiera parecer extraña al extranjero, pero que es de uso normal entre personas de habla española, y (b) otra forma que al alumno norteamericano le parecerá "más lógica" porque es semejante a la que él hubiera empleado en su propia lengua. Esta última se presentará entre paréntesis, cuando haya absoluta libertad de elección.

Se empleará el símbolo > para expresar la frase "en lugar de . . ."

I. PRESENTE

1. Presente > *shall* + verbo.

El presente se emplea en preguntas cuando el que habla tiene que escoger entre dos o más posibilidades y solicita una opinión de su interlocutor:

    ¿Entramos? *Shall we enter?*
    ¿Comemos? *Shall we eat?*
    ¿Qué hago ahora?
    ¿Qué le digo?

2. Presente > Futuro.

Este cambio se hace para dar mayor realidad a lo que está por venir:

Estoy esperando aquí para ver si sale (saldrá) a la ventana. *I am waiting here to see if she will come to the window.*

Sólo deseo saber si viene o no (si vendrá o no).

NOTA: Este cambio es aún más común en oraciones en que hay un adverbio de tiempo que expresa claramente la idea de futuro: **Te veo (Te veré) mañana.**

3. Presente > Pretérito.

Con el presente se da mayor dramaticidad a un hecho del pasado. Éste es el llamado "presente histórico":

Ayer me insulta y ahora me invita a su casa. (Ayer me insultó y ahora me invita a su casa.)

4. Presente > Imperativo.

El presente se usa en lugar de un imperativo (o de un mandato) cuando deseamos expresar una orden en forma menos categórica:

Antes de ir, le envías un ramo de flores. (. . . envíale un ramo de flores.)

Si necesita más dinero, le escribe usted a su padre y se acabó. (. . . escríbale usted a su padre y se acabó.)

II. PRETÉRITO

Pretérito > Pluscuamperfecto o Pretérito Perfecto.

Este cambio es común en cláusulas introducidas por expresiones de tiempo, tales como **así que, cuando, en cuanto, luego que, tan pronto como,** etc. Entre el pretérito y los tiempos compuestos hay una diferencia de punto de vista o de intención. Compárense:

Salieron cuando terminaron. (. . . *when they finished.*)

Salieron cuando habían terminado. (. . . *when they had finished.*)

Salieron cuando hubieron terminado. (. . . *when they had finished.*)

El pretérito expresa un hecho ya terminado que se ve desde el punto de vista del presente, o bien un hecho cuyo comienzo o fin se fija en el pasado. El pluscuamperfecto y el pretérito perfecto se refieren a una acción ya terminada que se considera desde un punto en el pasado. El pretérito perfecto, sin embargo, es un tiempo poco común que se emplea más bien en estilo literario. En la lengua hablada se prefiere evitar los tiempos compuestos cuando el sentido mismo, las palabras o el orden de éstas establecen claramente la prioridad de una acción con respecto a otra.

III. IMPERFECTO

1. Imperfecto > Condicional.

Se hace este cambio en la lengua cotidiana:

> Me quedé allí para ver si abría (abriría) la ventana. *I remained there to see if she would open the window.*
> Le eché el piropo para ver qué decía. *I paid her the compliment to see what she would say.*

NOTA: Aquí el imperfecto reemplaza al condicional tal como el presente puede reemplazar a un futuro. Obsérvese que en este caso el verbo principal está en el pasado.

2. Imperfecto > Condicional Perfecto.

(Ver: Oraciones condicionales.)

3. Imperfecto > Presente.

Éste es el llamado "imperfecto de modestia," que existe también en inglés. Se emplea cuando deseamos expresar una acción presente en forma más indirecta, suavizando así lo que se dice:

> Venía para ver si podía usted ayudarme. (Vengo para ver si puede usted ayudarme.)

IV. FUTURO

1. Futuro > Mandato.

El futuro es menos terminante que el mandato, pues presenta como hecho que está por ocurrir lo que el mandato expresa directa y categóricamente:

> ¡Ustedes se quedarán aquí! *You stay here! You will stay here!*
> ¡Usted se sentará aquí! *Sit down here! You will sit here!*

2. Futuro > Presente + probablemente.

Éste es el llamado "futuro de probabilidad."

> Será una simple fórmula de cumplido. (Es probablemente . . .) *It must be [It probably is] just a social formula.*

NOTA: Naturalmente, lo dicho en esta sección se aplica al futuro perfecto de probabilidad: **Usted habrá oído decir que el español es muy acogedor.** *You must have heard that the Spaniard is very kindly.*

V. CONDICIONAL

Condicional > Pretérito (o Imperfecto) + probablemente.

Éste es el llamado "condicional de probabilidad."

> Sería una mujer casada. (Era probablemente una mujer casada.) *She was probably a married woman.*

NOTA: Hay también un condicional perfecto de probabilidad: **Creí que habría sido por simple tacañería.** *I thought it was probably due to plain stinginess.*

VI. FORMA ARCAICA EN "-RA"

En español hay una forma arcaica del pluscuamperfecto (supervivencia de un tiempo latino). Tal forma no debe confundirse con el imperfecto de subjuntivo en **-ra.**

> Repitió lo mismo que antes yo le explicara. (. . . le había explicado.)
> Me devolvió el dinero que yo le diera. (. . . que yo le había dado.)

VII. PRESENTE PERFECTO

Presente Perfecto > Pretérito.

El presente perfecto muy comúnmente reemplaza al pretérito, aun en oraciones en que aparecen frases de tiempo:

> El domingo pasado me lo has vendido más barato. (>El domingo pasado me lo vendiste más barato).

NOTA: La línea divisoria entre los dos tiempos es ésta: se preferirá el presente perfecto si la acción tiene alguna relación con el presente, aun cuando esta relación sea solamente pensada o sentida. Compárense: **Murió mi padre** (acción completamente pasada) y **Ha muerto mi padre** (acción cuyos efectos todavía siento en el presente).

VIII. PRESENTE PERFECTO DE SUBJUNTIVO

Presente Perfecto de Subjuntivo > Imperfecto de Subjuntivo.

La misma distinción que se hizo entre el presente perfecto y el pretérito se hace entre el presente perfecto de subjuntivo y el imperfecto de subjuntivo:

> No creo que haya sido un ofrecimiento sincero. (>No creo que fuese un ofrecimiento sincero.)
> Dudo que hayan terminado. (>Dudo que terminasen.)

119

En el segundo ejemplo, **hayan terminado** alude a una terminación relacionada con el presente (*I doubt they have finished yet*), mientras que **terminasen** representa una terminación totalmente pasada (*I doubt they finished*).

EJERCICIOS

A

En las oraciones siguientes, sírvase reemplazar la forma verbal en cursiva por otra que cumpla con los requisitos especificados entre paréntesis:

1. *Es* (probablemente) hombre casado.
2. Me repitió exactamente lo que yo le *había explicado*. (Forma más literaria)
3. Si no puedes usarlo, *devuélveselo*. (Forma menos terminante)
4. ¡*Apréndanse ustedes* todo esto! (Mandato más cortés)
5. La semana pasada me *regañó*. (Persistencia de los efectos del regaño)
6. Si no hubiese llegado a tiempo, me *habría despedido*. (Mayor dramaticidad)
7. Usted *debió habérmelo dicho*. (Forma más breve)
8. Cuando le fue posible, ¡zas! le *dio* un empujón. (Forma más dramática)
9. Supongo que *han terminado*. (Probabilidad)
10. Me preguntó dónde *guardaba* él su dinero. (Incertidumbre)
11. ¿Le parece a usted que *debemos pagar*? (Forma más breve)
12. Cuando el volcán *se hubo* (*había*) *extinguido*, continuó su viaje. (Forma coloquial)
13. Hace un rato *he visto* salir una lancha. (Acción totalmente pasada sin repercusión en el presente)
14. Si no le hubiesen socorrido de seguro que *se habría muerto*. (Variante dramática)
15. Dudo que lo *devolviese* a tiempo. (Persistencia de los efectos de la no devolución)
16. En un abrir y cerrar de ojos te lo *explicará*. (Forma coloquial)
17. *Eran* (probablemente) las nueve y media.
18. Si te falta dinero, *pídeselo* a tu padre. (Mandato menos categórico)
19. ¡*Trabaje usted* ahora mismo! (Forma más diplomática)
20. Ella *debió de haber sentido* esa pérdida. (Forma más breve)

120

B   *à faire seul.*

Sírvase llenar los espacios en blanco con las formas verbales más indicadas de los verbos que se dan en infinitivo. Dé también las otras variantes que sean posibles, explicando las diferencias de tono o de intención que pueda haber entre ellas.

1. (Obtener) La semana pasada ~~he~~ *obtenido* mi título y puedo ya abrir bufete.

2. (Robar) Como usted se descuide, aquí le ~~roban~~ a usted hasta la camisa.

3. (Prestar) Éstas son las joyas que en varias ocasiones anteriores le ~~presto~~ su tía. *ha prestado – había prestado*

4. (Llamar) Si usted no sale ahora mismo de aquí, *llamaré / llamo* a la policía.

5. (Parecer mal) Si él no lo recibe hoy, le *parecerá mal*.

6. (Pensar) (El empleado a su jefe): Sr. Vélez, —— pedirle un aumento de sueldo. *Pensaba (de modestia).*

7. (Quedarse) Viendo que nuestra situación era por demás ambigua, me preguntó: ¿——? *Nos quedamos.*

8. (Ocurrir) Si no hubiese frenado a tiempo, —— una desgracia. *habría ocurrido / ocurriría*

9. (Encontrar) Nunca tuvo un centavo a su nombre y, de repente, se ha convertido en un Creso. ¿Dónde —— ese dinero? *habría encontrado / ha encontrado / encontró*

10. (Fallecer) Está desconsolada, pues su madre —— ayer. *ha fallecido*

11. (Facilitar) Se lo dije sólo para saber si me —— esos fondos o no. *facilitaba / facilitaría*

12. (Regalar) Si en realidad no te gusta, —— a ella. *regálalo o regálaselo*

13. (Permitir) Fue a la oficina del decano para que le dijesen de una vez por todas si le —— reingresar en la universidad. *permitían / permitirían*

14. (Sentarse) (Tratando de decidir): ¿Nos —— o no? *sentamos*

15. (Recibir) Me he preguntado mil veces por qué no contesta. ¿No —— mi carta última? *ha recibido / habría recibido*

16. (Engañar) Si no hubiese yo prestado atención, me —— *habría engañado / engañado*

17. (Derribar) Me mostró los edificios que el vendaval ——. *había derribado*

18. (Ser) Desde que el hombre es ser consciente, la muerte —— su principal problema. *ha sido / derribó*

19. (Mandar) Mi maestro es incomprensible: con el último examen me —— un ultimátum y ahora me elogia. *mandó*

20. (Asustar) Era el mismo ruido que antes la —— *habría asustado.*
Si era algo habitual = asustaba.

121

D. Estilística y composición

Estilo coloquial

Se llama lenguaje coloquial el que se emplea en la conversación diaria. Su contraparte es la lengua literaria. Entre una y otra hay toda una gama de escalones intermedios que se diferencian en el grado, mayor o menor, de intención artística que los informa. Nada tiene de censurable escribir en estilo familiar, o intercalar expresiones coloquiales en lo que escribimos, siempre que se haga con un propósito definido. Lo que sí es reprochable es la mezcla de diferentes estilos sin ningún propósito dado, esto es, por no tenerse conciencia de las diferencias de tono que distinguen un estilo de otro.

En los siguientes ejemplos se dan en cursiva las locuciones coloquiales y se indican posibles sustituciones que están más en consonancia con el sentido de lo que se discute.

1. Todos ellos son, a no dudarlo, problemas serios y, *claro*, no se pueden resolver fácilmente. (como es de suponer)
2. Tales creencias, cuyos efectos aún se perciben en nuestra sociedad, *se han venido al suelo*. (han perdido toda vigencia)
3. El objeto de este ensayo es *estudiar bien a fondo* este dilema. (hacer un minucioso estudio de)
4. En tales circunstancias ningún hombre responsable *se sale con la suya*. (se desmide, comete desmanes)
5. Cuida los ganados el gaucho, *persona muy viva y tan característica* como el cowboy de los Estados Unidos. (hombre dinámico por excelencia y tan típico . . .)
6. A los españoles *les revienta* que el extranjero critique sus tradiciones y modos de ser. (les desagrada sobremanera)

EJERCICIOS

A

Proponga una variante en reemplazo del coloquialismo. ¡Cuidado! ¡Entre las variantes también hay locuciones familiares!

1. Quedamos asombrados ante la majestad del paisaje. Era *precioso*. (sublime, bonito, estupendo)
2. Han construido una casa *de mucho postín*. (de mucho boato, suntuosa, muy ostentosa)

3. Ningún hombre es capaz de *aguantar* las penurias de la vida sin protestar. (sufrir, echarse a cuestas, tolerar)

4. Los invitados se convencieron luego de que el nuevo visitante era un *paleto*. (rústico, hombre inculto, pazguato)

5. Pero, señor mío, *despabílese usted.* (avive el seso, no arrastre los pies, esfuércese usted)

6. El pobre señor, antes tan activo y risueño, *está hecho un vejestorio.* (está muy acabado, está hecho una estantigua, está muy entrado en años)

7. Con motivo de tan intempestiva llegada me vi *en un lío.* (en un apuro, en un apremio, en un aprieto)

8. A él siempre le han gustado *las jamonas.* (las mujeres de buen porte, las amazonas, las mujeres de respetable mole)

B

Sírvase decir qué palabra, frase o construcción está fuera de tono por ser un coloquialismo. ¿Cómo diría usted lo mismo en lenguaje menos familiar?

1. Cuando entró la Reina de la Primavera nos quedamos bizcos. 2. Una distinguida dama española nos ha dicho que es imposible cultivar el yo íntimo cuando se vive en un constante jaleo. 3. Para alcanzar tan noble propósito es preciso no quedarse corto. 4. Como no quería trabajar concienzudamente le pusieron en la calle. 5. Todo joven que aspire a surgir en la sociedad contemporánea ha de ser siempre más listo que el hambre. 6. Decidimos marcharnos porque en el salón sólo había cuatro gatos. 7. Es una dama de nobles prendas, una de esas mujeres que no se encuentran cada lunes y cada martes. 8. A estos hombres indispensables y providenciales hay que mandarlos a paseo.

® Traducción

A

1. It is commonly said that the Spaniard is effusive and cordial toward foreigners. 2. This is very true. During my stay in Spain I always felt at home. 3. It is even possible — as many people say — that the Spaniard treats foreigners even better than his compatriots. 4. The average Spaniard is proud and, although he frequently criticizes his country, he won't allow foreigners to do the same. 5. He wants everybody to be natural and sincere

and for this reason he hates pedantry and pretentiousness.   **6.** Every Spaniard expects you to treat him as an equal, and this is the treatment he will give you. **7.** Now allow me to give you a little advice. There is nothing wrong in your learning some sonorous words of questionable meaning that you will hear in conversations among men.   **8.** But never use these oaths in the presence of ladies. If you do, you will be taken for a coarse fellow.   **9.** In Spain it is considered improper, indeed very improper, for a foreigner to court a married woman. If you are amorously inclined, devote your compliments to single women.   **10.** Courtesy is also extremely important in Spain. If you feel like smoking be sure to offer cigarettes to those who are with you.   **11.** It is very likely that some Spaniards will invite you to dinner. Do not accept, however, until after they have insisted a little.   **12.** After you have accepted an invitation, the lady of the house will expect you to come on time. If you want to please her, send her a bouquet of flowers.   **13.** One more thing. Madam: if a Spaniard pays you a compliment in the street, the best thing you can do is to go on your way without showing your reaction in any way whatever.   **14.** The spontaneous admirer only wants to pay verbal homage to your beauty and grace.

B

1. If you go to Spain this summer, you will see how open-hearted and kindly the Spaniards are.   **2.** I want you to know that the southern Spaniard's charm will appeal to you more readily than that of the northern Spaniard. **3.** Spanish men dress well because they like to make a good impression. **4.** Spanish women dress even better: they are very much concerned with their hairdos, wear high heels and even wish to compete with movie stars in slenderness.   **5.** Spaniards are proud. Every one of them thinks he is a duke. Therefore, do not expect them to grant you special treatment just because you have a flashy car.   **6.** If you meet a friend be sure to shake hands with him. Reserve the (overly) familiar pats on the back for your best friends. **7.** Don't fail to go to a tertuila. This is a gathering in which Spaniards discuss, at times heatedly, everything imaginable.   **8.** If you visit someone at meal time and you are asked "Will you join us?" this question is not meant to be a serious invitation. It is a mere formality.   **9.** Among simple people, you must answer: "No, thank you. I hope you enjoy your meal."   **10.** In fashionable circles the best thing to do is to decline the offer by just saying "No, no, thanks," or something to that effect.   **11.** If you are told "Everything we have is at your disposal," this does not give you the right to take anything with you, however much you may like it.   **12.** And don't forget that Spaniards are easily annoyed by "corny Spanish imitations." So, madam, do not wear a mantilla unless it is Holy Thursday. **13.** You must get acquainted with Spain's genuine folklore, but don't imply that you are familiar with things Spanish by talking about *Carmen* and other banal subjects.

Vocabulario mínimo

acquainted: to get — with conocer
admirer el espontáneo
to allow permitir
although si bien
to annoy: are easily annoyed les revienta
to appeal: — more readily llegarle (a uno) más directamente
average medio,-a
back la espalda
to be: those who are with you sus acompañantes
best: — friends grandes amigos
bouquet el ramo
charm la simpatía
circles los ambientes
coarse grosero
to come acudir
commonly: it is — said se suele decir
compatriot el compatriota, el connacional
to compete competir (i)
compliment el cumplido
concerned: to be — with preocuparse de
to consider: it is considered improper se ve mal, está mal visto
to court cortejar
courtesy la cortesía
to criticize criticar, hablar mal de
to decline declinar, rehusar
to devote dedicar
dinner: to invite to — invitar a comer
to discuss discutir
disposal la disposición
to dress vestir (i)
effect: something to that — algo por el estilo
effusive efusivo,-a
even aun, hasta
extremely: — important importantísimo,-a

to fail: don't fail to no deje de
familiar confianzudo,-a; to be — with resultarle a uno familiar
fashionable elegante
to feel: — at home sentirse como en su propia casa; — like sentir deseos de
fellow el tipo
flashy deslumbrante, resplandeciente
formality la mera fórmula, el cumplido
gathering la reunión
to give conceder, dar
grace el donaire
to grant otorgar
hairdo el peinado, la peluquería
to hate fastidiarle a uno
heatedly con (demasiado) calor, acaloradamente
heel el tacón
homage el homenaje
to hope: I — you enjoy your meal que aproveche
how: — open-hearted lo abiertos (que)
however: — much por mucho que
imaginable: everything — todo lo divino y lo humano
imitation: corny Spanish — la españolada
to imply dar a entender
to incline: if you are amorously inclined si le da por ahí
indeed: — very improper pero muy mal
to insist: until they have insisted hasta que no le hayan insistido
to join: will you join us? ¿Usted gusta?
just simplemente, sólo
kindly acogedor,-a
to know: I want you to know sepa usted
lady: the — of the house el ama (la señora) de la casa
likely: it is — es probable

madam señora (mía)
to **make: — a good impression** causar (una) buena impresión, quedar bien
to **mean: is not meant to be** no implica
to **meet** encontrar (ue), encontrarse con
northern del norte
oath el "taco"
offer el ofrecimiento
open-hearted abierto,-a
pat la palmada
to **pay: — a compliment** echar un piropo; **— homage** hacer un homenaje
pedantry la pedantería
people: simple — gente sencilla
piece: — of advice consejo
to **please** complacer
presence: in the — of delante de
pretentiousness cursilería
proud orgulloso,-a
questionable dudoso,-a
to **shake: — hands (with)** dar la mano (a)
to **show: — your reaction** reaccionar
single: — woman la soltera
slenderness la esbeltez
so por lo tanto

southern del sur
star: movie — estrella del cine
stay la estancia, la permanencia
subject: banal — tópico
sure: to be — to tener buen cuidado de
to **take: — with you** llevarse; **you will be taken for** pasará usted por
to **tell: if you are told** si le dicen
therefore por (lo) tanto
thing: the best — (to do) lo mejor; **—s Spanish** lo español
to **think** creer(se)
time: on — a tiempo, puntualmente; **at dinner —** a la hora de comer; **at —s** a veces
toward para con
to **treat** tratar; dar trato
treatment el trato
unless: — it is a no ser (en)
way: in any — whatever en ningún sentido
to **wear** llevar, ponerse, usar
wrong: there is nothing — in no hay inconveniente en

Composición libre

A

1. ¿Qué actitudes del español le parecen a usted difíciles de comprender?
2. Tesis: La opinión de los demás tiene mucha importancia en la vida del español.

B

1. ¿Qué diferencias cree usted que hay entre los extravertidos y los introvertidos?
2. Tesis: Las mujeres españolas no tienen los mismos derechos que los hombres.

❧ 6 ❧

Autos, autos, autos

EDUARDO TODA OLIVA

Los Ángeles, formidable centro industrial, una de las ciudades que mayor número de autos cuenta en el mundo, monta — pero no produce — automóviles. Se calcula que su censo automovilístico aumenta en unas trescientas mil unidades por año. Como la producción se con-
5 centra en el este del país, casi todos los autos le llegan *por vía férrea*, en trenes atestados, *igual que* inmigrantes modestos, *sin más que lo esencial encima.* Hay trenes que acarrean coches sin puertas, trenes cargados de carrocerías, trenes enteros de esqueletos de autos. En las estaciones de distribución, ya ensamblados, los encajan en enormes
10 camiones y los suministran a las diversas empresas vendedoras. Antes de haber rodado con las suyas propias, los autos han recorrido cente-nares de kilómetros sobre ruedas ajenas.

El auto es una mercancía y, como tal, ha de anunciarse y venderse. Los dos medios básicos son la propaganda y la exhibición. Las firmas
15 productoras, como si se tratara de *lanzar* artistas de cine, comienzan a publicar, *por intermedio de* prensa, radio y televisión, noticias y cotilleos sensacionales acerca de los modelos del año venidero. Las frases cautivadoras brotan *a tono con* la época: "Chevrolet, ¡lujo con suavidad de *avión a chorro!*"; "¡Buick Gato Montés, el más salvaje!" . . .
20 En cuanto a la venta, hay tiendas en donde se exhiben como si fuesen modelos de Dior o Pertegaz, con "pre-estrenos" regados con champán francés. En ellas, un Rolls-Royce puede costar veintitantos mil dólares. A la vez, hay múltiples comercios *a cielo abierto*, con aire

verbenero, en donde un Buick, o un Pontiac, o un Packard, pueden encontrarse por noventa dólares o aún menos. Todo depende del año de fabricación, del apellido del dueño y de la cara del comprador. Y uno puede pagar al contado o a plazos en varios años. Y el auto adquirido puede recibirlo a domicilio o llevárselo puesto. 5

Por fortuna, Los Ángeles dispone de los "freeways," autopistas que encauzan el tránsito *a través*, y, a veces, por encima de la parrilla de calles. Características: *mano única* por calzadas muy amplias en cada dirección; ni semáforos ni cruces; velocidad máxima, 65 millas por hora (¡más de cien kilómetros por hora!); pavimentación *sin fallas.* 10

Los "freeways" que, según sus destinos, reciben nombres propios — San Diego, Santa Ana, Hollywood, Harbor, Pasadena . . . — son el sistema circulatorio de Los Ángeles: arterias por las que fluye la vertiginosa vitalidad de los glóbulos rojos de sus millones de autos; venas por las que refluyen las toxinas mortíferas; accidentes, choques 15 en cadena en *días de cerrazón*, y el "smog," esa neblina de emanaciones de la carburación, que amarillea y corroe el clima y los pulmones de esta urbe.

La señalización es casi perfecta. Grandes rótulos, iluminados de noche, anuncian las salidas a las calles, los nombres de los "freeways." 20 Mas ¡ay del novato o del extranjero! Extraviarse en un "freeway" es peor que perderse en el Sahara: uno no puede parar, porque está prohibido, y porque tiene un "simoun" de coches detrás; uno no puede preguntar, porque no hay guardias ni peatones; uno no puede *virar en redondo*. Consejo para conducir en "freeways": ¡mapa de la ciudad, 25 brújula y confianza ilimitada en San Cristóbal!

Ahora bien, lo importante es que todo funciona perfectamente. *En cuanto* surge un bache o un socavoncillo, allá acude una especie de saltamontes metálico que, montado por un obrero especialista — aquí todo el mundo es técnico-especialista en algo —, pica, allana, reasfalta, 30 *en un periquete.*

Viendo esos enjambres de autos, uno se imagina que el problema de abastecerlos — millones de litros de gasolina diariamente — debe ser pavoroso. Pues, no tanto. Los Ángeles es, en este aspecto como en otros, una ciudad singular y privilegiada. 35

Además de excelentes "freeways," buena señalización, abastecimiento fácil y sentido colectivo de responsabilidad, para que el

tráfico de esos millones de autos funcione como funciona es imprescindible la acción ordenadora de la ley: la policía. En esto Los Ángeles tampoco desmiente su fama holliwoodesca. Los coches blanquinegros, las sirenas ululantes, las motos *en escapada*, los guardias siempre
5 armados con grandes pistolones, no sólo se ven y oyen en las pantallas de cine y de televisión, sino que forman parte del espectáculo circulatorio cotidiano.

Un elemento que hace hasta simpática la "acción policial" es el eficaz cuerpo de guardias femenino. Con su uniforme gris — pantalones,
10 chaquetilla y gorrito —, montadas en triciclos motorizados, su principal misión es vigilar las zonas de estacionamiento prohibido y las de parquímetros. No las de "taxis" de servicio público, que en Los Ángeles son de empresas privadas y tan caros como escasos, sino esas zonas donde unos aparatos, tiesos como guardias metálicos, miden el
15 tiempo que a uno todavía le queda antes de que le pongan multa si no saca el auto dentro del plazo. Pero cuando esto ocurre y aparece, no se sabe de dónde, la grácil figura gris en su moto y con un palito marca una fatídica cruz blanca en un neumático del coche delincuente, y en seguida esgrime su talonario, todo con una burocrática pero cine-
20 matográfica sonrisa femenina, uno — especialmente si es español — llega a abstenerse de vociferar protestas e incluso tiende a darle la razón y las gracias.

Como Los Ángeles no tiene metro y los tranvías están desapareciendo y las líneas urbanas de autobuses son pocas y mal servidas, el auto es
25 el único medio de locomoción. Y es único, en primer lugar, porque, considerado el tráfico, las motos y las bicicletas sólo las usan los temerarios o los *candidatos a suicidas*, y, en segundo lugar, porque, *dadas las distancias*, salvo en el "centro-centro," nadie camina por las calles. Lo de que en Los Ángeles no existe el peatón — ese ser humano que
30 anda a pie, pasea, callejea, noctambulea . . . — no es hipérbole, sino realidad constatable por los ojos.

Aquí el auto tiene absoluta preferencia sobre el hombre y acapara su espacio vital. Ejemplos: sumadas, las zonas de estacionamiento cubren superficies muy superiores a las de los parques. En Disneyland
35 el área para coches es casi el doble que la de atracciones. Destinar un solar a aparcamiento resulta tan rentable como construir en él. Para *disponer de espacio* se agotan todas las posibilidades físico-matemáticas:

129

los autos se "superponen" en rascacielitos adrede, donde se los amontona hacia arriba mediante ascensores (para que ni los coches tengan que "andar"); los autos se "yuxtaponen," apiñándolos horizontalmente en zonas *a ras de* la tierra; los autos se *"subponen,"* apretujándolos hacia las profundidades del subsuelo. 5

A pesar de todo esto, estacionar *cuesta*. Tanto en tiempo para encontrar sitio como en dinero para conservarlo. Y lo asombrosamente paradójico es que aquí, *cuanto más pequeño va resultando el espacio para estacionar, más grandes se van construyendo los coches*. Ojalá *dentro de poco* se inventen los patines motorizados, para que uno pueda 10 estacionar su auto de cinco metros en algún parque suburbano, *"autorrodar"* al centro, y usar el vehículo sólo para regresar a casa.

Pero hasta que llegue este invento, el habitante de Los Ángeles *ha de pasarse* más de medio día sentado al volante, *de un lado para otro*. Esta exigencia hace comprensible que la mayoría de las familias dis- 15 pongan de dos o tres coches, que los autos *estén acondicionados* para pasar en ellos largas temporadas, que haya tanta diversidad de modelos y *tantísima variedad* de accesorios para satisfacer las necesidades utilitarias y los caprichos más superfluos: autos cuyo asiento posterior se transforma en "chaise-longue" digna de Cleopatra; autos deportivos 20 con motor de dos metros, en que el espacio para el conductor reduce a éste a un zigzag anónimo; autos con bar y tocadiscos, especiales para adolescentes; *autos-barbería*, con sillones y peluqueros rodantes; *autos-cafetería*, con mostradorcitos y *surtidores de helados*, cafés, refrescos . . . En cuanto a accesorios, van desde el útil aparatito grabador para 25 hombres de negocios o candidatos electorales hasta el volante cuadrado, *último grito* de una conocida marca. Y, ¡claro!, la policromía también responde a los volubles gustos y esa eterna demanda de "novedad-novedosísima" característica de los estadounidenses: *"limousines"* doradas y plateadas; *"sedanes"* beige-con-escarlata, rosa-con-verde- 30 botella; *"coupés"* cacao-con-fresa, *descapotables* violeta, *"jeeps"* a franjas como parasoles de playa . . .

A los autos, *así como* a los hombres, también les llega la muerte. En Los Ángeles son pocos, poquísimos, los autos que mueren en la cama, es decir, en el garaje. Sólo a *algún ejemplar de vieja estirpe* — 35 un Pierce-Arrow o un Ford T — le conceden sus dueños ese privilegio. La inmensa mayoría fenece de muerte violenta. Unos, en accidente de tráfico, *como quien dice* en acto de servicio; otros, *a manos de la genera-ción terrible* — los adolescentes, "teen agers" —, o *por parte de* los que cambian de coche como de camisa; otros, en el matadero de auto-móviles.

5 Sí, en el matadero. En Los Ángeles hay numerosas empresas dedi-cadas al negocio del "car wrecking," o sea, del *descuartizamiento* de autos. Como aquí, por el cúmulo de circunstancias descritas, los coches se deprecian en un 50 por 100 al salir nuevos de la tienda, cuando uno no puede vender el suyo ni en *las ferias de los suburbios, recurre a* esas 10 firmas, que por *cuatro dolarcetes* le compran *el cacharro* y, tras una rápida autopsia, lo revenden *por órganos y partes.* Gracias a este sistema, uno puede, *a la inversa*, irse construyendo, si es mañoso, un auto, *pieza a pieza* y *día a día. En dichos comercios* se exhibe de todo y de todo se encuentra. Como en una *tienda de ultramarinos*, se ven 15 ristras colgadas de puertas como jamones, y uno puede comprar guardabarros, faros, carburadores, *a tanto la libra.* Y también puede uno ir y vender cualquier porción de su auto; *a lo mejor* le dan lo suficiente como para tomarse un *"hot-dog" y todo* . . .

Pero el último, el final destino terreno de los autos muertos, igual 20 que el de los hombres, es el cementerio . . .

Vivos y muertos, Los Ángeles metropolitano es esto: autos, autos, autos.

(Eduardo Toda Oliva, "Una ciudad con un coche para cada dos per-sonas" —extractos, *Mundo hispánico*, No. 191, febr. 1964, págs. 30-35.)

PREGUNTAS

A

1. ¿Qué hecho demuestra el censo automovilístico de Los Ángeles? 2. ¿Qué papel desempeñan los ferrocarriles en la distribución de los autos que circulan en la costa del Pacífico? 3. ¿Cómo promueve el negociante la venta de sus productos? 4. ¿Qué diferentes modalidades de pago existen para el que compra un auto? 5. El accidente de tránsito siempre es peligroso, pero lo es sobre todo en una autopista. ¿Por qué? 6. ¿Qué ventajas tiene la auto-

pista para el automovilista? **7.** ¿Por qué debe tener fe en San Cristóbal el viajero que viaja en una autopista? **8.** Describa usted la señalización de una autopista. **9.** ¿Cuándo se producen embotellamientos? **10.** ¿Cuáles son los factores principales que contribuyen al buen funcionamiento de una autopista? **11.** En las grandes ciudades ¿qué división de labores se suele hacer en el cuerpo de policía? **12.** ¿Cuál es la misión del cuerpo femenino de guardias? **13.** ¿Por qué tiene tanta importancia el auto en la vida de muchas ciudades norteamericanas? **14.** Según el articulista, ¿cuándo muere el auto "en la cama"?

B

1. ¿Cómo se explica que Los Ángeles cuente sólo con fábricas montadoras de autos? **2.** Cite usted alguna frase propagandística empleada en estos días por una firma productora de autos y tradúzcala al español. **3.** El comercio automovilístico está lleno de contrastes violentos. Mencione usted dos. **4.** ¿Por qué se hace necesario un sistema de autopistas en ciertas ciudades? ¿Puede considerarse este sistema la solución definitiva del problema de transporte? **5.** ¿Por qué es peligroso distraerse en una autopista? **6.** ¿Le parece bien empleada la metáfora "simoun de coches"? ¿Por qué? **7.** ¿Cómo se explica que las autopistas se conserven en perfecto estado? **8.** ¿Quedó desilusionado el articulista con la policía de Los Ángeles? Explique. **9.** ¿Por qué se dice que el auto tiene preferencia sobre el hombre? **10.** ¿Qué soluciones ingeniosas han ayudado a aliviar el problema de aparcamiento? **11.** Comente usted la expresión "zigzag anónimo" que emplea el autor para describir al conductor de un auto deportivo. **12.** ¿Por qué consideran muchos que el auto debe ser algo más que un sencillo medio de transporte? **13.** ¿Qué negocio hacen los demoledores de autos? **14.** ¿Está usted en favor o en contra del cambio constante de modelos? ¿Por qué?

A. Modismos

por vía férrea — por ferrocarril
igual que — exactamente como; tal como
sin más que lo esencial encima — llevando sólo lo esencial
lanzar (*un producto*) — dar(lo) a conocer
por intermedio de — por medio de; mediante
a tono con — en armonía con

avión a chorro — avión de reacción

a cielo abierto — a descubierto; sin techo

por fortuna — afortunadamente

a través de — por entre

mano única — dirección única

sin fallas — sin grietas

días de cerrazón — días tormentosos

¡ay de —! — ¡pobre de —!

virar en redondo — dar la vuelta; volverse rápidamente

En cuanto — Tan pronto como; Así que

en un periquete — en un santiamén

en escapada — que arrancan apresuradamente; disparadas

candidatos a suicidas — los que quieren morir

dadas las distancias — en vista de las distancias

disponer de espacio — tener espacio

a ras de — al mismo nivel de

se subponen (neologismo) — se ponen uno debajo de otro

cuesta — causa gastos; es caro

cuanto más pequeño va resultando el espacio, más grandes se van construyendo los coches — los autos son cada vez más grandes a medida que los parques disminuyen en tamaño

dentro de poco — pronto

autorrodar (neologismo) — rodar sobre patines motorizados

ha de pasarse — se verá obligado a pasar

de un lado para otro — en constante movimiento

estén acondicionados — tengan todo lo necesario

tantísima variedad — tan gran variedad

autos-barbería (neologismo) — autos que ofrecen servicio de barbería

autos-cafetería (neologismo) — autos que tienen servicio de cafetería

surtidores de (*helados*) — aparatos que proveen de (helados)

último grito — la última novedad

la "limousine" — la limusina (limosina); auto de lujo con cuatro plazas, cuatro portezuelas y cuatro ventanillas laterales

el "sedán" — auto de cuatro plazas, cuatro ventanillas y dos o cuatro portezuelas

el "coupé" — el cupé (la berlina), coche de dos o cuatro plazas pero con dos ventanillas y portezuelas laterales *el descapotable* — el convertible, coche de capota plegable

el "jeep" — vehículo campero, descapotable, capaz de marchar en todo terreno

así como — igual que

algún ejemplar de vieja estirpe — un objeto de tipo anticuado

como quien dice — por decirlo así; podríamos decir

a manos de la generación terrible — destrozados por los "cocacolos"

por parte de — debido a los caprichos de

el descuartizamiento — la acción de dividir en cuartos

las ferias de los suburbios — los mercados menos lujosos de los arrabales

recurre a — se dirige a

cuatro dolarcetes — una muy modesta suma

el cacharro — auto viejo

por órganos y partes — por piezas

a la inversa — al revés, en sentido contrario

pieza a pieza — una pieza tras otra

día a día — día tras día; seguidamente

En dichos comercios — En estos establecimientos comerciales

tienda de ultramarinos — mantequería; tienda de comestibles

a tanto (la libra) — cobrándose tanto por (libra)

a lo mejor — probablemente

un "hot-dog" y todo — un "hot-dog" y lo que con él se sirve

EJERCICIOS

Llene usted el espacio en blanco con algún modismo del grupo que se encuentra a la derecha:

A

1. Ese padre es severísimo, y ¡—— el hijo que no le obedezca!

2. Pasamos todo el día sin descansar, caminando ——.

3. —— los mayores, los jóvenes de hoy quieren disponer de un coche.

4. Le vi partir ——, como alma que lleva el diablo.

pieza a pieza
igual que
en escapada
en un periquete
surtidor
de un lado para otro
lanzar(se)
ay de
ejemplar
virar en redondo

5. Llegando a la primera encrucijada, el taxista
   —— para volver al punto de partida.
6. Espere usted a que le traiga otro emparedado;
   se lo hago ——.
7. Cuando —— un nuevo producto, se le hace
   mucha propaganda.
8. Esta enorme colección se ha hecho con grandes
   sacrificios, ——.
9. En el corredor de abajo hay un —— de em-
   paredados.
10. De esta moneda todavía no he encontrado un
    —— en perfecto estado.

B

1. Hagamos el análisis ——, comenzando por el
   fin.
2. La mercancía sufrió graves daños —— los
   transportadores.
3. Para llegar al conciliábulo, tuvimos que pasar
   —— un complejo de corredores, antesalas,
   cuartos hundidos en la oscuridad.
4. Les aseguro que, —— Juan, no habrá inconveniente.
5. Si no esperamos a los que no han llegado, ——
   se enfadan.
6. Los aviones fumigadores vuelan —— tierra.
7. Revelaba una seriedad muy —— las circunstancias.
8. Hágale entrar a verme, —— llegue.
9. En pleno verano, y con el calor que hace, el
   baile se efectúa ——.
10. La leche se vende —— la botella.

a ras de
a manos de
por parte de
a cielo abierto
a tono con
en cuanto
a la inversa
a tanto
a lo mejor
a través de

135

B. Vocabulario

A

I. *Sustituya usted la expresión en cursiva por otra sinónima sugerida por la lectura:*

1. Esta industria *tiene* más obreros que ninguna otra del estado.
2. El albañil cogió la llana y *emparejó* la superficie.
3. La autopista cuenta con *un sistema de señales* casi perfecto.
4. Su comportamiento parece *contradecir* la opinión que tenemos de él.
5. Los precios *suben* alarmantemente.
6. En esta ciudad escasean los *transeúntes*.
7. Un equipo de reparación acude a arreglar el menor *hoyo*.
8. Su cooperación es *absolutamente necesaria*.
9. Este enchufe no *ajusta bien*.
10. ¿Qué mujer no es amiga del *chisme?*

imprescindible
cotilleo
desmentir
encajar
aumentar
allanar
socavoncillo
peatón
señalización
contar

* * *

11. Es un hecho *que se puede comprobar* fácilmente.
12. Una combinación así sería capaz de *monopolizar* todos los productos de primera necesidad.
13. Adornaron la pared con *trenzas* de mazorcas y calabazas secas.
14. Entre todos *consumieron* las reservas de gasolina.
15. Se me erizó el pelo cuando vi al agente *sacar y apuntar* su revólver.
16. Un restaurante de cocina europea en este barrio debe ser *buen negocio*.
17. *Los requerimientos* de su profesión le mantenían alejado del hogar.
18. Toda casa moderna tiene muchos *aparatos* para facilitar la vida.
19. Su *linaje* se remonta al siglo XV.
20. Al lado de nuestra casa hay un *terreno* muy amplio.

ristras
accesorios
agotar
constatable (*galicismo*)
rentable
esgrimir
estirpe
exigencias
solar
acaparar

II. *¿ Sabe usted manejar con seguridad? Escoja la terminación que mejor complete cada oración. A veces hay más de una solución posible.*

1. Si revienta la llanta delantera del lado derecho cuando el auto va a 80 k. p. h., el automovilista debe primero **(a)** frenar rápidamente, **(b)** hacer girar el volante hacia la izquierda, **(c)** disminuir la velocidad, dejando que continúe el vehículo en línea recta.

2. Si el conductor de un coche que viene acercándose de frente no enciende los faros de cruce después de que usted ha apagado los de carretera, es recomendable **(a)** encender de nuevo los faros de carretera, **(b)** encender los faros de posición, **(c)** fijar los ojos en el auto que se le acerca, **(d)** fijar los ojos en la vera del camino.

3. Lo que más comúnmente hace resbalar un vehículo es **(a)** el exceso de presión en las llantas, **(b)** el estar muy resbaladiza la superficie de la carretera, **(c)** ir a una velocidad excesiva para las condiciones de la carretera.

4. Al acercarse a una señal de tráfico que reza ALTO, el automovilista debe **(a)** parar en seco, **(b)** reducir la velocidad gradualmente hasta detener por completo el vehículo, **(c)** reducir la velocidad y proceder con cautela, cediendo el paso a los que lleguen por el otro camino.

5. La maniobra más indicada para salir de un resbalón es **(a)** frenar, **(b)** mantener las ruedas delanteras en línea recta, **(c)** hacer girar el volante en la misma dirección del resbalón.

6. En caso de lluvias torrenciales hay que tener cuidado al acercarse a un lugar marcado con una señal que dice **(a)** PUENTE ANGOSTO, **(b)** NO DEJE PIEDRAS EN LA CALZADA, **(c)** CRUCE DE GANADO, **(d)** VADO A 50 METROS, **(e)** ZONA DE DERRUMBES, **(f)** PASO INFERIOR.

7. Una doble raya continua indica **(a)** que, si hay buena visibilidad, se puede pasar otro coche con mucha cautela, **(b)** que se puede viajar a una velocidad máxima de 30 k. p. h., **(c)** que está terminantemente prohibido pasar otro coche, cualesquiera que sean las condiciones del camino, **(d)** que el automovilista debe conservar su derecha.

8. Si uno va cuesta abajo en una carretera montañosa, debe **(a)** cerrar el escape, **(b)** frenar con el motor, poniéndolo en primera (velocidad), **(c)** cruzar la raya continua del medio cuando rechinan las llantas en una curva cerrada, **(d)** poner la palanca de velocidades en punto muerto para economizar gasolina.

9. Al atravesar un tramo de carretera en construcción, el automovilista debe (a) estar alerta, por si hay un desvío, (b) prestar atención, sobre todo a las máquinas y a los hombres que estén trabajando, (c) seguir en fila, (d) tener cuidado, por si hay grava suelta, (e) aumentar la velocidad, si la superficie está recientemente asfaltada, para no atascarse.

10. Las siguientes son reglas del camino que todos debemos observar: (a) Los peatones deben siempre tomar su derecha. (b) Si desea contemplar el paisaje, estacione el coche en la calzada. (c) Si usted bebe, no maneje; y si maneja, no beba. (d) Haga tiro al blanco sirviéndose de las señales de tráfico.

B

Diferencias de significado

1. Aire.

Además de la atmósfera que respiramos, significa

(a) Viento:

> Soplaba un aire suave.

(b) Vanidad, humos:

> Se da aires de profeta. *He puts on the airs of a prophet.*

(c) Apariencia:

> Tiene aire de artista. *He looks like an artist.*
> Hay múltiples comercios con aire verbenero.

(d) Gracia o garbo:

> La bella dama prosiguió su camino con mucho aire (*very majestically*).

(e) Melodía:

> Cantó un aire popular (*a popular tune*).

Su uso es frecuente en expresiones:

> A los jóvenes les encanta dormir al aire libre.
> Después de comer, salimos a tomar el aire (*to take a walk*).
> Se fue dejándolo todo en el aire (*up in the air*).
> Ese loco siempre habla al aire (*talks nonsense*).

2. Falla — grieta — hendidura — quiebra.

Falla es cualquier defecto que disminuye la resistencia de un cuerpo:

> El lapidario, al partir una piedra preciosa, aprovecha cualquier falla natural (*fault*) que encuentre.

Con esta misma acepción, **falla** denota, entre geólogos, una quiebra en la superficie de la tierra (*crevice*), causada por movimientos sismológicos:

> La violencia de los terremotos puede calcularse por la magnitud de las fallas que crean.

Grieta es una rotura larga o irregular causada por la contracción de un cuerpo sólido:

> Al hundirse los cimientos, se han abierto grietas (*cracks*).

Hendidura es generalmente una grieta que no llega a dividir un cuerpo:

> El golpe, sin partir la madera del todo, ha dejado una hendidura (*crack*).
>
> Por cada presa hacía una hendidura (*notch*) en la culata de su escopeta.

Quiebra tiene tres significados de uso corriente:

(a) Rotura de una cosa en su sentido más lato:

> La quiebra (*breaking up*) del hielo anuncia la llegada de la primavera.

(b) Hendidura en la tierra, causada por las lluvias:

> El torrente se salió de su cauce y abrió una quiebra [quebrada] por el lado de la dehesa.

(c) Acción de quebrar o de declararse en bancarrota:

> Muchos negociantes se perjudicarán con la quiebra de una casa tan importante.

3. Suministrar — proveer — surtir — abastecer — proporcionar — facilitar.

Suministrar, proveer y **surtir** son sinónimos, aunque, por lo que respecta a la sintaxis, su empleo no es idéntico.

Suministrar es verbo transitivo:

> Esa casa nos suministra (*supplies us*) todo lo que necesitamos.

Proveer y **surtir** se usan comunmente con **de**:

> Esa casa nos provee [surte] de aparatos eléctricos.

Surtir significa también dotar un establecimiento comercial de una selección adecuada de distintos tipos de mercancía:

> Esta tienda está bien surtida (*well stocked*).

Abastecer, en cambio, es proveer a alguien de lo necesario (provisiones, vituallas):

> Durante los tres meses que duró el asedio, no se pudo abastecer la guarnición de víveres.
>
> Imagínese usted el problema de abastecer tantos autos (*servicing so many cars*).

Proporcionar y **facilitar** son sinónimos en el sentido de poner algo a la disposición de otro:

> Si me proporciona [facilita] (*If you let me have*) una lista de las compras, le ayudaré a buscarlas.

Facilitar, además, significa "hacer fácil":

> Haré cuanto pueda para facilitarle la vida.

4. Acción — acto — actuación.

Acción es todo lo que hace el hombre, un organismo, sea social o biológico, o un agente cualquiera:

> Lo que usted ha hecho es una acción fea. *That was a nasty thing to do.*
>
> Es conocido por sus malas acciones (*the mean things he does*).
>
> No se puede negar la acción destructora del tiempo (*the destructiveness of time*).
>
> Observe usted la acción ordenadora de la policía (*the controlling* [*orderly*] *action of the police*).

Acto singulariza un hecho dentro del complejo llamado **acción.** El acto es un hecho que se mira objetivamente y que tiene contornos más definidos que la acción; ésta es un "hacer algo" que es expresión de nuestra voluntad. Hay, pues, una íntima relación entre acción y persona. Por esta razón se dirá:

> Sus malas acciones merecen la más franca reprobación.

Aquí no cabría decir **actos.** Por el contrario, se diría:

> El salvar a esos niños fue un acto de heroísmo.
>
> Nadie tiene derecho a juzgar mis actos.

Actuación es una serie prolongada de actos o acciones:

> Su actuación (*His performance*) como abogado ha sido importantísima.

5. Aparato — dispositivo — mecanismo.

Llamamos **aparato** cualquier utensilio o instrumento, cuando no deseamos o no podemos especificar cuál es su nombre o su función; es, pues, un término genérico:

> Estos aparatos no dan buen resultado. *These appliances* [*gadgets*] *never work.*

Aparato puede significar también "aeroplano" o "teléfono":

> Voló en un frágil aparato (*flying machine*).
> Póngase al aparato. *Come to the telephone.*

Dispositivo y **mecanismo** son también términos genéricos con que se designa cualquier artificio mecánico, de pocas o muchas piezas, que sirve para obtener un efecto determinado. Si bien **aparato** es una unidad funcional en sí, una máquina, por ejemplo, un **dispositivo** (o **mecanismo**) es sólo parte de aquélla; funciona, pues, como entidad auxiliar (*device*):

> Para poner en movimiento la máquina automáticamente es preciso emplear este dispositivo de arranque (*this starter*).

6. Andar — caminar — ir a pie.

En sentido general, **andar** nos dice que algo se verifica o desenvuelve en el tiempo:

> Las cosas andan mal. *Things are going wrong.*
> ¡Ande con cuidado! *Be careful!*

En sentido más restringido **andar** alude a la acción de avanzar, esto es, ir de un lado a otro, sin indicarse una dirección en particular:

> Anduvo sin rumbo fijo. *He walked about aimlessly.*

Caminar puede ser el equivalente de **andar**:

> Caminó largo rato por la carretera.

Se notará que esta oración no dice si el caminar es en viaje de ida o de vuelta. En Hispanoamérica se usa **caminar** con sentido de dirección; es entonces igual a "ir":

> Caminaron [Fueron] al correo.

El verbo **ir a pie,** a diferencia de **andar**, especifica siempre una dirección. No se puede decir "Anduvo al mercado." Lo correcto, en España, sería:

> Fue a pie [andando] al mercado.

O bien, empleando el giro hispanoamericano:

> Caminó al mercado.

7. Temporada — rato — estación.

Temporada denota un espacio de varios días, meses o años, tomados en conjunto:

> Después de una estancia en Alemania, pasaremos una temporada (*a short time, a spell*) en Suiza.

Es también el tiempo en el cual se hace habitualmente una cosa:

> temporada de ópera, temporada de verano.

La expresión **estar de temporada** significa residir en un lugar por una temporada.

Rato es un espacio de tiempo relativamente corto:

> Nos quedaremos ahí un rato. *We'll stay there a while.*

Cuando decimos **Pasamos un buen rato charlando,** uno puede referirse a la intensidad del placer (*We had a good time chatting*), o a la extensión del tiempo (*We spent quite a while chatting*). La misma palabra se emplea en varias expresiones corrientes:

> Trabaja a ratos (*irregularly*).
> Lee a ratos perdidos (*in his spare time*).
> Fui al teatro para pasar el rato (*to kill time*).
> Se puso a cantar al poco rato (*after a little while*).

Estación significa la temporada del año marcada por cambios climáticos:

> Esta región tiene dos estaciones [temporadas] de lluvia (*two rainy seasons*).

8. Voluble — veleidoso; cambiante — variable.

Voluble denota una tendencia al cambio caprichoso:

> Tiene un ánimo voluble (*unpredictable temperament*).

Veleidoso se aplica a la disposición caprichosa y antojadiza:

> Es difícil que sean felices, pues la mujer es muy veleidosa (*fickle*).

Cambiante es todo aquello que no persiste en su naturaleza o no mantiene su aspecto exterior:

> La luz siempre cambiante de esta altitud encanta a los pintores.

Variable puede ser sinónimo de **cambiante;** describe aquello que cambia en forma inesperada o indeseable:

> El clima aquí es muy variable.

EJERCICIOS

Llene usted el espacio en blanco con alguna palabra citada en la sección que antecede:

1. Llamemos al enlucidor [yesero] para tapar estas ——. **2.** Un regalo muy popular entre los norteamericanos es cualquier —— ingenioso acabado de lanzar. **3.** Ya al borde de la —— el caballo se encabritó. **4.** Tenemos cuenta corriente en La Danesa, la cual nos —— todo lo necesario. **5.** Si mis padres quieren que lleve una vida decorosa, deben —— más dinero. **6.** Es un muchacho de muy buenas intenciones pero de ánimo ——. **7.** La película que vamos a pasar ha sido —— por la embajada española. **8.** Preferimos el bazar Nuevo Mundo por lo bien ——; allí se encuentra de todo. **9.** Los exploradores salieron de aquí —— de víveres para quince días. **10.** El mercado de cereales es muy ——. **11.** Fíjese usted en los colores siempre —— de este lago. **12.** El jefe y yo pasamos un buen —— hablando de una nueva campaña de ventas. **13.** Lima no tiene una —— de lluvias. **14.** El circo pasó una —— en esta ciudad antes de proseguir su ruta. **15.** Los *hobbies* son actividades que se cultivan a —— perdidos. **16.** Tengo abono para la —— de ópera este año. **17.** Es de lamentar que algunos jóvenes, en vez de hacer un trabajo de provecho, sencillamente pasen el —— charlando. **18.** Mi esposo prefiere tomar las vacaciones en la —— de caza. **19.** Como necesitaba un poco de ejercicio —— a su despacho. **20.** La máquina viene dotada de un —— especial para hacer cortes en bisel. **21.** Se puso a cantar un —— popular. **22.** El banco se declaró en ——. **23.** Espero que el gobierno nos —— todo lo necesario para la expedición. **24.** Usted es el único responsable de sus ——. **25.** La temperatura de esta región es muy ——.

C. Gramática

I. COMPARACIONES DE IGUALDAD

> CUADRO SINÓPTICO
>
> **1. tan** + *adj.* (*adv.*) + **como**
> **2. tanto,-a,-os,-as . . . como**
> **3. tanto como**

1. Tan + *adj.* (*adv.*) + como.

Se usa esta construcción con adverbios y adjetivos para comparar cualidades o modos de hacer algo:

Elena es tan inteligente como Julia.

Destinar un solar a aparcamiento resulta tan rentable como construir en él.

Canta tan bien como una artista de cine.

2. Tanto,-a,-os,-as . . . como.

Se emplea en comparaciones de cantidad o número:

Tengo tanto interés en este modelo como en cualquier otro. (*Cantidad*)

Hay tantos candidatos como puestos. (*Número*)

3. Tanto como.

En este caso se comparan dos verbos, de los cuales puede estar subentendido el segundo:

Trabajamos tanto como ustedes.

II. COMPARACIONES DE SUPERIORIDAD O INFERIORIDAD

CUADRO SINÓPTICO	
CONSTRUCCIONES PRIMARIAS	CONSTRUCCIONES SECUNDARIAS
1. (a) más (menos) . . . que	
1. (b) más (menos) . . . que el que, que la que, que los que, que las que	
	2. (b) más (menos) . . . que el que, que la que, que los que, que las que
2. (a) más (menos) . . . del que, de la que, de los que, de las que	
	2. (c) no más . . . (menos) que
3. (a) más (menos) de lo que	3. (b) más que lo que
4. (a) más de + *numeral*	3. (c) más (menos) . . . que
4. (b) no más de + *numeral*	
5. no . . . más que + *numeral*	

1. Más (menos) . . . que.

(a) Se usa esta construcción para comparar dos personas o cosas expresas:

(*Personas*). El guardia es menos amable que la mujer policía.

(*Cosas*). El último modelo es más caro que el auto del año anterior.

(b) Si la comparación es entre el sujeto (sustantivo) y un pronombre (el que, la que, los que, las que) resultan las formas **. . . que el que, . . . que la que, . . . que los que, . . . que las que:**

Su coche tiene más accesorios que el que acabamos de comprar.
Estos muchachos tienen más capacidad que los que conocimos ayer.

2. Más (menos) . . . del que (de la que, de los que, de las que).

(a) Se usan estas formas cuando se comparan dos elementos sustantivales cercanos; el primer sustantivo es un complemento directo y el segundo, un sustantivo sobreentendido, el cual se representa por medio de una de las cuatro formas indicadas:

Nuestro sistema de señalización tiene más ventajas de las que usted ha mencionado.
El deudor ha pagado menos dinero del que nos adeuda.

NOTA.   En estas oraciones se dice lo siguiente: **Nuestro sistema de señalización tiene más ventajas de las (ventajas) que . . .; El deudor ha pagado más dinero del (dinero) que nos adeuda.**

(b) En este tipo de comparación a veces se usa **que** y no **de,** resultando así las combinaciones **. . . que el que . . ., . . . que la que . . ., . . . que los que . . ., . . . que las que . . .,** o sea, las construcciones estudiadas en la sección 1 b.   Estas variantes son, probablemente, el resultado de predilecciones personales.   Un buen número de escritores las evita por ser poco agradable al oído la combinación **que . . . que:**

Hay más empresas vendedoras que las que usted conoce.
Usted siempre compra menos coches que los que podría vender.

(c) Hay una variante más, condenada por no pocos escritores: un simple **que** en lugar de las cuatro formas **del que, de la que, de los que, de las que.**   Es probable que este **que** no sea más que reflejo de la tendencia en toda lengua hacia la simplificación.

Trajo más libros que pueden ponerse en un bolsón.

3. Más (menos) de lo que.

(a) Cuando se comparan dos elementos verbales, omitiéndose el segundo por elipsis, se representa el segundo verbo por la construcción neutra **de lo que:**

Trabajamos más de lo que usted se imagina (que trabajamos).

(b) Como en el caso anterior (sección 2 b), a veces se emplea . . . **que lo que** . . ., aun siendo poco grata al oído la repetición **que** . . . **que.** La elección entre **de** y **que** depende de predilecciones personales.

Ellos gastaron más que lo que usted se imagina (que gastaron).

(c) Hay también personas que usan un simple **que** donde el uso normal pediría **de lo que.** Es probable que tal sustitución sea también expresión de un intento de simplificación. (Compárese con 2 c.)

Este muchacho gasta más en un mes que podría yo gastar en un año.

4. Comparaciones que incluyen numerales.

(a) En comparaciones afirmativas que contienen una cifra o un valor sentido como número es obligatorio usar **de** y no **que:**

Hay más de tres millones de autos en la ciudad.
Hay que darle más de la mitad de los beneficios.
Pasaremos más de medio mes en Los Ángeles.

(b) La forma negativa correspondiente a **más de** es **no . . . más de.** Esta construcción no expresa una cantidad exacta sino una cantidad máxima que no se puede sobrepasar, pero que permite concebir una cifra inferior a la citada:

No tengo más de quince dólares. (A lo mejor tengo sólo $14.50.)

no Mas de = exactamente o menos

5. No . . . más que + *numeral.* *exactamente — ni más ni menos*

Si aludimos a una cantidad máxima se habrá de emplear **no . . . más que** (*only*):

No hay más que ocho estaciones de distribución.
No recibí más que cuatro dolarcetes.

III. CORRELATIVOS

1. Intensificación.

Las siguientes construcciones destacan (a) una cualidad, (b) un modo de hacer algo, (c) la cantidad o número de un referente y (d) una acción:

(a) Cualidad: **tan** + *adj.* + **que:**

Es tan pesado que no pudimos traerlo.

(b) Modo: **tan** + *adv.* + **que:**

Lo hace tan bien que nadie tendría que vigilarlo.

(c) Cantidad o número: **tanto,-a,-os,-as** . . . + **que:**

Había tanta gente que no nos fue posible movernos.

(d) Acción: **tanto que:**

Habló tanto que nos cansamos de oírle.

2. Relación de grado.

Cuanto . . . tanto. Se usa para expresar una relación de grado entre dos acciones o cualidades. En inglés se expresa esta misma idea por medio de *The more . . . the more.*

Cuanto más entra en detalles tanto más se embrolla.

NOTA: En la lengua vernácula es común usar **mientras** en lugar de **cuanto: Mientras más habla tanto más se equivoca.** También es común omitir el segundo elemento del correlativo: **Mientras más temprano llegues, (tanto) mejor.**

3. Concatenación.

Tanto . . . como. Hay ocasiones en que esta construcción se emplea para relacionar dos elementos sintácticos iguales:

Es muy generoso tanto con sus clientes como con sus amigos.
Tanto los capitalistas como los obreros desean evitar la huelga.
Lo hemos hecho tanto por agradar a los compradores como por querer ahorrar tiempo.

EJERCICIOS

A

I. *Dé usted el equivalente de* than *en las siguientes oraciones; algunas admiten más de una solución. Justifique su respuesta.*

1. Este libro tiene más páginas *de* las que puedo leer en una noche. **2.** Este libro tiene más páginas *que* ése. **3.** Este libro tiene más páginas *que* el que acabo de leer. **4.** Este libro es más interesante *de* lo que usted se imagina. **5.** Un libro se lee más rápidamente *que* se escribe. **6.** Este libro ha gustado más *de* lo que creíamos. **7.** Este solo libro le ha producido más al autor *que* todos los demás juntos. **8.** Este libro tiene menos *de* cuatrocientas páginas. **9.** Este libro no tiene más *que* cuatrocientas páginas. **10.** De ese libro me queda aún más *de* la tercera parte por leer.

II. *Supla usted la fórmula de comparación más adecuada. ¿Cuáles de estas oraciones admiten más de una solución?*

1. Al contestar el testigo no debe decir más *de* lo que ha visto con sus propios ojos. **2.** Por favor, no haga usted más *de* lo que le pido. **3.** No

147

hay que aceptar más ayuda *de* la que verdaderamente necesitamos.
4. Esta ley ofrece más garantías *que* la que proponen los representantes
de la derecha.   **5.** Esta ley ofrece más garantías *de* las que necesitamos.
6. Este chocolate es menos fino *que* el que se importa de Suiza.   **7.** Este
chocolate cuesta mucho más *que* lo que debe costar.   **8.** Yo no quiero
más *que* lo que he ganado con mis propios esfuerzos.   **9.** Llegamos de la
fábrica ese día más cansados *de* lo que estábamos generalmente.   **10.** No
puedo darles más datos *que* los que ya les he dado.

B

I. *Sírvase llenar los espacios en blanco con la(s) palabra(s) que pide el
sentido. ¿Cuáles de estas oraciones admiten más de una solución?*

1. Me parece que el libro tiene un significado más profundo ——— el que
tú le atribuyes.   **2.** Lo hizo tanto por evitarse molestias ——— por dejar
satisfechos a los clientes.   **3.** Tenía vicios de no mucha más gravedad ———
los que tiene cualquier joven de su edad.   **4.** No sé cuánto hemos ganado
hoy, pero seguramente no serán más ——— cuarenta dólares.   **5.** Los sir-
vientes no recibían otras órdenes ——— las que daba el mayordomo.   **6.** Julita
siempre compra más flores ——— que necesita.   **7.** Es un pobre poblado
sin más agua potable ——— la que Dios manda en forma de lluvia.   **8.** Comió
tanto ——— se enfermó.   **9.** La dama le respondió esa vez con una expresión
más dulce ——— la que empleaba normalmente con él.   **10.** Nunca compro
más carne ——— la que necesito.

II. *Sírvase relacionar las dos partes de cada oración haciendo los cambios
que sean necesarios y empleando el correlativo que se da entre paréntesis
para destacar las palabras en cursiva:*

1. (tanto . . . que). *Comió* muchísimo; el resultado fue que *se enfermó.*

2. (tanto . . . como). Me dio algún *dinero;* no pudo darme más.

3. (cuanto . . . tanto). *Se afana* cada vez más en su lucha por la existencia
holgada, pero *disfruta* de la vida cada vez menos.

4. (mientras . . . tanto). Pedro *estudia* constantemente, pero no *aprende*
mucho.

5. (tan . . . como). Es un niño muy consentido *en casa;* lo mismo pasa *en
sus clases.*

III. *Haciendo las modificaciones que sean necesarias, exprese usted comparaciones de igualdad o desigualdad con las ideas contenidas en las siguientes oraciones:*

1. Julia es trabajadora y su hermana no lo es menos. **2.** Ignacio canta y toca la guitarra igualmente bien. **3.** En el kindergarten los niños se divierten y trabajan. **4.** Luisa tiene cuarenta discos españoles; Pedro tiene un número casi igual. **5.** Su padre tiene mucho dinero; el mío no tiene tanto.

D. Estilística y composición

Sustantivos vagos

Entre los estudiantes de composición es común el empleo de algunos sustantivos que, por ser demasiado generales o imprecisos, se han convertido en lugares comunes.

Es verdad que hay casos en que estos sustantivos pueden usarse con un sentido absolutamente específico. Ejemplo:

El hombre moral puede aspirar a ser individuo, pero el hombre ético es el único que puede llegar a ser persona.

En esta oración "individuo" y "persona" tienen un sentido filosófico específico.

En los siguientes ejemplos se dan en cursiva los sustantivos vagos y se propone una enmienda:

1. A estos jóvenes *no les importan las consideraciones morales.* (. . . no les importa la moral)

2. Así se podrá seguir disfrutando *de cosas estéticas.* (. . . los placeres estéticos)

3. Ese viaje fue para mí *una nueva experiencia.* (. . . toda una sorpresa)

4. Hablaba *de una manera afectada.* (. . . con afectación)

5. El joven de hoy necesita *tener oportunidades.* (. . . la seguridad de que hallará un puesto en la sociedad)

6. *Si una persona se deja vencer por el* deseo de ganar dinero, está perdida. (Si uno se deja llevar del . . . ; Si nos dejamos llevar del . . .)

149

7. No hay manera de *poner remedio a una mala situación.* (. . . remediar el mal)
8. *Los días de la universidad son un tiempo para experimentar y pensar.* (Los años universitarios son la mejor época para adquirir experiencia y para pensar.)

EJERCICIOS

A

En las oraciones siguientes se han subrayado las frases que contienen sustantivos vagos y se dan, entre paréntesis, varias posibles sustituciones. Escoja usted entre éstas las más apropiadas para aclarar el sentido, haciendo los cambios sintácticos que sean necesarios.

1. *El asunto* que se trata en este libro es muy interesante. (La cuestión; El tema; La materia; El objeto)
2. Queremos que los jóvenes vivan *en una atmósfera ética.* (en un ambiente moral; de acuerdo con ciertos principios; dentro de las normas de la moral; con moralidad)
3. Lo que los estudiantes critican *es el arreglo desagradable* propuesto por la universidad. (son las normas; son los medios; son los compromisos; son las medidas administrativas)
4. Creo que ésa es *una buena idea.* (una buena ocurrencia; la solución más indicada; la respuesta al problema; el mejor arreglo)
5. Debemos formarnos un concepto de la vida y de *nuestro lugar en el mundo.* (nuestra misión en el mundo; nuestra contribución a la sociedad; nuestro papel en la sociedad; nuestra función en el mundo)
6. Se ha hablado mucho de *la posición de la universidad* en la sociedad actual. (el lugar que le corresponde a la universidad; la función de la universidad; el cometido de la universidad; el destino de la universidad)
7. Este artículo contiene muchos *puntos de interés.* (sugerencias de interés; sugestiones de interés; observaciones de interés; nociones de interés)
8. Con ese libro ha demostrado que tiene *mucha habilidad.* (grandes aptitudes; buenas disposiciones; dotes de escritor; capacidad creadora)

B

Haga usted todos los cambios que sean necesarios para evitar los sustantivos vagos (en cursiva).

1. Así se le llama casi *todo el tiempo.* 2. Todos los días se preparaban *muchas cosas sabrosas* en la casa de doña Isabel. 3. El tener que vender

la casa fue para nosotros una *experiencia* muy molesta. **4.** Esta regla es aplicable a todas las *personas.* **5.** La escuela debiera enseñar la *manera de hacer decisiones inteligentes.* **6.** Ahora bien, si usted vendiera la casa este año, la *situación* sería muy distinta. **7.** Hay muchas opiniones divergentes sobre la *cuestión moral.* **8.** Es muy difícil que un *hombre* acepte estas imposiciones sin protestar.

℞
Traducción

A

1. The best friend a person living in Los Angeles has is his car. **2.** He spends more waking hours with his vehicle than he does with his own wife or sweetheart. **3.** In recent studies it has been shown that many of the inhabitants of the city spend more than half of the day behind the wheel. **4.** It's perfectly understandable, therefore, that they should want their cars to be equipped with a great variety of gadgets and accessories. **5.** While teenagers may prefer a sports car which twists their bodies into an unrecognizable form, the old folks show a preference for comfort. **6.** There are autos which offer barber service, so that the businessman can plug in his razor and wipe away a twenty-four-hour growth of beard while he waits for a red light to change. **7.** Then, he can turn on his tape recorder and dash off a few letters for his boss or secretary. **8.** This never-ceasing activity makes him think he has done a half day's work even before he gets to the office, but it may also make a nervous wreck out of him. **9.** A person whose destination is on the other side of the city embarks on one of the many freeways. **10.** While the foreign or uninitiated driver can hardly help getting lost, the veteran keeps a corner of his eye on the huge, illuminated signs which announce each exit. **11.** There's scarcely time to consult a map of the city, glance at the compass, or say a prayer to Saint Christopher. **12.** Nevertheless, thanks to the excellent system of signs and signals, a certain collective sense of responsibility, the orderly action of the police, and just plain good luck, one does arrive at his destination. **13.** But there is still that matter of finding a place to park. **14.** Although engineers have exhausted all possibilities in order to make parking space available, it still costs money to park, and the driver may end up regretting he even brought his car.

B

1. Los Angeles is a city of cars rather than people.   **2.** Seen from a certain height, the freeways form a circulatory system with arteries in which cars flow like millions of red corpuscles and with veins which channel the deadly toxins away from the congested areas.   **3.** At times the purifying process falls behind and a corrosive "smog" gathers over the city, irritating both eyes and lungs.   **4.** A large part of this smog can be traced directly to the exhalation of the four-wheeled beings, which are given absolute preference over the human species.   **5.** For instance, taken all together, the parking lots of the city cover more surface than the parks.   **6.** A property owner, rather than put up dwellings, finds it a better investment to turn a vacant lot into a parking lot.   **7.** To such an extent do cars prevail in the city that they have exiled man, that two-legged rival, from the streets.   **8.** The pedestrian no longer exists; anyone who tries to walk soon discovers that there aren't sidewalks.   **9.** Los Angeles has no subway; trolleys and trolley-buses are fast disappearing.   **10.** Only audacious souls — or people who want to commit suicide — use a motorcycle or bike; the car is, in short, the only means of locomotion.   **11.** All these facts explain why so many families have two or three cars, one for every grown-up.   **12.** All these cars were born far from Los Angeles, since, strangely enough, the west coast has only assembly plants.   **13.** Unfortunately, cars do not have the longevity of man but die after a relatively short life.   **14.** Few of them die in the garage; most of them die a violent death on the highway or in one of the auto slaughterhouses, where they buy any old rattle-trap and resell its organs at so much a kilo or piece.

Vocabulario mínimo

action: orderly — la acción ordenadora
anyone: — who el que
area la zona
arrive: does — logra llegar
artery la arteria
available: to make parking space — a fin de crear espacio para estacionar (aparcar)
being el ente
boss el jefe
both tanto . . . como; lo mismo . . . que

businessman el hombre de negocios
but sino que
car: sports — auto (coche) deportivo
ceasing: never — incesante; continuo,-a; ininterrumpido,-a
to **channel: — the toxins away** encauzar las toxinas alejándolas
Cristopher: St. — San Cristóbal
city la ciudad, la urbe
coast: west — la costa del Pacífico
comfort el confort; la comodidad

compass la brújula

to congest congestionar; congested areas
zonas de congestión

corpuscle el corpúsculo

to dash off dictar a la carrera

destination el destino

to die morir(se); — a violent death fenecer
de muerte violenta

to disappear: are fast disappearing van
desapareciendo a paso rápido

driver el conductor, el automovilista

dwelling la vivienda

to embark (on) lanzarse (a)

to end up acabar por + inf.; acabar + ger.

equipped: to be — estar dotado de

exhalation la emanación

to exhaust agotar

to exile desterrar (ie)

exit la salida

to explain: — why so many families have two
cars hacen comprensible que tantas
familias dispongan de dos autos

extent: to such an — hasta tal punto

fact la circunstancia, el hecho

to fall: — behind no ser suficiente

far muy lejos

to flow fluir

folks: old — los viejos

foreign extranjero, -a

four-wheeled de cuatro ruedas

freeway la autopista

gadget el dispositivo

to gather acumularse

to get to llegar a

to give: which are given a los que se da

to glance at echar un vistazo a

grown-up el adulto; la persona mayor

growth: a twenty-four-hour — of beard
una barba de veinte y cuatro horas

half: more than — más de la mitad

to have contar (ue) con

height: from a certain — desde alguna
altura

to help: can hardly — no poder (ue) menos
de

highway la carretera

hours: waking — horas del día

inhabitant el habitante

instance: for — para citar un ejemplo

investment: to find it a better — encontrar (ue) que resulta más rentable

irritating irritante; que irrita

to keep: — a corner of his eye on mirar de
reojo, con el rabillo del ojo

kilo: at so much a — a tanto el kilo

light: red — el semáforo; la luz de
tráfico; la luz roja

living vital; que vive

longer: no — ya no

lost: to get — extraviarse

lot: vacant — el solar; parking — el
parque de estacionamiento

luck: good — la suerte

matter: there is still that — of finding a
place to park aún queda por resolver
lo del aparcamiento

means el medio

most: — of them la mayoría de ellos

nevertheless a pesar de todo

to offer brindar

only único, -a

owner: property — el propietario

pedestrian el peatón

people las gentes

piece la pieza

plain: just — puro, -a

plant: assembly — planta de montaje

to plug in enchufar

preference la preferencia (por); la
predilección (por)

to prevail predominar

purifying purificador, -a

to put up construir

rather: — than más bien . . . que; antes
. . . que

rattle-trap: any old — cualquier cacharro
viejo

razor la maquinilla de afeitar

recorder: tape — la grabadora; el
magnetófono

to regret lamentar

to say: — a prayer to rezar a

sense: a certain collective — cierto
sentido colectivo

service: barber — el servicio de barbería

short corto, -a; breve; in — en fin

to show demostrar (ue); revelar; mani-
festar (ie)

side el lado; el extremo

sidewalk la acera

sign el rótulo

slaughterhouse el matadero

"smog" la mezcla de humo y neblina

souls: audacious — los temerarios

153

specics la cspecie

strangely: — enough por muy extraño que parezca

subway el metro

suicide: people who want to commit — los candidatos a suicidas

surface: more — than superficies superiores a

sweetheart la novia

system: — of signs and signals la señalización

to **take: taken all together** sumados todos

teen-ager el adolescente

than: — he does de las que pasa

therefore por tanto, por consiguiente

time: at times a veces, a ratos

to **trace: can be traced** puede atribuirse, puede achacarse

trolley el tranvía

trolley-bus el trolebús

to **try** intentar

to **turn: to — into a parking lot** destinar a aparcamiento, convertir en zona de estacionamiento

to **turn on** poner; encender (ie)

to **twist: — the body into an unrecognizable form** reducir el cuerpo a un garabato (zigzag) anónimo

two-legged bípedo,-a

understandable: it's — se comprende

uninitiated novato

to **use** servirse de, usar, emplear

vein la vena

to **wait for** esperar a que

while mientras que, a la par que

to **wipe away** limpiar

wheel: behind the — sentado al volante

whose: — destination is que tiene como destino

work: a half day's — media jornada, el trabajo de media jornada

wreck: to make a nervous wreck out of him trastornarle los nervios

Composición libre

A

1. El auto como símbolo de categoría social. Discuta este tema en pro y en contra.

2. Tesis: El auto ha afectado el paisaje norteamericano más que ningún otro invento humano.

B

1. El transporte municipal de aquí en cien años: ¿qué cambios radicales pronostica usted?

2. Tesis: Hoy día se da mayor importancia a los problemas de transporte que al espacio vital del hombre en la planificación de una ciudad moderna.

❧ 7 ❧ ✗

La pantalla

JULIÁN MARÍAS

La representación de la vida humana en la narración o en la escena no basta, *por lo visto,* al hombre; y en este siglo ha aparecido una forma de representación espectral en que la realidad y la irrealidad se mezclan extrañamente: la pantalla cinematográfica, ese lienzo blanco y plano
5 que hoy empieza a complicarse, a no ser ni lienzo ni blanco, ni plano, porque el cine, como veremos, está lleno de paradojas.

Supongamos que ya se ha elegido la película y se va al cine; se entra, se ocupa la butaca, la luz se apaga — esto es especialmente importante — y uno se queda en la oscuridad, *o sea que* se queda solo. El teatro
10 es, propiamente, un "conspectáculo," porque cada uno ve la escena con los demás, *en presencia de* los demás, y todos la ven juntos; el cine no; es un puro espectáculo, porque no se está con los demás espectadores. Creo que ésta es la explicación de que en el cine no se aplauda sino por alguna razón muy excepcional; se dirá que no se
15 aplaude porque los actores no están presentes y no pueden oír los aplausos, pero no me parece ésta la razón decisiva: en el teatro se aplaude también al autor, aunque haya muerto hace quinientos años; el aplauso significa una manifestación de aprobación, de entusiasmo colectivo, y supone la presencia de muchas gentes. Se aplaude cuando
20 hay público.

El espectador está solo con la pantalla, directamente, y, *a diferencia del* escenario teatral, en la pantalla no hay propiamente marco, sólo la oscuridad que la rodea. Y al no haber marco, al no estar subrayada la irrealidad de la escena, como ocurre en el teatro, el espectador
25 cinematográfico entra en la pantalla, está en el mundo virtual creado por la proyección, y ahí radica la peculiar succión o absorción del cine. Por eso el cine oscila entre dos polos: el cine como arte y el cine como estupefaciente.

Imagínense las formas más extremadas del cine de sesión continua, con su cola de *candidatos a* espectadores, *esperando a que* la sala se vacíe parcialmente para poder entrar. La impresión que producen es de estar esperando una dosis de estupefaciente, cierta dosis con un carácter inequívocamente cuantitativo; la sesión continua es una unidad de medida: tantos metros o tantos minutos o tantas horas de estupefaciente. Y *así como* hay gentes que se acostumbran a los estupefacientes y toman dosis excesivas, las hay con intoxicación cinematográfica, que después de ver el programa — doble, *por supuesto* — una vez, lo ven otra. Es una superdosis, una dosis tóxica de cine.

Esto no es una broma, sino algo enormemente importante — y no está dicho que sea malo —. No se olvide que los estupefacientes tienen, desde la más remota prehistoria, una función decisiva en la vida humana. El que sean peligrosos no prueba nada, porque todo en el mundo es peligroso, *no faltaba más.* Posiblemente, la función del cine como estupefaciente es más importante que su función como arte, y tal vez más salvadora en muchos casos. Piénsese en su dimensión positiva: la posibilidad de evasión, la diversión como evasión — diversión — de un mundo y con-versión a otro. Imagínense los millones de hombres y mujeres de nuestro tiempo que toman, tal vez como último refugio, esta dosis — tres horas de vez en cuando — de estupefaciente cinematográfico.

Pero, *en fin*, una vez en el cine y apagadas las luces, podemos preguntarnos: Bueno, pero ¿qué es el cine, qué es cine? *Por lo pronto*, una extrema irrealidad, porque *se trata* no *de* cosas reales, sino de fotografías; y ni siquiera tanto, sino proyección de fotografías; y ésta, en movimiento, *es decir*, apareciendo y desapareciendo. *Por tanto*, el cine es pura y simple "fantasmagoría": ahí está su limitación y su grandeza. Sin embargo, es una fantasmagoría muy peculiar, porque consiste en traer y poner delante de nosotros, en persona, cierta realidad: es un arte de presencias.

Y el espectáculo cinematográfico está articulado *de tal suerte que*, cuando se asiste a la proyección de una película, a los primeros metros de cinta proyectada, antes de que haya pasado nada, *sabe uno a qué atenerse respecto a* la película que se va a ver. Imagínese, por ejemplo, que se proyecta una escalera de una casa y una persona que sube por ella. No hay nada más, no pasa nada, y, sin embargo, se sabe ya si

se va a ver una película cómica, o musical, una comedia sentimental, un drama, una película policiaca o de espionaje, o acaso un "film" terrorífico. No ha pasado nada, no ha ocurrido nada: ni cómico, ni trágico, ni horrible; y, *no obstante*, el modo de presentar la escalera,
5 la manera de estar iluminada, la música de fondo que la ambienta, el subrayado que reciben ciertos elementos materiales, todo ello determina un clima previo y condiciona nuestra expectativa; esto es lo que podríamos llamar *el supuesto general* de la interpretación.

En la película policiaca — y aun terrorífica — "cómica," suele
10 haber cuatro o cinco asesinatos y otras cosas atroces, pero nada de eso se toma *en serio*, a pesar del probable realismo. Toda la película está como traspuesta a otro plano, en el cual asesinato más o menos, *tanto da*. Esos asesinatos, con sangre, naturalmente, y un diluvio de balas, o un puñal siniestro entre dos cortinas, o una mano que aprieta
15 en la sombra, pueden ser enormemente divertidos y hasta joviales. Mínimos cambios de clima condicionan la realidad íntegra de la película.

En el teatro, lo decisivo es la butaca, que impone un punto de vista único, inmóvil e invariable. En el cine también hay butacas, claro está, como en el teatro, pero en él no importan nada, porque la pluralidad
20 de puntos de vista y el movimiento que la novela tiene y el teatro no, están ya encapsulados en la cinta, porque la cámara se movió ya antes, ocupó muchos puntos de vista, fue, vino y se desplazó *en varios sentidos*, y todo ese movimiento está ya encerrado en la cinta. La inmovilidad del espectador *no cuenta*, se mueve virtualmente. El cine es un espec-
25 táculo móvil y de muchas perspectivas, y en ese sentido se parece mucho más a una novela que a una obra teatral; pero, claro es, con una diferencia radical, y es que la novela es un arte de imaginación, y el cine es arte de presencias; todo lo que se ve ha tenido que ser real, *al menos* visible y fotografiable.

30 Arte de presencias, sí; pero hay que preguntar: ¿Presencias de qué? Naturalmente, si el cine fuera sólo arte de presencias, si eso bastara para definirlo, sería esencialmente documental. El Everest, que está muy lejos y es sumamente difícil de escalar, viene aquí; y las islas del Pacífico, y el fondo de una mina en Salzburg, y lo que les pasa a los
35 pulpos en el fondo del océano. Todo eso que está lejos, que es remoto, que es difícil, que es costoso, que es peligroso, todo eso viene dócilmente hasta nosotros en el documental. Y, sin embargo, el documental es

aburrido; hay que tener la sinceridad de confesarlo. Tenemos que hacer cierto esfuerzo para aceptarlo y que nos interese. En general es corto, lo que llaman los técnicos un "cortometraje," porque, si es "largometraje," *mal asunto*, por prodigioso que sea el documento. Por una curiosa vanidad, esto se disimula, pero *a la hora de la verdad* 5 acaso se elige una comedia en vez de un magnífico documental sobre las minas de oro en África del Sur. Creo que hay que tomar esto en serio y aceptar que es así, antes de ver si está bien o está mal, porque podría ocurrir que eso tuviera cierta justificación. *No vaya a resultar*, con sorpresa de los entendidos, *que* el documental, por bueno que sea y 10 justamente *en la medida en que* es documental, no sea plenamente cine, no acabe de ser del todo cine.

Parece, por lo pronto, que el cine pide para interesar y agradar un "drama humano," que le pase algo a alguien, hombres y mujeres; necesita, por lo visto, argumento y trama. 15

Si buscásemos la definición más breve del cine, yo diría que es "un dedo que señala." Esto es lo que es: un dedo que va señalando las cosas, subrayándolas, mostrando una y otra, y otra, que hace atender sucesivamente a diferentes cosas. Esto es cine; pero no basta con eso: *hace falta*, además, cierta conexión de las cosas señaladas, y a esta 20 conexión de las cosas llamamos "mundo." El mundo no es una colección de cosas, no es un almacén, no es un catálogo; el mundo es una peculiar conexión de realidad. Esto es mundo, y eso es lo que, *en último rigor*, aparece en la pantalla: por eso hay que hablar del "mundo cinematográfico." 25

(Julián Marías, "La pantalla" —extractos, *Obras completas*, Madrid, 1960, Vol. V, págs. 543-548.)

PREGUNTAS

A

1. ¿Por qué decimos que el cine está lleno de paradojas? 2. ¿De qué formas artísticas dispone el hombre para la representación de la vida humana? 3. ¿Diría usted que un público de teatro aplaude ante todo al autor? ¿Por qué? 4. ¿Cómo se subraya la irrealidad de la función teatral? 5. Describa usted una sesión continua de cine. ¿Es usual que se haga cola para entrar a esta clase de función? 6. ¿De qué manera puede ser tóxica una sesión

de cine?   **7.** ¿Qué cosas condicionan nuestra expectativa desde el comienzo de la película?   **8.** ¿Qué hechos se presentan en una película policiaca cómica?   **9.** ¿En qué se parece más el cine a la novela que al teatro?   **10.** ¿Qué temas se tratan preferentemente en los "cortometrajes"?   **11.** ¿Puede usted citar algunos títulos o directores de cine para demostrar que la cinta documental no es siempre aburrida?   ¿Qué materia tratan?   **12.** ¿Qué elemento es indispensable para que el cine sea interesante?

B

1. ¿Cómo distingue el autor el cine del teatro al afirmar que éste es "conspectáculo"?   **2.** ¿Cuál es más apasionante, según el autor, la función teatral o la cinematográfica?   ¿Por qué?   ¿Está usted de acuerdo?   **3.** Explique usted la diferencia entre cine como arte y cine como estupefaciente.   **4.** ¿Por qué dice el autor que el cine de sesión continua obra como estupefaciente?   ¿Es siempre malo?   **5.** ¿Qué otras distracciones desempeñan un papel parecido en la vida moderna?   **6.** ¿Cuáles son las razones que cita el autor para calificar al cine de fantasmagoría?   **7.** ¿Por qué carece de importancia la inmovilidad del espectador cinematográfico?   **8.** ¿En qué sentido podemos decir que el cine es arte de presencias más que de imaginación?   **9.** ¿Por qué se niega al documental plena categoría de cine?   **10.** ¿Hasta qué punto comparte la televisión con el cine las características discutidas en esta selección?   **11.** En su opinión ¿qué diferencias hay entre la película para el cine y la película para la televisión?   **12.** ¿Cree usted que el mundo del cine afecta la vida privada de los actores y las actrices?

A. Modismos

por lo visto — al parecer; a juzgar por lo que vemos ✓   à première vue .
o sea (que) — es decir; esto es
en presencia de — en compañía de
a diferencia de — en contraste con ✓
candidatos a — aspirantes a; los que pretenden ser ✓
esperando a que — dando tiempo a que
así como — tal como; de la misma manera que
por supuesto — desde luego; naturalmente; claro está
no faltaba más (fam.) — desde luego; naturalmente ✓   Por su puesto lo ayudará
en fin — finalmente; volviendo al tema (después de una digresión)   no faltaba más

159

Commentario :

Por lo pronto — Provisionalmente; Hasta que se decida otra cosa

se trata de — es una cuestión de

es decir — esto es; o sea (que)

Por (lo) tanto — En consecuencia; Por consiguiente

de (tal) suerte que — de (tal) manera que

sabe uno a qué atenerse — sabe uno lo que debe (puede) esperar

respecto a — en cuanto a

no obstante — sin embargo

el supuesto general — los fundamentos

en serio — seriamente

tanto da — da (importa) lo mismo

en varios sentidos — en varias direcciones

no cuenta — no importa

al menos — a lo menos; por lo menos

mal asunto — mal negocio

a la hora de la verdad — hablando con sinceridad

No vaya a resultar que — No sea que; Para que no resulte que

en la medida en que — en el grado en que

hace falta — es necesaria

en (último) rigor — a fin de cuentas; en realidad

EJERCICIOS

Sustitúyanse las palabras en cursiva por algún modismo de la sección anterior.

A

1. El vocabulario del libro está arreglado *de tal manera que* sirve a la vez de índice. **2.** *A juzgar por lo que vemos,* las elecciones van a ser muy reñidas. **3.** Todo lo que usted ha dicho *no importa.* **4.** No se emplean tales palabrotas estando *en compañía de* damas. **5.** Aceptemos *provisionalmente* sus disculpas; el tiempo nos dirá si son sinceras. **6.** Pero, *finalmente,* cabe preguntar si el progreso material contribuye a la felicidad del hombre. **7.** La doncella ha tenido su día libre esta semana; *en consecuencia,* no debe pedir otro. **8.** El cuarto de estar fue pintado recientemente; *sin embargo,* la señora insiste en volverlo a pintar. **9.** Francamente, pasar la hora de clase medio dormido o no asistir a la clase *da lo mismo.* **10.** Prestar nuestros servicios en esas condiciones es *mal negocio.*

B

1. Si está bien controlado el tránsito, el chófer *sabe lo que puede esperar*.
2. *Demos tiempo a que* escampe.   3. Lo que aquí *es necesario* es un poco de buena voluntad.   4. Cuidado con vender la casa con pérdida, *no sea que* mañana aparezca mejor comprador.   5. Entre los *aspirantes a* director de la editorial, el más sobresaliente es Henao.   6. El jurado queda inoperante, *es decir*, es incapaz de dar un fallo, cuando sus miembros se reparten igualmente entre dos opiniones.   7. Pablo, *en contraste con* sus condiscípulos, buscaba excelencia en el trabajo y no la popularidad.
8. Podemos preguntarnos si, *a fin de cuentas*, el arte despojado de todo contenido humano no deja de ser arte.   9. *Hablando con sinceridad*, Julián habrá de confesar que nunca amó a Elisa.   10. El espectáculo, *en el grado en que* esté bien concebido, merecerá el beneplácito de los críticos.

B. Vocabulario

A

I. *El prefijo* **con-** *establece una relación entre dos personas emparentadas o del mismo grupo o clase. A dos habitantes de una misma ciudad o nación, por ejemplo, se les llama* **conciudadanos.** *El padre de uno de los esposos, considerado en relación con los padres del otro, se llama* **consuegro.** *En lenguaje formal, un socio llama a otro socio su* **consocio.**

Complete usted las siguientes frases con vocablos que satisfagan la definición, supliendo, de ser posible, palabras que tengan el prefijo **con-** *(com- o co-):*

1. Una persona que es de la misma patria que otra es su ——.   2. El padrino del niño llama al padre de éste su ——.   3. Los que pertenecen a un mismo partido se llaman ——.   4. Un camarada de estudios es un ——.
5. El vecino inmediato o más próximo es el ——.   6. Las personas que concurren con otros a una tertulia son los ——.   7. Una persona que vive con otro es un ——.   8. La madrina de un niño es, con respecto a los padres de éste, su ——; en lenguaje familiar también significa vecina de mucha intimidad.

II. *Los prefijos* **sobre-** *y* **super-** *pueden intensificar el significado de una palabra. Un esfuerzo que es más que humano se dice* **sobrehumano.** *Los estimulantes* **sobreexcitan** *el sistema nervioso de ciertos individuos. El artista que, por medio de lo irracional, se esfuerza por* **sobrepasar** *lo real cultiva el* **superrealismo** (*o el surrealismo*).

Llene los espacios en blanco con una palabra compuesta que contenga los prefijos **sobre-** *o* **super-.**

1. Al que vive después de la muerte de otro se le llama ——. **2.** El gran establecimiento comercial donde la clientela se sirve a sí misma los diversos productos comestibles se llama ——. **3.** El hombre muy superior a los demás es un ——. **4.** La producción excesiva, o sea, la ——, es un gran defecto del sistema capitalista. **5.** Un poder que excede las fuerzas de la naturaleza se dice ——. **6.** Sin el control de la natalidad, el mundo entero quedará en pocas décadas ——, esto es, excesivamente poblado. **7.** La persona de extrema sensibilidad se dice ——. **8.** Una carga que se añade a la normal es una ——.

III. *¿A qué palabra de la derecha corresponden las siguientes frases?*

1. Acto de mostrar una película.	butaca
2. Lienzo en que se proyecta una película.	fantasmagoría
3. Individuo que mira una película.	cortometraje
4. Serie de fotos que constituyen una película.	cinta
5. Una película corta.	sesión continua
6. Película puramente informativa.	documental
7. Asiento en un cine.	perspectiva
8. Diferentes distancias a que aparecen las cosas en una película.	intoxicación
9. Elemento que ayuda a ambientar la película.	proyección
10. Espectáculo que continúa hora tras hora.	comedia
	pantalla
	irrealidad
	espectador
	música de fondo

B

Diferencias de significado

1. Plan — plano — plana.

Plan significa
(a) Proyecto o designio:

> Mis planes son poco precisos.

(b) Disposición, esbozo o esquema:
El plan del libro resulta algo confuso.

Plano, como sustantivo, significa

(a) Superficie plana:
En esta asignatura de geometría estudiamos, además de planos, cuerpos sólidos.

(b) Dibujo en escala de un terreno, una ciudad, un edificio, etc.:
Antes de vender esos terrenos debemos levantar un plano (*plot*).

(c) En jerga cinematográfica, **plano general** denota una vista de conjunto, **plano medio** una vista que incluye parte del decorado y varios personajes, y **primer plano** la vista en detalle de un rostro u objeto.

(d) Expresiones:
Lo rechazaron de plano (*flatly*).
Ocupémonos de algunos problemas de primer plano (*of the first order*).

Plana se emplea algo menos. Significa *page*

(a) Cada cara de una hoja de papel:
Los titulares de la primera plana (*page*) son alarmantes.

(b) Llanura: *plaine*
La ciudad está situada en medio de una plana fértil.

(c) En jerga militar la **plana mayor** corresponde al *general staff* en inglés.

2. Puro — simple — sencillo.

Se rozan a veces en significado aunque, por lo general, un término es superior a los otros dos en un texto específico.

Puro equivale a "libre de adulteración":
El médico le recomienda aire puro [no viciado] para su salud.
Este escritor emplea un estilo puro [castizo].
Mariucha era entonces una joven cándida y pura [casta].

Cuando en la lectura se afirma que el cine es **puro espectáculo,** esto equivale a decir que es únicamente un espectáculo (*a spectacle, pure and simple*).

163

Simple y **sencillo,** en cambio, significan "libre de complicación":

Me vendió un simple fertilizante [sin mezcla de otra cosa].
El paquete tiene envoltura simple [no doble].
El contador recomienda un procedimiento simple [fácil].
Esa mujer prefiere siempre ropa simple [sin adornos].
¡Cuánto me gustan sus modales simples [modestos]!
Todo lo que ella sirve de comer es muy simple (*bland, tasteless*).
Es un Juan Lanas, un hombre demasiado simple [bobo, cándido].
Ella es de carácter muy sencillo [sin complicación].
El plan que propone es sencillo [fácil].
El uniforme militar es cada vez más sencillo [sin adornos].
Para la blusa prefiero una tela sencilla (*light-weight*).
Cultiva un estilo sencillo [natural].
No hay que exigir demasiado de un hombre tan sencillo [ingenuo, cándido].

3. Delante — adelante; delante de — ante.

Delante señala un lugar anterior en el espacio:

Petra iba delante (*ahead of us*) con él.

Se usa en expresiones:

Tenemos toda la tarde por delante (*ahead of us*).

Adelante puede indicar

(a) Progresión en el espacio o proyección en el tiempo:

Siga usted adelante. *Go ahead.*
Mucho más adelante (*Much later*) se hizo famoso.

(b) En frases preposicionales expresa tiempo futuro:

En adelante [Desde ahora en adelante, De aquí en adelante] costará más.

(c) Como interjección expresa una orden:

¡Adelante! *Come in! Get going! Keep on!*

La preposición compuesta **delante de** indica con mayor precisión que **ante** el emplazamiento de su complemento:

El que marchaba delante de mí iba muy lento.
Delante de la casa un roble centenario ofrecía grata sombra.
El chófer detuvo el auto delante de la puerta.
Regresando a casa paso siempre por delante del correo.

Delante de tiene carácter puramente locativo y no se emplea con sentido figurado.

Ante fija el emplazamiento con menos exactitud, o bien subraya una relación subjetiva entre dos referentes:

Ante una mesa del rincón leía una turista.

Ante el altar rezaba una vieja.

Un grupo de manifestantes exhibía sus cartelones ante la Presidencia.

El delincuente compareció contrito ante el juez.

Ante puede emplearse con sentido figurado:

Ante la perspectiva de fracasar, Guillermo prefería no hacer nada.

Me quedé atónito ante su furia.

4. Enfrente — enfrente de — frente a.

Enfrente es siempre locativo:

Enfrente (*Across from us*) había un puesto de libros.

Enfrente de es a veces sinónimo de "delante de":

El policía se colocó enfrente del auto para impedir que avanzara.

Más a menudo da a entender una contraposición de dos cosas o entes que se enfrentan a cierta distancia desde partes opuestas:

Enfrente de nuestra casa hay una tienda de ultramarinos.

No pude aparcar el auto en la entrada; pero lo dejé enfrente de (*across from*) la casa, al otro lado de la calle.

Los dos se sentaron a la mesita uno enfrente del otro.

Frente a significa "mirando hacia, de cara a":

Pasamos la tarde frente al mar.

Se usa también con sentido figurado:

En vez de rehuirla, hay que plantarse frente a la amenaza y luchar.

5. Atender.

Atender no es nunca sinónimo de "asistir a," en el sentido del verbo inglés *to attend*, o sea, estar presente en. Tiene, en cambio, otros significados de importancia:

(a) Ocuparse de (sin la preposición **a**):

Atendamos este problema. *Let's do something about this problem.*

(b) Acoger algo con favor (sin la preposición **a**):

Me atendieron la solicitud. *They accepted my application.*

Yo había atendido su encargo. *I had taken care of his request.*

(c) Prestar atención a (con la preposición **a**):

El alguacil no atendió a lo que el otro decía.

En los negocios, quiera que no, tendrá que atender a muchas minucias.

Mira, tú, atiende al teléfono (*answer the phone in case anybody calls*).

(d) Servir a alguien (con la preposición **a**):

¿Al señor le atienden? *Are you being waited on?*

Atienden con esmero a sus visitas. *They are very gracious to their guests.*

(e) Cuidar (con la preposición **a**):

Han tenido que atender al enfermo a toda hora.

N.B. El participio pasado de **atender,** en función adjetival, significa "cuidado" o "bien servido":

¿Han visto ustedes árboles tan hermosos y tan bien atendidos (*so well taken care of*)?

Fuimos atendidos a cuerpo de rey. *We were treated like kings.*

6. Extremo — extremado — extremoso.

Extremo,-a expresa un grado máximo o excesivo de una circunstancia o de una cosa:

Ese día hizo un frío extremo.

Milita en la extrema derecha.

Extremado,-a se aplica a todo aquello que ha sido llevado a un grado máximo; por ser participio pasado con sentido adjetival lleva siempre envuelta la idea de acción:

Imagínense las formas extremadas [exageradas] del cine de sesión continua.

Extremoso,-a tiene sentido peyorativo, pues implica falta de mesura en las acciones o en los afectos:

Por ser de carácter arrebatado ha sido siempre extremoso.

7. Resultar.

Su acepción más común es *to turn out* (*to be*):

El viaje resultó muy caro.

También significa "seguir una cosa a otra":

De planes tan vagos no podrá resultar nada concreto (*nothing concrete can ensue*).

8. No obstante — sin embargo.

Coinciden en significado como expresiones intercaladas adversativas, pero la primera es algo más literaria:

No ha pasado nada y, no obstante [sin embargo] ya sabemos qué clase de película es.

La expresión **no obstante** seguida de un elemento sustantival significa "a pesar de":

No obstante lo dicho por el señor licenciado, me parece más conveniente no hacer cambios.

No obstante los ruegos de la mujer, se negó a cambiar la sentencia.

EJERCICIOS

I. *Complete usted las siguientes oraciones empleando* **plan, plano** *o* **plana,** *con o sin el artículo, según el caso:*

1. —— inclinado es la máquina más rudimentaria. **2.** El gobierno ha anunciado —— quinquenal para fomentar las industrias básicas. **3.** En —— de la derecha vemos un gráfico sobre el índice de natalidad. **4.** El contrato de construcción será adjudicado al arquitecto que presente —— mejor. **5.** Necesito consultar a mi consejero para que apruebe mi —— de estudios. **6.** Esa preocupación tuya es de segundo ——; hay otras más importantes.

II. *Sustituya las palabras en cursiva con alguna forma de* **puro, sencillo,** *o* **simple:**

1. Un mecanismo *sin complicación* dura más que uno muy complejo. **2.** Sin ser joven, esa mujer había conservado una mirada *virginal.* **3.** Lo más adecuado para esta reunión sería un vestido *sin adornos.* **4.** El agua *límpida* del río invitaba a nadar. **5.** Este género es mejor para el chaleco porque es *delgado.* **6.** Su manera de ser tan *modesta* la hace el encanto de todos. **7.** El hombre *ingenuo* es fácil de engañar. **8.** Dame sal; esta sopa está muy *desabrida.*

III. *Llénese el espacio en blanco empleando* **delante de, ante, enfrente de** *o* **frente a:**

1. Al otro lado del río —— nuestra casa, se está construyendo un nuevo elevador de granos. **2.** Por estar un poco cansados nos quedamos atrás. Los que iban —— no parecían estarlo. **3.** No supe qué responder —— su extremada candidez. **4.** El niño colocó un taburete —— la ventana para ver lo que pasaba en la calle. **5.** Don Jacinto se rasuraba —— espejo del cuarto de baño, al mismo tiempo que discutía con su mujer. **6.** —— mí había un hombre alto que me estorbaba la vista. **7.** Se detuvieron —— la estatua del Libertador. **8.** —— mi casa hay una iglesia.

C. Gramática

Los interrogativos "¿qué?" y "¿cuál?"

Éstos son los interrogativos que más dificultades presentan al estudiante de español porque no hay estricta correspondencia entre ellos y las formas inglesas *What?* y *Which?* En algunas situaciones **¿Cuál?** corresponde a *What?* y no a *Which?*; a la inversa, hay casos en que *Which?* equivale a **¿Qué?** y no a **¿Cuál?**

Estos interrogativos pueden aparecer en cinco construcciones diferentes que se agruparán aquí en dos secciones, según el verbo que acompañe al interrogativo.

I. PREGUNTAS CON CUALQUIER VERBO (MENOS EL VERBO "SER")

1. Selección.

Cuando se pide una selección indicándose o dejándose sobreentendido el grupo a que pertenece la cosa o persona de que se habla se empleará siempre **¿Cuál?** o **¿Cuáles?**

(a) Grupo expreso

¿Cuál de estos espectáculos prefiere usted? (*Which of . . .?*)
¿Cuáles de estos muchachos irán con nosotros? (*Which of . . .?*)

(b) Grupo implícito

¿Cuál [de éstos] tiene más importancia? (*Which one . . .?*)
¿Cuáles [de estos trabajos] terminará usted hoy? (*Which ones . . .?*)

NOTA: La frase que alude al grupo va introducida por la preposición **de.**

2. Identificación.

Cuando se pide una identificación por medio de una pregunta que contiene un sustantivo, expreso o implícito, se emplea siempre **¿Qué?**

(a) Sustantivo expreso

¿Qué película piensa usted ver este fin de semana? (*What movie . . .?*)
¿Qué documentales prefiere usted? (*Which documentary films . . .?*)

(b) Sustantivo implícito

¿Qué [cosa] le dieron de premio?
¿Qué [cosas] le comprará usted a su hija?

Conviene notar que en (**a**) aparecen dos formas en inglés: *What . . .?* y *Which . . .?* En español hay una sola: **¿Qué +** *sustantivo?* Hubo un tiempo en que se empleaba **¿Cuál +** *sustantivo?* pero en épocas más recientes esta construcción ha ido cayendo en desuso, excepto en estilo literario.

II. PREGUNTAS CON EL VERBO "SER"

1. Definición.

Cuando la pregunta con el verbo **ser** pide una definición, sea empleando un artículo o no, se usa siempre **¿Qué es (son)?**
(**a**) Con artículo

    ¿Qué es un estupefaciente?
    ¿Qué es el (la) psicoanálisis?

(**b**) Sin artículo

    ¿Qué es literatura?
    ¿Qué es espiritismo?

La pregunta que pide una definición puede emplear en español el artículo definido o indefinido. En inglés sólo es posible el artículo indefinido: *What is a . . .;* nunca: *What is the . . .?*

2. Aclaración.

Si la pregunta con el verbo **ser** no pide una definición sino una aclaración, sea empleando el artículo definido o un posesivo, se habrá de usar **¿Cuál es (Cuáles son)?**
(**a**) Con artículo definido

    ¿Cuál es la diferencia entre novela y cine? (*What is the . . .?*)
    ¿Cuáles son los requisitos esenciales del arte dramático? (*What are the . . .?*)

(**b**) Con posesivo

    ¿Cuál es su pasatiempo favorito? (*What is your . . .?*)
    ¿Cuál es su sueldo? (*What is his . . .?*)

Es de observar que en todos los ejemplos se emplean **¿Cuál?** o **¿Cuáles?** mientras que en la traducción inglesa se usa siempre *What is (are)?* Mirado desde el punto de vista de la lengua inglesa lo dicho anteriormente podría resumirse así: *What is the . . .* y *What is (are) + posesivo* se expresan por medio de **¿Cuál es (son)?,** excepción hecha de la construcción explicada en el párrafo siguiente.

3. Clasificación.

Si la pregunta con el verbo **ser** pide una clasificación a base de un sustantivo de ocupación, clase, nacionalidad o creencia religiosa se emplea **¿Qué es . . . ?**

> ¿Qué es su padre? (¿teniente?, ¿general?)
> ¿Qué es su hermano? (¿abogado?, ¿ingeniero?)
> ¿Qué son Vds.? (¿ingleses?, ¿norteamericanos?)
> ¿Qué era su abuelo? (¿protestante?, ¿católico?)

Omisión del artículo indefinido

I. OMISIONES COMUNES

Mencionaremos primero, a modo de repaso, los casos comunes de omisión del artículo indefinido:

1. Con los numerales **ciento, mil** y el adjetivo **medio:**

> ¿Cuántos libros tiene usted? Tengo cien(to).
> Hay más de mil personas en el cine.
> Vino media hora después.

NOTA: Por analogía con el artículo definido **el,** se usa **un** en expresiones de porcentaje; compárense, **el mil por ciento; un mil por ciento.**

2. Con las expresiones **tal, cierto, otro:**

> Tal mujer merece castigo ejemplar.
> Cierto día salió de casa para no volver.
> Otro hombre lo hará.

3. Con los sustantivos predicados que no llevan especificación adjetival, cuando aluden a clase, profesión, nacionalidad o creencias religiosas:

> Él es general.
> Mi padre es actor.
> Ella es norteamericana.
> Soy protestante.

4. Cuando la idea de unidad contenida en el artículo **(un, una)** está claramente subentendida:

> No uso paraguas.
> No tengo pluma.
> Ponte chaqueta.
> ¿Vino sin sombrero?

Si hay en la oración una idea de número, el empleo del numeral **un, una** es obligatorio: **Sólo tengo un paraguas. Me vine sin un centavo.**

II. OTROS CASOS DE OMISIÓN

1. Con sustantivos en aposición, cuando se supone que nuestro interlocutor está bien informado:

> El Everest, famoso pico oriental, ha sido por fin escalado por el hombre.
> El Sr. Rivas, miembro de nuestra corporación, se encargará de representarnos en Madrid.

A veces se comienza la oración con la aposición misma:

> Máquina sintética de este laberinto espiritual, la sinfonola pide la colaboración del cine.

2. En la construcción **tan** + *adj.* + *sustantivo*.

Su equivalente inglés es la construcción *such (a)*:

> Siempre nos impresiona un espectáculo de tan enormes proporciones.
> Pocos hombres hay de tan despejada inteligencia.

3. Cuando el predicado se antepone al verbo:

> Modelo de conducta fue tu padre, y tú tendrás que serlo también.
> Artista famoso y hombre de vida borrascosa fue John Barrymore.

4. En oraciones negativas en que se emplea un sustantivo con la intención de ponderar:

> Nunca verá usted cosa igual.
> Jamás he sentido sensación parecida.

En preguntas con el verbo **haber,** en que está implícita una negación, se omite también el artículo:

> ¿Hay cosa más difícil de explicar que el amor?
> ¿Había solución posible?

5. Después de las expresiones **no es sino, no es más que,** si no se desea individualizar o precisar el sustantivo que las sigue:

> No es sino excusa para llegar tarde.
> No es más que motivo de disturbios.

6. En oraciones negativas en que se emplean los sustantivos **hombre, mujer** o **persona:**

> No hay persona que lo ignore.
> No era hombre (mujer) para tolerar ofensas.

171

7. En toda oración en que un predicado se piensa en sentido genérico más que como caso único. Compárense las dos formas, con y sin artículo:

Ésa es (una) ingeniosidad tuya.

Él dice que ésa no es (una) prerrogativa de la mujer.

Ése es (un) desliz propio de la juventud.

Ahora se comprenderá por qué son más amplias de significado y, por eso, más poéticas aquellas comparaciones en que el segundo elemento, expresado sin artículo, se da a la mente como objeto ideal más que como realidad concreta.

No se omite el artículo indefinido, sin embargo, cuando éste tiene un valor ponderativo: **Es un hombre** (*He is a real man*).

8. En frases adverbiales introducidas por **como,** cuando el sustantivo que le sigue alude a un ente genérico más que a un ente específico:

Se defendió como hombre.

Habló como patriota.

Se comporta como muchacho de buena familia.

9. Es común la omisión del artículo en expresiones de tiempo o espacio indefinidos:

Estuvo sentado ahí largo rato.

Hágalo en tiempo oportuno.

Lo dejaremos para mejor ocasión.

Está a gran distancia.

De aquí a Santa Fe hay buen trecho.

10. En frases hechas:

Es lástima que sea tan viejo.

Es cuestión de tiempo.

Juan es amigo de tales complicaciones.

EJERCICIOS

A

I. *Diga usted cuál de las dos formas interrogativas es la correcta.*

1. ¿(Qué – Cuál) es el defecto principal de esta película? **2.** ¿(Qué – Cuál) es el precio de este paquete? **3.** ¿(Qué – Cuál) han escogido ustedes? **4.** ¿(Qué – Cuál) es la antropología? **5.** ¿(Qué – Cuál) es la parte más difícil? **6.** ¿(Qué – Cuál) es usted, ingeniero u operario? **7.** ¿(Qué – Cuál) camino debo yo seguir? **8.** ¿(Qué – Cuál) es la importancia de todo esto? **9.** ¿(Qué – Cuál) convinieron ustedes con ellos? **10.** ¿(Qué – Cuál) es la traducción correcta de esta palabra?

II. *¿Se usa o no el artículo indefinido en las oraciones siguientes? En caso de existir doble posibilidad, con y sin artículo, sírvase indicarlo.*

1. Esta muchacha siempre viene a clase con una falda plisada. **2.** Ese señor es un norteamericano muy inteligente. **3.** No soy mujer para escuchar eso y quedarme callada. **4.** La nueva ley no ha sido más que un pretexto para cometer toda clase de injusticias. **5.** Estamos ante un problema sin solución. **6.** Habló como persona capacitada para hablar. **7.** Es uno de los hombres más conocidos en el mundo de las letras: es poeta. **8.** Cuando viene a visitarnos no se pone nunca corbata. **9.** No he hallado libro que me interese. **10.** Su hermana mayor es solterona.

B

I. *¿Qué o cuál?*

1. ¿(Qué – Cuál) de estos paquetes llegó ayer? **2.** ¿(Qué – Cuál) era su abuelo, ingeniero civil o ingeniero mecánico? **3.** ¿(Qué – Cuál) es su casa? **4.** ¿(Qué – Cuáles) son los resultados que usted espera? **5.** ¿(Qué – Cuál) contestó usted en español? **6.** ¿(Qué – Cuál) es la explicación racional de esto? **7.** ¿(Qué – Cuál) es la electricidad? **8.** ¿(Qué – Cuáles) serán las consecuencias de este desastre? **9.** ¿(Qué – Cuál) es el problema fundamental de nuestra economía? **10.** ¿(Qué – Cuál) es el número de su casa?

II. *Explique en español la diferencia entre los dos tipos de construcciones, con y sin artículo indefinido:*

1. Murió como (una) gota que retorna al mar. **2.** Tengo un primo en Cuenca, (un) político liberal, como mi padre. **3.** Nunca he visto (un) niño más perezoso. **4.** Considéreme usted (un) amigo suyo. **5.** Ese plan no pasa de ser (una) ilusión de juventud.

III. *Llénense los espacios en blanco con el artículo indefinido, donde sea necesario. Si hay dos posibilidades, con y sin artículo, sírvase indicarlo:*

1. Es una casa vieja, sin patio. **2.** orador de mucho renombre fue Castelar. **3.** Lo examinó con ojo de experto. **4.** El doctor Rubí, buen amigo de nuestra familia, será enviado a Nueva York por el gobierno.

5. No conozco —— persona que no haya oído la triste historia. 6. Salí de casa sin —— impermeable. 7. Ésa es —— marrullería de —— hombre sin escrúpulos. 8. Nunca oiremos otra vez —— elogio como éste. 9. ¡Quién va a comprar —— coche a semejante —— precio! 10. No he recibido —— carta tuya desde abril.

D. Estilística y composición

Grados de intensidad

En el campo de la afectividad hay toda una gradación que debemos recordar para no caer en exageraciones o en excesiva sobriedad. Una emoción que, según el tenor del discurso, se ha dado con intensidad mínima no debe representarse en su fase de intensidad máxima. Así, por ejemplo, no es lo mismo decir **exasperación** que **rabia,** ni es igual la **vehemencia** al **arrebato.** Comparemos ahora tres grados de intensidad, fijándonos especialmente en el grado máximo:

I	II	III
inquietud	aflicción	angustia
entusiasmo	excitación	apasionamiento
presunción	jactancia	fanfarronería
recelo	miedo	pavor
compañerismo	amistad	devoción
obediencia	sumisión	servilismo

La diferencia entre estos tres grados no es sólo de intensidad: **angustia** ha cobrado en tiempos actuales un significado especial, que tiene resonancias filosóficas; **apasionamiento** lleva envuelta la idea de exceso; **fanfarronería** es alarde, especialmente del que se cree valiente; **pavor** es miedo con espanto; **devoción** significa afecto fervoroso, a veces devoto (religioso); **servilismo** es sumisión ciega, acompañada de bajeza y desdoro. Hay, pues, toda una variedad de connotaciones que dan cariz particular a cada palabra.

A veces hay también diferencias de grado entre la palabra española y su traducción inglesa. Por ejemplo, **estúpido** es, en español, mucho más fuerte que *stupid.* Por el contrario, *vicious* es mucho más intenso que **vicioso** en esta oración: **Es un niño vicioso** (*a spoiled child*).

Cuando una palabra pasa al acervo común pierde, muy comúnmente, parte de su significado específico e intensidad. Mucho más restringido que *fabulous* es **fabuloso,** palabra esta última que no se puede aplicar, como en inglés, a cualquier cosa que tenga algo fuera de lo común.

Hay también casos de palabras derivadas de una misma raíz que tienen igual o parecido grado de intensidad en ambas lenguas y, sin embargo, no significan lo mismo: **excitante** no es el equivalente de *exciting*. En español, la reacción emocional se expresa por medio del adjetivo **emocionante.**

De todo lo dicho se desprende que el estudio de los grados de intensidad y de los factores que la acrecientan o aminoran es de suma importancia para expresarse con propiedad.

EJERCICIOS

A

Escoja usted la palabra de la columna de la derecha que más convenga para completar el sentido de las oraciones de la columna de la izquierda.

1. Vimos unos pobres viejos que mendigaban frente a la iglesia. Todos sentimos —— por ellos.
2. Sé que no se saludan jamás y que buscan hacerse todo el mal posible el uno al otro. Nunca he visto un caso más dramático de —— entre dos hombres.
3. No quiso socorrer a la víctima del atropello para no tener "molestias" más tarde al llegar la policía. Tal actitud es expresión de suma ——.
4. El que no hayamos defendido nuestro patrimonio nacional (bosques, ríos, montañas, lagos, etc.) es una prueba de nuestra extrema —— colectiva.
5. A don Telesforo sólo le interesan los placeres refinados: comer bien, vivir bien, viajar con holgura, satisfacer todos sus caprichos y apetitos. Es un caso de verdadero ——.
6. Julián no hace sino pensar en los mismos problemas con una persistencia malsana. Creo que es víctima de su ——.

a. sibaritismo
b. compasión
c. testarudez
d. discordia
e. timidez
f. estupidez
g. obsesión
h. refinamiento
i. insensibilidad
j. odio
k. cobardía
l. misericordia

B

Diga usted cuál de las tres variantes que se dan entre paréntesis le parece a usted más apropiada al sentido de cada pasaje.

1. El crítico señala algunos defectillos de forma y abulta uno que otro error de apreciación. Sus palabras dejan traslucir, a las claras, su —— (odio, animadversión, rencor).

2. Subí al autobús y, al momento de pagar, descubrí que había salido de casa sin llevar encima un centavo. Aquélla fue una situación —— (desesperada, bochornosa, angustiosa).

3. Es un individuo inculto, de facciones toscas y maneras burdas, pero incapaz de hacerle mal a nadie. En una palabra, es un perfecto ejemplo de —— (barbarie, bajeza, vulgaridad).

4. Esa mujer ve en los más insignificantes detalles del diario vivir infinitos motivos para enternecerse. Es un caso singular de —— (sensiblería, sensibilidad, emocionalismo).

5. Vivimos hoy día en crisis permanente. Nada nos parece seguro o verdadero. Podría decirse que el signo de nuestra época es la —— (duda, inseguridad, desconfianza).

6. Desde el día en que murió su padre misteriosamente, y sin saber exactamente por qué, Blandet empezó a mirar a los otros campesinos con —— (rencor, inquina, desconfianza).

7. Cuando se disputa con una persona mayor, de reconocida solvencia˙ intelectual, tenemos derecho a discordar con él, pero, de todos modos, le debemos un poco de —— (reverencia, deferencia, condescendencia).

8. Si decides casarte antes de terminar tus estudios, allá tú; lo harás sin mi —— (confirmación, consentimiento, autorización).

@

Traducción

A

1. In most university cities, one of the favorite pastimes is to go to the movies. 2. The students tend to avoid documentary films, no matter how excellent they may be. 3. In all sincerity, if it is not a short, the documentary finally bores the movie-goer. 4. The conquest of Mount Everest, the natives of the Congo, the sex life of the octopus, all these themes pall when dealt with in a full-length production. 5. Movies, in order to awaken interest and please,

require a human drama, that is, a plan or plot in which something happens to someone. **6.** The difficult part is to select the film which suits one's mood of the moment. **7.** A possible solution is to go to a theater with continuous movies. **8.** In a double or multiple program there will, naturally, be something one can enjoy. **9.** If both of the features are marvelous, we can stay for another showing. **10.** Those who are comfortably installed in their seats hardly ever think of the discomfort of the would-be spectators waiting in line in the street. **11.** After receiving a superdose of celluloid, the movie-goer leaves in a daze, like a person who has had an overdose of narcotics. **12.** This form of movie-going is not entirely censurable, because it affords the individual, harrassed by the details of daily living, a means of evasion. **13.** It is, in effect, the last refuge of millions of men and women of our time. **14.** But is it worthy of being cultivated by imaginative, young university students?

B

1. Modern man has found a new artistic form to represent human life: the movie screen. **2.** It is full of paradoxes, as we shall see. **3.** The canvas, which was originally white and flat, today is neither white nor flat nor is it even canvas. **4.** No matter how exceptional the film may be, it is seldom applauded. **5.** Unlike the theater stage, at the movies the darkness which surrounds the screen closes out everything else, virtually absorbing the spectator and making him part of the world created by the projection. **6.** While movies can be art, more often than not, they work as a narcotic, since many movie-goers leave the theater with movie poisoning, having taken an excessive dose of films. **7.** Yet who can doubt that the narcotic function of movies — in many cases beneficial — is more important than their function as art. **8.** If asked for a technical definition, we could provisionally say that movies are pure and simple phantasmagoria, that is, an art representing phantoms by means of an optical illusion. **9.** As a matter of fact, they are a good example of ultimate unreality: the spectator does not see real things, but photos; not even that, but the projection of photos in constant motion. **10.** And yet, everything we see, did it not have to be real, or at least visible and capable of being photographed? **11.** To the extent that this is true, movies are less imaginative than, let us say, the novel. **12.** Everything that is distant or remote or difficult or dangerous comes meekly to us. **13.** The art of motion pictures, in short, consists of rendering present a distant reality; and it can, therefore, be described as an art of immediacy or presence. **14.** The great appeal of the motion-picture world derives precisely from its paradoxical combination of reality and unreality.

Vocabulario mínimo

to **afford** dar, proporcionar
appeal el atractivo, el interés
to **applaud** aplaudir
to **ask: if asked for a definition** si se nos pidiera una definición
to **avoid** evitar, rehuir
to **awaken** despertar (ie), suscitar
beneficial salvador,-a
to **bore: finally bores** acaba por aburrir
canvas el lienzo
capable: — of being photographed fotografiable
censurable reprobable, reprensible
to **close out** suprimir, eliminar, excluir
to **come: comes to us** viene hasta nosotros
comfortably cómodamente
to **consist of** consistir en
dangerous peligroso,-a
darkness la oscuridad
daze: in a — (medio) aturdido,-a
dealt: when — with si son tratados
to **derive from** residir en, derivar de
discomfort incomodidad, malestar, fatiga
distant lejos
effect: in — en rigor, en verdad
to **enjoy: something one can —** algo que guste
even siquiera
ever: hardly — rara vez, casi nunca
everything: — else todo lo demás
extent: to the — that this is true en la medida en que esto es así
favorite preferido,-a; predilecto,-a
feature atracción (principal)
film la cinta, la película; **documentary —** el documental
to **find** inventar, descubrir
flat plano,-a
to **happen** pasar, suceder, ocurrir
to **harrass** acosar
immediacy la inmediación, la inmediatez
to **interest** interesar
least: at — al menos, a lo menos, por lo menos
to **leave** salir de
living: daily — vida diaria

marvelous prodigioso, extraordinario
matter: as a — of fact en rigor, en realidad; **no — how excellent (exceptional) they may be** por prodigiosos (-as) que sean
means manera, modo; **by — of** por medio de
meekly dócilmente
mood el humor
most la mayoría
motion el movimiento
movie(s) s. el cine; adj. cinematográfico,-a; **continuous —** cine de sesión continua
moviegoer el aficionado (al cine), el cineasta
movie-going s. la afición (cinematográfica)
narcotic adj. estupefaciente
narcotics s. narcóticos, estupefaciente(s)
native s. el natural
naturally desde luego, por supuesto, no faltaba más
octopus el pulpo
often: more — than not las más veces
optical óptico,-a
overdose una dosis excesiva
to **pall** resultar falto,-a de interés
paradox la paradoja
paradoxical paradójico,-a
part: the difficult — lo difícil
pastime la distracción, el hobby, el pasatiempo
phantasmagoria la fantasmagoría
phantom el fantasma
plan el plan, el argumento
to **please** agradar
plot la trama
poisoning: movie — una intoxicación cinematográfica
production: full-length — producción larga, "largometraje"
provisionally por lo pronto
refuge refugio
to **render** hacer, poner
to **require** pedir (i)
to **say: let us —** pongamos por caso

screen la pantalla, el lienzo
seat la butaca
seldom rara vez
to select elegir (i), escoger
sex: — life vida sexual
"short" el "cortometraje"
short: in — en suma, en fin
showing *s.* la sesión
sincerity: in all — a la hora de la verdad
spectator: would-be — candidato a espectador
stage el escenario
to stay quedarse, permanecer
to suit convenir (ie) a
superdose la superdosis
to surround rodear
to tend inclinarse a, tender (ie) a
that: — is esto es, es decir, o sea

theater sala (de proyección); a — with continuous movies una sala de sesión continua; *adj.* teatral
themes: all these — pall a todos estos temas les falta sabor (interés), todos estos temas resultan faltos de interés
therefore por tanto
ultimate: — unreality extrema irrealidad
university *adj.* universitario,-a
unlike a diferencia de
unreality la irrealidad
to wait: waiting in line que hace cola
while aunque
to work (as) hacer las veces de, obrar como
worthy: to be — haber de ser, ser digno, merecer
yet sin embargo; and — así y con todo

ℛ
Composición libre

A

1. El cine: mi pasatiempo preferido.

2. Tesis: La televisión acabará (no acabará) con el cine.

B

1. El cine como arte tiene más importancia que el cine como estupefaciente.

2. Tesis: El cine se parece (no se parece) más a la novela que al teatro.

8

Teoría de las sinfonolas

MARIANO PICÓN SALAS

En la sabrosa lengua medieval del TROILUS AND CRISEYDE de Chaucer, la palabra "iowken" significa lo más dulce y plácido que pueden disfrutar los hombres: el sueño y el reposo. *Trocado en* "jouke" el vocablo llegó a América en las naves puritanas del siglo XVII y se mantuvo — como tantas otras reliquias del inglés isabelino — en ese 5 extraño reservorio lingüístico que son en los Estados Unidos de hoy las montañas de Kentucky, adonde filólogos y lingüistas acuden en frecuente cacería de arcaísmos.

El originario "iowken", metamorfoseado *a través del tiempo* en "jook" y "juke" y, como si se contaminara del dinamismo de su tierra 10 de adopción, vino a significar en Kentucky precisamente lo contrario. El "jook joint" kentuckiano era la bulliciosa taberna donde acudían *cada tarde* los mineros y donde los tramos de coloreadas botellas y los altos quinqués que colgaban de las vigas parecían, en los días de jolgorio y de trifulca, la más inocente invitación a probar el alcance y 15 la buena calidad de los revólveres. *En cuanto al* "juke," se ha industrializado, y lo recogen, precisamente, los "juke boxes," *especie de fonógrafos* automáticos de estructura paquidérmica y con la más espantosa capacidad de ruido que tenga hasta hoy ninguna máquina inventada por el hombre. 20

Creación de industrial ocioso, en 1941, pocos meses antes de Pearl Harbor, estos "juke boxes," o cajas de estrépito, se difundieron con una intensidad que los difíciles años de guerra no presagiaban. Un

documentado artículo del NEW YORK TIMES informó hace algún tiempo que, *por lo menos,* funcionan y aturden en el territorio de la Unión más de 300,000 "juke boxes," los que rinden a sus propietarios un provecho económico líquido de doscientos treinta y dos millones de
5 dólares cada año. Si el ruido es molesto, la ganancia es certera. Con las monedas que se acumulan en las ranuras traganíqueles de dichos fonógrafos, se podría pagar el presupuesto de más de una nación hispanoamericana.

Las "sinfonolas" — *como se les llama en México* — ofrecen al
10 hombre fatigado de estos días, *a más de una trampa eficaz* para sus centavos, la empresa indefinible de triturar a Beethoven en tiempo de "jazz" y darles a los románticos "Nocturnos" un excitante ritmo de "sones" afrocubanos. Máquina sintética de este laberinto espiritual en que vivimos, la sinfonola pide ahora la colaboración del cine y, *a*
15 *medida que suena el disco a todo volumen,* se proyecta, en los cristales frontales del armatoste, una escena de cabaret.

Vista *de noche,* cuando se ha disparado a toda resonancia, entre la luz artificial del café, el denso humo de los cigarrillos, el olor a col fuerte, a cerveza y a embutido de cerdo, la muy iluminada "sinfonola"
20 parece una monstruosa y surrealista hibridación de organillo, de caja registradora y hasta de panzudo jarrón pintarrajeado en el peor estilo de 1890. Naturalezas contrapuestas se suman, así, en la anómala constitución del engendro. Tiene la forma de su uniformidad. Porque acaso quedaba en el subconsciente de los inventores la imagen senti-
25 mental de los antiguos organillos, le dieron forma cuadrada, pero la abultaron *a la altura del* vientre y la afirmaron sobre el suelo con pies de plantígrado. La pesadez física *se corresponde con la pesadez espiritual.*

¿Habría que atribuir a capricho y ordinariez de alma de los inventores la fealdad y desarmonía de tales cajas, o más bien — confirmando la
30 teoría de Ortega — expresan ellas la "rebelión de las masas," el deseo de vulgarizarlo todo, de hacer de Beethoven o de Bach un contemporáneo del hombre estúpido que con ritmo de "juke boxes" emprende su danza regresiva de orangután?

Un significativo tema sería explicar el proceso de la música mecánica
35 desde cuando aquellos finos artífices del rococó encerraron en cajitas primorosas los más asordinados y confidenciales compases de una pastoral, deteniéndose en el fonógrafo edisoniano que ha cumplido,

sin duda, una útil labor didáctica, pasando por la cursi pianola de hace veinticinco o treinta años, para concluir, *por último*, en estas nuevas máquinas que destacan mejor su absoluta deshumanización y su propósito de anticultura, porque no se semejan ya a ningún instrumento musical conocido. Todavía la pianola, aparato filisteo, si los hay, reveló cierto pudor de ser puramente máquina; con un último melindre hacia la cultura trataba de *parecerse a un piano* y aun dejaba a los sentidos un mínimum de matiz, un mínimum de tacto y delicadeza para fijar la diferencia entre quien movía un pedal con innata gracia y ritmo y quien sólo martilleaba en la forma más tosca el rollo de papel sonoro. La cursilería de la pianola estaba en un grado espiritual más alto que la jayanesca plebeyez de los "juke boxes." El cursi todavía reconoce que hay formas y valores espirituales más altos y *trata de alcanzarlos* con sus recursos de simple imitación; *en cambio*, el hombre vulgar de hoy se asienta sobre su vulgaridad y rompe toda jerarquía en una especie de nuevo matonismo arrogante y belicoso. Los "juke boxes" son, ejemplarmente, las máquinas del hombre frustrado. Y acaso no sean las masas las que se rebelaron e impusieron los cánones de su ignorancia, sino la industria que, juzgando *cada vez* a los clientes *más infelices*, lo simplifica todo, lo primitiviza todo, hasta crear estos nuevos hábitos de retroceso moral y estético. Renunciando a todo ritmo, el pobre homúnculo, rodeado de máquinas, descubre una nueva orgía del estruendo y del alarido.

Cuando escribo estas líneas, la "sinfonola" de un negocio vecino dispara contra la noche su artillería de ruidos. Y si alguna vez fuera parlamentario en mi país, no hay duda que auspiciaría una ley que gravase con un mil por ciento "ad-valorem" en el arancel aduanero, a todo artefacto inútil, de esos que, *en vez de* ayudar al hombre, petrifican y *dan categoría a* las expresiones más rudimentarias de la tosquedad humana. ¡Que se fastidien los falsos inventores, los malos epígonos de Edison, para que vivan en paz, sueñen y piensen los pocos hombres que conservan un residuo de recogimiento y de vida interior!

(Mariano Picón Salas, "Teoría de las 'sinfonolas' " —extractos, *Gusto de México*, México, Porrúa y Obregón, S. A., 1952, págs. 82-86.)

PREGUNTAS

A

1. ¿Cuál es el origen de la palabra *juke?* 2. ¿A qué se refiere el autor al hablar de "un extraño reservorio lingüístico"? 3. ¿Cómo se divertían los mineros en las tabernas de Kentucky? 4. ¿Qué definición de la sinfonola nos da el autor? 5. ¿Qué datos estadísticos poseemos sobre la difusión de las sinfonolas? 6. ¿Qué hace la sinfonola con la música clásica? 7. ¿Qué otra creación mecánica se ha combinado con la música de la sinfonola? 8. ¿En qué ambiente hallamos la iluminada sinfonola? 9. ¿Qué aspecto tiene la sinfonola? 10. ¿A qué bailes se refiere el autor al hablar de la música de las sinfonolas? 11. ¿Cómo es un organillo? 12. ¿Por qué es un poco más delicada la cursi pianola? 13. ¿Qué entiende usted por "arancel aduanero"? 14. ¿Se inclina el autor a admirar o no la invención de Edison?

B

1. ¿Por qué abundan tanto las sinfonolas? 2. ¿Hay razones para creer que las industrias favorecen los artículos que consumen las masas? 3. ¿Cómo explica usted la forma, color y adornos de una sinfonola? 4. ¿Le parece a usted prudente prohibir la producción de objetos vulgares o inútiles? 5. ¿Tiene derecho un gobierno a encaminar los gustos del hombre hacia formas o expresiones culturales más elevadas? 6. ¿Hay una relación entre nuestra vida vertiginosa actual y el gusto por los sonidos fuertes y el ruido? 7. ¿Es verdad que las masas son las que imponen los gustos? 8. ¿Cómo explica usted que la sinfonola haya tenido tanta aceptación en algunos sectores de la sociedad norteamericana? 9. ¿Es justo decir que las masas no tienen sentido musical? 10. ¿Hay una relación entre la frustración del hombre contemporáneo y la música de las sinfonolas? 11. Cuando se dice que una persona es cursi, ¿qué cualidades se le atribuyen? 12. ¿Cree usted que el autor exagera al hablar de la sinfonola? 13. ¿Es verdad que en el arte moderno (pintura, música, escultura) se observa un retorno a lo primitivo? 14. ¿Cree usted que los bailes modernos son estéticos?

A. Modismos

Trocado en "jouke" — Convertido en "jouke"; Transformado en "jouke"
a través del tiempo — a lo largo de los años; con el tiempo
cada tarde — todas las tardes
En cuanto al "juke" . . . — Con respecto al "juke" . . .

(*una*) *especie de fonógrafo* — algo parecido a un fonógrafo

por lo menos — como mínimum; cuando menos

(*como*) *se les llama en México* — (éste es) el nombre que se les da en México

a más de una trampa eficaz — además de ser una trampa eficaz

a medida que suena el disco — mientras suena el disco

a todo volumen — con la mayor intensidad acústica posible

de noche — después del anochecer

a la altura de — al nivel de

se corresponde con la pesadez espiritual — está en armonía (consonancia) con la pesadez espiritual

por último — finalmente

parecerse a un piano — asemejarse a un piano

trata de alcanzarlos — intenta ponerse a tono con ellos

en cambio — por el contrario

cada vez más infelices — progresivamente más infelices

en vez de — en lugar de

dan categoría a — dan mayor importancia a

EJERCICIOS

Sírvase emplear una expresión idiomática sacada de la presente lección en lugar de las palabras en cursiva.

A

1. Su figura como estadista ha adquirido mayor estatura *a lo largo de los años.* **2.** *Todas las tardes* se ponía a descansar a la sombra de ese árbol. **3.** *Con respecto a* ese asunto mejor será que yo no diga nada. **4.** Luego nos trajo *algo que parecía ser limonada.* **5.** Sé que recibe *como mínimum* diez dólares al día. **6.** Nos dijo, *finalmente*, que no volvería más a este pueblo. **7.** El muchacho *intentó* devolver el libro inmediatamente. **8.** Yo creo, *por el contrario*, que terminará sus estudios con éxito. **9.** Cuando envejecemos todo se hace *progresivamente más difícil.* **10.** *En lugar de esto* quiero que usted me traiga un vaso de agua.

B

1. Este pensamiento *se ha convertido* en verdadera obsesión. **2.** *El nombre que se les da en México* es "sinfonolas." **3.** *Además de ser* hombre de buena presencia es riquísimo. **4.** *Mientras* avanzábamos por el estrecho corredor subterráneo el aire se hacía cada vez más sofocante. **5.** Estaba tocando un disco *con la mayor intensidad acústica posible.* **6.** Iba siempre a la taberna *después del anochecer.* **7.** Pusimos el cuadro *al nivel de la* ventana. **8.** Una cosa *está en armonía* con la otra. ¿No le parece? **9.** Este árbol *se asemeja* al pino. **10.** Es una manera de *dar mayor importancia a* la última moda.

B. Vocabulario

A

I. SUSTANTIVOS FORMADOS A BASE DE UN ADJETIVO.

> *Ejemplos:* ordinario – **ordinariez** plebeyo – **plebeyez**
> pesado – **pesadez** rígido – **rigidez**

Sírvase dar un sustantivo en -ez, derivado de los adjetivos que aquí se dan, y empléelo en una oración en español:

altivo	honrado
árido	rápido
brillante	sencillo
estúpido	viejo

II. SINÓNIMOS DE VERBOS. *Dé usted los sinónimos de las palabras en cursiva sirviéndose de la columna de la derecha:*

1. Las monedas *formaron un montón* en menos de un mes.

2. *Agrandaron* el cuerpo del monstruo.

3. Los objetos cursis *tienen gran aceptación* entre la gente vulgar.

4. Ese proyecto *fue patrocinado* por el gobierno federal.

5. *¡Que se vayan al demonio* los falsos inventores!

6. Estas máquinas *producen* grandes utilidades.

7. Las sinfonolas *se parecen a* un enorme jarrón pintarrajeado.

8. La pianola *hace patente* su cursilería.

9. Esas cualidades *se unen* para producir mal efecto.

10. La sinfonola *hace pedazos* la música de Beethoven.

sumarse
revelar
corresponderse
rendir
semejarse a
presagiar
triturar
rebelarse
difundirse
abultar
vulgarizar
acumularse
auspiciar
fastidiarse

185

III. *Complete las siguientes oraciones sirviéndose de las palabras que se dan a la derecha. En cada caso añada un artículo donde lo requiera el sentido:*

tosquedad
retroceso
recogimiento
ritmo
laberinto
ignorancia
capricho
pesadez
vulgaridad
deshumanización
delicadeza
fealdad
anticultura
uniformidad

1. Cuando alguien se separa de los demás para concentrarse en la vida interior es porque busca ——.

2. Cuando las cosas son muy parecidas las unas a las otras decimos que tienen ——.

3. La persona de gran finura que trata a los demás con atención y comedimiento posee ——.

4. Cuando algo se destaca por su desarmonía y falta de belleza decimos que es ejemplo de ——.

5. Todo lo que es común, poco refinado y de mal gusto cae dentro de lo que se llama ——.

6. Si algo carece de finura y pulimento es ejemplo de ——.

7. Toda idea o propósito que uno forma fuera de razón es ——.

8. Los sonidos o voces que se combinan en patrones de cierta medida y que son gratos al oído poseen ——.

9. Cuando algo implica una degradación o descenso a un nivel inferior decimos que es un caso de ——.

10. El no saber lo que otros saben es indicio de ——.

B

Diferencias de significado

1. Venir — acudir.

Venir indica movimiento de allá hacia acá:

Estos chicos siempre vienen tarde.

Acudir tiene el sentido de venir hacia un lugar, persona o cosa que nos llama la atención:

Al oír la explosión acudimos presurosos.

2. Parecer — parecerle a uno — parecerse.

Parecer quiere decir "tener un determinado aspecto":
Parece muy pequeño.

También significa "dar indicios" o "presentar la apariencia de algo":
Parece que va a llover. *It looks like rain.*

Parecerle a uno significa "pensar que algo es como es":
A mí me parece que es ridículo.

Parecerse (a) expresa semejanza entre dos o más referentes:
Ella se parece a su padre.

3. Delicado — primoroso.

Delicado indica finura, fragilidad o quisquillosidad:
Estas flores son muy delicadas.
Ésa es una cuestión muy delicada (*a very touchy question*).

Primoroso se aplica a cosas hechas con suma habilidad y sentido estético:
El regalo venía en una primorosa cajita (*a lovely little box*).

Figurativamente se emplea refiriéndose a mujeres bellas o de suma habilidad:
¡Qué mujer tan primorosa!

4. Gracia — donaire.

Gracia alude a un don natural que hace agradable a una persona:
¡Qué gracia tiene esta mujer! *What a charming woman she is!*

Donaire también se refiere a un atractivo personal, pero fija más la atención en los movimientos o en lo que una persona dice:
Julita baila con mucho donaire (*very gracefully*).
Miguelito cuenta sus chistes con mucho donaire (*with a great deal of wit*).

5. Pudor — modestia.

Pudor destaca más directamente que **modestia** el recato exterior (*shyness*) y el sentido moral:
Lo que distingue a Juanita es su pudor (*her feminine modesty*).

La palabra **modestia** tiene un sentido más amplio y puede aludir también a la moderación en la propia estima:
Desde ahora en adelante deberás mostrar más modestia.

6. Arrogante — orgulloso.

Es **arrogante** la persona que trata a los demás con soberbia, y traduce su sentido de superioridad en términos y gestos altaneros. El hombre **orgulloso,** en cambio, es el que peca de excesiva autoestimación y espera más respeto del que merece.

> Algunos de los extranjeros que vienen a visitarnos son orgullosos; otros hay que son arrogantes y nos miran por sobre el hombro (. . . *look at us contemptuously*).

7. Cursi (cursilería) — ridículo (ridiculez).

Es **cursi** todo lo que es postizo y expresa presunción, particularmente a través de la falsa elegancia o el falso refinamiento:

> ¡Fíjate en sus ropas! ¡Qué cursi es la pobre señora!

También se llama **cursi** a toda expresión de sentimentalismo barato y aparatoso:

> ¡Qué poema tan cursi! *What a "corny" poem!*

La **cursilería** es, pues, impropiedad acentuada por una nota de falsedad:

> ¿Por qué se empeña ese señor en aparentar? ¡Qué cursilería!

Es **ridículo** aquello que mueve a risa o crítica por su extrañeza y desproporción:

> ¡Qué espectáculo más ridículo! ¡No te pongas en ridículo! *Don't be ridiculous!*

La **ridiculez** se origina en la extravagancia y falta de mesura:

> ¡No creas que voy a hacer la ridiculez de teñirme el pelo!

Empleada en plural, la palabra alude a las rarezas de una persona:

> Nunca salgo con él; no puedo con sus ridiculeces. *I can't stand his shenanigans.*

8. Eficaz — eficiente.

Eficaz apunta a la capacidad de algo para producir ciertos resultados:

> Nada más eficaz (*effective*) para la tos que nuestro jarabe "Mejoral."

Eficiente alude a la capacidad de rendimiento, juzgada por el grado de competencia o la rapidez con que se ejecuta algo:

> Nuestros viajantes de comercio son todos eficientes (*efficient*).

De lo dicho se deduce que una persona puede ser eficaz y también eficiente.

EJERCICIOS

Llene los espacios en blanco con una de las palabras discutidas en esta sección.

1. Al oír la campana todo el mundo —— a la plaza. **2.** ¡Qué niñita tan ——! **3.** Cuando él camina por la calle lo hace con mucho ——. **4.** No cuentes chistes que puedan ofender —— de las muchachas. **5.** No te darías tanta importancia si fueras menos ——. **6.** Fíjate en los aspavientos que hace para decirnos que es artista. ¡Qué mujer más ——! **7.** Estas medidas han resultado poco —— para resguardar la moral pública. **8.** Todos quedamos encantados con ella. Es una mujer de mucha ——. **9.** Es un señor anciano que está muy —— de salud. **10.** La sinfonola —— un jarrón pintarrajeado. **11.** Eres un exhibicionista. Tú no sabes lo que es ——. **12.** Una mujer tan gorda no debiera llevar pantalones vaqueros. ¡Qué ——! **13.** Hay que trabajar con rapidez y con método para ser ——. **14.** En muchas tiendas de regalos los objetos que se venden son de mal gusto, son pura ——. **15.** Sus impertinencias me han convencido de que es un hombre muy ——. **16.** Tú sólo ves en ese muchacho sus cualidades físicas; mirado desde el punto de vista moral a mí —— muy mal partido. **17.** No salgas a la calle con ese sombrero tan pasado de moda porque te vas a poner ——. **18.** Si no —— usted con tiempo, no podrá sentarse en primera fila. **19.** Cuando camina de noche por la calle se cubre la boca con un pañuelo. Ésta y otras —— suyas me ponen de mal humor. **20.** Ahora que se tiñe el pelo —— más joven de lo que es.

C. Gramática

Posición de los adjetivos

Considerados desde el punto de vista de la posición, los adjetivos son de tres tipos: (I) los que siguen al sustantivo; (II) los que preceden al sustantivo y (III) los que pueden preceder o seguir al sustantivo.

I. ADJETIVOS QUE SIGUEN AL SUSTANTIVO

1. Los adjetivos diferenciativos, esto es, aquellos que distinguen algo separándolo del resto del grupo a que pertenece, se colocan después del sustantivo:

un hombre vulgar
un fonógrafo automático

Al colocar el adjetivo después del sustantivo estamos diciendo que el hombre o el fonógrafo de que hablamos constituyen una entidad aparte por tener la cualidad indicada por el adjetivo (**vulgar, automático**). Estos adjetivos tienen, pues, sentido partitivo.

(a) Van detrás del sustantivo los adjetivos de carácter técnico o científico, ya que siempre aluden a entidades distinguiéndolas de la totalidad a que cada una de ellas pertenece:

> los cálculos astronómicos
> la música mecánica
> los fundamentos psicológicos
> la pesantez física

(b) Del mismo tipo son los adjetivos de nacionalidad, pues es su función diferenciar a base de la nacionalidad:

> Ésos son encajes franceses.
> Visitaré una nación hispanoamericana.

(c) También siguen al sustantivo, en la gran mayoría de los casos, los adjetivos de color. Se anteponen a veces por razones de estilo, como se indicará más adelante.

> un jarrón rojo
> unos pantalones grises

2. Los adjetivos que forman con el sustantivo una agrupación incambiable consagrada por el uso:

> Mañana comienza la Semana Santa.
> Nos habló del paraíso terrenal.
> ¿Tiene usted una cuenta corriente en este banco?
> Trabaja en un café cantante.
> No tengo una perra gorda en el bolsillo.

3. Los adjetivos que van precedidos de un adverbio:

> Éste es un artefacto realmente monstruoso.
> Una delicadeza manifiestamente falsa.
> Una mujer singularmente primorosa.

II. ADJETIVOS QUE PRECEDEN AL SUSTANTIVO

1. Los adjetivos restrictivos, esto es, aquellos que llevan envuelta una idea de número o cantidad. De este tipo son los numerales, los demostrativos, los posesivos adjetivales (formas cortas), los artículos y los indefinidos.

> aquella sinfonola
> algunos filólogos
> nuestros instrumentos
> los tres primeros años

2. Los adjetivos empleados en las siguientes exclamaciones:

(a) En exclamaciones introducidas por **Qué,** cuando no se incluyen los intensificativos **más** o **tan:**

> ¡Qué excitante ritmo!
> ¡Qué desgraciada muchacha!

(b) En exclamaciones sin **Qué,** en las cuales se formula un juicio valorativo:

> ¡Flamante música!
> ¡Peregrina idea!
> ¡Infeliz invento!
> ¡Ridículas pretensiones!

3. Los adjetivos que forman parte de frases hechas ya consagradas por el uso:

> Está estudiando en la Escuela de Bellas Artes.
> La hallé leyendo la Sagrada Biblia.
> Debemos esto a los santos padres de esa orden.

III. ADJETIVOS QUE PUEDEN PRECEDER O SEGUIR AL SUSTANTIVO

Cuando un adjetivo precede a un sustantivo forma una unidad de pensamiento con éste (concepción sintética) y adquiere, en la mayoría de los casos, un valor subjetivo. Este adjetivo no establece distinciones entre la parte y el todo: **la cursi pianola.** El adjetivo que sigue al sustantivo, por el contrario, constituye una cualidad añadida que establece una diferenciación (concepción analítica). Este adjetivo tiene, las más veces, un valor objetivo: **instrumento musical.**

1. El adjetivo precede al sustantivo cuando expresa una cualidad que se piensa como propia del sustantivo. Así ocurre en los siguientes casos:

(a) Con los adjetivos cuya cualidad está siempre implícita en el sustantivo:

> la blanca nieve
> un terrible estruendo

(b) Con los adjetivos que expresan una cualidad comúnmente asociada al sustantivo:

> románticos "Nocturnos"
> bulliciosa taberna

Éstos son los adjetivos llamados "epítetos."

Colocado delante del sustantivo, el adjetivo generaliza y expresa una cualidad haciéndola propia de una totalidad. Tales adjetivos son totalizantes.

2. Siendo la combinación *adj. + sust.* una síntesis de *cualidad + referente* (cosa o persona), se presta a la expresión subjetiva. Por esta razón, los adjetivos que se emplean con intención poética preceden al sustantivo:

> La suave brisa de esa templada primavera . . .
> Llegó la ansiada noche con su inconmensurable manto.

3. Preceden al sustantivo los adjetivos que se emplean con intención admirativa o laudatoria, haciendo de la cualidad parte integrante de la persona o cosa a que se atribuye. En tales circunstancias queda completamente fuera de la mente toda idea de diferenciación. En el lenguaje protocolar o en la lengua que impera en el mundo de los convencionalismos sociales es muy común este tipo de concepción:

> El honorable Representante de Santander . . .
> La distinguida escritora francesa . . .
> El insigne general Ramírez . . .

4. Preceden al sustantivo los adjetivos que implican un escalón o grado dentro de una gradación subjetiva. Ésta puede ser numérica, de cantidad o, lo que es más común, puramente valorativa. Una gradación subjetiva deja subentendidos dos extremos, tales como totalidad y particularidad, interioridad y exterioridad, lo real o lo ilusorio, lo propio y lo ajeno, lo genuino y lo falso, lo común y lo extraordinario, etc. El adjetivo alude solamente a un grado dentro de la escala total, grado que se atribuye a una persona o cosa como si fuese parte integrante de ella (concepción sintética). Ejemplos:

(*Gradación dentro de una serie*): Con un último melindre trataba de parecerse a un piano.

(*Gradación locativa*): Se puso a gritar en pleno teatro.

(*Gradación valorativa*): Ésas son puras sensiblerías.

Por lo común, el adjetivo alude a los extremos más que al punto intermedio de la gradación:

Ése es un recurso de simple imitación.

Destacan una absoluta deshumanización.

Estamos ante un caso de real importancia.

Ése es el verdadero significado de la sinfonola.

Ha ocurrido con extraordinaria frecuencia.

Fue un franco fracaso.

La tuya es una mera suposición.

NOTA: Algunos de los adjetivos de gradación pueden tener también una función diferenciativa. En tal caso deben seguir al sustantivo (concepción analítica): **Es un recurso simple. Ése es un caso real. Son emociones verdaderas. Nos reunimos en sesión extraordinaria. Es un muchacho franco.**

5. Precede al sustantivo el adjetivo que adquiere significados nuevos por cambio de posición. Dichos significados dependen de la variedad de sustantivos con que se pueda combinar el adjetivo. Veamos algunos de los significados que puede tener el adjetivo *gran*(*de*) colocado delante del sustantivo:

Significado común:

Es una casa grande (*large*).

Significados nuevos:

Sintió una gran pena (*deep sorrow*).

Vio un gran reloj de pared (*an imposing wall clock*).

Es un gran amigo mío (*a close friend of mine*).

Es un gran bellaco (*a big scoundrel*).

Es una gran verdad (*gospel truth*).

Hubo un gran escándalo (*real rumpus*).

Es un gran hombre (*a great man*).

Entre los adjetivos más comunes que cambian de significado según la posición, tenemos los siguientes:

	Delante del sustantivo	Después del sustantivo
antiguo	*former, of long standing*	*old, aged*
cierto	*certain*	*sure, definite, certain*
diferente	*various*	*different*
mismo	*same, very*	*-self*
nuevo	*another*	*new*
pobre	*pitiable*	*needy* (*without money*)
propio	*own*	*own, very, suitable*
raro	*rare* (*few*)	*strange*
único	*only, single*	*unique*
varios	*several*	*sundry, miscellaneous*

NOTA: Naturalmente, la posición de estos adjetivos puede variar en oraciones que incluyen más de un adjetivo.

IV. COMBINACIONES DE ADJETIVOS

Las normas que se han formulado para la colocación de un solo adjetivo se aplican a combinaciones de dos o más adjetivos. Ejemplos:

Muchas señoras elegantes (el adjetivo restrictivo antepuesto, y el adjetivo diferenciativo pospuesto).

Es un caso de retroceso moral y estético. (Cada adjetivo modifica por separado al sustantivo. Se emplea la conjunción **y**.)

Producen un provecho económico líquido de muchos millones. (El adjetivo **líquido** se refiere a la doble unidad **provecho económico**. Se omite la conjunción **y**.)

Una útil labor didáctica. (El adjetivo **útil** se refiere, sin intención comparativa, a la doble unidad **labor didáctica**.)

Los más asordinados y confidenciales compases. (Ambos adjetivos se piensan sin intención comparativa.)

V. DETERMINANTES ESTRUCTURALES Y ESTILÍSTICOS

La posición de un adjetivo no depende siempre de su naturaleza o significado. Puede depender también de consideraciones sintácticas y estilísticas: estructuración elegante e inusitada, patrón acentual, número de sílabas en el grupo fónico, efecto acústico (eufonía), ritmo (ascendente o descendente) de la oración, equilibrio de las partes de una oración, etc.

A través del estilo el autor busca manera de romper con las normas establecidas por el uso. Sólo así puede lograr efectos artísticos que no son propios del lenguaje cotidiano. En su afán de novedad, puede hasta violentar el espíritu de la lengua, siempre que sus innovaciones persigan un fin artístico de genuino valor. Así ocurre, en particular, en la expresión poética, la cual no está sujeta a las leyes del hablar común.

(a) El adjetivo que se añade a una frase compuesta de *verbo + complemento* generalmente se antepone, aun siendo descriptivo, para no restar fuerza expresiva al sustantivo. La palabra más expresiva se reserva en español para el final de la oración. Ejemplos:

> amasar fortuna: Amasó una cuantiosa fortuna.
> dar golpes: Le dio terribles golpes.
> echar una ojeada: Echó una rápida ojeada.
> guardar semejanza: Guarda extraña semejanza con él.
> ir de americana: Van de flamante americana.
> soltar una carcajada: Soltó una estridente carcajada.
> tener aldabas: Tiene buenas aldabas.

(b) El adjetivo que se añade a la estructura *sustantivo + frase adjetival* se coloca muy a menudo delante del sustantivo y sirve así de contrapeso a la frase adjetival:

> laboratorio de química: un amplio laboratorio de química
> humo de los cigarrillos: el denso humo de los cigarrillos
> los artífices del rococó: los finos artífices del rococó

NOTA: No ocurre así cuando el adjetivo y la frase adjetival se piensan como elementos diferenciativos: **emprende su danza regresiva de orangután; el hombre fatigado de estos días; los cristales frontales del armatoste.**

(c) Cuando se quiere destacar una cualidad en estilo literario es común poner el adjetivo delante del sustantivo:

> Principalísima forma del respeto propio es el cuidado de la independencia interior.
> Muy alta y aristocrática idea del reposo tenían los griegos.
> Lleva flotante y leve vestidura y se yergue ante el mundo de los mortales.
> Misteriosa y escondida senda es ésa, por la cual caminan unos pocos privilegiados.

(d) En oraciones de ritmo descendente en que aparecen tres adjetivos descriptivos se colocan éstos después del sustantivo. Lo común es poner al final de la serie el adjetivo más largo o el más dramático :

Fue aquella una escena inesperada, absurda, incomprensible.

Llegó hasta mí una voz débil, anhelante, entrecortada. (*Otra posibilidad:* . . . débil, entrecortada, anhelante).

EJERCICIOS

A

I. *Sírvase intercalar el adjetivo que se da entre paréntesis en el lugar que a usted le parezca más conveniente, haciendo los cambios sintácticos que sean necesarios.*

1. (moderado) A todo hombre le gusta hacer ejercicio físico. **2.** (delicada) En la mesita había una miniatura mexicana. **3.** (sostenido) En el circo el ruido era estrepitoso. **4.** (lindo) Contemplaba un paisaje de montaña. **5.** (única) Aquélla fue una oportunidad inolvidable. **6.** (antigua) Había allí una hermosa porcelana china. **7.** (rigurosa) Les fue preciso expresarse con rapidez y exactitud. **8.** (afectuoso) Me dio un abrazo de bienvenida. **9.** (refinado) El quehacer artístico es un proceso consciente. **10.** (inexpresivas) La carta está llena de palabras vagas. **11.** (suprema) Lo hizo llevado de una necesidad de expiación. **12.** (abyecto) Así lo hizo un genial canciller alemán. **13.** (llamativa) Venía revestida con una piel de pantera. **14.** (inmaculada) Resaltaba sobre todo la blancura de su hermosa cara. **15.** (ideal) Ése es el término a que aspira el hombre. **16.** (frívola) Es una obra de juventud. **17.** (fundamental) No tiene conciencia de la unidad de nuestra naturaleza. **18.** (noble) No permanezcáis indiferentes a ninguna manifestación de la naturaleza humana. **19.** (moderna) Allí está expresada nuestra fe en la dignidad de la creación humana. **20.** (definitivo) Eso es lo que distinguirá al americano del futuro.

II. *Escoja usted el adjetivo que le parezca más adecuado a cada sustantivo y empléelo en una oración original.*

1. protesta	imperecedero,-a,-os,-as
2. progresión	utilitario,-a,-os,-as
3. principiantes	apostólico,-a,-os,-as
4. interés	jerárquico,-a,-os,-as
5. vocación	airado,-a,-os,-as

6. colaboradores
7. superioridad
8. crecimiento
9. personalidad
10. recuerdo

anómalo,-a,-os,-as
asombroso,-a,-os,-as
candoroso,-a,-os,-as
aritmético,-a,-os,-as
ignorado,-a,-os,-as

B

I. *Sírvase escoger dos adjetivos, uno de cada columna, y empléelos en una oración como modificativos de un sustantivo. Queda usted libre para emplearlos en el orden que le parezca más apropiado.*

1. espacio
2. invención
3. generaciones
4. efecto
5. chaqueta
6. espíritu
7. elementos
8. imperios
9. clase
10. incidentes

cotidiano,-a,-os,-as
humano,-a,-os,-as
vistoso,-a,-os,-as
sostenido,-a,-os,-as
soberbio,-a,-os,-as
étnico,-a,-os,-as
asiático,-a,-os,-as
mecánico,-a,-os,-as
lumínico,-a,-os,-as
abierto,-a,-os,-as

enriquecido,-a,-os,-as
inmenso,-a,-os,-as
ingenioso,-a,-os,-as
pequeño,-a,-os,-as
variado,-a,-os,-as
rojo,-a,-os,-as
numeroso,-a,-os,-as
grandioso,-a,-os,-as
maravilloso,-a,-os,-as
reaccionario,-a,-os,-as

II. *Sírvase emplear las palabras que se dan entre paréntesis como modificativos de un solo sustantivo en cada oración. Puede usted emplearlas en el orden que le parezca más conveniente.*

1. (serena - luminosa). El ideal cristiano se ha reconciliado con la alegría de la antigüedad. **2.** (desinteresado – intenso) Todos debiéramos sentir el mismo amor por el arte. **3.** (humanas – legítimas) Habremos de tener siempre presentes estas tres actividades. **4.** (agitada – febril) No hay nadie que prefiera la vida de nuestra época. **5.** (exaltada – melancólica) Hay en toda esa obra una idealización del pasado. **6.** (armonioso – libre) Yo siempre he creído en el desenvolvimiento de nuestro país. **7.** (indiscutibles – materiales) No se puede negar que esas negociaciones nos reportarían muchas ventajas. **8.** (humana – verdadera) La democracia hace posible la grandeza. **9.** (genuinas – singulares) El carácter de un pueblo lo determinan sus maneras de sentir y de pensar. **10.** (seductoras – armoniosas) Nunca olvidaré las páginas de Valle Inclán.

III. *Explique usted en español la diferencia, si la hay, entre los siguientes pares de expresiones:*

1. He leído el primer libro.
   He leído el libro primero.
2. Me trajo una nueva camisa.
   Me trajo una camisa nueva.
3. Es una antigua casa.
   Es una casa antigua.
4. Es pura agua.
   Es agua pura.
5. Habló de varios incidentes
   Habló de incidentes varios.

6. Es una simple teoría.
   Es una teoría simple.
7. Aceptaré cualquier libro.
   Aceptaré un libro cualquiera.
8. Me han dicho ciertas palabras.
   Me han dicho palabras ciertas.
9. Vi una sola mujer.
   Vi una mujer sola.
10. Es mi mayor preocupación.
    Es mi preocupación mayor.

D. Estilística y composición

El orden de las palabras

El español es una lengua de suma flexibilidad en lo relativo al orden de las palabras. Fuera de algunas normas fijas que gobiernan la estructura de ciertos patrones comunes, se puede cambiar la posición de los diferentes elementos de la oración en muy variadas formas y se obtienen así múltiples efectos estilísticos. Hablando en términos generales, es preciso observar sólo tres condiciones para hacer cambios en el orden de las palabras: (1) respetar los principios sintácticos primordiales de la lengua; (2) evitar las ambigüedades; (3) producir un efecto agradable al oído, ya por el ritmo de los componentes o la variedad eufónica del estilo.

Naturalmente, no deberá romperse la unidad de las frases hechas: **a pesar de, de pies a cabeza, a la buena de Dios,** etc. Asimismo, habrán de estar en relación de proximidad aquellos elementos que normalmente se piensan juntos: *verbo — adverbio; verbo — objeto directo o indirecto; sustantivo — adjetivo; antecedente — cláusula relativa,* etc.

Pasemos ahora al estudio de algunos casos específicos:

1. En preguntas que contienen el verbo **ser** y un adjetivo se pone éste detrás del verbo:
   ¿Son aceptables sus recomendaciones?

NOTA: A menudo se antepone también el predicado nominal al sujeto: **¿Es músico su hermano?**

2. En oraciones en que aparecen frases adverbiales lo normal es poner éstas detrás del verbo:

(a) Orden normal:

El propietario salió esa tarde con aire de conquistador.

(b) Inversión 1ª:

Esa tarde salió el propietario con aire de conquistador.

(c) Inversión 2ª:

Con aire de conquistador salió el propietario esa tarde.

3. El complemento directo normalmente va después del verbo con que está relacionado. Dicho complemento puede anteponerse, siendo entonces necesario repetirlo por medio de un pronombre:

(a) Orden normal:

Oí ese disco en un cabaret.

(b) Inversión:

Ese disco lo oí en un cabaret.

4. Cuando aparecen un sujeto y un verbo en una cláusula dependiente es común — aunque no obligatorio — anteponer el verbo. En inglés el orden es a la inversa:

Devolveré esta cartera/ en cuanto aparezca su dueño.

Dígale al Sr. Pinto/ que acaba de llegar la máquina.

5. En cláusulas introducidas por un gerundio y que, además, contienen un sujeto, dicho sujeto se coloca después del gerundio:

Viendo los industriales que el artefacto se vendía bien, decidieron aumentar la producción.

Comprendiendo su hijo que no había escapatoria, decidió decir la verdad.

NOTA: Véase también la sección sobre el participio pasado (pág. 278).

6. En oraciones cortas que van seguidas de otras más largas introducidas por **y** se invierte el orden del sujeto y el verbo:

Llegó octubre y todavía no había ganancias.

Entró la cupletista y todos los clientes empezaron a aplaudir.

7. Cuando se desea destacar un elemento de la oración en particular es práctica corriente ponerlo al comienzo o al final de la oración. La posición intermedia es, en español, la de menos énfasis. Estúdiense (a) y (b):

> (a) Llegaba a su oficina antes de las ocho en raras ocasiones.
> (b) En raras ocasiones llegaba a la oficina antes de las ocho.

> (a) Vivir con semejante estruendo resulta casi imposible.
> (b) Casi imposible resulta vivir con semejante estruendo.

8. Para evitar la conjunción de dos frases preposicionales es común interponer algún elemento de índole diferente:

> He dejado a tu nombre una cantidad en el banco. (*Otra posibilidad:* He dejado en el banco una cantidad a tu nombre.)
> A lo lejos se veían en grupos solitarios unos árboles raquíticos.
> Y desde aquel día pudo verse a la orilla del estanque al poeta hambriento que daba vueltas al manubrio.

9. Son frecuentes los casos en que la posición de una frase dentro de una oración es determinada por la necesidad de evitar una ambigüedad. Compárense:

> Pudo decir todo lo que había aprendido sin grandes tropiezos.
> Pudo decir sin grandes tropiezos todo lo que había aprendido.

En este ejemplo la segunda versión es la que correctamente expresa la idea del que habla y, por lo tanto, no es recomendable separar la frase adverbial del verbo a que se refiere.

10. Si hay dentro de un párrafo más de una oración en que aparezcan sujetos seguidos de verbos, es conveniente dar variedad al estilo invirtiendo el orden de estos elementos en la segunda oración:

> El inventor vivía feliz en su vieja mansión; tenía este caballero cuantas comodidades pueden hallarse en una casa moderna.
> Los mineros se agitaron con estruendo; siguió aquella masa por la calle principal hasta llegar a la Municipalidad.

11. En estilo literario se puede unir el objeto pronominal o el reflexivo a un verbo en tiempo simple del indicativo, especialmente cuando el verbo es la primera palabra de la oración:

> Díjome esas palabras con mucho fervor, pero me fue imposible creerle.

Si el tiempo es compuesto se puede unir el objeto pronominal al auxiliar:

> Habíales explicado ya las complicaciones de la caja registradora.

12. Hay, por fin, un tipo de cambio motivado por una intención artística que persigue, ante todo, la novedad en la estructuración del enunciado. Éste es el llamado hipérbaton. Ejemplo:

Imitaciones muchas veces felicísimas de los romances antiguos se han hecho y se hacen para perpetuar las tradiciones antiguas e interesantes.

El orden normal hubiera sido: Para perpetuar las tradiciones antiguas e interesantes, se han hecho, y aún se hacen, imitaciones, muchas veces felicísimas, de los romances antiguos.

EJERCICIOS

A

Diga usted si es necesario o recomendable cambiar el orden de las palabras en las siguientes oraciones:

1. Haré el anuncio tan pronto como su padre entre.   **2.** ¿Es el latín útil? Contésteme con franqueza.   **3.** Mejor será repartir estos caramelos antes de que los muchachos se marchen.   **4.** Llegamos al lugar en que íbamos a acampar haciendo grandes esfuerzos.   **5.** El significado de esta palabra es para un español distinto.   **6.** Pedrito, habiendo recibido malas notas en todas sus clases, sentía pocas ganas de volver a casa.   **7.** A esos hombres yo no saludo nunca porque son gente grosera.   **8.** Es una de las más impertinentes personas que en mi vida he conocido.   **9.** La primavera llegó y mis esperanzas comenzaron a renacer.   **10.** Si pudiéramos ponernos de acuerdo serían los resultados de nuestros esfuerzos más productivos.

B

Diga usted si es necesario cambiar el orden de las palabras. ¡Ojo! Hay algunas oraciones que no requieren cambio; hay otras en que el cambio es recomendable, pero no obligatorio.

1. A este atractivo se une en dichas obras el placer que ocasiona el ver bien pintadas las situaciones, aunque éstas sean de las más comunes.
2. La interpretación que hace el autor de su obra no tiene mucha validez.
3. La situación no ha cambiado: los terratenientes se niegan a cooperar. Estos señores siempre han rechazado toda reforma, como todos sabemos, cualquiera que sea.   **4.** Como hacía mucho calor a esta hora dentro de la casa, en vez de dormir la siesta, optamos por ir a nadar en el río.   **5.** Muy difícil es hoy día imaginarse lo que en realidad ocurrió.   **6.** Aquí se dejó

el tema principal para el fin, con gran acierto.   **7.** Habíales dado ya lo que les correspondía, aunque de malas ganas.   **8.** Es mejor no introducir paréntesis en las cláusulas en que cómodamente y sin menoscabo de la claridad pueden evitarse.   **9.** Otra crítica hay que analiza las composiciones para señalar sus defectos.   **10.** Llegaba intencionalmente tarde, como si nada le importasen las reprensiones de su madre, lo cual dejaba traslucir su carácter arisco.

ⓡ Traducción

A

1. One of the greatest pleasures man can enjoy is sleep.   **2.** Repose is not possible if there is a juke box near the house.   **3.** These machines have the most awesome capacity for making noise.   **4.** Some time ago, *The New York Times* told us that in the United States there are over 300,000 juke boxes. **5.** These boxes do not resemble any known musical instrument.   **6.** As they send forth music full blast a cabaret scene is projected.   **7.** This synthetic machine is a monstruous invention that makes us think of sauerkraut, beer and sausages.   **8.** Its ugliness is in consonance with its loud music.   **9.** I will never forget the low-brow pianola of thirty years ago.   **10.** This instrument was not just a machine; it still recognized the existence of spiritual values and tried to live up to them.   **11.** The juke box, on the other hand, is a useless contrivance that gives excessive importance to an orgy of loud noise. **12.** It represents a moral and aesthetic retrogression in contemporary life.

B

1. Do you know that the word *iowken*, (when) changed into *jouke*, did not mean noise but exactly the opposite?   **2.** The change occurred in the days of *jook joints*, when miners tested the quality of their guns by shooting at oil lamps.   **3.** The name "juke box" reminds us of the rowdy days in the taverns of Kentucky.   **4.** A juke box is a surrealistic mixture of an organ-grinder, a cash register and a gaudily painted urn.   **5.** This monstruous creation can fracture Beethoven in jazz time.   **6.** They say that the money earned by (*Use la voz activa*) these automatic phonographs would cover the budget of more than one Latin American nation.   **7.** Must we (Would it be necessary to) attribute its ugliness to the manufacturers' bad taste? **8.** Rococo artists used to make lovely, little music boxes. **9.** Even the pianola, though a low-brow invention, had a minimum of charm. **10.** The juke box, on the other hand, is the expression of a sort of gross vulgarity that is arrogant and aggressive. **11.** It is the creation, not so much of the masses but of modern industry, which simplifies everything because it believes that buyers are gradually becoming more and more insensitive. **12.** The Devil take bad inventors so that the few men who still dream and think can enjoy self-communion and contemplation.

Vocabulario mínimo

aggressive belicoso,-a
ago: some time — hace algún tiempo; **of thirty years —** de hace treinta años
artifact el artefacto
artist el artífice
as a medida que
to **attribute** atribuir; **must we —?** ¿habría que atribuir?
awesome espantoso,-a
to **become: are becoming more and more** son cada vez más
beer la cerveza
blast: full — a todo volumen
box la caja
budget el presupuesto
buyer el cliente
cash register la caja registradora
charm la gracia, la delicadeza
consonance: is in — with se corresponde con
contemplation la vida interior
to **cover: the money . . . would —** con el dinero se pagaría; el dinero cubriría
Devil: the — take que se fastidien
to **dream** soñar (ue)
to **earn** rendir (i)
to **enjoy** disfrutar (de)
even hasta
exactly precisamente
to **fracture** triturar
gaudily: — painted pintarrajeado
to **give: — (undue) importance** dar categoría

greatest el mayor
gross jayanesco,-a
gun el revólver
hand: on the other — en cambio
insensitive infeliz
jazz: in — time en tiempo de jazz
juke box la sinfonola
to **live: — up to them** alcanzarlos
just puramente, simplemente
loud ruidoso,-a; estruendoso,-a
lovely: — little music boxes primorosas cajitas musicales
low-brow burdo, -a; torpe
machine la máquina
to **make** producir
manufacturer el industrial
miner el minero
mixture la mezcla, la hibridación
much: not so — no tanto
name el nombre
necessary: would it be —? (must we . . .?) ¿habría que . . .?
noise el ruido; **loud —** el estruendo
oil lamp el quinqué
to **occur** ocurrir
opposite: the — lo contrario
organ-grinder el organillo
orgy la orgía
over más de
pleasure el placer
quality la calidad
to **recognize** reconocer

to **remind** recordar (ue)
retrogression el retroceso
to **resemble** parecerse (a), semejarse (a)
rowdy: — days días de trifulca
scene: a cabaret — una escena de cabaret
to **shoot** disparar
sauerkraut la col fuerte
sausage: pork — el embutido de cerdo
self-communion el recogimiento
to **send forth** disparar
to **simplify** simplificar

sleep el sueño
sort: a — of una especie de
surrealistic surrealista
synthetic sintético,-a
taste el gusto
to **test** probar (ue)
to **try** tratar (de)
ugliness la fealdad
urn el jarrón
vulgarity la plebeyez, la vulgaridad
word el vocablo

Composición libre

A

1. La sinfonola: origen de su nombre en inglés.

2. Tres etapas de la música mecánica.

B

1. La sinfonola: enemiga de la vida interior.

2. La sinfonola como expresión de incultura.

❦ 9 ❦

Sobre la conquista del espacio

RICARDO URGOITI

En el proyecto y la realización de una misión espacial, cualquiera que ésta sea en su naturaleza y en sus dimensiones, *entran siempre en juego* tres conceptos esenciales, tres funciones típicas bien diferenciadas, cuya integración y coordinación son necesarias para el buen éxito de
5 la empresa. Cada una de ellas implica un conjunto de artefactos, aparatos, equipos tecnológicos y humanos, *que han de operar* en riguroso sincronismo con los conjuntos correspondientes a las otras dos. No hay prioridades ni jerarquías en esta trinidad de funciones, que podemos imaginar esquemáticamente como la de los vértices de
10 un ideal triángulo equilátero, en la que *tanto monta* cada uno de ellos como cualquiera de los dos restantes.

Carga útil

El conjunto del "paquete" que se lanza al espacio para cumplir la misión espacial (sea chica o grande) *se designa* en la jerga de la Astronáutica con el nombre de "carga útil." *En los términos más amplios*,
15 la carga útil comprende: los aparatos para la toma de datos internos o externos, y su transmisión; los equipos receptores de órdenes o mensajes desde tierra, y cerebros electrónicos para su interpretación y elaboración; los de control automático de la "actitud" en vuelo, es decir, de la orientación conveniente respecto de la Tierra o las estrellas fijas; los
20 dispositivos de chorros de gases para modificar la "actitud," o para modificar la velocidad o la dirección de la trayectoria y, si la misión *es tripulada*, los equipos de acondicionamiento de temperatura, oxígeno, etc., para la supervivencia de los tripulantes, sean hombres o animales

inferiores. Todo esto y mucho más constituye o puede constituir la "carga útil" de un artefacto espacial.

Cohetes lanzadores

Otra función necesaria para *llevar a cabo* cualquier misión espacial es la de hacer despegar la carga útil, desde la superficie terrestre, e imprimirle ascensionalmente la velocidad y la dirección *adecuadas para* 5 la trayectoria correspondiente a la misión específica que haya que cumplir, bien órbitas terrestres, o bien trayectorias lunares o interplanetarias. *Los artefactos idóneos de esta función* son los cohetes.

Un cohete es — en esencia — un artefacto capaz de lanzar autónomamente, desde su interior, un chorro de gases que le proporciona un 10 empuje en dirección diametralmente opuesta a la del chorro. No se produce el empuje por el choque de los gases con el aire, sino por la Ley universal de acción y reacción. (Es la tercera de las tres Leyes o "Principia" con los que Newton formuló el comportamiento dinámico de las masas materiales, y que, *en expresión muy abreviada*, diría: "A 15 cada acción se opone una reacción equivalente y en sentido opuesto." Nuestra experiencia cotidiana está llena de ejemplos palpables. Cuando la bala del rifle *sale disparada* hacia adelante, se produce el culatazo que amorata el hombro del tirador, etc.) *Es más:* el rendimiento es mayor en el vacío del espacio que en la atmósfera, pues, en el vacío, no 20 se malgasta parte de la energía útil (liberada por la combustión) en agitar turbulenta e inútilmente las grandes masas de aire que reciben el impacto de los gases de salida. Por ello, y porque la combustión de sus propulsantes no necesita del oxígeno del aire, es autónomo el funcionamiento de los cohetes, tanto en la atmósfera como en el 25 espacio vacío.

Según sea el peso de la carga útil y la trayectoria que se le haya asignado (orbital o interplanetaria), así habrá de ser la potencia de empuje del cohete lanzador. En realidad, para cualquier misión espacial, hay que utilizar forzosamente dos o más cohetes que *entran en* 30 *acción* sucesivamente; pero *el que da la tónica*, en cuanto a magnitud del lanzamiento, es el primero. Ha de producir un empuje ascensional superior al máximo peso total del ingenio, es decir, el del propio cohete con sus tanques repletos de propulsantes, el de los mecanismos auxiliares y el de la carga útil — que es insignificante comparada con el total. 35

(Grosso modo: la proporción, para misiones satelitarias, *viene a ser* de 1 a 120, o aún menor para las naves espaciales más pesadas.)

Infraestructura

El tercer grupo de funciones que integran el conjunto de una misión espacial, *se desempeña* en la tierra. Son éstas, entre otras muchas: las
5 operaciones preparatorias para el acondicionamiento, la carga, y el recuento de seguridad (el "countdown") previo a la ignición del cohete; la verificación de la trayectoria emprendida y, en algunos casos, su "guiado" desde tierra para sustituir o complementar el autopilotaje; eventualmente incluso la destrucción explosiva del artefacto, si la
10 trayectoria que haya tomado se desvía notoriamente *de la prevista* y puede *poner en peligro* vidas y bienes. En este grupo de funciones se consideran también las específicas íntimamente ligadas a la misión espacial, como son las de recibir y elaborar los datos que transmiten desde el espacio las emisoras de la carga útil. Pueden ser datos diversos:
15 fotografías, mensajes, datos fisiológicos del astronauta para diagnosticar su estado físico y poder tomar decisiones sobre la continuación o terminación de un vuelo orbital, etc. . . . Naturalmente, se incluyen aquí los equipos de tierra capaces de transmitir instrucciones al tripulante, o bien, órdenes a la astronave para que ésta ejecute determinadas
20 maniobras durante su vuelo o transmita, *a petición*, en unos pocos minutos, datos *que ha ido acumulando* en su "memoria electrónica" durante largos períodos de tiempo. Y, *por último*, entre *las tareas a realizar* en la superficie terrestre, figura la de recoger en el aire, en el mar o en la tierra, las cápsulas con su carga de información atesorada,
25 de instrumentos o de seres vivos.

Al conjunto de equipos materiales y humanos que llevan a cabo las funciones y tareas descritas, se le designa con el nombre de infraestructura; el mismo término que se emplea en Aeronáutica para designar *el apoyo prestado* desde la tierra al vuelo de los aviones.

Americanos y Rusos

30 Una vez diferenciados los tres grandes conjuntos de funciones que componen una misión espacial, podemos analizar y evaluar las posiciones y potencialidades actuales de americanos y rusos en la competencia del espacio.

Tanto rusos como americanos proyectaron primordialmente su grandes cohetes para que pudieran cumplir — en caso "necesario" — la misión de lanzar balísticamente una bomba atómica *a través del Atlántico.* Cuando los rusos iniciaron el diseño y proyecto de sus cohetes, disponían ya de la bomba "A" (la bomba atómica de fisión), pero no de la bomba "H" (la bomba de hidrógeno; la de fusión: *mucho más ligera, a igualdad de poder destructivo*). Su inferioridad de entonces en las técnicas nucleares los obligó a situarse en una superioridad práctica *respecto de* la potencia de sus cohetes lanzadores. Los americanos, por el contrario, disponían ya de la bomba "H" cuando comenzaron a diseñar los suyos, y *se contentaron con* proyectar la construcción de los Atlas y los Titán, cuyo empuje era suficiente para colocar una bomba "H" en los Urales. Aquella superioridad nuclear trajo, como lejana consecuencia, la inferioridad en potencia cohetera.

Algo semejante, pero en sentido inverso, ha ocurrido en el diseño y construcción de las "cargas útiles." Los americanos, con más larga experiencia y práctica en la tecnología de instrumentos y aparatos mecánicos y electrónicos, forzados, *por otra parte*, a afinar las técnicas de precisión y miniaturización como consecuencia de su inferioridad en cuanto a los pesos de las cargas útiles que podían lanzar al espacio, *una vez iniciada* la competencia entre los dos países, se encuentran en este aspecto, en condiciones de superioridad sobre los rusos. *Bien es verdad* que éstos han logrado una mayor precisión en las trayectorias de sus naves espaciales, pero hay que tener en cuenta que *disponen de* un margen de peso transportable que les permite una gran holgura para dar la robustez necesaria a todos los equipos e instrumentos que aseguran la exactitud de la ruta.

Tocante a los problemas de infraestructura, es evidente que la geografía política está en favor de los americanos, ya que disponen o pueden disponer de estaciones terrestres de control en todos los meridianos. Pero donde la infraestructura es más importante es en los lugares de lanzamiento y de recuperación y, desde este punto de vista, no existen ventajas apreciables a favor de ninguno de ellos.

Este empeño en salir de la tierra, que parece *ha tomado carta de naturaleza vocacional* en nuestra civilización, exige demasiados esfuerzos *de toda índole* y, en definitiva, económicos, para que *se siga llevando a cabo por partida doble.* La actual "carrera del espacio" — cuando la

evolución de la política mundial lo permita — tendrá que convertirse en la auténtica "conquista del espacio," con la cooperación de todos los pueblos. Sólo así progresará al ritmo ponderado deseable *para cumplir sus propios fines*, y repartir ecuménicamente las consecuencias
5 beneficiosas de la cruzada.

(Ricardo Urgoiti, "Sobre la conquista del espacio — Estado actual y perspectivas," *Revista de Occidente*, Año I, 2ª época, No. 2, mayo, 1963, págs. 221-228.)

PREGUNTAS

A

1. ¿Qué es necesario para el éxito de una misión espacial? 2. ¿Cómo han de funcionar los aparatos y equipos que se necesitan en una empresa espacial? 3. ¿Con qué compara el autor estas funciones? ¿Por qué? 4. ¿Qué se entiende por "carga útil"? 5. ¿Puede usted mencionar algunos de los aparatos que se necesitan para garantizar el éxito de una misión espacial? 6. ¿Qué se entiende por "la actitud" de la astronave? 7. ¿Cómo se puede cambiar la dirección o velocidad de la astronave? 8. ¿Cuál es la función del cohete? 9. ¿Cómo se obtiene el empuje o propulsión en un cohete? 10. ¿Por qué es mayor el rendimiento del cohete en el vacío del espacio? 11. ¿Cuáles son algunas de las partes esenciales de un cohete? 12. ¿Qué es necesario llevar a cabo antes de lanzar un cohete? 13. ¿Qué es necesario hacer durante el vuelo? 14. ¿Cuáles son los problemas más serios al finalizar un viaje espacial?

B

1. ¿Cuál fue el motivo de la creación de los cohetes? 2. ¿Por qué construyeron los rusos sus cohetes en tamaño mayor? 3. ¿Cuál es la diferencia entre la bomba A y la bomba H? 4. ¿En qué aspectos han estado más adelantados los norteamericanos que los rusos? 5. ¿Cómo se efectúa la recuperación de la cápsula? 6. ¿Cuál es la diferencia entre la aeronáutica y la astronáutica? 7. ¿Qué entiende usted por "infraestructura"? 8. ¿Cree usted que los rusos y los norteamericanos llegarán a cooperar en un programa común de conquista del espacio? Explique. 9. ¿Cree usted que la llamada "carrera del espacio" es justificable? 10. ¿Qué posibles beneficios podrían derivarse de la conquista del espacio? 11. Si usted pudiera hacer una decisión fundamental acerca de la conquista del espacio, ¿qué recomendaría usted? ¿Por qué? 12. ¿Por qué se hacen los vuelos espaciales con tanta publicidad en nuestro país? 13. ¿Qué sabemos hoy día de la posibilidad

de vida en otros planetas?   **14.** ¿Qué efectos van a tener en la civilización los descubrimientos que se hagan en el mundo planetario?

A. Modismos

entran siempre en juego — se combinan

que han de operar — que deben funcionar

tanto monta — es tan importante

se designa — se llama

En los términos más amplios — En el más amplio sentido

es tripulada — incluye tripulantes

llevar a cabo — realizar

adecuadas para — que más convienen a

Los artefactos idóneos de esta función — Los artefactos más indicados

en expresión muy abreviada — en su forma más breve

sale disparada — es emitida

Es más — Y eso no es todo

Según sea el peso — En relación directa con el peso

entran en acción — funcionan

el que da la tónica — el factor determinante

viene a ser — es, a fin de cuentas

se desempeña — se lleva a cabo

. . . de la prevista — . . . de la que se espera

poner en peligro — arriesgar

a petición — cuando así se desea

que ha ido acumulando — que ha acumulado poco a poco

por último — finalmente

las tareas a realizar (galicismo) — las funciones que han de llevarse a cabo

el apoyo prestado — la ayuda que se da

a través del Atlántico — de un lado del Atlántico al otro

mucho más ligera, a igualdad de poder destructivo — con igual capacidad de destrucción aunque de tamaño mucho menor

respecto de — con respecto a

se contentaron con — no fueron más allá de

por otra parte — además

una vez iniciada — habiéndose ya iniciado

Bien es verdad — Es muy cierto

disponen . . . de — tienen

ha tomado carta de naturaleza vocacional — se ha convertido en una verdadera vocación

de toda índole — de toda clase

se siga llevando a cabo — se continúe realizando

por partida doble — duplicándose el trabajo

para cumplir sus propios fines — para obtener los legítimos fines

EJERCICIOS

Exprese la idea de las palabras en cursiva por medio de alguna frase o expresión empleada en la sección anterior.

A

1. Hemos de *realizar* este proyecto por cuenta propia.   **2.** Éstos no son los aparatos *que más convienen* para obtener esos fines.   **3.** Se necesita tomar muchas precauciones.   *Y eso no es todo:* hay que hacer también un recuento de seguridad.   **4.** En esta operación *funcionan* por cuenta propia todos los demás componentes.   **5.** No quiero *arriesgar* la vida de los tripulantes.   **6.** Ésta es, *a fin de cuentas,* la misma cosa.   **7.** Esta labor *se lleva a cabo* con mucha anticipación.   **8.** El objeto era lanzar proyectiles *de un lado del mar al otro.*   **9.** Los americanos se vieron obligados, *además,* a reducir el tamaño de los instrumentos.   **10.** *Habiéndose ya iniciado* "la conquista del espacio," no había manera de evitar la competencia.

B

1. En estos experimentos *se combinan* muchos programas de acción.   **2.** En la misión espacial *es tan importante* un factor como otro.   **3.** *En el más amplio sentido,* tal empresa es una forma de liberación.   **4.** Envía informes, *cuando así se desea.*   **5.** Éstos son los datos *que ha juntado poco a poco.*   **6.** Los ingenieros *no fueron más allá de* los primeros ensayos.   **7.** *Es muy cierto* que estas operaciones son costosísimas.   **8.** Los norteamericanos *tienen* muchos más lugares de recuperación.   **9.** Hay que tomar medidas *de toda clase* para evitar un desastre.   **10.** Estos experimentos no deben hacerse *duplicando el trabajo.*

B. Vocabulario

A

I. *Diga usted qué sustantivos, de entre los que se emplean en la presente lección, usaría usted para referirse a las siguientes ideas:*
Ejemplo: La ciencia de navegar en el espacio **(la astronáutica).**

1. El material, líquido o sólido, cuya combustión pone en movimiento a un cohete.   **2.** Los individuos que viajan por el espacio en una astronave. **3.** El artefacto que lanza la carga útil más allá de la región atmosférica. **4.** La trayectoria que describe una cápsula después de traspasar la atmósfera.   **5.** El acto de encender el cohete lanzador.   **6.** El artefacto en que viajan los astronautas.   **7.** Ciertas máquinas calculadoras que funcionan mucho más rápidamente que el cerebro humano.   **8.** El volumen de gases que, al salir del cohete, dan a éste un movimiento ascensional. **9.** Los aparatos de radio que sirven para transmitir datos.   **10.** El esfuerzo que se hace para reducir los aparatos de una astronave al menor tamaño posible.   **11.** El lugar en donde se lanza un cohete.   **12.** La acción de guiarse un cohete por sí solo.   **13.** El lugar en donde se espera recuperar una cápsula después de volver a la tierra.   **14.** Una misión que ha de cruzar el espacio.   **15.** La acción de poner en perfecto estado de funcionamiento todos los equipos de un cohete antes de ser lanzado al espacio.

NOTA: *Si no ha podido recordar las palabras que se piden, búsquelas entre los vocablos de la siguiente lista:*

acondicionamiento	empuje
astronautas	ignición
astronave	infraestructura
autopilotaje	lugar de lanzamiento
carga útil	lugar de recuperación
cerebro electrónico	miniaturización
chorro	misión espacial
cohete	órbita
control automático	potencia
emisores	propulsante

II. *Complete las siguientes oraciones con el adjetivo que está relacionado con el sustantivo en cursiva:*

Ejemplo: Si una cosa produce *beneficios* se dice de ella que es —— (**beneficiosa**).

1. Cuando una cosa representa bien un mismo *tipo* decimos que es ——. **2.** Cuando la trayectoria de un cohete describe una *órbita* la llamamos una trayectoria ——. **3.** Si una tabla está hecha de acuerdo con un *esquema* es de tipo ——. **4.** El que habla de la superficie de la *tierra* está hablando de la superficie ——. ' **5.** Todo lo relacionado con la *tecnología* pertenece al mundo ——. **6.** Si una persona administra algo con *rigor* se dice de ella que es ——. **7.** El mundo de los *planetas* es el mundo ——. **8.** Si un dispositivo tiene como función prestar *auxilio* a alguna cosa, su función es ——. **9.** Todo lo relacionado con el *electrón* pertenece al campo ——. **10.** Si hay muchas *diferencias* dentro de un conjunto decimos que sus componentes son ——.

III. *Complete las siguientes oraciones empleando el adjetivo que está relacionado con el verbo en cursiva.*

1. Todo gas que se emplea para *propulsar* algo tiene una función ——. **2.** Si algo se puede *palpar* decimos que es ——. **3.** Toda medida que contribuye a *preparar* algo es una medida ——. **4.** Todo lo que se puede *transportar* es ——. **5.** Cuanto se ha podido *atesorar* es lo ——. **6.** Lo que es digno de *notar* se convierte en algo ——. **7.** Un dispositivo que sirve para *lanzar* algo es un mecanismo ——. **8.** Para hacer *equivaler* dos cosas, tenemos que emplear cosas que sean en realidad ——. **9.** Cuando un aparato sirve para *recibir* mensajes decimos que es un aparato ——. **10.** Las cualidades de una persona que todos *aprecian* son cualidades muy ——.

B

Diferencias de significado

1. Conveniente.

Esta palabra, en la mayoría de los casos, no es igual a *convenient*. Puede significar

(a) Provechoso:

> A usted le sería muy conveniente (*advantageous*) seguir sus consejos.

(b) Apropiado:

> El mecanismo de control da al satélite la orientación conveniente (*appropriate orientation*) respecto de la tierra.

213

(c) Aconsejable, recomendable:

En estas circunstancias lo más conveniente (*advisable*) es guardar silencio.

(d) De fácil acceso:

Póngalo en lugar conveniente (*in a suitable* [*handy*] *place*).

(e) Necesario:

Incluya usted todos los datos que crea convenientes (*necessary*).

(f) Razonable:

A nuestros clientes les damos convenientes facilidades de pago (*reasonable terms*).

Obsérvese que **conveniente** no es igual a *convenient* en el sentido de "artificialmente cómodo":

Esa explicación es demasiado cómoda (*too convenient* [*too pat*]) para tomarla yo en serio.

Hágalo cuando le resulte más cómodo (*when it is most convenient*).

2. Carga — cargo — cargamento.

Se entiende por **carga**

(a) El conjunto de cosas que se transportan ya en las espaldas o por medio de algún vehículo:

El leñador llevaba una pesadísima carga (*load*) sobre los hombros.

N. B.: un tren de carga, un buque de carga.

(b) En lenguaje figurado significa "grave responsabilidad":

La educación de este sobrino es una carga que no esperábamos.

(c) Conjunto de algo que tiene un peso determinado:

Compramos una carga de leña (*load of firewood*).

(d) La pólvora de los proyectiles:

Antes la carga (*charge*) se echaba por la boca del cañon.

(e) Ataque:

Vino después una carga (*charge*) de caballería.

Cargo quiere decir

(a) Peso, en sentido figurado:

Éste es un cargo de conciencia que me tiene muy contrariado. *This is a burden of conscience that has disturbed me a great deal.*

(b) Puesto:

Desempeña el cargo (*position*) de contador auxiliar.

(c) Frases idiomáticas:

Le han hecho serios cargos (*serious accusations*).
Hágase usted cargo de [Tome usted a su cargo] la gente menuda. *You take charge of the kids.*
La Oficina de Turismo está a cargo del Sr. Ferrer.

Ideas afines:

¡No sea usted cargante! *Don't be so annoying!*
Entiéndase usted con el sobrecargo. *Consult the purser.*
JERGA ESTUDIANTIL: Se lo cargaron. *They flunked him.*

Cargamento es la palabra con que se alude específicamente a las mercaderías que carga una embarcación:

Con motivo del naufragio se perdió todo el cargamento.

3. Seguridad.

Tiene varios significados.

(a) Resguardo:

Se construyeron fortines para la mayor seguridad (*security*) del pueblo.
Nuestro plan de Seguridad Social [Seguros Sociales] (*Social Security*) se cuenta entre los más modernos.
Ayer vino a casa un agente de seguridad (*a detective*).

(b) Firmeza:

Este muchacho habla siempre con absoluta seguridad (*sureness*).

(c) Resguardo contra posibles daños:

Ésta es la válvula de seguridad (*safety valve*).
Mi pistola tiene un excelente mecanismo de seguridad (*safety device*).

(d) En plural la palabra significa "garantías":

En cuanto a la inversión de nuestro capital nos dio toda clase de seguridades (*assurances*).

(e) Frase hecha:

Llega hoy con toda seguridad (*for sure*).

4. Sustituir.

Este verbo debe emplearse con sumo cuidado. Cuando se dice en español **Ha sustituido al indio por la llama** se está diciendo *It has substituted the llama for the Indian*, y no *It has substituted the Indian for the llama*. La sustitución es a la inversa en las dos lenguas porque **sustituir**

215

. . . **por** no significa en español *to substitute* . . . *for* sino *to replace with*. Dicho en otras palabras, en español:

> Sustituyó el periódico por el libro = Reemplazó el periódico por (con) el libro.

Otro ejemplo:

> *He substituted the fork for the knife* = Sustituyó el cuchillo por el tenedor.

5. Cabo.

Uno de sus significados más comunes es el de "extremo" o "fin," como puede verse en los siguientes modismos:

> Terminó al cabo de una semana (*after one week*).
> Al fin y al cabo (*When all is said and done*) esto no tiene mayor importancia.
> Me sé la lección de cabo a cabo [de cabo a rabo] (*from beginning to end*).
> Dio cabo a la obra (*He finished the work*) en menos de dos horas.
> Ésta fue la generación que llevó a cabo la reforma universitaria (*which carried out the university reform*).
> No me diga usted nada, que ya estoy muy al cabo de todo (*I know all about it*).

Hay también modismos en que **cabo** significa "el extremo de una cuerda":

> Atando [Juntando] cabos (*By putting two and two together*) logré saber la verdad.

6. Americano — norteamericano — estadounidense — yanqui — gringo.

El sustantivo **americano** se usaba antes para referirse al hombre del Nuevo Mundo. Hoy día se emplea frecuentemente para designar al habitante de los Estados Unidos, llamándose "hispanoamericano" al habitante de Hispanoamérica.

Norteamericano se usaba antes algo más que hoy. Tiene el defecto de no ser un término exacto, ya que los canadienses también son norteamericanos.

Estadounidense es palabra artificiosa a la que se recurre cuando se han repetido demasiado otros apelativos.

Yanqui tiene sabor popular, pero no lleva envuelta una idea peyorativa.

Gringo es el nombre que se da a los extranjeros. Aunque no siempre empleado con sentido despectivo, puede tenerlo según el tono con que se pronuncie.

7. Disponer — disponerse.

Disponer quiere decir

(a) Mandar:

Dispuso (*He ordered*) que todo se hiciera en el acto.

(b) Poner en cierto orden:

Dispuso (*He arranged*) los objetos en tal forma que el público no pudiera tocarlos.

(c) Seguido de la preposición **de** significa "servirse de una persona":

Disponga usted de mí. *I am at your service.*

Hablando de cosas, este mismo verbo significa "tener a nuestra disposición":

Dispongo de poco tiempo. *I have little time at my disposal.*

Disponerse se emplea en combinación con la preposición **a** en el sentido de hacer los preparativos preliminares para algo:

Se dispuso a recibir las burlas de su adversario.

8. Asegurar — asegurarse.

Asegurar tiene varios significados que requieren diferentes traducciones inglesas.

(a) Garantizar:

Nos aseguró que vendría sin falta.

(b) Afianzar:

Aseguraron la puerta por dentro. *They made the door secure from the inside.*

(c) Hacer una afirmación:

Terminó su discurso asegurando (*asserting*) que no habría inflación.

(d) Resguardar algo mediante una póliza de seguros:

Aseguró su casa. *He insured his home.*

Asegurarse significa

(a) adquirir la certeza de algo:

Asegúrese usted de que la máquina funciona bien. *Make sure the machine works properly.*

(b) Afirmarse en algo:

Señor automovilista: asegúrese usted (*make yourself secure*) empleando el cinturón de seguridad.

(c) Ponerse a cubierto de alguna contingencia mediante una póliza de seguro:

Para estar seguro, asegúrese (*buy insurance*).

217

EJERCICIOS

Llene los espacios en blanco con una palabra o frase de la sección anterior.

1. Iré a visitarte cuando —— de más tiempo. **2.** Al llegar a su casa se —— a salir. **3.** Fue tan malo su examen que se lo ——. **4.** Me devolvió el libro al —— dos semanas. **5.** Es una señora muy ordenada. Todo lo —— con sumo cuidado. **6.** Atando —— he podido descifrar el misterio. **7.** A fin de que nadie entrara a molestarlas —— la puerta por dentro. **8.** Yo prepararé el plato principal; usted se podría —— del postre y la ensalada. **9.** Después del robo vinieron a casa dos ——. **10.** Cuando le entregué la carta la leyó de ——. **11.** A fin de no correr el riesgo de salir mal en los exámenes sería —— que estudiases más. **12.** Cuando llegue a los setenta viviré de mis ——. **13.** Ya sabe que le estoy muy agradecido. Si en algo puedo servirle, ——. **14.** Sabiendo que yo era extranjero, sonrió amablemente y me dijo: — Ya sé que usted es ——. **15.** Después de la investigación le hicieron serios ——.

C. Gramática

Los relativos

El uso de los relativos presenta algunos escollos al estudiante de español por las siguientes razones:

En el español actual se notan varias vacilaciones en el uso de los relativos: los relativos **el que, la que, los que, las que** se usan hoy con más frecuencia que antes en lugar de **el cual, la cual, los cuales, las cuales,** formas que para muchos son más propias de la lengua escrita; igualmente, el relativo **que** va ganando terreno sobre **quien;** por último, también se nota el uso frecuente de **lo que** en donde se prescribía **lo cual.**

Los relativos tienen distintos grados de especificación. Así, por ejemplo, en lugar de **que** se preferirán las formas **quien, quienes** allí donde sea necesario distinguir el singular del plural; más aún, si fuese necesario distinguir también entre el masculino y el femenino, se usarían las formas **el cual, la cual, los cuales, las cuales** o **el que, la que, los que, las que.** Hay, pues, casos en que se habrá de escoger entre tres y hasta cuatro posibles formas, según el grado de claridad con que desee expresarse el que habla.

A veces se prefiere un relativo en lugar de otro simplemente por la distancia que media entre el relativo y su antecedente. Se comprenderá ahora por qué no es posible reducir el estudio de los relativos a reglas "cómodas" e infalibles. La única norma general que se debe recordar es ésta: no emplear más especificación que la estrictamente necesaria.

Los pronombres relativos son de dos clases:

(a) Los que se refieren a personas, cosas o hechos ya mencionados (antecedente expreso):

> El cohete que lanzaron esta mañana es el segundo de la serie.

En este ejemplo, la cláusula **que lanzaron esta mañana** tiene la función de un adjetivo y modifica a un antecedente expreso, **el cohete.**

(b) Los que se refieren a personas, cosas o hechos sobreentendidos (antecedente implícito):

> Quien mucho habla, poco piensa.

En esta oración **Quien** lleva implícita la expresión **la persona que.** Del mismo modo pueden estar sobreentendidas las palabras **cosa, asunto, motivo, individuo,** etc.

Los pronombres relativos pueden introducir una cláusula especificativa o explicativa.

La cláusula especificativa es aquella que identifica una cosa, persona o hecho añadiendo algún dato con propósito diferenciativo. Este tipo de cláusula va directamente unido al sustantivo y forma con éste una sola unidad de pensamiento:

> Las cajas que recibimos hoy/ contienen repuestos.
>
> Los poetas que escriben sólo para deleitar/ no son nunca grandes creadores.

Se han empleado rayas diagonales para indicar las unidades de pensamiento. Se observará que en los ejemplos citados no se habla de cajas en general, ni de poetas en general, sino de ciertas cajas y de ciertos poetas. La cláusula especificativa reduce el significado porque separa ciertas cosas o personas de la totalidad a que pertenecen; por esta razón se llaman también cláusulas restrictivas.

La cláusula explicativa, por otra parte, es una observación puramente marginal que va entre comas; no tiene intención diferenciativa, pues el que habla la enuncia como si fuera una intercalación para retomar luego el hilo central del pensamiento:

> Mi primo, (quien está ahora estudiando astronomía), va a pasar el año en el Instituto de Tecnología.

En este ejemplo se ha puesto entre paréntesis la cláusula explicativa para hacer resaltar su carácter marginal.

Estudiemos ahora los usos de los pronombres relativos siguiendo el siguiente orden:

I. CON ANTECEDENTE EXPRESO

1. que
2. quien, quienes
3. el cual, la cual
   los cuales, las cuales
4. el que, la que
   los que, las que
5. lo cual

II. CON ANTECEDENTE IMPLÍCITO

1. quien, quienes
2. el que, la que
   los que, las que
3. cuanto, cuanta
   cuantos, cuantas
4. cuanto (neutro)
5. lo que

Es importante notar que las formas **el que, la que, los que, las que** pueden ser de dos tipos: en un caso pueden tener la misma función que **el cual, la cual, los cuales, las cuales** (columna de la izquierda) y, en otro, son iguales a **quien, quienes** (columna de la derecha).

I. RELATIVOS CON ANTECEDENTE EXPRESO

1. Que (*that, which, who, whom*).

(a) Se emplea para referirse a personas o cosas singulares o plurales, en cláusulas tanto especificativas como explicativas, cuando no hay duda acerca de cuál es el antecedente:

Las fotos que usted sacó están movidas.
Este televisor, que compré hace apenas dos semanas, no funciona bien.

(b) Tras las preposiciones **a, de, en, con,** cuando se alude a cosas:

Éste es el aparato a que yo me refería.
Ésta es la carpeta en que guardo los documentos más importantes.

2. Quien, quienes (*who, whom*).

(a) Se usan como complementos de preposición en cláusulas especificativas para referirse a personas:

Es la persona por quien más me he sacrificado.

(b) En cláusulas explicativas para referirse a personas:

Mi hermano, (quien reside actualmente en Nueva York), estudia aeronáutica en Stanford.
Mi tío, (quien es ingeniero nuclear), terminó sus estudios en Stanford.

A pesar de haber una diferencia básica de sentido entre las cláusulas especificativas (con **que**) y las explicativas (con **quien**), en la lengua hablada, y aun en la lengua escrita, se emplea **que** en ambos tipos de cláusulas, pues es posible expresar el carácter marginal de una cláusula cambiando la entonación: la coma, signo visual, es reemplazada por una pausa, signo auditivo.

> Mi padre (*pausa*) que está empleado en la Municipalidad (*pausa*) piensa jubilarse el año próximo.

Por otra parte, en español escrito la presencia misma de las comas indica que la intención es meramente explicativa y no especificativa y, por lo tanto, se escribirá también:

> Mi hermano mayor, que trabaja en el departamento de física, hará un viaje a Italia este verano.

3. El cual, la cual, los cuales, las cuales (*that, which, who, whom*).

(a) Se usan en cláusulas explicativas, esto es, cláusulas marginales entre comas:

> Estas obras científicas, las cuales tendrá usted que consultar repetidas veces, están en nuestra biblioteca.
> La Casa de los Azulejos, la cual verá usted mañana, es en realidad un conjunto de varias casas bajo un solo techo.

Ya hemos visto cómo es posible emplear **que** en lugar de **quien, quienes.** Igualmente, **que** puede reemplazar a **el cual, la cual, los cuales, las cuales** tanto en la conversación corriente como en la lengua escrita:

> La Casa de los Azulejos (*pausa*) que verá usted mañana (*pausa*) es en realidad . . . etc.

(b) Se usan cuando hay una posible ambigüedad en cuanto a antecedentes. Por lo común, se refieren al primero de una serie:

> La hija del doctor López, la cual estudia ahora en París, va a terminar su carrera en junio.

(c) Se usan **el cual, la cual, los cuales, las cuales** después de cualquier preposición y de aquellas frases que valen por una preposición, pero su uso es obligatorio después de las preposiciones menos comunes: **tras, por, para, sin, hacia,** etc.

> Es una herramienta indispensable, sin la cual no podrá usted hacer nada.
> Éstas son actividades para las cuales no tiene usted ninguna aptitud.
> Ése es el mecanismo con el cual se controla la dirección del cohete.

221

(d) La serie **el cual, la cual, los cuales, las cuales** se usa muchas veces para referirse a antecedentes distanciados. En tal caso no se deben usar **el que, la que, los que, las que**:

> Es un aparato para la toma de datos, externos e internos, el cual hace posible el control automático del vuelo.
>
> Hay que llevar también equipos de acondicionamiento y control, los cuales son indispensables para la supervivencia de los tripulantes.

4. El que, la que, los que, las que (*that, which, who, whom*)

Estos relativos tienen el mismo significado que los del grupo anterior, pero se usan más frecuentemente que aquéllos en la lengua cotidiana. Hay ciertas diferencias entre los dos grupos que conviene tener presentes:

(a) La serie **el que, la que, los que, las que** puede emplearse tras las preposiciones **a, de, en, con**. La serie **el cual, la cual, los cuales** y **las cuales,** como se dijo en 3(c), puede seguir a cualquier preposición:

> He ahí un caso del que (del cual) no le podría decir nada en particular.
>
> Fueron minutos interminables, durante los cuales ascendía el cohete a una velocidad cada vez mayor. (*Imposible:* durante los que)

Se han hecho hasta aquí tres observaciones acerca de las preposiciones y los relativos que las siguen: (1) se puede usar **que** después de **a, de, en, con;** (2) después de estas mismas preposiciones se puede emplear también la serie **el que, la que, los que, las que;** (3) después de cualquier preposición se puede usar **el cual, la cual, los cuales, las cuales,** especialmente en la lengua escrita.

(b) Las formas **el que, la que, los que, las que** son arrastradas por el verbo que las sigue (es decir, son proclíticas) y, por lo tanto, se pueden usar cuando estas formas van seguidas de verbo. Si no hay verbo inmediatamente después del relativo y se interrumpe el pensamiento, es común emplear la serie **el cual, la cual, los cuales, las cuales.** Compárense:

> Ésa es la astronave en que (la que) harán el vuelo.
>
> Por fin se remediaron las averías, las cuales, sin duda alguna, fueron muy serias.

En el primer ejemplo, el relativo **que** o **la que** se apoya en el verbo **harán,** que es la palabra con acento tónico. En el segundo ejemplo, **las cuales** constituye un grupo fónico en sí, entre comas, y lleva acento tónico.

5. Lo cual (neutro) (*which*).

Se emplea para aludir a la idea contenida en una cláusula anterior:

> Ella no quiere venir, lo cual se explica fácilmente.
> No quieren garantizar el éxito de la empresa, lo cual me llama mucho la atención.

II. RELATIVOS CON ANTECEDENTE IMPLÍCITO

1. Quien, quienes (*the one who, he who, the ones who, they who*).

> Quien no se arriesga no pasa la mar.
> Quienes sean escogidos para este vuelo serán sometidos a un riguroso examen físico.

2. El que, la que, los que, las que (*the one who, he who, the ones who, they who*).

Tienen el mismo significado que los relativos **quien, quienes** (II, 1) y se usan comúnmente en la conversación diaria.

> El que calla, otorga.
> Los que van por mal camino, acaban mal.

3. Cuanto, cuanta, cuantos, cuantas (*as much as, all that; as many as, all those*).

> Me gusta la carne; hoy comeré cuanta usted me dé.
> Cuantos vengan serán bien recibidos.

4. Cuanto (neutro) (*all that, as much as*).

Esta forma tiene como equivalente la expresión **todo lo que:**

> Cuanto (Todo lo que) usted me ha contado parece increíble.

5. Lo que (*what, that which*).

Se emplea para referirse a una idea que está implícita en el relativo mismo:

> Lo que más les preocupa es poner en peligro vidas y bienes.
> Lo que usted ha afirmado no es digno de creerse.

En la lengua hablada, y también en la escrita, **lo que** va reemplazando gradualmente a **lo cual:**

> Prometen imposibles, lo que no me agrada en absoluto.

III. RELATIVOS ADJETIVALES

1. Cuyo, cuya, cuyos, cuyas (*whose*).

Se usan delante de un sustantivo y concuerdan con éste en género y número:

> Ése es un Titán, cuyo empuje es suficiente para poner esta cápsula en órbita.
>
> Esa muchacha, cuyos padres murieron en un accidente, trabaja ahora en una oficina del gobierno.

2. Cuanto, cuanta, cuantos, cuantas (*as much . . . as; as many . . . as*).

Estas formas se diferencian de las tratadas en II, 3 en ser adjetivos y no pronombres:

> Podrá usted sintonizar cuantas estaciones hay en nuestro país.
>
> Recibimos cuantos mensajes nos enviaron ustedes desde Europa.

IV. RELATIVOS ADVERBIALES

1. Donde (*where*), **adonde** (*to which*), **en donde** (*in which*), **de donde** (*from which*).

Muy comúnmente estas formas pueden usarse en reemplazo de los relativos **que** o **el cual,** etc.:

> El edificio donde (en que) trabajamos es enorme.
>
> El pueblo adonde tú vas los veranos es apenas un villorrio.

2. Como.

Se emplea después de un sustantivo de modo o manera:

> Discutieron el modo como había de hacerse.

EJERCICIOS

A

Sírvase decir cuáles de los relativos que se dan entre paréntesis son aceptables, señalando en particular aquellos que a usted le parezcan excesivamente especificativos o totalmente incorrectos.

1. (lo que, lo cual, que) Viajamos todo el día, me cansó mucho.
2. (de que, de quien, del cual) El hombre usted me habló vino a verme ayer. **3.** (en que, en el que, donde) El cuarto estamos es parte de la infraestructura. **4.** (que, quien, la cual) La hija del ingeniero, estuvo aquí la semana pasada, está enferma ahora. **5.** (donde, en la

que, en la cual) La ciudad ___ vive es una de las más antiguas. 6. (con que, con el cual, con el que) El mecanismo de control ___ contamos es excelente. 7. (La que, Quien, Que) ___ más trabaja es el autor del diseño. 8. (que, el cual, el que) Es un conjunto de operaciones en ___ cada una es tan importante como las otras dos. 9. (quien, el cual, a quien) El caballero inglés, ___ conoció usted ayer, es un famoso inventor. 10. (la que, que, quien) Mi hermana, ___ sabe el español muy bien, acaba de regresar de Madrid. 11. (los cuales, los que, que) Éstos son los tres tipos de funciones ___ componen una misión espacial. 12. (cuanto, lo cual, todo lo que) Le daré ___ recibí. 13. (cual, lo cual, lo que) El cohete podría tomar otra trayectoria, ___ nos obligaría a destruirlo. 14. (Aquellos que, Los que, Las que) ___ vinieron a las tres son los ayudantes del ingeniero. 15. (que, lo que, lo cual) No entiendo ___ está usted diciendo. 16. (que, quien, el que) El hombre ___ nos explicó los problemas tecnológicos del vuelo es muy inteligente. 17. (quien, el cual, el que) En realidad, ___ da la tónica, en cuanto a la magnitud del lanzamiento, es el primer cohete. 18. (todo lo que, cuanto, todas las cuales) Dígame ___ pueda acerca de las misiones espaciales del futuro. 19. (que, a que, a la cual) La parte ___ él se refiere es la llamada "carga útil." 20. (que, quien, la cual) La persona ___ más sabe de esto es el ingeniero jefe. 21. (de las que, de que, de las cuales) Las trasmisiones ___ usted hizo tantas alabanzas eran apenas regulares. 22. (que, a los que, a quienes) Las personas ___ vimos en la sala central son las encargadas de los equipos receptores. 23. (las cuales, las que, que) Ésas son las novelas ___ le gustaron tanto a su madre. 24. (que, el cual, a quien) El proyecto del Sr. Sabater, ___ conoció usted ayer, tiene ventajas apreciables. 25. (Quien, La que, La cual) ___ acaba de llegar es la Srta. Montiel.

B

I. *Diga usted cuál de los relativos que se dan entre paréntesis es el que pide el sentido.*

1. (cuanto, toda la que, cuanta) Compre usted ___ carne encuentre, que será poca. 2. (a quien, al que, al cual) ¿Por qué no le habló ___ llegó primero? 3. (el cual, que, el que) El empuje ascensional, ___ se produce por la ley de acción y reacción, lanza el cohete al espacio. 4. (de las cuales, de quienes, de que) Son las muchachas ___ usted me escribió. 5. (que, el cual, el que) El conjunto del paquete ___ lanzaron al espacio no podía ser muy pesado. 6. (de que, de donde, de la que) La ciudad ___ vienen es muy pequeña. 7. (a la cual, a la que, a que) No recibió la

carta _a lo que_ usted se refiere.   **8.** (a que, a quienes, a los que) Los señores _a quienes_ hablé son miembros de nuestro personal técnico.   **9.** (que, cual, lo cual) Usted entiende bien, _lo cual_ es una gran cosa.   **10.** (los cuales, quienes, los que) Los americanos, _quienes_ ya disponían de la bomba H, se dedicaron a afinar las técnicas de precisión.

II. _Llene usted el espacio en blanco con el relativo que pide el sentido:_

1. Es una trinidad de operaciones en —— tanto monta una función como las otras dos.   **2.** —— más saben de este proyecto son el jefe de la misión y los astrofísicos.   **3.** Éste es el dispositivo de control, sin —— no se puede cambiar la "actitud" de la cápsula.   **4.** Son funciones íntimamente ligadas a la misión espacial, de —— no le puedo dar detalles por el momento.   **5.** Los aparatos emisores envían a tierra —— han podido atesorar. **6.** La última misión fue de una cápsula experimental, —— recuperación nos fue imposible.   **7.** Hay allí tres inmensas torres desde —— se lanzan los cohetes.   **8.** Ese señor es uno de —— hicieron el plan preliminar. **9.** Esos datos habrán de interpretarse luego en tierra, —— se hace generalmente en la Oficina Central de Control.   **10.** Será un vuelo cortísimo durante —— habrán de llevarse a cabo cinco experimentos.   **11.** Ésos son mis más severos críticos, para —— estos experimentos parecen no tener ninguna importancia.   **12.** Entró en el despacho la secretaria de mi jefe, —— parecía muy preocupada con las noticias recién recibidas.

D. Estilística y composición

Abuso de verbos "fáciles"

Cualidad primordial de todo buen estilo es la sencillez.   Hay, sin embargo, una "sencillez" poco recomendable que consiste en repetir y acumular verbos comunes, especialmente en el presente.   Entre estos verbos están los siguientes:

es – son	puede – pueden
está – están	debe – deben
tiene (que) – tienen (que)	quiere – quieren
hay (que)	desea – desean
va (a) – van (a)	hace – hacen
me gusta – me gustan	sabe – saben

Fuera de evidenciar pobreza de vocabulario y un máximo elementalismo de concepción, el uso insistente de estos verbos resulta chocante cuando se advierte, detrás de las palabras españolas, una construcción inglesa. Por supuesto, es legítimo emplear verbos "fáciles" allí donde los pide el sentido. Lo que aquí se condena es el exceso. Veamos algunos ejemplos, todos tomados de la misma composición:

1. Los problemas de hoy no *son* pocos, pero *hay que* resolverlos. El hombre *debe* resolverlos, si *quiere* vivir en paz. (No son pocos los problemas que ha de resolver el hombre contemporáneo para afianzar la paz universal.)

2. Las personas que *van* a la universidad *quieren* aprender; no *desean* perder el tiempo. (Se va a la universidad a estudiar, no a perder el tiempo.)

3. No *es* posible *ser* feliz si uno *tiene que* trabajar todo el tiempo. (El hombre no es feliz cuando vive abrumado de trabajo.)

4. Si los jóvenes *tienen* diversiones *es* una cosa, pero si *tienen* motines, *es* otra. (Es preciso no confundir la diversión sana con el desorden.)

5. A todos los estudiantes *les gusta* divertirse porque *son* jóvenes. No *son* hombres viejos. (Es natural que a los estudiantes les guste divertirse puesto que son jóvenes.)

EJERCICIOS

A

¿Cuál o cuáles de las variantes que se dan entre paréntesis propondría usted para evitar los verbos "fáciles" y los errores de expresión?

1. Me *gusta* más *ser* abogado. (Preferiría ser abogado; Mi carrera predilecta es la abogacía; De todas las carreras prefiero la carrera de abogado.)

2. *Hacen* su trabajo sólo si *quieren*. (Trabajan sólo cuando se sienten inspirados; Trabajan sólo cuando tienen ganas de trabajar; Cuando se sienten con deseos de trabajar, trabajan.)

3. Un buen ciudadano *debe*, *tiene que* servir a su país. (Un buen ciudadano tiene la obligación moral de . . .; La obligación moral de todo buen ciudadano es . . .; El deber de todos los buenos ciudadanos es . . .)

4. Deseo *ser* libre y *poder hacer* mis propias decisiones. (Mi ambición es ser libre y tener libertad para . . .; Mi ideal es tener libertad para hacer . . .; Quiero ser libre y hacerme responsable de mis propias decisiones.)

5. Si no trabajan *es* porque no *saben* que el trabajo *es* necesario. (. . . porque no reconocen la necesidad del trabajo; . . . porque el trabajo es demasiado para ellos; . . . porque no saben qué trabajo es.)

6. Cabeza de Vaca *es* un famoso conquistador y *es* autor de un libro muy interesante. (Cabeza de Vaca, un famoso conquistador, escribió un libro muy interesante; Cabeza de Vaca, que era un famoso conquistador, escribió un libre que fue muy interesante; Cabeza de Vaca es un famoso conquistador y escribió un interesante libro.)

7. El producto más importante de Bolivia *es* el estaño. También *son* importantes otros metales. (Entre los metales que exporta Bolivia el más importante es el estaño; De todos los metales que exporta Bolivia el producto más importante es el estaño; Bolivia exporta muchos metales y el más importante de éstos es el estaño.)

8. No *tengo* buena memoria y me *es* difícil aprender palabras nuevas, si *hay* muchas. (Como no tengo buena memoria no me es fácil aprender muchas palabras nuevas; Como la memoria no me ayuda, no me es fácil aprender muchas palabras que son nuevas; Me es difícil aprender muchas palabras nuevas a la vez porque mi memoria no es buena.)

B

Señale usted los verbos "fáciles" y proponga nuevas versiones allí donde le parezca a usted necesario hacer un cambio de construcción o de estilo.

1. Como no tengo mucho dinero no puedo ir al cine. Además, tengo que estudiar esta noche. **2.** No me gusta levantarme temprano si tengo sueño. Entonces es muy difícil ir a clases a las 7:45 de la mañana. **3.** Nuestra sociedad tiene muchas personas que no quieren trabajar y, por eso, la sociedad tiene que mantenerlas. **4.** Cuando no he dormido ocho horas estoy cansado y no puedo hacer mucho. **5.** Tienen una familia muy grande y, por eso, no pueden ir al campo, aunque desean ir. **6.** Los estudiantes son personas inteligentes que quieren expresar sus opiniones. No son niños sino adultos; es necesario tratarlos como adultos. **7.** Pienso que es imposible hacer todo eso porque no tenemos bastante tiempo para hacerlo. **8.** No pueden ir con usted h_y porque están ocupados; además, tienen mucho trabajo.

Traducción

A

1. Three different sets of factors are present in all space missions and each of them is as important as the other two.   **2.** If all operations on the earth and in outer space are not strictly synchronized the undertaking will fail.   **3.** To begin with, there is a pay load that has to be sent up in accordance with a trajectory that has been previously calculated.   **4.** If the mission carries a crew, space must be provided for the astronauts and for all the equipment required for air-conditioning and pressure control.   **5.** Another main requirement is, of course, the equipment for receiving instructions and transmitting information back to earth regarding the physical condition of the crew.   **6.** There is also a complex set of mechanisms which control the capsule's attitude.   This is done by means of a system of supplementary jets. **7.** These can modify the speed and direction of the spaceship, maneuvers which are essential in case a rendezvous with another capsule is desired. **8.** As for the rocket itself, it has to be sufficiently powerful to lift off the pay load and get it into orbit.   **9.** A (The) rocket is an instrument whose climbing power is based on one of Newton's laws — the law of action and reaction. **10.** The rocket's performance may vary a great deal depending on the propellant used and the weight of the load that is to be launched into space. **11.** The contrivance normally consists of at least two stages, the second of which ignites at a given height, after the power of the first one is spent. **12.** Whether the mission has a crew or not, its electronic brain stores up information which it later relays to earth upon request.   **13.** It even has a mechanism for self-destruction in case the trajectory it takes at the start of the flight endangers lives or property.   **14.** From count-down to final recovery the entire operation is subject to all kinds of unforeseen difficulties.

B

1. Ever since Sputnik I was successfully launched, the United States has attempted to catch up with the Russians in the space race.   **2.** At first rockets were devised to be used ballistically as intercontinental missiles.   **3.** Their specific purpose was to deliver an atomic bomb across the ocean.   **4.** As the Americans already had the H bomb, their efforts were concentrated on the refinement and miniaturization of instruments.   **5.** We must bear in mind that the Russians were in a position of inferiority at the time, as they had discovered only the fission bomb, or A bomb.   **6.** The destructive capacity of this bomb is considerably less than that of the fusion bomb, commonly called the H bomb. **7.** For this reason they were forced to plan and build much larger and more powerful engines. **8.** Once this was done, they were able to launch larger spaceships and to keep the lead in the rocket contest. **9.** The success of their unmanned and manned missions was spectacular and has been acclaimed the world over. **10.** As a result, a completely new science called Astronautics has been born. This science has brought a world of new techniques into play. **11.** The cost of space missions and of the complex of installations they require is staggering and will continue to increase as projects become more numerous. **12.** Unfortunately many of these are being duplicated since the Russians and the Americans have failed to reach an agreement on a possible joint effort. **13.** The space race ought to have constructive purposes and be the collective task of all nations, so that the benefits may be distributed universally among them. **14.** It is true indeed that man is capable of (making) marvellous achievements in the field of science, but he seems to be unable to lay the foundations for harmonious international living.

Vocabulario mínimo

accordance: in — with de acuerdo con
achievement la conquista, la adquisición
across a través de
air-conditioning el acondicionamiento del aire
as a medida que; **— for** en cuanto a
astronaut el astronauta
astronautics la astronáutica
to **attempt** intentar
attitude la "actitud"
ballistically balísticamente
to **base: is based** se basa
to **bear: — in mind** tener presente
to **become: — more numerous** aumentar en número
to **begin: — with** ante todo
benefit el beneficio
brain el cerebro
to **bring: — into play** poner en juego
capacity el poder
capsule la cápsula
to **carry: — a crew** llevar tripulación, ser tripulado,-a

to **catch: — up (with)** alcanzar
climbing *adj.* ascensional
complex *s.* el conjunto; *adj.* complejo,-a
to **concentrate** concentrarse
concern la tarea
considerably: — less mucho menor
to **consist: — of** constar de
contest la competencia
contrivance el ingenio
to **control** controlar, gobernar (ie)
count-down el recuento de seguridad
crew la tripulación; los tripulantes
to **deliver** transportar
depending on según cuál(es) sea(n)
to **devise** proyectar
to **duplicate: are being duplicated** se están haciendo por partida doble, se están duplicando
effort: joint — el esfuerzo conjunto
to **endanger** poner en peligro
engine el reactor
equipment los aparatos, el equipo
even incluso, hasta

ever: — since desde los días de; desde el
    vuelo (el lanzamiento) de
to fail no lograr; will — está condenada al
    fracaso
flight el vuelo
forced: to be — (to) verse obligado,-a (a)
to get poner
given adj. determinado,-a
height la altura
to ignite entrar en acción, encenderse (ie)
important: to be as — (as) montar tanto
    (como)
to increase aumentar
information los datos
instrument el instrumento, el artefacto
jet el chorro de gas(es)
to keep: — the lead llevar la delantera,
    mantener la superioridad
to launch (into) lanzar (a)
to lay: — the foundation echar las bases (de)
to lift: — off hacer despegar
living: harmonious— la armoniosa
    convivencia
load la carga
main básico, principal
maneuver la maniobra
manned con tripulación; tripulado,-a
missile el proyectil
once: — this was done una vez hecho esto,
    hecho esto
operation: the entire — la realización del
    proyecto
orbit la órbita
other: the — two los dos restantes, los
    otros dos
pay load la carga útil
performance el rendimiento
to plan proyectar
position: in a — of en condiciones de
power la potencia
powerful potente; to be sufficiently —
    tener la suficiente potencia
present: to be — figurar
pressure la presión
previously de antemano, con antelación,
    previamente
propellant el propulsante

property los bienes
to provide proveer
purpose el fin, el propósito, el objeto
race: space — la carrera del espacio
to reach llegar a
recovery la recuperación
refinement el perfeccionamiento
regarding sobre
to relay transmitir, reexpedir (i)
rendezvous el acoplamiento
request: upon — a petición
required necesario, -a
requirement el requisito
result: as a — como consecuencia de
    todo ello
rocket el cohete
rocket adj. cohetero,-a
self-destruction: for — de autodemoli-
    ción
to send: — up lanzar
set el conjunto, el grupo
space: outer — el espacio; — mission la
    misión espacial
spaceship la astronave, la nave espacial
spectacular asombroso,-a
to spend: after the power . . . is spent
    después de haberse agotado
stage el piso, el escalón
staggering increíblemente alto
start: at the — of al comienzo de
to store (up) acumular
strictly rigurosamente
subject: to be — to estar a merced de
to synchronize: to be strictly synchronized
    estar en riguroso sincronismo, sin-
    cronizarse rigurosamente
through por medio de
time: at the — a la sazón, entonces
trajectory la trayectoria
true: it is — indeed bien es verdad
unable: to be — (to) ser incapaz (de)
undertaking la empresa
unforeseen imprevisto,-a; imprevisible
universally ecuménicamente
whether: — the mission has a crew or not
    sea la misión tripulada o no
world: the — over en el mundo entero

Composición libre

A

1. Si tuviera la oportunidad de hacer un viaje a la luna, yo lo haría (yo no lo haría). Mis razones son las siguientes:
2. Tesis: Creo que es (no es) conveniente gastar más dinero en "la carrera del espacio."

B

1. ¿Cuáles son algunas de las conquistas logradas en el espacio desde la fecha del artículo del Sr. Urgoiti?
2. Tesis: La exploración del espacio debe (no debe) estar a cargo de una organización supranacional como las Naciones Unidas.

❦ 10 ❦

Una amistad
delicadamente cincelada

JULIÁN MARÍAS

Hace poco más de treinta años, *con ocasión de* la constitución de un Museo Romántico en Madrid, pronunció Ortega unas palabras ante un grupo de personas, hombres y mujeres. Entre las cosas que dijo en tan poco científica coyuntura *se cuentan* algunas de las más precisas
5 precisiones que sobre la vida humana se han dado. En esas pocas páginas se encuentra también una que ha sido un programa vital para algunos de los que entonces estábamos en la infancia. "Para la persona — decía Ortega — sólo es goce sumo la intimidad de otra persona; por eso la existencia culmina en el amor, donde dos personas se hacen
10 mutua y suprema donación de sí mismas. Se ha exagerado mucho *en los últimos tiempos* el valor del arte y, sin que yo pretenda ahora disminuirlo, *haré notar que* el arte supremo será el que haga de la vida humana un arte. Deleitosa es la pintura o la música; pero, ¿qué son ambas *emparejadas con* una amistad delicadamente cincelada, con un
15 amor pulido y perfecto? La forma soberana del vivir es el convivir, y una convivencia cuidada, como se cuida una obra de arte, sería la cima del universo. La época en que nosotros hemos sido educados *ponía sus cinco sentidos* y toda su atención *en* la política, o en la economía, o en la ciencia; sólo una cosa había *en que no paraba mientes;* sólo una
20 cosa hacía sin atención y *a la diabla.* ¿Cuál? Vivir. Afortunadamente, múltiples signos anuncian que los hombres van a corregir este olvido y *aplicarán sus mayores esfuerzos a* hacer de sus propias vidas un edificio lo más perfecto posible. Se inicia una nueva forma de cultura — la vida selecta y armoniosa—; despierta un arte nuevo, la vida como arte,
25 el refinado sentir, el saber amar y desdeñar y conversar y sonreír . . ."

Sería digno de contar cómo este párrafo, casi en cada una de sus frases, *ha ido modelando lentamente* algunas vidas; cómo ha sido a la vez norma y estímulo, "un ideal que fuera *a la vez* una espuela," según el deseo del propio Ortega. Pero aquí sólo quiero hablar de la amistad, de esa amistad "delicadamente cincelada," que tan larga historia tiene 5 y, a pesar de ser vieja, todavía puede experimentar innovaciones. Sólo quisiera hoy meditar un poco sobre esa esencial posibilidad de la vida humana, sobre ciertas vicisitudes que le han acontecido en estos años próximos que son los nuestros.

¿Dónde acontece la amistad? ¿En qué zona de nuestro ser *se da* la 10 relación amistosa? Si tuviera que caracterizarla con dos solas notas serían éstas: intimidad y respeto. Es un fenómeno íntimo la amistad. Pero, *a diferencia del amor*, está hecha de respeto. Entendámonos: el amor respeta a la persona amada, pero no su intimidad, sino que penetra en ella; la amistad *se nutre de reserva;* es siempre un pacto tácito de 15 no agresión, de no invasión. Los amigos no pueden nunca abandonar un freno, y la delicia de la amistad está en su propia limitación, en ese gesto de empuñar y refrenar la rienda para mantener la efusión interior en su frontera justa. La amistad está siempre medida, está hecha de mesura, mientras que el amor es desmesurado; la amistad es un senti- 20 miento exacto.

No se piense por ello que la amistad es cosa fría o tibia. Tiene que rebosar de un ímpetu que, repito, se refrena a sí propio, y se limita, para poder ser eso: amistad. Claro es que, como en todo lo humano, hay los modos deficientes: casi todo lo que se llama amistad apenas lo es; 25 los amigos son simples compañeros, camaradas, conocidos. O bien, amigos residuales y pretéritos. Porque la amistad tiene, *no faltaba más*, historia y biografía: la amistad y, por supuesto, cada amistad.

Uno de los tópicos más arraigados nos lleva a considerar como amigos máximos a los más antiguos. "Somos amigos desde la niñez — 30 se dice — amigos íntimos." *Rara vez* puede ser eso verdad, porque las amistades infantiles *son previas al* nacimiento de la intimidad; son amistades triviales, familiares, que después languidecen o se hacen inertes, sin ilusión; las amistades de la infancia, si son vivaces y autén- ticas, han tenido que ser renovadas después de la adolescencia, amis- 35 tades que, como el Guadiana, se sumen en la habitualidad o en el olvido para resurgir luego transfiguradas. La edad normal de anudar las amistades duraderas es la primera juventud, el momento en que se constituye la personalidad y ésta, todavía fresca, sin heridas, con la piel flexible y aún no encallecida, inicia su trayectoria auténtica y *se adentra por* el camino de su vocación genérica. No quiere esto decir que no se puedan adquirir amistades nuevas *a lo largo de la vida;* pero éstas tienen un carácter más estrictamente individual y *se originan* en virtud de un encuentro concretísimo, de persona a persona; las amistades de adolescencia surgen por lo común dentro de un grupo en que los jóvenes conviven y en el seno del cual *se van condensando* las afinidades y se personalizan hasta constituir amistad estricta.

Las amistades tienen, como el matrimonio, como todo lo humano, biografía. Nacen, a veces lentamente, a veces súbitas, porque existe, sin duda, el flechazo amistoso, el "coup de foudre" de la amistad. A veces tenemos la impresión inequívoca de que vamos a ser amigos de una persona recién conocida; en ocasiones sentimos con honda melancolía que <u>seríamos</u> amigos de una persona entrevista un instante, a quien probablemente no volveremos a encontrar. Las amistades se acercan, se intensifican, aumentan o disminuyen su temperatura, su frecuencia. Hay en cada amistad una distancia óptima y nos debatimos siempre entre los dos riesgos: *quedarnos cortos* o *pasarnos.* En el primer caso, la relación queda deficiente, sin intensidad adecuada, cohibida; en el segundo, nos amenaza el hastío o la decepción. Pero hay que advertir que la amistad no es sólo trato; cuando es verdadera soporta la ausencia, y pocas cosas hay tan admirables como encontrarla intacta, *a los quince o veinte años,* alimentada tal vez con pocas cartas o ninguna, como si se hubiese interrumpido la víspera. Y no olvidemos tampoco que la amistad presente está hecha *en buena parte* de largos silencios compartidos.

Pero quizá donde aparece de un modo más claro lo que es la amistad es en *la que se da* entre un hombre y una mujer. Es éste un gran descubrimiento de nuestro tiempo. *Conste que* no digo <u>sólo</u> de nuestro tiempo; quiero decir que, después de no haber existido como fenómeno normal y vigente durante largos años, el siglo en que vivimos la ha recreado. Se podría precisar más aún: ni la generación que llamamos del 98, ni la siguiente, han conocido de modo frecuente y general la amistad intersexual, al menos en España — sospecho que, *con escasa diferencia,* ocurre lo mismo en el resto de Europa —. Han sido las dos generaciones siguientes, es decir, los hombres y mujeres nacidos entre los últimos años del siglo pasado y el primer cuarto de éste quienes han inventado y vivido esta relación. Con lo cual insinúo mi sospecha de que la amistad entre hombres y mujeres *ha entrado en crisis* entre los muy jóvenes. 5

¿Cuáles son los caracteres de la amistad de que estoy hablando? Hay dos interpretaciones dominantes y que me parecen igualmente erróneas. Según la primera, la relación amistosa entre un hombre y una mujer, más probablemente entre un muchacho y una muchacha, sería mera camaradería, compañerismo y trato superficial. Según la 10 otra interpretación, *se trataría de un amor falto de peso;* un amor tímido, o negado, o tibio, o prudente. Hay una tercera interpretación más sutil: sería no camaradería o amor deficiente, sino amistad, "sensu stricto," igual que entre hombres o mujeres; una amistad dirigida, no al varón o a la mujer: a la persona. 15

Sin embargo, yo *disto mucho de contentarme* con esta idea, por la sencilla razón de que no hay personas *a secas*, sino sólo personas-varones y personas-mujeres. La amistad con mujer no es nunca igual a la que se tiene con otro hombre. Interviene en ella toda la condición femenina, se nutre de ésta, inclusive el atractivo y la belleza; quiero decir que si 20 la amiga no es bella lo sentimos; y que, lejos de ser esto una facilidad para la amistad, como supone el tópico, es una limitación. *Por otra parte*, esta amistad no es un sentimiento tibio, mínimo o distante, sino capaz de intimidad, ternura, calor. Pero entonces, se dirá, ¿*en qué se diferencia del amor?* Intentemos mostrarlo. 25

La amistad significa el contacto de dos mismidades, pero no su fusión. En la amistad estricta tiene que haber efectivo encuentro de dos intimidades personales, pero sin que éstas se interpenetren. Dicho en otras palabras: cada uno *queda en sí mismo*, pero con el otro. En el amor, por el contrario, hay siempre enajenación, que falta en la amis- 30 tad. Esto explica la posibilidad de una pluralidad de amistades, mientras el amor auténtico es único. El contacto de las personas se opera en una zona extensa, superficial y — *digámoslo así* — cutánea, donde están presentes la sensibilidad y la temperatura; pero cada una de las personas — varias, no forzosamente dos — permanece dentro de sí 35 misma. Normalmente, de un modo análogo a la impenetrabilidad de los cuerpos, existe la impenetrabilidad de las personas; y sólo de un modo casi milagroso opera el amor esa traslación de una persona a otra; pero *claro es que* ese milagro tiene carácter de rigurosa unicidad.

Contra la opinión común, que ve en la amistad intersexual una excepción marginal e improbable, creo que es la forma más completa y
5 plena de amistad. Nuestros mejores amigos son casi siempre nuestras amigas. Y hay razones para ello: mayor interés, mayor complacencia, ninguna rivalidad o muy poca, más novedad; sobre todo, es mayor ese componente esencial de la vida humana: la ilusión. Es un tópico que los hombres no entienden a las mujeres, ni las mujeres a los hombres;
10 pero, en definitiva, todos sentimos que si alguien nos entiende un poco son las personas del otro sexo. La amistad entre ambos significa la liberación de un pertinaz error: el de pasarse la vida *dándose gato por liebre*, tomando por amor toda atracción, toda ilusión, toda complacencia, toda ternura; llenando esa vida de amores faltos de peso,
15 interpretados erróneamente así por no ver que eran sólo y nada menos que amistad.

(Julián Marías, *Obras*, Madrid, 1958, Vol. III, págs. 233-238.)

PREGUNTAS

A

1. ¿Qué es goce sumo, según Ortega? 2. ¿Qué se ha exagerado en los últimos tiempos? 3. ¿Qué es superior a la pintura o la música? 4. ¿En qué pone sus cinco sentidos la época actual? 5. ¿Cuáles son las notas esenciales de la amistad? 6. ¿Qué tipo de amistad es casi siempre deficiente? 7. ¿Por qué son siempre triviales las amistades infantiles? 8. ¿Cuál es la edad de anudar amistades duraderas? 9. ¿Qué impresión tenemos a veces cuando conocemos a una persona? 10. ¿Cuáles son los dos riesgos en la amistad con otra persona? 11. ¿Qué efecto tiene la ausencia en algunas amistades? 12. Si empleamos la palabra "amistad" en su sentido más estricto, ¿cuándo comienza a generalizarse en España la amistad entre hombres y mujeres? 13. ¿Cuál es la diferencia entre la amistad y el amor? 14. ¿Cuál es un tópico muy corriente acerca de hombres y mujeres? 15. ¿Qué error cometen muchos por no comprender qué es la amistad?

B

1. ¿Cree usted que en nuestros días se inicia un nuevo tipo de amistad? **2.** ¿Qué concepto nos quiere comunicar Ortega al hablar de una amistad "delicadamente cincelada"? **3.** ¿Cree usted que el amor es posible sin sentimiento de respeto? ¿Por qué? **4.** Dice el autor que la amistad es "un pacto tácito de no agresión." ¿En qué sentido emplea él estas palabras? **5.** ¿Qué ocurre cuando en una amistad no hay freno, esto es, una limitación? **6.** ¿Cómo se fortalecen, a veces, las amistades de la adolescencia? **7.** Dice el autor que en la amistad "se van condensando las afinidades." ¿Qué significa esta última afirmación? **8.** ¿Qué entiende usted por "el flechazo amistoso"? **9.** ¿Por qué sentimos melancolía a veces, cuando conocemos a alguien sólo por un momento? **10.** ¿Cree usted que el amor y la amistad soportan igualmente la ausencia? **11.** ¿Es posible que la amistad esté hecha de silencios compartidos? ¿Cómo explica usted esto? **12.** ¿Puede usted distinguir entre camaradería y amistad? **13.** ¿Qué entendería usted si alguien le hablase de "un amor falto de peso"? **14.** ¿Por qué es posible tener muchas amistades, mientras que el amor auténtico es único? **15.** ¿Por qué es la amistad entre hombres y mujeres más significativa que la amistad entre personas del mismo sexo?

A. Modismos

con ocasión de — con motivo de
se cuentan — hay
en los últimos tiempos — en tiempos recientes
haré notar que — destacaré el hecho de que
emparejadas con — comparadas con
ponía sus cinco sentidos . . . en — se concentraba . . . en
en que no paraba mientes — en que no se fijaba
a la diabla — sin plan ni concierto
aplicarán sus mayores esfuerzos a — se esforzarán por
Sería digno de contar — Valdría la pena relatar
ha ido modelando lentamente — ha dado forma gradual y lentamente a
a la vez — al mismo tiempo
se da — surge
a diferencia del amor — en contraste con el amor

se nutre de reserva — vive de reserva
no faltaba más — claro está
Rara vez — En muy pocas ocasiones
son previas al — preceden al
se adentra por — se interna por
a lo largo de la vida — a medida que pasan los años
se originan — nacen
se van condensando — surgen (aparecen) gradualmente
quedarnos cortos — contenernos; refrenarnos con exceso
pasarnos — ser excesivos; excedernos
a los quince o veinte años — después de quince o veinte años
en buena parte — en buena medida
la que se da — la que existe
Conste que — Obsérvese que
con escasa diferencia — casi en igual forma
ha entrado en crisis — tiende a decaer
se trataría de un amor falto de peso — sería un amor insustancial
disto mucho de — estoy muy lejos de
contentarme — sentirme satisfecho
a secas — puras y simples
Por otra parte — Además
¿en qué se diferencia del amor? — ¿qué la hace diferente del amor?
queda en sí mismo — no se entrega a otra persona
digámoslo así — dicho en otras palabras
claro es que — naturalmente
Contra la opinión común — En contraposición con lo que se cree comúnmente
dándose gato por liebre — engañándose

EJERCICIOS

Exprese la idea de las palabras en cursiva empleando un modismo tomado del texto de la presente lección.

A

1. Entre esos muchachos *hay* algunos de familias pobres. **2.** Estas manifestaciones amorosas son engañosas — *dicho en otras palabras* — son superficiales e insinceras. **3.** *En tiempos recientes* ha habido mayor comprensión entre hombres y mujeres. **4.** *Naturalmente*, no le contesto nunca el saludo. **5.** Uno va acumulando mucha experiencia *a medida que pasan los años*. **6.** Tuve que asistir *con motivo de* la Fiesta de la Primavera. **7.** Todos le respondieron *al mismo tiempo*. **8.** Esto es, *en buena medida*, resultado de la inexperiencia. **9.** *En muy pocas ocasiones* le veíamos en la calle. **10.** Y luego ocurre que, *después de quince o veinte años*, volvemos a encontrarnos. **11.** Quiero que usted *se esfuerce por* terminar su tesis. **12.** Yo no puedo *sentirme satisfecho* con simples promesas. **13.** *En contraposición con lo que se cree comúnmente*, las mujeres pueden engañarse tan fácilmente como los hombres. **14.** *¿Qué hace diferentes a* los alumnos de primer año? **15.** Las nuevas amistades *nacen* muchas veces por casualidad.

B

1. Al hacer peticiones es mejor no *refrenarse con exceso*. **2.** También existe el peligro de que podamos *excedernos*. **3.** *Además*, este tipo de amistad no es un sentimiento tibio. **4.** Muchos enamorados viven *engañándose los unos a los otros*. **5.** Ellos *no se han fijado* en esa contradicción. **6.** *Debo destacar el hecho de que* posee una piel de visón. **7.** La amistad casi siempre *precede* al amor. **8.** *Estoy muy lejos de* creer en esos simplismos. **9.** Haga usted el favor de *concentrarse* en lo que importa. **10.** *Obsérvese* que no le he hecho ningún reproche. **11.** *Vale la pena* contar cómo se hizo rico. **12.** ¿Por qué prepara usted su trabajo *sin plan ni concierto?* **13.** Nunca hay amistad *pura y simple*. **14.** Esas diferencias, *claro está*, nunca serán realmente decisivas. **15.** El amor *surge* hasta entre personas de gustos totalmente diferentes.

B. Vocabulario

A

I. *¿ Qué sustantivos terminados en* **-ión** *o* **-ción** *puede usted relacionar con las siguientes palabras?*

ADJETIVOS	SUSTANTIVOS	VERBOS
atento	intérprete	atraer
preciso	límite	constituir
ajeno	don	generar
nuevo	libertad	trasladar

II. *¿ Qué sustantivos terminados en* **-dad** *asociaría usted con los siguientes adjetivos?*

afín	íntimo	posible
fácil	mismo	rival
habitual	nuevo	sensible
intenso	personal	único

III. VOCABULARIO PSICOLÓGICO. *¿Qué sustantivos de la columna de la derecha podrían emplearse como sinónimos de las palabras en cursiva?*

1. Esas palabras fueron una *incitación* que no esperábamos.
2. Nos sentimos atraídos por *semejanza* de gustos.
3. La pobre vive de una *esperanza quimérica*.
4. Nos lo dijo con verdadera *vehemencia*.
5. Al encontrarnos sentimos honda *tristeza*.
6. Recibí su carta con gran *satisfacción*.
7. En el amor no hay nunca *ocultación*.
8. El *placer* de la amistad está en su propia limitación.
9. El amor también puede ser víctima de la *desilusión*.
10. Creo que los hombres de hoy van a corregir este *descuido*.

efusión
melancolía
respeto
complacencia
reserva
intimidad
delicia
decepción
intensidad
olvido
estímulo
afinidad
sensibilidad
ilusión

B

Diferencias de significado

1. Entonces — después — en seguida — luego.

Todas estas palabras significan *then.*

Entonces introduce una deducción:

Si es como usted dice, entonces ¿no sería mejor desistir?

También puede referirse a un hecho de un futuro o de un pasado más o menos distantes:

Entonces comprenderá usted mis palabras.

Si se refiere al pasado significa "en aquel tiempo" o "en ese momento":

Entonces [En ese momento] dio un grito.

IMPORTANTE: **entonces** no significa nunca "en segundo lugar."

Imposible: Entró primero la mamá y entonces la hija.

En esta oración se debió emplear **luego** o **después.**

Después indica posterioridad de tiempo o lugar y puede significar "en segundo lugar," como se ha insinuado:
> Hablaré con ella después.
> El nombre de Lucía aparece primero; el de Juan, después.

En seguida o **enseguida** indica posterioridad inmediata:
> Quiero ver enseguida ese microfilm.

Luego puede significar "ya" y también "en segundo lugar." En la primera de estas acepciones expresa un futuro relativamente inmediato:
> Luego [ya] verá usted lo que valen sus promesas.

En la segunda acepción **luego** es igual a **después**:
> Me trajeron primero un sandwich y luego [después] una gaseosa.

La palabra *then* tiene otras traducciones.

(a) En narraciones se traduce por **en aquel entonces,** para referirse a una época lejana:
> En aquel entonces (*Then*) las hadas favorecían también a los pobres.

(b) En intercalaciones que expresan una deducción se usa "pues," con el sentido de "por lo tanto":
> Debemos creer, pues (*then*), que ésta no es la solución.

(c) En una serie de tres o más elementos se puede introducir el último de ellos por medio de la frase "por último":
> Visitamos al tío Pedro, luego a los González y, por último (*then*), a doña Pepita.

(d) A veces *then* se emplea en inglés en sentido temporal, el cual se convierte en sentido modal en español. En tal caso se deberá emplear "así":
> Sentémonos aquí; así (*then*) podremos hablar con calma.

(e) Si expresa coincidencia, *then* se traduce por "en ese (mismo) momento":
> Volvió la cara y, en ese mismo momento (*then*) recibió la pedrada.

2. Pretender.

(a) Intentar, tratar de:
> No pretendo (*I am not trying to*) disminuir su valor.

(b) Aspirar a un puesto:
> Pretendió un nuevo destino y no lo consiguió.

Se considera un galicismo emplear el verbo **pretender** en el sentido de "presumir":

No pretenda usted [No presuma usted] ser lo que no es.

Asimismo, se condena como galicismo el adjetivo "pretensioso" empleado en el sentido de "presuntuoso":

¡Qué pretensioso eres! [¡Qué presuntuoso eres!]

3. Experimentar.

(a) Hacer un experimento:

Le aconsejo no experimentar con el amor.

(b) Sentir:

Experimenté un terrible dolor en la pierna izquierda.

(c) Tener la experiencia de algo:

Experimentaba sumo placer con cada lanzamiento de un cohete interplanetario.

(d) Sufrir, en sentido figurativo:

Esa historia, a pesar de ser vieja, ha experimentado no pocas innovaciones.

4. Medida — mesura.

La primera de estas palabras tiene un sentido físico:

Haga usted el favor de tomarle las medidas (*take his measurements*).

También se emplea, preferentemente en plural, para referirse a disposiciones o prevenciones:

Para reprimir los disturbios hubo que tomar nuevas medidas.

Mesura tiene un sentido moral y significa "compostura, autodominio":

La amistad está hecha de mesura.

5. Tópico.

Significa "lugar común" o "banalidad":

Eso no pasa de ser un tópico (*platitude*).

La palabra **tópico** no debe emplearse para decir "tema" o "asunto":

En su conferencia discutió varios temas.

6. Previo.

Como adjetivo se aplica a lo que precede; lleva implícita la idea de necesidad:

> Para entrar deberá usted tener autorización previa.

También expresa precedencia con el verbo **ser:**

> Las amistades infantiles son previas al nacimiento de la intimidad.

En frases adverbiales **previo,-a** señala aquello que ha de hacerse con anterioridad:

> Le otorgaremos el título previa la entrega de la suma debida (*after the proper amount has been handed over*).

7. Quedarse.

Se emplea

(**a**) Para expresar permanencia en un lugar o en un estado, añadiéndose a veces la idea de ventaja o desventaja, o de participación subjetiva en la acción del verbo:

> Se quedó en casa. *He stayed at home.*

COMPÁRENSE: **Quedó muy satisfecho con la oferta,** simple enunciado objetivo de un hecho, y **Se quedó muy satisfecho (contento, feliz, etc.),** afirmación que refleja un contenido emocional derivado de una participación subjetiva en lo expresado por el verbo.

(**b**) Con un adjetivo en un buen número de expresiones familiares:

> quedarse boquiabierto (*open-mouthed*)
> quedarse corto (*overcautious*)
> quedarse tan fresco (*unconcerned*)
> quedarse limpio (*penniless*)
> quedarse muerto [tieso] (*dumbfounded*)
> quedarse yerto (*scared stiff*)

8. Soportar.

(**a**) Sostener:

> Estos pilares soportan un tremendo peso (*support a tremendous weight*).

(**b**) Sufrir, tolerar:

> No puedo soportar semejantes vejaciones (*cannot stand such abuse*).

Soportar no significa nunca *to support* (*a family*):

> Necesito dinero para mantener [sostener] a mi familia.

9. Intervenir.

(a) Tomar parte en algo:
> No voy a intervenir en el debate.

(b) Entrar en juego, estar presente en algo:
> Interviene en la amistad la condición femenina. *The very nature of women conditions the character of friendship.*

(c) Mediar en algo, esto es, interponer uno su autoridad:
> A veces la policía tiene que intervenir en las querellas domésticas (*to intervene in domestic quarrels*).

10. Condición.

(a) Estado de alguna persona o cosa:
> Esa casa está en malas condiciones.

(b) En el campo psicológico alude al carácter esencial de las personas:
> Ésa es condición de mujeres. *That is the nature of women.*

(c) Circunstancia especial en que habrá de hacerse algo:
> Mi primera y única condición es que usted se marche.

En plural significa "capacidad" o "aptitud":
> Este muchacho no tiene condiciones para agricultor.

EJERCICIOS

Emplee una de las palabras o expresiones discutidas en lugar de las palabras en cursiva:

1. El gobierno se ha visto obligado a tomar *determinaciones* extremas.
2. Nuestro gobierno compró primero los trimotores y *después* los reactores.
3. ¿Para qué discute usted semejantes *banalidades?* **4.** Al ver el león nos quedamos *muertos de miedo.* **5.** Para tales negociaciones se requiere un hombre con muchos conocimientos y *autodominio.* **6.** En esos trámites *entraron en juego* muchos factores socio-económicos. **7.** En todo esto lo mejor es no *ser excesivamente tímido.* **8.** Yo no puedo *tolerar* a los "cocacolos." **9.** Será necesario, *por lo tanto*, llegar a una transacción. **10.** Para poner fin a la huelga tuvo que *mediar* el ejército. **11.** Le daremos el dinero *después de la entrega* del recibo. **12.** Nosotros no *intentamos* convencer a nadie. **13.** No me gusta *tomar parte* en esas discusiones. **14.** Ésta es la única forma de *proveer* a un familión como el mío. **15.** A mí me parece que tú no tienes *aptitud* para la carrera de abogado. **16.** El

tiempo *ha sufrido* muchos cambios en estos últimos días. **17.** Ésa es *la típica manera de ser de la mujer.* **18.** No puedo *sufrir* tantas inconveniencias. **19.** Aunque tratamos de explicarle la situación, *no salía de su asombro.* **20.** Se abrió la puerta con violencia; *en ese momento* dio un grito.

C. Gramática

Concordancia

I. CONCORDANCIA DE ADJETIVO Y SUSTANTIVO

1. El adjetivo que sigue y modifica a dos sustantivos singulares de diferente género concuerda con éstos en masculino plural, o con el último, si éste es femenino:

> Era un señor de presencia y porte distinguidos.
> Conocí a una mujer de gracia y talento extraordinarios.
> Sabía hacer las cosas con tino y eficiencia inusitada (inusitados).

2. El adjetivo que precede a dos sustantivos concuerda con el primero de éstos:

> Fueron palabras de sincero aprecio y gratitud.
> Hubo demasiados obstáculos y dificultades para que llegáramos a comprendernos.

Si el adjetivo precede a dos sustantivos de persona o nombres propios del mismo género, concuerda en plural, masculino o femenino, según el caso:

> Elogiábamos a las encantadoras tía y sobrina.
> Es una obra de los conocidos Serafín y Joaquín Álvarez Quintero.

Por otra parte, si el adjetivo se refiere a dos sustantivos de persona de distinto género, habrá de concordar en masculino plural:

> Los renombrados Alberto y Victoria consolidaron el imperio británico.

3. Los adjetivos **un, todo** y **medio** se emplean preferentemente en su forma masculina delante de nombres propios femeninos de ciudades:

> Ni un Barcelona tiene un museo así.
> El espectáculo lo vio todo Lima.
> Medio Granada fue destruido por el invasor.

4. El adjetivo que sigue al neutro **lo** debe concordar con el sustantivo o nombre propio a que se refiere:

>Usted no sabe lo refinadas que son sus hijas.
>Ya verá usted lo simpática que es Julita.

5. Con las expresiones **mucho de, poco de, nada de, algo de** seguidas de adjetivo, éste puede concordar con un sustantivo al cual se puedan referir estas expresiones. Igual es el caso de la construcción **(lo . . . que) tiene(n) de** + *adjetivo.*

>Esos versos no tienen nada de artísticos.
>Nunca he creído en tus promesas por lo mucho que tienen de falsas.

II. CONCORDANCIA DE SUJETO Y VERBO

1. El verbo que sigue a un sujeto compuesto normalmente concuerda con dicho sujeto en plural:

>Su valor y su concepto del honor le hicieron famoso.

Sin embargo, si el verbo precede a un sujeto compuesto, puede concordar con el primero de los dos sujetos o con ambos. La concordancia en singular ocurre cuando el que habla se deja llevar por la mayor importancia del primer sujeto y añade luego el segundo:

>Sorprendió (Sorprendieron) mucho su increíble desparpajo y osadía.
>Muy mala impresión le ha (han) producido a ella su extravagante aspecto y conducta.

2. El sujeto compuesto que expresa una sola idea concuerda con el verbo en singular:

>El avance y retroceso es determinado por el operario.
>La oferta y demanda depende de la situación económica del país.
>El ir y venir de tanta gente me había dejado sin fuerzas.

Si se añade un artículo definido delante del segundo sustantivo, el verbo tendrá que emplearse en plural: **La oferta y la demanda dependen de la situación económica del país.**

3. El que o simplemente **que** exige concordancia en singular, aunque aparezca dos veces en la oración:

>(El) que ella lo afirme y (el) que tú lo niegues me da mucho que pensar.

4. Dos neutros concuerdan con el verbo en singular:

>Esto y lo que dijo de su amistad con Luisa me desagradó mucho.

La concordancia será en plural, sin embargo, si el sentido es recíproco o simplemente contrastivo: **Esto y lo que usted afirma están en absoluto desacuerdo.**

5. Un neutro y un sustantivo masculino o femenino concuerdan con el verbo en singular o plural:

> Lo falso de la situación y su excesiva modestia causó (causaron) hilaridad.
> Su conferencia y lo absurdo de su indumentaria fue (fueron) objeto de muchas críticas.

6. El verbo que sigue a una frase compuesta de *colectivo* + **de** + *sustantivo plural* puede concordar con el colectivo o con el sustantivo plural. La elección depende de la relación de significado o del grado de proximidad que haya entre los distintos elementos mencionados:

(a) Relación de significado:

> En uno de los apéndices aparece un grupo de verbos irregulares.
> Este conjunto de actores es estupendo.

(b) Proximidad:

> Un grupo de amigos venían por la calle. (*Compárese con:* Venía un grupo de amigos por la calle.)
> Presentó un cuerpo de ideas que luego habrían de corromper la moral del establecimiento. (*Compárese con:* Este cuerpo de ideas sirvió de base al nuevo código civil.)

Muchas veces la presencia de un adjetivo hace variar la concordancia. Compárense: **Un grupo de simpáticas alumnas recibieron después su diploma. Un selecto grupo de alumnas recibió su diploma.**

7. Los sustantivos **mayoría, parte, resto, mitad** y **tercio** pueden concordar con el verbo en plural cuando hay palabras plurales con las cuales se asocia el verbo:

> Tenía en sus clases muchos alumnos mediocres; la mitad salieron mal.
> Unos cuantos prefirieron luchar; la mayor parte, sin embargo, entregaron sus armas.

Por el contrario, la concordancia se hará en singular si lo que importa al que habla no es el sustantivo plural sino las ideas mismas expresadas por **mayoría, parte, resto, mitad** o **tercio**:

> Tenía en su clase muchos alumnos mediocres y por eso la mitad salió mal.

8. Los infinitivos de un sujeto compuesto, por ser iguales a una serie de neutros, concuerdan con el verbo en singular; sin embargo, si los infinitivos van precedidos de artículo definido, son iguales a sustantivos y, por lo tanto, concuerdan en plural:

> Mentir, calumniar y murmurar es indigno de todo hombre decente.
> El mentir, el calumniar y el murmurar son indignos de todo hombre decente.

9. En teoría, dos sujetos singulares unidos por **ni** o por **o** piden un verbo en singular; en la práctica, lo común es la concordancia en plural, especialmente cuando el sujeto precede al verbo:

> María o Pedro vendrán a verte.
> Ni Luisa ni Josefa sabían su nombre.
> Ira(n) a recogerlo María o Pedro.

10. Dos sustantivos unidos por **con, como, tanto . . . como** y **así . . . como** pueden concertar en plural si constituyen un sujeto compuesto:

> La maestra con su alumna
> La maestra como su alumna
> Tanto la maestra como la alumna ⎬ fueron bien recibidas.
> Así la maestra como la alumna

Como excepción a lo dicho habrá de notarse que, si el segundo sustantivo no es parte del sujeto, o si los sustantivos están distantes uno del otro, la concordancia es en singular:

> La maestra, como la alumna, fue bien recibida.
> Llegó el paquete al cabo de una semana con su respectiva cuenta.

III. OTROS CASOS DE CONCORDANCIA

1. Cuando el predicado tiene más sustantividad que el sujeto, el verbo concuerda con el predicado y no con el sujeto. Así ocurre cuando el sujeto es

(a) Neutro:

> Todo esto que me has dicho son puras sensiblerías.

(b) Una serie de infinitivos:

> Hacer muecas y señalar con el dedo son malas costumbres que están reñidas con el decoro femenino.

2. En oraciones pasivas introducidas por **se** en las cuales aparecen verbos modales (**deber, poder, soler**) seguidos de infinitivo y un sustantivo plural (que es complemento directo del infinitivo) los verbos modales concuerdan con el sustantivo plural y no con el infinitivo:

Se deben cultivar las buenas amistades.
Se pueden adquirir nuevos amigos a lo largo de toda la vida.
Sobre la amistad se suelen hacer declaraciones completamente erróneas.

En la lengua hablada se advierte una tendencia a emplear el verbo modal en singular aun cuando en la oración haya un sustantivo plural: **Se podría arreglar estos paraguas.**

3. Si en lugar de un verbo modal seguido de infinitivo se usan dos verbos principales, el primer verbo concuerda en singular con el infinitivo que le sigue:

Se mandó cerrar varios museos.
Se espera corregir estos olvidos.

4. Cuando hay un relativo y un verbo subordinado, éste concuerda con el relativo más comúnmente que con el sujeto:

Yo soy el que lo dice.
Yo soy el que (quien) lo digo.

IV. FALSAS CONCORDANCIAS

El estudiante de español habrá de evitar algunas concordancias defectuosas que se oyen en la conversación cotidiana, o que se leen en textos incorrectos. He aquí algunos ejemplos:

1. Los adverbios no concuerdan en género o número:

Los invitaremos a todos, inclusos los niños. (*Debe ser:* incluso.)
Harta mayor es la ofensa que tú nos hiciste. (*Deber ser:* Harto.)
Los muchachos venían medios dormidos. (*Debe ser:* medio dormidos.)
Lo hizo de pura boba que es. (*Debe ser:* de puro boba.)

2. El indefinido **cualquier(a)** concuerda en plural cuando se refiere a dos sustantivos o a un sustantivo plural:

Le daré el puesto cualquiera que sea su preparación y su edad. (*Debe ser:* cualesquiera que sean.)

3. Cuando se combinan dos pronombres, uno de los cuales es **tú,** el verbo se emplea en España en segunda persona, plural:

Tú y él lo saben. (*Debe ser:* lo sabéis.)

Este tipo de concordancia no se hace en Hispanoamérica por haberse perdido casi totalmente el uso de la segunda persona plural. Caso parecido es el de **yo** combinado con otros pronombres; la concordancia habrá de hacerse entonces en la primera persona del plural, aun cuando haya otros pronombres o sustantivos de otras personas inmediatamente delante del verbo:

> Ni tú ni yo, ni los parientes más cercanos, serán invitados. (*Debe ser:* seremos invitados.)

4. Hay quienes hacen una falsa concordancia entre un complemento pronominal y un sustantivo cercano a él, aun cuando no tiene con él ninguna relación lógica:

> El comerciante rechazó los artículos por parecerles demasiado caros. (*Debe ser:* por parecerle.)
> No les dará regalos de Navidad a ninguno de sus empleados. (*Debe ser:* no le dará.)

En el primer ejemplo, la presencia del sustantivo **artículos** lleva equivocadamente al pronombre **les.** En el segundo ejemplo, **regalos** parece justificar el empleo de **les,** cuando en realidad la lógica pide **le,** ya que el pronombre debe concordar con su antecedente **(ninguno),** que es singular. Algo parecido ocurre con los complementos pronominales:

> A ustedes se los diré (*I will tell it to you*) porque son amigos de confianza. (*Debe ser:* se lo.)

5. Cuando en una oración aparece un sustantivo singular, el verbo que le sigue o precede no concuerda necesariamente con él por simple razón de proximidad; la concordancia tiene que hacerse con aquellos elementos gramaticales que están lógicamente relacionados con dicho verbo:

> Toda la confusión y la pedantería del autor arranca de ese error inicial. (*Debe ser:* arrancan.)
> El tono menor y la sensación alada predomina por tener el poema escasa carga emocional. (*Debe ser:* predominan.)

6. El verbo **haber,** empleado impersonalmente, pide la concordancia en tercera persona, singular: **Hubo fiestas.** No es éste el caso del verbo **haber de:**

> Para entender el alcance de cuanto ha dicho habrá de tenerse en cuenta las promesas que hizo en su discurso anterior. (*Debe ser:* habrán de.)

251

7. En construcciones con el verbo **ser** + **de los que (de las que),** la concordancia se debe hacer con el relativo:

> Yo soy de los que sostengo que no hay amistad perfecta. (*Debe ser:* de los que sostienen.)
>
> Tú eres de los que dijiste que en la verdadera amistad nunca hay reserva. (*Debe ser:* de los que dijeron.)

8. Cuanto, tanto y **mucho,** seguidos de **más** o **menos,** concuerdan con el sustantivo a que se refieren:

> Cuanto más libertad le des, mejor. (*Debe ser:* Cuanta más.)
>
> Cuanto más libros leas, tanto más sabiduría adquirirás. (*Debe ser:* Cuantos más . . . tanta más.)

9. El numeral que sigue a la decena (**veintiún, treintaiún,** etc.), y que precede a un sustantivo femenino plural, exige la forma terminada en **-a:**

> En la aldea había sólo veintiún casas. (*Debe ser:* veintiuna casas.)
>
> Nos trajeron treintaiún novelas. (*Debe ser:* treintaiuna novelas.)

La idea de esta construcción es: **veinte casas (treinta novelas) y una.** Compárese con: "**Las Mil y Una Noches.**"

10. En comunicaciones escritas — peticiones, solicitudes, reclamos, etc. — habrá de mantenerse la concordancia en la misma persona, una vez que se ha comenzado en tercera persona:

> El infrascrito se dirige respetuosamente al señor Ministro y suplico que se me conceda la siguiente merced. (*Debe ser:* suplica que se le conceda.)

11. Cuando se unen dos adjetivos por medio de un guión sólo el último adjetivo concuerda con el sustantivo:

> Es ésta una cuestión política-social. (*Debe ser:* político-social.)
>
> He aquí una explicación física-química. (*Debe ser:* físico-química.)

12. A veces se confunde la forma adverbial con la adjetival de algunas palabras:

> Sus campos estaban lejísimo. (*Debe ser:* lejísimos.)
>
> La casa estaba cerquísimo. (*Debe ser:* cerquísima.)

EJERCICIOS

A

Diga si en las siguientes oraciones la concordancia debe hacerse en singular o plural. Señale también aquellos casos en que hay doble posibilidad.

1. Por aquella época (había – habían) aparecido cerca de una docena de periódicos.   **2.** El que tú lo digas y el que ella lo aplauda me (prueba – prueban) que sois unos tontos.   **3.** Se imaginó que lo que había visto (era – eran) almas en pena.   **4.** La madre, tanto como la hija, (tenía – tenían) mala reputación.   **5.** Me (fascinaba – fascinaban) el ir y venir del péndulo.   **6.** La mayor parte de los hombres (sabe – saben) a qué atenerse en estas materias.   **7.** Los Estados Unidos (es – son) una gran nación. **8.** Ni la costumbre ni la ley (ha – han) bastado para regenerarlos.   **9.** Le (llamó – llamaron) la atención la camaradería y el compañerismo de la gente joven.   **10.** Se admiró mucho de que no (hubiese – hubiesen) vuelto parte de los muchachos.   **11.** (Todo – Toda) Barcelona ha presenciado el espectáculo.   **12.** (Llama – Llaman) la atención su indiferencia y pasividad.   **13.** Esas máscaras tenían mucho de (monstruoso – monstruosas). **14.** Tal fue la impresión que le (produjo – produjeron) la albura y la algarabía de las aves que hubo de recordarlas más tarde.   **15.** Hay en su libro un fondo de humanidad y quijotismo que (está – están) en perfecto acuerdo con su carácter.   **16.** En esas relaciones (había – habían) frialdad y hastío.   **17.** O usted o María (habrá – habrán) de hacerlo.   **18.** El muchacho, junto con sus compañeros, (fue – fueron) castigado(s).   **19.** Una buena mitad de estos informes (está – están) mal (presentada – presentados). **20.** Soy la flor que (me despliego – se despliega) junto a las "rucas" indianas.   **21.** Lo bueno y lo malo le (parece – parecen) igualmente (interesante – interesantes).   **22.** Más de dos tercios de la clase (ha – han) salido mal.   **23.** Se (necesita – necesitan) fuerza de voluntad y también buen sentido para llegar al verdadero autodominio.   **24.** Se (suele – suelen) hallar aquí buenos libros de segunda mano.   **25.** La mayoría de los alumnos (obtuvo – obtuvieron) el ansiado diploma.   **26.** El nacer y el morir (es – son) tan incomprensible(s) como la vida misma.   **27.** Lo arriesgado de la empresa y la casi total falta de fondos (arruinó – arruinaron) nuestros planes.   **28.** No sabes lo que me (molesta – molestan) este entrar y salir de tanta gente.   **29.** Lo que más me interesa (es – son) los colores.   **30.** Se (ordenó – ordenaron) pavimentar las calles principales.

B

Diga usted si hay o no concordancias defectuosas en las siguientes oraciones. ¡Ojo! No todas contienen errores.

1. Con motivo del matrimonio de Rafaelita hubieron muchas festividades en casa de la novia. **2.** Así el muchacho como sus compañeros fue castigado. **3.** La poesía del pueblo tiene como unidad métrica predominante el verso octosílabo y el heptasílabo. **4.** Al poeta le gustaban estos juegos de palabras por lo que tenían de indescifrable. **5.** Al viejo caserón se le había añadido una moderna piscina, baños y corredores de ladrillo. **6.** ¿Cómo es posible que te entretengas prendiéndole fuego a los botes de la basura? **7.** No me digas nada: tú y los demás muchachos estaban tirando piedras. **8.** Evitó las fiestas y francachelas por parecerles excesivamente torpes. **9.** Lo que más aprecia son las joyas. **10.** A todos los poetas había que satisfacer dándole cabida a sus producciones. **11.** Los rebeldes entraron en el palacio; parte venían armados. **12.** Aquí se vende toda clase de artículos. **13.** Se recibió a los embajadores con el debido protocolo. **14.** Todos se sorprendieron inclusos los más valientes. **15.** En lo discretos y cumplidos nadie supera a los cadetes de esta escuela. **16.** Ni Juan ni su novia han venido a visitarnos. **17.** Todos esos mocetones eran gente de cuidado. **18.** A ti y a Juan les daré el dinero prestado. **19.** Todo esto son ruindades incomprensibles en un muchacho como tú. **20.** Lo que me has dicho y tu llegada a deshora son suficientes para convencerme de tu falta de formalidad. **21.** Hablando de cualidades, yo no veo que haya nada de malo en las que tú has mencionado. **22.** La subida y la bajada de la aguja indican que ha terminado el ciclo. **23.** Antes de validar el contrato, se ordenó añadir dos condiciones más. **24.** Lo que más me ha llamado la atención son los grabados japoneses. **25.** Salieron a la calle medios desnudos. **26.** Usted no sabe lo arriesgado que son estas operaciones bursátiles. **27.** Se quieren reducir los gastos, pero nunca se ha hallado el modo de hacerlo. **28.** Creo que usted tiene mucho más razón que ella. **29.** Cualquiera que sean sus opiniones debemos respetarlas. **30.** A ninguno de ustedes les daré más libertad que la que merezcan.

D. Estilística y composición

Intercalaciones

Hay en inglés varios patrones de intercalación que no coinciden con los cánones estilísticos españoles.

1. La frase de deseo *I hope*, *we hope*, etc., no se usa nunca entre comas en español:

> Esta explicación dejará en claro, yo espero, el verdadero significado de lo dicho. (*Forma correcta:* Espero que esta explicación deje en claro . . .)

2. En español se prefiere no poner intercalaciones entre los componentes de un tiempo compuesto, sea éste un tiempo perfecto o una forma progresiva:

> Estos señores han, con sobradísima razón, protestado en contra de las ordenanzas municipales. (*Forma preferible:* Estos señores han protestado . . .)
> Estaban con toda calma repartiéndose las ropas de la víctima. (*Forma preferible:* Estaban repartiéndose . . .)

Una que otra vez se hallan entre los componentes de un tiempo compuesto un sujeto pronominal o un adverbio relativamente corto: **Sé que estaban ustedes esperándome. Habían siempre estimado a sus parientes.**

3. No deben separarse tampoco las formas verbales compuestas de un verbo de movimiento y un gerundio:

> Y siguieron, aunque parezca increíble, buscando el tesoro. (*Forma preferible:* . . . siguieron buscando el tesoro . . .)

4. No debe intercalarse nada que separe los componentes de una construcción comparativa:

> El problema es más, pero mucho más difícil de lo que usted cree. (*Forma correcta:* El problema es muchísimo más difícil . . .)

5. Por lo común no se intercala nada entre un verbo y el infinitivo que lo complementa:

> Él podía, cuando era necesario, gobernar con celo y sabiduría. (*Forma preferible:* Él podía gobernar . . .)

6. En cláusulas adversativas introducidas por **sino** y **sino que** no se debe separar el adversativo del resto de la cláusula por muy importante que se considere la intercalación:

> No es el pueblo el que se equivoca sino, en todo caso, el gobierno. (*Forma correcta:* En todo caso, no es el pueblo . . .)

7. En español no se interponen cláusulas introducidas por **y** entre un relativo y el resto de la cláusula relativa:

> Hoy día muchos dicen que, – y espero (que) me perdonen la franqueza –, nosotras las solteronas somos casi siempre casos de neurosis aguda. (*Forma correcta:* Hoy día muchos dicen, – y espero (que) me perdonen la franqueza –, que nosotras . . .)

8. En español no es recomendable interrumpir una construcción preposicional para combinarla con otra del mismo tipo:

> Es necesario que la frase se refiera a y concuerde con el antecedente. (*Forma correcta:* Es necesario que la frase se refiera al antecedente y concuerde con él.)

EJERCICIOS

Cambie la posición de la frase u oración intercalada allí donde usted lo crea necesario.

A

1. Todos sabían por aquel entonces que Heriberto estaba, como muchos de los jóvenes de su generación, tratando de ingresar en la diplomacia. **2.** Ustedes debieran, por desagradable que sea, hacerles una visita de cortesía. **3.** He aquí un libro que, — y esto no es novedad ninguna —, ha pasado completamente inadvertido. **4.** Los últimos pasajes han de ser, esperamos, los más reveladores. **5.** Esas muchachas suelen, con excesiva frecuencia, llegar a casa a la una de la madrugada. **6.** Él no podía, y nadie lo dudaba, aceptar semejante propuesta. **7.** No les trajo flores sino — de ello estoy seguro — bombones. **8.** Me lo explicó todo mientras, ruidosamente, se comía el postre.

B

1. Mis padres habían, por aquella época, comprado una finca. **2.** La mala suerte estaba, como siempre, esperándole a la vuelta de cada esquina. **3.** De esa manera pudo llevar a cabo lo que, bueno o malo, estaba destinado a durar varios siglos. **4.** Todos estamos, a no dudarlo, obligados a cooperar con ellos. **5.** La primera estación de los Andes, para comunicarse con aeroplanos en vuelo, fue construida en la frontera misma. **6.** Usted debe, y no lo olvide jamás, reconocer esa deuda. **7.** Tal determinación, estamos seguros, no conduce a nada. **8.** El relato de aventuras está asociado con, y ha contribuido mucho a la evolución de la prosa narrativa.

@

Traducción

A

1. Slightly over thirty years ago the Spanish thinker José Ortega y Gasset spoke before a small group of men and women. **2.** On that occasion he expressed some of the most incisive thoughts that have been formulated about human life. **3.** He said that the supreme form of existence is living harmoniously with others. **4.** According to Ortega, there is nothing that is as pleasant as a carefully nurtured friendship. **5.** This leads us to meditate on friendship and the many vicissitudes it has had in recent years. **6.** The two essential notes in friendship are respect and intimacy. **7.** But, contrary to love, friendship requires reserve and self-control. Friendship is an exacting sentiment. **8.** Most of our "friends" are, on that account, mere companions, pals or acquaintances or just luke-warm friends. **9.** Very often our boyhood friendships languish or die because such relations exist prior to the appearance of intimacy. **10.** The best years to form lasting friendships are those of early youth, because then man's personality is still flexible and fresh. **11.** Some friendships are born slowly; others appear suddenly and are something like a friendly shot from an arrow. **12.** Occasionally we feel that we could become friends with a person we have just met and will not see again. **13.** For every friendship there is the right distance. This is why it is difficult to decide whether in our relations with friends we are excessively timid or excessively bold. **14.** In the first case, the relationship lacks intensity and is inadequate, restrained. **15.** In the second case, friendship is threatened by boredom or disillusionment.

B

1. True friendship can withstand absence. At times it is renewed after fifteen or twenty years just as if it had been interrupted the day before. **2.** Friendship does not require words. It may exist in the midst of silence. In this case friendship is largely shared silence. **3.** The zone in which friendship can be observed in the clearest manner possible is that of friendship between men and women. **4.** For many years this relationship did not exist in Spain as a natural and effective phenomenon. **5.** It is possible that the same thing happened — with minor differences — in the rest of Europe. **6.** A new form of culture — that of harmonious living — seems to have been born: life as the art of living with our fellow beings. **7.** There are several erroneous interpretations of what friendship is. **8.** According to some, the friendly relationship between a young man and a girl is something like simple comradeship. **9.** For others it is an inconsequential love, a love that is either bashful, hidden or luke-warm. **10.** There is a third opinion according to which friendship is something directed at the person, without regard for the sex of the other party. **11.** I cannot be satisfied with this idea because there are not just persons. Persons are either men or women. **12.** Friendship really means the contact between two distinct personalities but with mutual respect. **13.** Love means respect but also a transference of one person to another. **14.** The friendly relationship between men and women is, in the last analysis, the most complete form of friendship in the true sense of the word. **15.** An understanding of the nature of friendship means freedom from a persistent error: that of taking for love mere attraction, complaisance or simple tenderness.

Vocabulario mínimo

according to según
account: on that — por ello
acquaintance el conocido
again: will not see — no volveremos a ver
analysis: in the last — en definitiva
appear aparecer, comenzar (ie), surgir
appearance el nacimiento
bashful tímido,-a
to **become: — friends with** ser amigos de
before ante
bold: to be excessively — pasarse
boredom el hastío

born: to be — nacer, iniciarse
boyhood: — friendships amistades de la niñez
clearest: in the — manner possible del modo más claro
companion el compañero
complaisance la complacencia
comradeship la camaradería
contrary: — to love a diferencia del amor
day: — before la víspera
disillusion la decepción, desilusión
early primero, -a

effective vigente
exacting exacto, -a
excessively: to be — timid quedarse
  corto
to exist existir; — prior to ser previo a
to feel tener la impresión de que, presentir
  (ie)
fellow: — being el prójimo; our — beings
  nuestros semejantes
to form anudar, iniciar
to formulate dar, formular
freedom la liberación
friendly amistoso,-a
to have experimentar
hidden negado,-a; oculto,-a
inconsequential falto de peso
incisive preciso,-a
intimacy la intimidad
just solamente, sólo; — as if tal como
  si; — persons personas a secas
to lack faltar, carecer de
to languish languidecer
largely en buena parte
lasting duradero,-a
to lead llevar
living: harmoniously — with others el
  convivir
luke-warm tibio,-a
man el varón
manner el modo
mere simple
midst: in the — of en medio de
minor: with — differences con escasa
  diferencia
most: — of la mayor parte de
mutual mutuo,-a
note la nota
nurtured cincelado,-a
occasionally en ocasiones
often a menudo
pal el camarada

party: other — otro individuo
persistent pertinaz
personality: distinct — la mismidad
pleasant deleitoso,-a; agradable
prior previo,-a
really en realidad
regard: without — for sin prestar (sin que
  se preste) atención a
relationship la relación
to renew renovar (ue)
to require requerir (ie), exigir
restrained cohibido,-a
right: the — distance una distancia
  óptima
same: the — thing lo mismo
satisfied: to be — contentarse
self-control la mesura
sense el sentido
shared compartido,-a
shot: arrow — el flechazo
slightly: — over thirty years ago hace
  poco más de treinta años
something: — like algo así como
to speak hablar, pronunciar unas palabras
suddenly súbito,-a; de repente
supreme supremo,-a; soberano,-a
tenderness la ternura
thinker el pensador
thought el pensamiento, la precisión
to threaten amenazar
times: at — a veces
timid: to be excessively — quedarse
  corto,-a
transference la traslación
understanding la comprensión
vicissitude la vicisitud
why: this is — por eso
to withstand soportar
woman la hembra, la mujer
youth la juventud
zone la zona, la esfera

Composición libre

A

1. ¿Cómo se explica que la verdadera amistad sea una relación tan delicada y frágil?

2. Tema: La confusión de la amistad con el amor tiene graves consecuencias.

B

1. ¿Cree usted que la verdadera amistad — como la entiende el Sr. Marías — nace más bien en los días juveniles que en la edad madura?

2. Tema: Nuestra época presta más atención a las ciencias, la economía y la política y descuida las relaciones entre las almas.

❧ **11** ❧

La lengua desde hace cuarenta años

RAFAEL LAPESA

No es cosa fácil escribir sobre los cambios lingüísticos que han acontecido o están aconteciendo *a lo largo de nuestro decurso vital.* Ocurre con ellos como con la experiencia inmediata de la rotación de la tierra: nos entra por los ojos la alternancia de noches y días; *asistimos* con
5 nuestro ser entero *al tránsito de cada jornada* y ajustamos a su horario quehaceres y reposo; pero no percibimos el rápido girar del planeta, aunque en él se asienten nuestros pies. En el lenguaje, *de modo semejante*, *se nos impone la evidencia* de los cambios externos o más superficiales, que muchas veces reflejan procesos correspondientes a otras acti-
10 vidades; así advertimos la aparición de vocablos nuevos para representar objetos que antes no existían o conceptos que antes no se habían configurado; notamos que, conscientemente o no, hemos abandonado términos que empleábamos *años atrás:* y nos damos cuenta de las *modas* expresivas *que van y vienen, ora las sigamos, ora las rechacemos.*
15 Sirva todo esto de disculpa para que al hablar de nuestra lengua en los últimos cuarenta años empecemos por *lo que está al alcance de cualquier memoria:* enumerar algunas de las infinitas palabras y acepciones que hemos visto nacer o generalizarse como consecuencia de las transformaciones experimentadas en todos los órdenes de la vida
20 y del pensamiento. El léxico de la vivienda y la urbanización se ha incrementado, por ejemplo, con **apartamento, barrio residencial, espacio verde, propiedad horizontal** y especiales sentidos de **chabola** y **suburbio.** La mecanización de las tareas domésticas *ha provisto de significados nuevos a* **lavadora** y **nevera,** y ha reclamado la formación de **aspiradora,**

enceradora y muchos otros nombres de instrumentos. Al viejo gramófono y a la radio de auriculares — novedad en 1923 — han sucedido los **tocadiscos, altavoces, transistores** y **magnetófonos** de hoy, *al tiempo que* el cine mudo ha sido reemplazado por el sonoro y la **televisión,** con sus **doblajes, sincronizaciones** y **canales.** El transporte y la circula- 5 ción ofrecen neologismos como **autobús, autocar, automotor, autovía, trolebús, motocarro, aparcar, autopista, señalizar, vialidad,** *aparte de* la complicada terminología de la mecánica. En 1926 el vuelo transatlántico del "Plus Ultra" *hizo que se forjase* el verbo **amarar;** aeroplano e hidroplano han sido arrinconados por **avión** e **hidroavión,** y **aeródromo** 10 ha encontrado en **aeropuerto** un competidor ambicioso. Novedades de los últimos decenios son el **autogiro,** el **helicóptero,** los **portaaviones,** los **reactores** que alcanzan velocidades **supersónicas** y la **astronáutica,** así como la habilitación del palaciego nombre de **azafata** para las encargadas de atender a los pasajeros durante la travesía aérea. La 15 ingeniería y la técnica han apadrinado **embalse, forestación, oleoducto,** etc., e innumerables términos para la maquinaria, operaciones de elaboración y correspondientes oficios; en la industria *se van imponiendo* la **racionalización** del trabajo y la **automatización.** La revolución de la física y sus aplicaciones han divulgado **atómico, nuclear, electrónico,** 20 **fotoeléctrico, fisión, desintegrar, isótopo** y muchos otros. De la medicina y sus afines *han pasado al acervo común* **sulfanilamida, vitamina, antibiótico, pulmón de acero, ambulatorio, bromatólogo,** etc.; y, *a partir de* Freud, psicólogos y psiquiatras han difundido **complejo, inhibición, subconsciente, claustrofobia, sublimar.** En el campo de la economía, la 25 **inflación** alemana de 1922, la **depresión** norteamericana de 1929–1932, las **congelaciones** de crédito y cuentas corrientes durante guerras y posguerras, *han tenido por contrapartida* momentos eufóricos, propicios a **inversiones** en negocios de **rentabilidad** prometedora. *El argumento Aquiles* de que muchos hacendistas presuponen déficit, pero no lo 30 **presupuestan,** ha hecho que la Academia acepte **presupuestar,** como no equivalente de "presuponer." Las tiendas de comestibles van abandonando la anacrónica denominación de **ultramarino** y *aspiran al rango de* **mantequerías,** mientras el reposado café de las tertulias y el bar, extendido en el primer cuarto de siglo, han visto surgir a su lado las dinámicas 35 **cafeterías.** En las épocas de penuria *hubo que adquirir de* **estraperlo** o en el **mercado negro** los artículos *de primera necesidad,* o contentarse con **sucedáneos.** Los **nuevos ricos** encumbrados en las posguerras, los **enchufistas** y **enchufados,** los **arribistas** y los **gamberros,** son tipos sociales de configuración distinta a los más parecidos de otras épocas.

Con las sacudidas políticas que han ensangrentado el mundo nacieron **totalitarismo, genocidio, colaboracionismo, quinta columna,** se remozó **exilio** y tomaron acepciones especiales **depuración** y **resistencia.** Los años de la **guerra fría** y el despertar de los pueblos **subdesarrollados** han traído **telón de acero, país satélite, colonialismo, autodeterminación, discriminar.** Del deporte han pasado al léxico general **entrenar, des-entrenado, estar en forma, descalificar, contra el reloj,** etc., sin entrar en nomenclaturas particulares. *Dejaremos* también *a un lado,* para que la enumeración no sea interminable, la terminología del vestido, sujeta a renovación incesante, y la de cada movimiento artístico, literario o filosófico. En cambio, es preciso dedicar unas líneas al vocabulario general que caracteriza el lenguaje culto de hoy. Muchas de sus mejores creaciones muestran la huella inequívoca de Ortega, y algunas la de Unamuno. De las palabras favoritas, unas son *de nuevo cuño,* como **deshumanización, inmediatez, insobornable, insoslayable, intrascendente, multitudinario, peligrosidad;** otras, como **acento, agonía** y **agónico, auténtico, contorno, mensaje, perfil, presencia, talante,** *han dado cabida en* viejos odres al vino de significados nuevos; **estructura** y **funcional** han pasado a ser *"palabras clave,"* representativas de la época; arcaísmos como **emergencia** y voces técnicas o de empleo limitado como **secuencia** y **eficiente** han revivido con nuevos valores *al soplo de vientos foráneos;* por último, *se han hecho moneda corriente* extranjerismos crudos como **crucial, drástico, inoperante** y **masivo.** No olvidemos sustituciones eufemísticas como **invidencia** por "ceguera" o el ridículo **económicamente débil** con que se intenta eludir la triste verdad de la pobreza, que *con sacarina* está peor.

Gran número de estos neologismos reproducen o calcan usos extranjeros. Aunque el galicismo sigue suministrando muchos, la novedad consiste en el gran auge del anglicismo. Traducción del inglés son **aire acondicionado,** discos de **alta fidelidad,** conferencia de **alto nivel, en la cumbre, autoservicio, desempleo, perros calientes, supermercado, tercer programa, indeseable;** por influjo del inglés se ha resucitado **emergencia;** se emplea **impartir** por "repartir" o "distribuir" — a veces también por "participar" —, **impacto** vale "huella, efecto"; **oportunidad** invade el terreno de "ocasión"; **romance** se encuentra en lugar de "intriga amorosa," "invención" o "fantasía"; **serio** o **severo** desplazan a **grave** en "una **seria** catástrofe" o "el enemigo sufrió **severas** pérdidas"; se instalan *a cada paso* "plantas industriales" y "plantas eléctricas"; oímos anunciar **"en el aire,** Radio X"; y cualquier hombre de negocios 5 o funcionario *de campanillas* dice que nos **pondrá en contacto** con su secretaria, que es una señorita muy amable, sin reparar que en buen castellano está prometiendo actuaciones propias de Celestina. En todos estos casos la forma exterior es española, e inglés el contenido nuevo; el anglicismo — o *"dolarismo"* — es en ellos *un calco semántico* 10 *tanto más fácil cuanto más disimulado.* Con razón llaman los ingleses "falsos aliados" a las palabras que en dos idiomas presentan semejanza de forma y divergencias de significación. También penetran fácilmente anglicismos léxicos de origen griego o latino como "sophisticated" o "memorize," cuyas acomodaciones **sofisticado** y **memorizar** *no disuenan* 15 *de* nuestra fonética y encuentran en español parientes con que asociarse; tienen el precedente de **confortable,** ya arraigado, cuya asociación significativa con el español **confortar** era mucho más débil. **Serial** no necesita retoques para ser la obsesión de imaginaciones ingenuas. En cambio, **cinemascope** y **suspense** *declaran burdamente su extranjería* 20 con la "e" final, cuando sería tan sencillo ajustar el primero al modelo de **estetoscopio** o **radioscopia** y sustituir el segundo por **suspensión,** usado por nuestros clásicos con el cercano significado de "expectación." El anglicismo léxico de origen no grecolatino suele ofrecer estructuras fonológicas extrañas a los hábitos españoles. Es cierto que **hall, bowl** 25 y **goal,** en su pronunciación vulgata **jol, bol, gol,** no difieren de **sol** y **col,** y que **líder, cárter, suéter** y **váter** o **guáter** — como dice la gente — *no se salen de las posibilidades formales marcadas en español* por **cráter, máncer, prócer, vómer,** etc.; pero no tenemos sustantivos llanos que acaben como **claxon, nylon, rayon, barman** y no es probable que el 30 cambio de acento consolidado en **rayón** y aconsejado para **nylón** por la Academia se extienda a los otros casos. Hay además los muchos anglicismos terminados en consonantes o grupos consonánticos que la fonología española no tolera como finales en su léxico hereditario: **clip, confort, film, flash, flirt, gong, jeep, jet, stock, test, ticket, trust;** 35 unos se hispanizan *tirando por la borda* la consonante final, como **ticket** > **tique,** o añadiendo una vocal como **filme,** recomendado por la

Academia, y **gongo,** usual en algunos países hispanoamericanos; otros, como **flirt** y **chut** (< **shoot**), decaen ostensiblemente, aunque persisten con plena vida sus derivados **flirtear, flirteo** y **chutar,** que no tienen *dificultades de acomodo fonético;* mientras **standard** tiene que escribirse
5 entre comillas o en cursiva, **estandardizado** *va tomando carta de naturaleza* entre nosotros, a pesar de su longitud sesquipedal. Pero no se consolidan todas las voces invasoras; muchas veces la lengua reacciona contra ellas: en 1923 parecía afianzarse **speaker** (que la etimología popular convertía en "el **explique** de la radio"), pero desapareció ante
10 el hallazgo de **locutor; entrevista** y **entrevistar** han desplazado a **interviú, interviuvar;** y en la terminología del **deporte** (que ha triunfado sobre **sport**) hemos visto el caso de **referee, match, round, chut, record,** sustituidos por **árbitro, encuentro** o **pelea, asalto, disparo** y **marca.** Buen sustituto de **barman** sería el antiguo **botiller,** que el Diccionario de
15 Autoridades define como "el que hace bebidas compuestas y las vende" y que en las cortes medievales era cargo desempeñado a veces por grandes señores; así lo ha propuesto recientemente la Academia Española, respondiendo a una consulta de la Colombiana.

Claro está que la influencia lingüística anglo-norteamericana es
20 reflejo de una influencia cultural más vasta y, con frecuencia, de un prurito de supuesto refinamiento. Aunque el despectivo término de **snob** venga de Inglaterra, el **esnobismo** sigue favoreciendo la adopción de usos anglosajones.

(Rafael Lapesa, "La lengua desde hace cuarenta años," *Revista de Occidente,* Año I, 2ª época, Nos. 8 y 9, nov.-dic., 1963, págs. 193-198.)

PREGUNTAS

A

1. ¿Qué cambios lingüísticos percibimos más fácilmente? **2.** ¿A qué responden generalmente estos cambios lingüísticos más superficiales? Cite algunos ejemplos. **3.** En una zona recién urbanizada ¿qué se incluye para interrumpir la monotonía de cemento y asfalto? **4.** ¿Qué aparatos de uso doméstico han dado lugar a palabras nuevas? **5.** ¿Qué otras palabras se han provisto de nuevos significados, evitando así la creación de nuevos términos? **6.** Dé usted un sinónimo de **avión de retropropulsión, aeromoza, grabadora de cinta, altoparlante** (americanismo), **piso, automación, pantano** (**represa**). **7.** ¿Para qué enfermedades se emplean la penicilina, la estreptomicina, la aureomicina y la terramicina? **8.** ¿Son sinónimos **café** y **cafetería?** **9.** ¿Por qué critica el autor ciertas expresiones eufemísticas? **10.** ¿Por qué ha ejercido tanta influencia el inglés en las últimas décadas? **11.** ¿Por qué rechaza el autor la expresión **poner en contacto?** **12.** Según el criterio inglés, **bárbaro, renta, tópico, infatuar** serían "falsos aliados." ¿Está usted de acuerdo? **13.** ¿Qué inconveniente tienen los neologismos **cinemascope** y **suspense?** ¿Qué solución sugiere el autor? **14.** ¿Cómo se hispanizan las siguientes palabras: *hall, ticket, film, short, shoot, standard?* **15.** ¿Qué impresión da el que exagera el empleo de extranjerismos?

B

1. ¿Con qué fenómenos geofísicos compara el autor la evolución lingüística? ¿Por qué? **2.** ¿Cuál es el propósito que anuncia el autor al escribir este artículo? **3.** ¿Por qué dice el autor que la palabra **azafata** ha sido rehabilitada modernamente? **4.** ¿Qué importancia tienen en la vida moderna los términos **racionalización** y **automatización?** **5.** ¿Cómo funciona un pulmón de acero? ¿Cuándo se hace necesario su empleo? **6.** ¿Cuál es la diferencia entre **hospital, dispensario, clínica,** y **ambulatorio?** **7.** En su opinión, ¿cómo se manifiesta un complejo de inferioridad? **8.** ¿Por qué es problema en ciertos países el enchufismo? ¿Existe en los EE. UU.? **9.** ¿Por qué se dice de ciertos países suramericanos que son naciones subdesarrolladas? **10.** ¿Qué "palabras clave" citaría usted para caracterizar la vida en los EE. UU.? **11.** ¿Por qué inventa el autor la palabra **dolarismo,** al hablar de anglicismos? ¿Qué nos quiere decir con ella? **12.** ¿A qué se debe que una palabra de origen germánico se asimile menos fácilmente que la de origen grecolatino? **13.** ¿Cómo se hispanizan algunas palabras cuya terminación no consuena con la estructura fonética española? **14.** ¿Cuál es la suerte final de préstamos disonantes que no se hispanizan fonéticamente pero que responden a una necesidad popular? **15.** ¿Cuándo se puede justificar plenamente el empleo de un extranjerismo?

A. Modismos

a lo largo de nuestro decurso vital — en el curso de nuestra vida

asistimos al tránsito de cada jornada — vemos llegar, avanzar, y terminar cada día

de modo semejante — de la misma manera

se nos impone la evidencia — estamos obligados a reconocer

años atrás — hace muchos (algunos) años

modas . . . que van y vienen — usos pasajeros

ora las sigamos, ora las rechacemos — ya sea que las sigamos o no

lo que está al alcance de cualquier memoria — lo que todos podemos recordar

ha provisto de significados nuevos a — ha dotado de nuevas acepciones a

al tiempo que — a la par que

aparte de — sin mencionar

hizo que se forjase — dio origen a   *forjar = moldear.*

se van imponiendo — están ganando popularidad

han pasado al acervo común — se han hecho parte de la cultura general

a partir de — comenzando con

han tenido por contrapartida — han sido debidamente compensadas por

El argumento Aquiles — El argumento irrebatible, decisivo

aspiran al rango de mantequerías — quisieran ser tomadas por mantequerías

hubo que adquirir de estraperlo — se tuvieron que comprar en el mercado ✗
    clandestino

de primera necesidad — esenciales para la vida

Dejaremos . . . a un lado — Omitiremos

de nuevo cuño — de creación reciente

han dado cabida en — han hecho lugar en

"palabras clave" — palabras esenciales, que sirven para todo ✗

al soplo de vientos foráneos — bajo influencia extranjera

se han hecho moneda corriente — se han popularizado✗

con sacarina — expresada con rodeos, con suavidad

a cada paso — cotinuamente   *constantemente* ✗   *una persona de campanillas.*

de campanillas — importante   ✗ ✗   *una persona mala*

"dolarismo" — la influencia norteamericana que acarrea el dólar

un calco semántico — una traducción literal de la idea

tanto más fácil cuanto más disimulado — más fácil de hacer precisamente por
    ser (un calco) disimulado

Con razón — Muy justamente; Con plena justificación   *discutir con razón*

tratar *no disuenan de* — están en armonía con   ✗   *Tengo razón de discutir*
                                   Tengo derecho a discutir

declaran burdamente su extranjería — revelan toscamente su condición de
    (vocablos) extranjeros

no se salen de las posibilidades formales marcadas en español — no rebasan
    los límites establecidos por otras formas léxicas

tirando por la borda — abandonando ⚡

dificultades de acomodo fonético — obstáculos para ajustarse a la fonética de la lengua

va tomando carta de naturaleza — va naturalizándose; va aclimatándose

EJERCICIOS

Reemplace usted las expresiones dadas en cursiva con otra sugerida por el texto modelo:

A

1. El libro empieza muy bien, pero *comenzando con* el décimo capítulo se nota cierto descuido en los detalles.   **2.** Ésos son puntos que no hay que *omitir* en una exposición bien hecha.   **3.** Si queremos crear obras que duren, no hay que seguir los gustos *pasajeros*.   **4.** Una opinión tan severa convendría expresarla *con suavidad*.   **5.** *Con plena justificación* rehuyen su compañía los demás, puesto que se niega a cooperar en nada.   **6.** Es muy amigo del argot; cada día emplea alguna expresión *de creación reciente*.   **7.** Pancho es un pelmazo; *continuamente* se pone en ridículo. **8.** *Hace algunos años*, muy pocos se interesaban por la astronáutica. **9.** En un bote salvavidas se llevan sólo artículos *esenciales para sobrevivir*. **10.** En las presentes circunstancias lo mejor es proceder *de la misma manera*.

B

1. Los primeros meses produjeron poca ganancia, pero *han sido debidamente compensados por* varias semanas de volumen extraordinario.   **2.** Una palabra que comienza siendo jerga con el tiempo puede *hacerse parte de la cultura general*.   **3.** Esta expresión *está en armonía con* el tenor de la carta.   **4.** Un funcionario *importante* debe siempre contenerse cuando conversa en público.   **5.** El anglicismo *se ha popularizado* en todas partes. **6.** Cada nueva generación *abandona* lo que considera inútil.   **7.** *Han hecho lugar* en la excursión a tres pasajeros adicionales.   **8.** A pesar del poco tiempo que lleva entre nosotros, el cubano *va aclimatándose*. **9.** ¡Cuántos aquí no *quisieran ser tomados por* peritos!   **10.** Las manías de la joven generación *están ganando popularidad*.

B. Vocabulario

A

I. *Sustituya la palabra en cursiva por la palabra o expresión del lado derecho que más se acerque a ella en significado:*

1. Muchos jóvenes no pueden hacer *un picnic* sin llevar un *transistor.*①

2. Entre esta casa de *apartamentos* y la de al lado hay un amplio *espacio verde.*

3. Todo hogar moderno cuenta con un *aparato de televisión,* un *refrigerador* y una *máquina de lavar.*

4. El crecimiento de los *suburbios* ha agravado los problemas de *vialidad.*

5. El *magnetófono* compite con el tocadiscos y el dictáfono.

6. Los hijos de estas familias *económicamente débiles* crecen en alguna *chabola* miserable y acaban siendo *gamberros* y delincuentes.

7. *La astronáutica* requiere la habilitación de aparatos de *reacción* con capacidad para varias personas.

8. En aviones *supersónicos* las *azafatas* apenas disponen de tiempo para servir un *sandwich* en el curso del vuelo.

9. La *inflación* puede ser causa de una *depresión.*

pisos
una nevera
jardín
el servicio de vías públicas
una jira
televisor
lavadora
arrabales
radio portátil ①
pobres
golfos
propulsión a chorro
más veloces que el sonido
navegación interplanetaria
la grabadora de cinta
aeromozas
prolongada crisis
   económica
barraca
desvalorización de la
   moneda
emparedado

* * *

10. El cosmotrón *desintegra* el átomo y produce isótopos de gran valor industrial.

11. Varios tipos de trastorno mental se comprenden mejor hoy, gracias al sondeo del *subconsciente.*

12. Las *mantequerías* ofrecían *sucedáneos;* los productos que solíamos consumir se conseguían sólo *de estraperlo.*

13. El *enchufado* carece de esa índole *insobornable* que debe tener todo funcionario público.

14. Si el *desempleo* se prolonga, el *impacto* en los negocios será muy *severo.*

tiendas de ultramarinos
en el mercado negro
incorruptible
paro forzoso
descomponer
efecto
substitutivos
subsconsciencia
protegido político
grave

269

* * *

15. Se ha anunciado que habrá una conferencia *en la cumbre.*

16. El *match* produjo varios *records* nuevos, a pesar del rigor de los *referees.*

17. Un *suéter* ceñido es una invitación segura al *flirt,* cuando lo lleva puesto una muchacha bonita.

18. No es siempre fácil diferenciar entre una persona *sofisticada* y un *snob.*

19. Sólo el *totalitarismo* podría emprender un programa de *genocidio.*

coqueteo
vanidoso
régimen dictatorial
entre los jefes de las
   grandes potencias
de mucho mundo
marcas
exterminio de un grupo
   racial
árbitros
jersey
encuentro

II. *El prefijo* **auto-** *denota la capacidad que algo o alguien tiene para actuar por sí mismo o sobre sí mismo. En un restaurante de* **autoservicio,** *la clientela se sirve a sí misma. Un* **automotor** *es un vehículo ferroviario movido por un motor eléctrico o diesel. Otras veces* **auto-** *es sencillamente una forma corta de* **automóvil: en una autoescuela se enseña a conducir automóviles.**

En las oraciones que se dan abajo, llene usted el espacio en blanco con uno de los términos que se citan en seguida:

autógrafo 10	autocrítica 9	automatización 11
autocar 14	autoengaño 5	autocine 8
auto-stop 7	autorretrato 6	autodeterminación
autodidacto 1	autoinfección 2	autopista 12
autobús 13	autobote 3	autovivienda 4

1. Un individuo culto que no ha recibido instrucción en las escuelas se llama ——. 2. Un cuerpo que se infecta por alguna causa interna sufre de ——. 3. Una lancha con motor de gasolina se llama gasolinera o ——. 4. Una casa con ruedas puede llamarse una —— o vivienda remolque. 5. El que se engaña a sí mismo es víctima de ——. 6. El pintor que se retrata hace un ——. 7. El estudiante que quiere viajar gratuitamente hace ——. 8. El cine al aire libre en donde entran los vehículos se llama ——. 9. La crítica que uno hace de su propia conducta es una ——. 10. Un escrito hecho por la mano del autor mismo es un ——. 11. La sustitución del hombre en el proceso de producción se llama ——. 12. Una carretera sin altos ni cruces, acondicionada para grandes velocidades, es una ——. 13. El —— es un gran vehículo acondicionado para el servicio urbano.

autocar.

14. El —— es un gran vehículo acondicionado para el servicio interurbano.

15. El derecho de determinar libremente el futuro régimen político de una zona se llama *autodeterminación*.

III. *Empareje usted los extranjerismos de la primera columna con una expresión castellana más castiza de la segunda:*

convertible	pasatiempo favorito
sprint	colación
esplín	descapotable
hobby	mal humor
slip	embalaje
lunch	combinación

***

wat	nivel de vida
nurse	vatio
shorts	prosperidad repentina
standard de vida	existencias de mercancías
stock	pantalón corto
boom	institutriz

***

clown	deportista
living-room	posibilidades; ocasión
water	payaso
sportsman	coqueteo
flirt	retrete
chance	sala de estar

B

Diferencias de significado

1. Cuenta.

(a) Cálculo:

El propietario hace su cuenta (*calculates mentally*).

(b) Partida del debe y el haber:

Póngalo en mi cuenta. *Charge it to my account.*

Tengo aquí una cuenta corriente (*a checking account*).

(c) Frases preposicionales:

Lo hará por su cuenta y riesgo (*at his own risk*).

En resumidas cuentas (*In short* [*In conclusion*]), ¿qué ocurrió?

A fin de cuentas, es un zascandil. *In the last analysis* [*When all is said and done*] *he is a schemer.*

(d) Construcciones verbales:

A ese muchacho hay que ajustarle las cuentas [tomarle cuentas]. *We have to call that boy to account.*

Ahora vengo a caer en la cuenta. *Now I get it.*

Eso corre de mi cuenta. *I'll take care of that.*

A usted no tengo por qué darle cuenta de nada. *I don't have to account to you for anything.*

Usted tendrá que dar detallada cuenta (*give a detailed account*) de lo sucedido.

Por fin se dio cuenta del peligro (*he realized the danger*).

Ahora nos damos cuenta (*we have become aware*) de las modas expresivas que van y vienen.

Antes de hacer las compras convendría echar cuentas (*to make some calculations*).

No se haga usted cuentas galanas. *Don't entertain idle dreams.*

Ha llovido tanto que hemos perdido la cuenta de los días (*we've lost count of the days*).

Tenga usted en cuenta (*Keep in mind*) que ella no es una jovenzuela.

¡Vamos a cuentas! *Let's settle this!*

2. Diferir — discordar — diferenciar.

Diferir significa

(a) Ser diferente:

En cuanto a pronunciación estos neologismos no difieren de otros.

(b) Postergar:

No me gusta diferir (*to postpone*) asuntos que piden solución inmediata.

El verbo **diferir** no se emplea en español para expresar *to differ*, en el sentido de "no concordar una persona con otra." En este caso es menester emplear el verbo **discordar** o **disentir**:

Permítame usted discordar. *I beg to differ.*

Diferenciar es igual a "establecer distinciones"; se emplea con la preposición **entre**:

Conviene diferenciar entre algas y líquenes.

3. Penuria — escasez — miseria.

Penuria significa "escasez aguda"; es palabra más bien elegante:

En las épocas de penuria (*extreme want*) hubo que adquirir artículos de primera necesidad en el mercado negro.

Escasez quiere decir "pobreza, mengua de algo":

Ya sabemos lo que es la escasez (*scarcity*).

Hubo escasez de pan (*a bread shortage*).

Miseria es

(a) Falta de lo más necesario para el sustento. En este sentido es igual a "pobreza extremada":

Esa familia vive en la miseria.

(b) Avaricia:

Todo el mundo le conoce por su miseria (*avarice*).

(c) Cantidad ínfima:

Lo que me da cada mes es una miseria (*pittance*).

Habrá de observarse que **miseria** no se emplea para expresar la idea de "infortunio" o "angustia," como **misery** en inglés:

Haz algo por poner fin a mi dolor [sufrimiento]. *Do something to get me out of my misery.*

4. Imponer — imponerse.

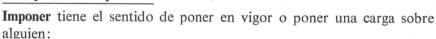

Imponer tiene el sentido de poner en vigor o poner una carga sobre alguien:

Han impuesto (*imposed*) nuevas reglas.
Le impusimos una fuerte multa. *We fined him heavily.*

Imponerse puede significar

(a) Hacer patente nuestra autoridad:

Si no sabe usted imponerse (*assert yourself*) tendrá un serio problema de disciplina.

(b) Seguido de la preposición **de** significa "enterarse de algo":

Ahí tiene usted el informe; impóngase de (*get acquainted with*) su contenido.

(c) Ganar aceptación:

Se van imponiendo (*are gaining ground*) la racionalización y la automatización.

N.B. **Imponer** no se usa para decir *to impose* en el sentido de "causar molestias":

¿Molesto? *Am I imposing?*

5. Aplicación — solicitud.

Aplicación quiere decir

(a) Asiduidad con que se hace algo:

Hace su trabajo escolar con verdadera aplicación (*diligence*).

(b) Acto de aplicar:

> La justicia descansa en la correcta aplicación de las leyes.

La palabra **aplicación** no debe usarse para decir *application*, en el sentido de "petición escrita":

> Todo candidato deberá presentar (una) solicitud.
>
> El formulario de la solicitud deberá devolverse el 31 de enero a más tardar. *The deadline for the return of the application blank is January 31.*

6. Girar — rotar; dar vueltas; dar una vuelta.

Hablando de cosas, el verbo **girar** significa "moverse circularmente alrededor de algo":

> La tierra gira (*revolves*) alrededor del sol.

Rotar se usa, particularmente en astronomía, para expresar movimiento alrededor de un eje:

> La tierra rota (*rotates*) sobre un eje imaginario.

En el lenguaje común, sin embargo, se emplea a menudo el verbo **girar** en el sentido de **rotar:**

> La rueda gira a gran velocidad.

Hay también varias frases en que aparece la palabra **vueltas:**

(a) Dar vueltas a:

> Dio vueltas al manubrio (*he turned the handle*) hasta quedar agotado.

(b) Dar vueltas alrededor de es igual a **girar,** cuando se habla de cosas:

> La tierra da vueltas alrededor del sol.

Hablando de personas, significa "moverse circularmente":

> Dimos varias vueltas alrededor del monumento. *We went around the monument several times.*

En este último caso no se puede usar el verbo **girar.**

Estos modismos no deben confundirse con otros en que aparece **vuelta,** en singular:

(a) Dar una vuelta es igual a "dar un paseo":

> Estoy aburrido; voy a salir a dar una vuelta (*to take a walk*).

(b) Dar una vuelta a es hacer que el anverso pase a ser el reverso:

> Hay que dar una vuelta a la tortilla (*turn the omelet over*) cada dos minutos.

Este modismo también significa hacer que algo gire una vez:

> Déle una vuelta a la llave. *Give the key a turn.*

(c) Dar una vuelta por es lo mismo que visitar un lugar por breve plazo:

Este fin de semana daré una vuelta por San Sebastián (*I'll take a quick trip to San Sebastián*).

Este mismo modismo se emplea, en sentido figurativo, para expresar la idea de recorrer algo rápidamente por dentro:

Si quiere, dé una vuelta por la casa (*take a look around the house*).

(d) Si el recorrido es circular y por fuera se dirá **dar una vuelta alrededor de:**

Demos una vuelta alrededor de la casa. *Let us go around the house.*

7. Término — terminación.

Término, en su acepción más común, significa
(a) Palabra:

Se expresó en términos elogiosos (*very complimentary words*).

(b) Fin o remate de algo. En este sentido es igual a "fin," sea material o inmaterial:

Llegó al término (*end*) de su vida sin haber logrado el éxito.

(c) Período de tiempo:

Usted deberá hacer esto en el término de una semana.

(d) En matemáticas **término medio** es lo que resulta de sumar varias cantidades y dividirlas por el número de ellas:

Calculo que, como término medio (*average*), había siempre unas veinte personas.

(e) En pintura se emplea **término** para referirse a los diferentes planos en que se colocan las cosas:

En primer [segundo, último] término (*foreground* [*middle distance, background*]) hay un campo abierto.

(f) Frases idiomáticas:

Hay que llevar este proyecto a buen término (*carry . . . to a successful conclusion*).
Debemos poner término (*put an end*) a esta larga discusión.

N.B. La palabra **término(s)** no corresponde a la palabra inglesa *term(s)* en los siguientes casos:

Recibiré mi título después del segundo semestre (*second term*).
Éstas son mis condiciones (*terms*).
Tendremos que llegar a un acuerdo. *We will have to come to terms.*

275

Terminación expresa

(a) La acción de terminar:

Con la terminación (*end*) de los trabajos hemos quedado sin empleo.

(b) Letras que siguen al radical de una palabra:

La forma verbal tiene raíz y terminación.

(c) Parte final:

En general, el drama es bueno, pero su terminación es un poco floja (*its termination is a bit weak*).

8. Usual — usualmente.

Usual significa "común, de uso corriente":

La palabra "boleto," usual en algunos países hispanoamericanos, no la usamos en España.

Conviene recordar que **usual** no se emplea, como *usual* en inglés, para referirse a aquello que se espera por haberse dado antes. Esta idea la expresan los adjetivos "acostumbrado,-a," y "consabido,-a," añadiendo este último un ligero matiz peyorativo:

Lo hizo con su acostumbrada pericia. *He did it with his usual skill.*
Vinieron luego los consabidos discursos. *Then came the usual speeches.*

Tampoco se emplea **usual** para aludir a aquello que se da en el tiempo muy repetidas veces:

Estamos pasando por el enero de siempre. *We are having the usual January.*

Usualmente alude a lo habitual, pero es término mucho menos común que el adverbio "generalmente" o la frase "por lo común":

Por lo común [Generalmente, Usualmente] visito a mis amigos el domingo por la tarde.

EJERCICIOS

Termine usted las siguientes oraciones con palabras o expresiones sugeridas por el estudio que antecede:

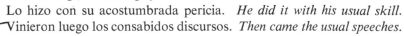

1. Quiera o no, un jefe debe ―――― a sus subalternos en bien de la empresa. **2.** Para ser tenida en cuenta, toda ―――― debe presentarse antes del 31 de enero. **3.** No puedo aparcar el auto aquí, así que ―――― alrededor de la manzana hasta que salgas. **4.** Aunque estás mejor informado que yo sobre este punto tengo que ――――. **5.** Francamente, no veo en qué ―――― su propuesta de la mía. **6.** Vive con tanta ―――― que no sobra nunca un cacho de pan. **7.** Dos cualidades que se aprecian en todo empleado son su lealtad y su ___ 8. La beneficencia no es una solución para los que viven en la ___. 9. Para contrarrestar la inflación ___ graves restricciones de crédito. 10. Lo que se paga por un trabajo de esa clase es una ___ nada. 11. Cogió la cajita de música y ___ a la llave hasta que se pegó. 12. De todos los animales del tiovivo, el caballo alazán parecía ___ más rápidamente. 13. Antes de llegar al ___ de su carrera, usted debe estudiar con el profesor Solórzano. 14. En el ___ de una semana, deberá usted finalizar este trabajo. 15. En caso de encontrar satisfactorias estas ___, sírvase comunicarnos su conformidad. 16. Sumando estas notas, calculo tener ___ de ochenta y tres antes de presentar examen. 17. La decisión sobre un problema tan grave no se puede ___ hasta mañana. 18. No hay que juzgarle muy severamente; a fin de ___ es muy joven.

C. Gramática

I. EL PARTICIPIO PASADO

1. El auxiliar **haber** se combina con el participio para formar los tiempos compuestos o perfectos; el participio en este caso es invariable:

Elena ha comprado una lavadora.

2. En combinación con los verbos **tener, llevar, dejar, conocer** y **encontrar,** el participio concuerda con el complemento directo:

Ya tenemos pagadas las cuentas.
Mis padres nos tienen prohibido que volvamos después de la medianoche.
Llevo escritos cuatro capítulos del libro.
Llevábamos andadas cuatro millas, cuando perdimos el sendero.
No quisiera dejar plantada a mi suegra, pero . . .
Dejaron dicho que necesitaban la ropa para el día siguiente.
La conocí ya casada.
La encontré muy abatida.

En contraste con **haber** + *p. p.*, **tener** o **llevar** + *p. p.* recalcan, además de la idea de posesión, la realidad actual del estado a que alude el participio. Compárense **He caminado dos millas** con **Llevo caminadas dos millas.**

3. El participio de verbos transitivos puede tener función adjetival, en cuyo caso los equivalentes ingleses pueden ser

(a) Un participio pasado:

Hay que reemplazar los vidrios rotos (*broken*).
Llegamos rendidos (*worn-out*) después de la excursión.

(b) Un adjetivo:

Todos asistieron a los funerales del amado (*beloved*) profesor.
Nada más apetitoso que un plato de carne asada (*roast beef*).

(c) Una cláusula adjetival:

Hay que terminar el trabajo iniciado (*which has been started*).
Hay que quitar de allí el árbol tumbado (*which has been cut down*).

4. El participio de muchos verbos reflejos toma un significado activo, convirtiéndose en un verdadero adjetivo, cuando se refiere a una persona:

Aplicarse: ¿No puedes ser más aplicado?
Amañarse: Es un arribista muy amañado.
Atreverse: Los gamberros son atrevidos.
Resolverse: Por su porte se ve que esa mujer es muy resuelta.
Aficionarse: Felipe ha seguido muy aficionado a los encuentros de boxeo.

5. Por analogía con el punto anterior, muchos participios han asumido con el tiempo una connotación activa de la cualidad que el verbo expresa, convirtiéndose también en adjetivos:

Esta lectura es muy aburrida.
Es muy entendido en astronáutica.
Salimos de casa almorzados.
La Inquisición perseguía a los católicos descreídos.

6. En el lenguaje elevado, el participio se emplea en frases absolutas para referirse a un hecho que precede a la acción del verbo principal o coincide con ella. Las frases absolutas son de dos tipos:

(a) La que comienza con el participio pasado:

Oídas las quejas, el jefe deliberó un momento.
Leída la carta, la hizo mil pedazos.

(b) La que comienza con una expresión de tiempo:

Antes de vencido el plazo, el deudor debe liquidar el pagaré.
Una vez impuesta la pena, es difícil modificarla.

II. LA VOZ PASIVA

1. Aunque los dos verbos **ser** y **estar** funcionan como auxiliares para formar la voz pasiva, nunca son equivalentes. **Ser** + *p. p.* denota la acción misma:

La casa fue construida = Alguien construyó la casa.

Los dos componentes de **fue construida** se refieren al mismo tiempo del pasado.

2. Estar + *p. p.* denota el estado que resulta de un acto anterior:

La casa estaba construida, cuando la compramos = Antes de comprarla nosotros, alguien la había construido.

En la frase **estaba construida**, el "estar" se da en el pasado y el "construir" ocurre en un tiempo anterior al del auxiliar.

Para distinguir entre el acto y el estado resultante, el idioma inglés se sirve de la conjugación progresiva: *The house is being built.* Esta construcción describe la acción. *The house is built* describe el estado resultante. El español, en cambio, generalmente rechaza la voz pasiva en forma progresiva, y en este caso habría que decir **Se está construyendo la casa,** o sencillamente **Se construye la casa,** o bien, empleando la voz activa, **Están construyendo la casa,** o **Construyen la casa.** Todas estas construcciones son preferibles a "La casa está siendo construida."

3. El agente de la voz pasiva es comúnmente regido por la preposición **por,** la cual se combina con la construcción **ser** + *p. p.* o **estar** + *p. p.* Esta última se emplea sólo cuando el estado requiere la continuada intervención de un agente o instrumento:

El informe fue escrito por un experto. (*acción*)
El informe está escrito por un experto. (*estado*)
Este muchacho será siempre dominado por sus malos hábitos. (*acción*)
La flota mercante está compuesta por veinte buques de carga. (*estado*)

4. No todos los verbos se emplean con igual facilidad en todos los tiempos de la voz pasiva. Los que denotan fenómenos que por su propia naturaleza tienden a prolongarse (verbos imperfectivos), se emplean con mayor facilidad en los tiempos imperfectivos, sobre todo el presente y el imperfecto:

Su capacidad es bien conocida en los círculos que frecuenta.

Sus esfuerzos eran poco apreciados por el jefe.

Los viejos entonces eran respetados por los menores.

El supermercado es dirigido por un negociante de muy buena reputación.

Su opinión no era compartida por sus consocios.

Siendo el menor de los hijos, es muy mimado de todos.

5. Los verbos que por naturaleza propia expresan una acción que se completa o repite cíclicamente (verbos perfectivos) admiten con facilidad la voz pasiva en los tiempos perfectivos (pretérito, perfecto, pluscuamperfecto):

El proyecto de congelación fue firmado por el presidente. (*Acción terminada*)

La mercancía ha sido embargada por la Aduana. (*Acción terminada*)

La comida había sido preparada antes de nuestra partida. (*Acción terminada*)

Los verbos perfectivos, por otra parte, rechazan la voz pasiva en presente e imperfecto porque éstos son tiempos imperfectivos. En vez de "La puerta es abierta por la criada" se dice "La criada abre la puerta." Tampoco se diría "La casa era pintada por el obrero," sino "El obrero pintaba la casa." Debe tenerse presente, al mismo tiempo, que hay casos en que estos mismos verbos admiten la voz pasiva en presente e imperfecto (tiempos imperfectivos), pero entonces no dicen que la acción ha llegado a su término sino que dicha acción es habitual o reiterada:

Este anglicismo es aceptado (= se acepta) en todas partes. (*Acción habitual*)

Esos cargos eran desempeñados por grandes señores. (*Acción habitual*)

6. Si el sujeto es inanimado, la construcción pasiva con **se** a menudo reemplaza a la voz pasiva construida con **ser.** Sin embargo, la verdadera pasiva es obligatoria, aun con sujetos inanimados, cuando una acción es concebida con la intervención directa de un agente, intervención que puede ser más sentida que expresada:

El autogiro fue inventado en España.

Los barcos fueron gobernados con suma destreza en la regata.

La nueva mantequería había sido arreglada con todo esmero.

7. En generalizaciones o enunciados científicos, el pasivo no es admisible, porque, a diferencia del punto anterior, no se concibe ningún agente:

El aire se compone principalmente de nitrógeno y oxígeno.
El hierro se extrae de hematites.

8. La forma pasiva construida con **se** y la construida con **ser** + *p. p.* pueden a veces sustituirse una por la otra, pues las dos expresan acción; la forma **estar** + *p. p.* expresa siempre el resultado que sigue a una acción y nunca es equivalente a aquéllas.

La comida fue servida (se sirvió) entre cuatro y cinco.
La comida estaba ya servida cuando llegamos.
Las luces fueron apagadas (se apagaron) a la medianoche.
Las luces estaban apagadas cuando llegamos.

9. Un grupo de verbos que aluden a múltiples aspectos de la vida interior o psíquica forman siempre la voz pasiva con **ser;** estos verbos rechazan la combinación **estar** + *p. p.* Tales son **querer, amar, odiar, admirar, conocer, saber, respetar,** etc. A causa de la naturaleza misma de estos verbos, la voz pasiva muestra cierta afinidad con los tiempos imperfectivos (presente e imperfecto), los cuales expresan una acción de duración indefinida, esto es, no precisan cuándo se inicia o cesa la acción:

Los problemas sociales de estos países no son generalmente conocidos.
El nuevo Ministro es respetado en todos los círculos.
Era sabido de todos que su elección haría estallar la guerra.

10. Se construyen con **estar** los participios de verbos que denotan el fenómeno de entrar en un estado, o tomar una posición: **amostazarse, avergonzarse, contagiarse, debilitarse, enfadarse, morir(se), resfriarse; acostarse, arrodillarse, echarse, levantarse,** etc.

EJERCICIOS

A

I. *Exprese la idea de las siguientes oraciones empleando el participio pasado en sentido absoluto en lugar de las palabras en cursiva.*

Ejemplo: Después de escribir la carta, salió.
Escrita la carta, salió.

1. *Tras de aparcar* la camioneta, vino a reunirse con nosotros. **2.** *Después de comprar* el televisor, lo devolvió a su dueño. **3.** *Habiendo muerto* sus hermanas, decidió vender la casa. **4.** *Tras de decir* esas palabras, se calló. **5.** *Después de enumerar* las posibilidades de éxito, nos propuso el nuevo plan. **6.** *Habiendo roto* esas relaciones en forma tan perentoria, creyó conveniente irse a otro pueblo.

II. *Combínese el participio pasado del verbo citado entre paréntesis con alguna forma conjugada de los verbos* **haber, tener, llevar,** *o* **dejar.** *El número entre paréntesis indica el número de posibles soluciones.*

1. —— (redactar) tres cuartas partes del libro cuando el editor le anuló el contrato. (*tres*) **2.** Todos los invitados —— (aceptar) la invitación. (*una*) **3.** No insistas; ya te —— (decir) que a ese baile no vas a ir. (*dos*) **4.** En su testamento el rey —— (establecer) la sucesión de sus hijos. (*tres*) **5.** Los invitados —— (comer) el plato principal y ahora esperan el postre. (*una*) **6.** Los novios —— (proyectar) un viaje al Japón después de la boda. (*dos*) **7.** —— (recorrer) cincuenta kilómetros cuando nos falló el motor. (*dos*) **8.** Ese Don Juan —— (enamorar) a la mitad del barrio. (*dos*) **9.** Antes de morir el artista —— (terminar) la pintura que había de ser su obra maestra. (*tres*) **10.** Yo —— (asear) los altos de la casa, pero aquí abajo está todo por hacer. (*dos*) **11.** Esa camisa que —— (poner) es la única que posee. (*dos*) **12.** Su padre es muy ambicioso y le —— (prohibir) el trato con jóvenes de familia modesta. (*dos*) **13.** Mi amigo —— (arrinconar) todos los objetos inútiles (*tres*) **14.** Los hermanos —— (resolver) las dificultades. (*dos*) **15.** El señor Ruiz —— (escribir) diez páginas sobre la inflación. (*cuatro*)

III. *Combine usted el participio del verbo que se da entre paréntesis con la forma más adecuada de* **ser** *o* **estar** *según el contexto.* ¡*Ojo!* ¡*A veces hay dos soluciones!*

1. La pintura que tenemos delante de nosotros —— (ejecutar) con suma maestría. **2.** Durante la ausencia del dueño, el bar —— (regentar) por el empleado más antiguo. **3.** Por haber —— (exponer) a la intemperie durante varias semanas se echó a perder el cortacésped. **4.** Esta carretera siempre —— (cerrar) al tráfico durante las temporadas de lluvia. **5.** El Buick X49 —— (conducir) con habilidad en el tramo montañoso. **6.** Ese muchacho —— (admirar) de todas las chicas por guapo e inteligente. **7.** Con el pasar de los años las nuevas generaciones liberales buscaron nuevos líderes y el nombre de Figueres —— (olvidar). **8.** La derecha —— (representar) por el diputado de Madrid. **9.** El sello —— (cancelar) por un matasellos turco. **10.** El altavoz —— (colocar) en un rincón. **11.** En las residencias estudiantiles el correo —— (entregar) cada tarde después del almuerzo. **12.** Este tratado sobre superpoblación —— (escribir) en términos demasiado técnicos. **13.** La policía supone que la maleta con su macabro contenido —— (arrojar) al río desde algún barco de recreo. **14.** —— (conocer) el hecho de que el siempre creciente número de motores de combustión va aumentando la contaminación del aire. **15.** La vieja máquina de lavar —— (reemplazar) por una lavadora eléctrica.

B

I. *¿ En cuáles de las siguientes oraciones preferiría usted la pasiva refleja? ¿ En cuáles la verdadera pasiva? ¿ Es posible emplear ambas formas en algunos casos? Cambie usted el orden de las palabras donde lo requiera el sentido.*

1. Ayer (fue firmado – se firmó) el proyecto de ley por el presidente. **2.** Cuando sonó el trueno, (fueron apagadas – se apagaron) las luces. **3.** Anoche, como siempre, las luces (fueron apagadas – se apagaron) a la hora de dormir. **4.** La piedra (fue arrojada – se arrojó) desde aquel tejado. **5.** (Fueron conducidos – se condujeron) los autos con suma destreza en la carrera. **6.** Después de grandes esfuerzos las mercancías extraviadas (fueron localizadas – se localizaron). **7.** Sus ahorros (fueron invertidos – se invirtieron) con sumo cuidado. **8.** El hidrógeno (es extraído – se extrae) del agua. **9.** El documento (fue redactado – se redactó) con mucha atención a las disposiciones legales. **10.** El ladrón (fue detenido – se detuvo). **11.** (Fue bebido – se bebió) mucho champaña en la boda. **12.** La fortaleza (fue atacada – se atacó) en la madrugada, mientras dormían las tropas. **13.** La carta (se envió – fue enviada) por correo aéreo. **14.** Como gesto humanitario, (fueron libertados – se libertaron) los presos antes de que comenzara la batalla. **15.** La ventana (fue abierta – se abrió) con una ráfaga de viento. **16.** El barco (fue subido – se subió) a la playa. **17.** La ciudad (fue ocupada – se ocupó) y el ejército siguió adelante. **18.** Antes de que entrará la congregación (fueron retiradas – se retiraron) las sillas. **19.** Su demanda (fue rechazada – se rechazó) por cuarta vez. **20.** Al principio sus discursos (fueron escuchados – se escucharon) con mucho respeto. **21.** El invitado (fue instalado – se instaló) en la alcoba de la planta baja. **22.** Ya vendido, el caballo (fue cargado – se cargó) en un carro. **23.** La casa (fue demolida – se demolió) y el terreno fue convertido en parque. **24.** Al principio sus órdenes (fueron atendidas – se atendieron) con todo respeto. **25.** (Fue encontrado – se encontró) el anillo en la calle.

II. *¿En cuáles de las oraciones que siguen se puede sustituir la forma activa del verbo por la pasiva con* **ser,** *sin cambiar el significado?*

1. Un experto agrícola escribió el informe.
Un experto agrícola estaba escribiendo el informe.

2. La madre sirvió la comida.
La madre siempre servía la comida (acción habitual).

3. La corte reconoce la justicia de la querella.
Todos reconocían la justicia de la querella.

4. Los jefes rurales representaron hábilmente a los campesinos.
Los jefes rurales representaban los intereses campesinos.

5. Los norteamericanos consideran como héroes a los grandes deportistas.
Los norteamericanos consideraban entonces como héroes a los grandes soldados.

6. Los motores de combustión han viciado el aire de las ciudades.
Los motores de combustión están viciando el aire de las ciudades.

III. *Diga usted si las ideas de las siguientes oraciones pueden ser expresadas igualmente bien empleando* (a) *la voz pasiva con* **ser,** *o* (b) *la refleja pasiva con* **se.** *¿En qué casos no es recomendable ninguna de estas dos formas?*

1. La Academia no recomienda este término.   **2.** Han instalado una nueva planta industrial en esta calle.   **3.** Aceptaron el nuevo vocablo sin mucha dificultad.   **4.** La gente culta ha abandonado esta anacrónica denominación.   **5.** La azafata atendió a los pasajeros.   **6.** Mataron a cinco espías.   **7.** Ellos dedicaron algunas líneas a este asunto.   **8.** El diccionario no trae esta palabra.   **9.** El funcionario está prometiendo actuaciones propias de Celestina.   **10.** Estaban dando brillo al suelo con una enceradora.

D. Estilística y composición

Palabras engañosas (*Deceptive Cognates*)

Hay un considerable número de palabras españolas que se parecen en la forma a ciertas palabras inglesas, pero que tienen significado distinto del que el estudiante norteamericano pudiera imaginarse a primera vista.   Por ejemplo, **éxito** no significa *exit* sino *success;* asimismo, **suceso** no quiere decir *success* sino *event.*

A veces las dos palabras que se parecen — la española y la inglesa — tienen varios significados y coinciden en uno o dos de ellos, pero éstos bien pueden ser los menos comunes. Por ejemplo: **presentación** es más comúnmente igual a *introduction* que a *presentation*. Asímismo, **presumir** significa las más veces *to boast of being* . . . en vez de *to presume*. Por último, el adjetivo **precioso** quiere decir, en lengua familiar, *beautiful* más que *precious*.

Como es natural, es imposible contrastar todos los significados de las palabras engañosas. Por lo tanto, nos restringiremos a aquel que pudiera llevar a un serio error de interpretación.

EJERCICIOS

Escoja usted entre los vocablos de la columna de la derecha el significado correcto de las palabras que aparecen en cursiva en la columna de la izquierda.

A

(a) VERBOS

1. No puedo *asistir* a la reunión de hoy.
2. Voy a *avisar* que me esperen.
3. No me gusta *guardar* demasiados papeles.
4. No puedo *recordar* su dirección.
5. Haga usted el favor de *quitar* esa silla.
6. Eso no puede *suceder* aquí.
7. Por esta vez le voy a *dispensar*.
8. No he podido *sostener* a mi familia.

a. to happen
b. to assist
c. to remember
d. to keep
e. to support
f. to encounter
g. to tell
h. to advise
i. to attend
j. to succeed
k. to remove
l. to excuse

(b) SUSTANTIVOS

1. Le encontré por *casualidad*.
2. Le contestó haciendo una *reverencia*.
3. Quería aprender un *oficio*.
4. Acaban de volver del *colegio*.
5. Tiene *fama* de mentiroso.
6. No le agradó nada la *noticia*.
7. Hablaba con un *extranjero*.
8. Pregúntele al *dependiente*.

a. news
b. foreigner
c. school
d. college
e. reverence
f. chance
g. bow
h. clerk
i. stranger
j. trade
k. dependent
l. reputation

285

(c) OTRAS PALABRAS

1. El *actual* ministerio no tiene razón de ser.
2. Volvió *sano* y salvo.
3. En cuanto a belleza es sólo *regular*.
4. *Efectivamente*, así ocurrió.
5. Es la *única* esperanza que tengo.
6. Lo que dice es muy *gracioso*.
7. Vivía en una casa *particular*.
8. ¡Qué muchacho tan *fino*!

a. funny
b. courteou.
c. fine
d. private
e. gracious
f. only
g. average
h. sane
i. actual
j. sound
k. present
l. in fact

B

(a) VERBOS

1. Quería *experimentar* la grata sensación de ser tenido en cuenta.
2. Si es así, tendré que *renunciar*.
3. No quería *demostrarle* antipatía.
4. No quiso *atender* a las señales que le hacíamos.
5. ¡Quién puede *soportar* a un muchacho así!
6. Haga usted el favor de *extender* la mano.
7. Le voy a *registrar* ahora mismo.
8. ¡Quién iba a *pretender* semejante cosa!

a. to pretend
b. to search
c. to renounce
d. to hold out
e. to want
f. to demonstrate
g. to show
h. to extend
i. to pay attention
j. to put up with
k. to experience
l. to resign

(b) SUSTANTIVOS

1. Hizo una *apología* de sus antepasados.
2. — Muchacho, ¡qué *ocurrencia* la tuya!
3. Vive de sus *rentas*.
4. Jamás pude comprender tan ilusoria *pasión*.
5. No lo hagas con tanta *precipitación*.
6. Mañana haré una *reclamación*.
7. Presentaré mi *solicitud* para ver si algo me pueden dar.
8. Lo que usted ha dicho es una *injuria*.

a. insult
b. complaint
c. occurrence
d. passion
e. infatuation
f. injury
g. bright idea
h. application
i. reclamation
j. income
k. haste
l. eulogy

(c) OTRAS PALABRAS

1. Es una muchacha muy *desgraciada*.
2. Resultó ser un muchacho inteligente y *decidido*.
3. Me dicen que es una persona muy *ilustrada*.
4. *Materialmente* le tocó la nariz con el dedo.
5. Este chico es muy *formal*.
6. Ésas son dos cosas muy *distintas*.
7. Los hombres *reflexivos* son difíciles de comprender.
8. Es una muchacha de facciones muy *concertadas*.

a. serious
b. materially
c. harmonious
d. disgraced
e. reserved
f. distinct
g. daring
h. different
i. learned
j. formal
k. unfortunate
l. literally

Ⓝ
Traducción

A

1. No other area of language evolves as rapidly as the lexicon. 2. Everyone notices lexical changes which reflect innovations in all orders of life. 3. A completely new invention or a new concept which takes form in man's mind calls for the formation of new terms, or provides already existing words with new meanings. 4. The application of Einstein's theory of relativity has added atomic energy, fission, and isotope to our storehouse of words. 5. The population explosion has made imperative the conservation of natural resources, and conservationists have fostered terms such as reservoir and reforestation. 6. Medicine and its related fields have forged the iron lung and filled the pharmacists' shelves with sulfanilamides, vitamines, and antibiotics. 7. Psychologists and psychiatrists have broadcast words like complex, inhibition and to sublimate. 8. The history of our own times has popularized satelite nations, iron curtain, bamboo curtain, genocide, and fifth column. 9. The political scientist warns that the epoch of colonialism has been succeeded by that of autodetermination. 10. Sociologists point out that the nouveau riche has given way to the influence peddler, the hooligan to the switch-blade carrier, and the bandit to the gangster. 11. Experts in public finance have proven that one can combat a depression or, under different circumstances, cause inflation by the use of deficit financing. 12. Fortunately for the language student, though, lexical change is not always a question of adding new words. 13. We notice, consciously or otherwise,

that certain words used some years ago have been abandoned. **14.** Be that as it may, it is no exaggeration to say that the dictionary will continue to grow ever larger as long as man's horizons spread limitless before him.

B

1. "Dollarism" is a term coined by the author to differentiate between Anglicisms originating in England and that more diffuse and modern American influence which, escorted by the dollar, penetrates the farthermost corners of the globe. **2.** Although "dollarism" implies much more than simply a linguistic influence, let us concentrate on this aspect of the problem in these few lines. **3.** Anglicisms of Greek or Latin origin like "recital," "cyclotron," "photometer," "refrigerator," win recognition quite easily, since Spanish offers many models for them to associate with and, in general, they do not run counter to Spanish phonetics. **4.** But only with difficulty can such loan words as *cinemascope**, *nylon*, *sprint*, *trust* and *jeep* be assimilated, because they present phonological patterns which are strange to Spanish usage. **5.** In order to become popularized they would have to undergo certain changes. **6.** *Cinemascope* could be adjusted to the pattern of "stethoscope," and *nylon* to that of "rayon." **7.** *Sprint* and *trust* could be Hispanicized by abandoning the final consonant as has "ticket." **8.** *Shock* has become naturalized, as has *film*, by the addition of a final -*e*. **9.** In addition to neologisms which simply reproduce foreign words, there is another very important group of words which copy foreign usage by translating alien expressions. **10.** Examples of semantic imitation are words like "skyscraper," "fountain-pen," "windshield-wiper," "supermarket," "unemployment," and phrases like "hi-fi," "house trailer," "hot dogs," "animated cartoons," and "air conditioning." **11.** The life of a loan word is rather precarious, for the language does in due time react against the invader if it declares too crudely its alien nature. **12.** Thus Hispanicized, "interview" has taken the place of the blatant *interview*, and the archaic form "sport" has triumphed over *sport*. **13.** We are told by purists to use *fonocaptor* instead of *pick-up;* and so the process of selection continues. **14.** The vitality of the Anglicism in Spanish and other foreign languages is like a gauge of international politics: its vogue can be expected to continue as long as the U. S. remains first among the nations of the Western World.

* Las palabras dadas en cursiva no deben traducirse.

Vocabulario mínimo

to **abandon** desechar, tirar por la borda
to **add: to — to man's storehouse of words** añadir al acervo común
 addition: in — to además de, a más de; **by the — of** añadiendo, con la adición de
to **adjust: to be adjusted** ajustarse
 ago: some years — años atrás
 air conditioning el acondicionamiento del aire
 alien extranjero,-a
 area el campo lingüístico
 as . . . as tan . . . como
 assimilated: can be — llegan a asimilarse
 to associate: for them to — with con que asociarse
 bamboo el bambú
to **be: — that as it may** sea como fuere (sea)
 before ante
 blatant intruso,-a
to **broadcast** difundir
 by mediante, por medio de
to **call for** reclamar
 carrier: switch-blade — el gamberro
 cartoon: animated — los dibujos animados
to **cause: — inflation** causar una inflación
 change el cambio; **not all lexical —** no toda la evolución léxica
to **coin** forjar, crear
to **combat** contrarrestar, combatir
 complex el complejo
to **concentrate on** concentrar (fijar) la atención en
 consciously: — or otherwise conscientemente o no
 conservationists los que trabajan por la conservación de los recursos naturales
 consonant la consonante
to **copy** calcar
 corner el rincón
 crudely rudamente, burdamente, toscamente
 curtain: the iron — la cortina de acero
 cyclotron el ciclotrón
 diffuse difuso,-a
 "dollarism" "dolarismo"

 easily: quite — sin mayor problema
 energy la energía
 epoch la época
to **escort** acompañar, escoltar
to **evolve** evolucionar
 exaggeration: it is no — no es aventurado
 existing existente
to **expect: can be expected to continue** continuará
 expert: — in public finance el hacendista; el experto en finanzas públicas
 explosion: the population — la explosión demográfica
 farthermost más retirado,-a; distante
 field: related fields los campos afines
to **fill (with)** llenar (de), colmar (de)
 finance: public — finanzas públicas
 financing: deficit — financiación deficitaria
 first a la cabeza de
 for porque
to **forge** forjar
 fortunately afortunadamente
to **foster** apadrinar
 fountain-pen la plumafuente, la estilográfica
 gauge el indicador
 genocide el genocidio
to **give: to — way to** ceder el paso a, ser arrinconados por
 globe el globo
to **grow: to — ever larger** crecer cada vez más
 growth el aumento, el incremento, el acrecentamiento
to **have: as has** como lo ha hecho
 hi-fi alta fidelidad
to **Hispanicize: to be Hispanicized** hispanizarse
 hooligan el pícaro, el bribón, el tunante
 hot dog el perro caliente
 house trailer la casa (vivienda) remolque
 imitation: semantic — el cálco semántico
to **imply** implicar, dar a entender
 indispensable imperativo,-a
 interview la entrevista
 invader invasor,-a

invention el invento
isotope el isótopo
lexical *adj.* léxico,-a
lexicon *s.* el léxico
like como; **to be —** servir (i) como
limitless ilimitado, sin límite, infinito
line el renglón
loan: — word la voz extranjera, el préstamo léxico
long: as — as mientras
lung: iron — el pulmón de acero
matter: to be a — of ser cuestión de
mind la mente
to **naturalize: to become naturalized** naturalizarse, tomar carta de naturaleza
nature: alien — la extranjería
to **notice** percibir, advertir (ie)
"nouveau riche" el nuevo rico
originating in procedentes de
pattern la estructura, el modelo
peddler: influence — el enchufista
to **penetrate** penetrar en
pharmacist el farmacéutico, el boticario
phonetics la fonética
phonological fonológico,-a
photometer el fotómetro
to **point out** hacer notar
politics la política
to **popularize** generalizar, popularizar; **to become popularized** popularizarse, naturalizarse
precarious precario,-a
to **present** ofrecer, presentar
to **prove** probar (ue), demostrar (ue)
to **provide with** proveer de
psychiatrist el psiquiatra
psychologist el psicólogo
rayon el rayón
to **react** reaccionar
recital el recital
to **reflect** reflejar
reforestation la forestación, la repoblación del monte
to **remain** permanecer
reservoir el embalse, el pantano
resources los recursos, las riquezas
to **run: to — counter to** disonar (ue) de

satelite: — nations las naciones satélites
scientist: political — el especialista en ciencias políticas
simply puramente, sencillamente
shelf el anaquel
skyscraper el rascacielos
so de este modo
sociologist el sociólogo
sport el deporte
to **spread** abrirse, extenderse (ie)
stethoscope el estetoscopio
strange extraño,-a
student: the language — el estudiante de lenguas
to **sublimate** sublimar
to **succeed: the epoch of colonialism has been succeeded by** a la época de colonialismo ha sucedido
sulfanilamide la sulfanilamida
supermarket el supermercado
to **take: to — form** configurarse; **to — the place of** suplantar, reemplazar
to **tell: we are told by purists to use** nos dicen los puristas que debemos usar
term el término
though sin embargo
ticket el tique
time: in due — a su debido tiempo
to **triumph over** triunfar sobre
under: — different circumstances en otras circunstancias
to **undergo: would have to — certain changes** tendrían que someterse a cierta transformación
unemployment el desempleo; la desocupación
usage: foreign — usos extraños; **Spanish —** los usos del español
use el empleo; **by the — of** por medio de
vogue el auge, la boga
to **warn** advertir (ie), prevenir (ie)
to **win: to — recognition** imponerse, generalizarse
windshield-wiper el limpiaparabrisas
word la voz, el vocablo
world: Western — el Occidente

Composición libre

A

1. Dicen los lingüistas que los neologismos deben estar de acuerdo con "el espíritu de la lengua." ¿Qué quiere decir esto?

2. Tesis: En mi opinión los países más avanzados imponen (no imponen) nuevas palabras. Mis razones son las siguientes:

B

1. ¿Se puede justificar la existencia de un organismo lingüístico de control, tal como la Real Academia Española?

2. Tesis: Una lengua es un organismo que está en constante proceso de desarrollo y cambio.

❧ 12 ❧

La juventud europea

JOSÉ LUIS ARANGUREN

El acontecimiento generacional que ha definido a la actual juventud ha sido, sin duda alguna, la guerra última (la guerra mundial, y, *por lo que se refiere a* la juventud española, la guerra civil). Pero la guerra última ha podido ser — y sin duda ha sido — acontecimiento decisivo también para los hombres pertenecientes a la generación anterior. 5 *Y es que* un mismo acontecimiento puede ser vivido de maneras completamente diferentes. La generación anterior vivió la guerra *desde dentro*, como beligerante. La experiencia que de la guerra tiene la joven generación es la de haber nacido en ella o de ella. El acontecimiento pesa como un "fatum" exterior, impenetrable, incomprensible. 10 Para emplear la terminología usada por Pedro Laín, lo impuesto a esta generación es ese "hecho bruto" que *pesa* sobre ella *como un destino* que, no queriéndolo y sin entenderlo siquiera, es "suyo" sin haber tenido ninguna parte en él.

Haber nacido en la guerra significa haber nacido en la "confusión." 15 *Lo dado como óptimo* hasta ayer — Hitler o Mussolini, por ejemplo — se torna, de pronto, pésimo, y también viceversa.

Pero haber nacido de la guerra o en la guerra es también haber nacido a la "decepción." Porque, también de repente unas veces, poco a poco otras, *se tenía que poner de relieve* el abrupto desnivel entre unos ideales 20 retóricamente proclamados, quizás falsos o equivocados, pero, en cualquier caso, grandes o *vividos* al menos *como grandes* — el III Reich, el Imperio, la Resistencia, etc. — y la realidad ocultada tras ellos y al final descubierta. Tras la brillante fachada, el miserable interior. Las

grandes palabras se pronunciaron   *así* se formulará el perentorio
juicio juvenil — para fantasear con ellas una vida ficticia, "ideal,"
contrachapada, superpuesta a la realidad.

Lo impuesto a la nueva generación, *en su realidad bruta*, es insosla-
5 yable. Pero *en su sentido* — o pérdida de sentido — es recusable, y la
actitud fundamental de la generación actual ha consistido en recusarlo.
Recusarlo *no entrando en polémica con ello* sino, simplemente, *desentendiéndose de ello. Se vuelve la espalda a* los modelos "propuestos"
por la generación anterior.   Su retórica de los grandes ideales o es
10 desenmascarada como "ideología" destinada a disimular el logrerismo
o, en el mejor de los casos, es interpretada como subconsciente deseo
de "evasión" de unos pocos hombres honrados, pero absolutamente
impotentes.   Lo depuesto es, *por tanto*, aquel falaz idealismo.

Lo característico de la actual juventud es el desplome de los ideales,
15 la desilusión y, consecuentemente, en mayor o menor grado, el escepticismo. *Escepticismo que se comunica, en todo cuanto no es estrictamente
de fe, a los mismos creyentes.*   Alguna otra vez he citado esta frase
impresionante de un joven católico: "Antes creía en Dios. Ahora ya
no creo más que en Dios."

20 La actual generación pretende ser *no sé si tanto como "positivista"*
pero sí, desde luego, "positiva."   Desconfía de la especulación, del
pensamiento puro, de todo lo no verificable.   Lo mismo que suele
suceder en el orden económico, tras la inflación espiritual han sobre-
venido la depresión y la recesión y finalmente la devaluación.

25 El derrumbamiento del mundo anterior y, sobre todo, de su sentido,
de su inteligibilidad, al principio *produjo, y aun puso de moda, sentimientos de angustia*, náusea y desesperación.   Así surgió el "existencialismo."   Pero el hombre, que se distingue de todas las especies
animales por su capacidad omnímoda de adaptación, *se ha habituado
30 a la contingencia e instalado en ella*, y ha aprendido o *está aprendiendo
a renunciar a los grandes porqués* y a vivir sin fundamento. Esto podrá
disgustarnos y aun deberá alarmarnos pero es, comienza a ser, *según
creo*, un hecho.   A la gesticulante desesperación existencialista ha
sucedido una desesperanza tranquila, un nihilismo aceptado como
35 actitud en la que, a pesar de todo, puede uno instalarse y seguir viviendo.

Naturalmente, al hablar de desesperanza y de nihilismo, me refiero
a las actitudes generacionales extremas. Pero *la tónica de desconfianza*

293

ante lo ideal, o simplemente especulativo, es general. Por tanto, y para continuar empleando el vocabulario de Pedro Laín, lo puesto por esta generación es *el atenimiento positivo a la realidad* y la búsqueda de seguridad — cuando se busca — no en dogmas, principios, programas, esquemas, ideologías u organizaciones sino, *más a ras de suelo,* en la acomodación "funcional" a la realidad inmediata.

Hemos examinado lo impuesto a esta juventud, lo depuesto por ella y lo que ella ha puesto. *Nos falta hablar* del cuarto término: qué es lo propuesto. *De lo* que hemos *dicho* ya *se desprende la respuesta.* Una generación que desconfía de los ideales y aun de todo principio o proyecto, en realidad no puede pro-poner nada: se limita a poner ese atenimiento a la realidad del que antes hablábamos, sin más pretensión que la de vivir al día. *Por lo demás*, la propuesta generacional es siempre la tarea propia de una minoría dentro de la generación. Ahora bien, es una nota típica de la generación que examinamos el acortamiento de la distancia entre minoría y masa y la falta de simpatía por quienes aspiran a presentarse como "élite."

Hemos dicho que esta generación adopta una actitud "positiva." ¿Significa esto que debe hablarse, *a propósito de ella*, de "materialismo" o de "egoísmo"? Busca, sin duda, el confort material y, en este sentido, es muy expresiva la aspiración generacional — *por parte de quienes* no los poseen aún — a los medios personales de transporte — automóviles, "scooters" — y a los aparatos eléctricos domésticos, aspiración estadísticamente *muy a la vista* en la "nouvelle vague" francesa. Este tipo de necesidades nuevas, que revela una cierta conformación de la existencia, en el plano de lo doméstico-material, según el "American way of life," no significa, por sí mismo, materialismo, aunque éste sea, *ciertamente*, uno de los peligros que acechan a la actual juventud. Por lo que se refiere a las disposiciones morales permanentes — virtudes y vicios — *no suelen acusarse diferencias* muy grandes entre unas generaciones y otras: *todas participan, por igual, de la naturaleza humana* (aunque, claro está, a los viejos, por lo general, los jóvenes les parezcan peores que ellos). Lo que caracteriza a esta juventud, inclinada a lo positivo, es *el desvío de las grandes frases*, e *incluso* de los grandes sentimientos, y su inclinación a un sobrio "idealismo de la utilidad," para emplear esta afortunada expresión de Schelsky. La ayuda al necesitado, la solidaridad concreta, el socorro directo de uno a otro: esto es lo que realmente estima. *En suma,* los hechos y no las palabras ni las "buenas intenciones."

Lo que sí ocurre, como reacción de desconfianza *respecto de* los grandes ideales políticos, ideales que condujeron al desastre, es *una "privatización" de la existencia.* El joven de hoy tiende a asegurarse una sólida situación profesional y una satisfactoria vida familiar, a refugiarse en su vida privada, a organizar su hogar con la mayor comodidad y el mayor gusto posibles, para reunirse en él con sus amigos, escuchar música, poseer una pequeña biblioteca, una refrigeradora y una lavadora eléctricas, vivir dentro de un grato marco, entregarse en los ratos perdidos a sus "hobbies" . . . La juventud actual aspira a hacer su vida interesante y agradable y una de las cosas en que, *pese a* su actitud desengañada, parece creer es en un "arte de la felicidad" modesta, privada y cotidiana. *Repárese en que* esta privatización de la vida *se da* incluso en quienes *se proclaman comunistas;* es más, se manifiesta hasta en los que viven en países comunistas.

Estamos ante "la generación escéptica" *por antonomasia,* como desde el título mismo de su libro la ha denominado Schelsky; "stille Generation" también, tranquila y pacífica, precisamente *a causa de su escepticismo,* y que cabe caracterizar asimismo, paradójicamente, como "juventud adulta." Son, *en efecto,* rasgos propios de la vida adulta, y también de la actual juventud, la prudencia y cautela, la pérdida del gusto por la auténtica aventura, la integración social, al menos en lo exterior, y la búsqueda de un porvenir asegurado. Incluso en los "angry young men" ingleses se ha creído poder descubrir esta acertada cautela de quienes han aprendido hasta dónde se puede escandalizar sin peligro y aún con éxito.

Generación, *en resumen,* escéptica, realista, inclinada a lo concreto, positivo, privado, utilitario, funcional, técnico y, en el sentido que se acaba de explicar, adulta como pretensión de madurez y prudencia, y de *ser "sui iuris."* Pero, claro está, por debajo de todo esto, en un estrato más profundo que el de las pretensiones exhibidas y las actitudes adoptadas, generación, felizmente para ella, joven, por mucho que lo oculte.

(José Luis Aranguren, *La juventud europea y otros ensayos* — extractos, Barcelona, 1961, págs. 15-23.)

PREGUNTAS

A

1. ¿Qué acontecimiento ha contribuido mucho a definir la juventud actual? **2.** ¿Cómo vio la guerra mundial segunda la generación anterior? **3.** ¿Qué significa para una persona haber nacido durante la guerra? **4.** ¿Qué terrible contraste ve la generación joven en su pasado inmediato? **5.** ¿Qué hicieron los hombres de la generación anterior empleando grandes palabras? **6.** ¿Qué es lo que niega la generación actual? **7.** ¿Por qué dice el autor que la generación actual es positiva? **8.** ¿Qué ha aprendido el hombre de la generación presente? **9.** ¿Qué es lo que propone la generación actual? **10.** ¿Qué opinión tienen los jóvenes de aquellos que se dicen pertenecer a una élite? **11.** ¿Quieren los jóvenes ayudar a otros hombres? ¿Qué pruebas daría usted? **12.** ¿Qué pruebas hay de que la juventud actual busca el confort material? **13.** ¿Cuáles son las aspiraciones más comunes de los jóvenes? **14.** ¿Qué clase de felicidad busca la nueva generación? **15.** ¿Cuáles son algunos de los rasgos esenciales de la generación actual?

B

1. ¿Cuál es la actitud de los jóvenes ante los ideales de la generación anterior? **2.** ¿Cree usted que la juventud actual es escéptica? Explique. **3.** ¿Qué entiende usted por existencialismo? **4.** ¿Es verdad que el hombre tiene una increíble capacidad de adaptación? ¿Pruebas? **5.** ¿Qué quiere decir el autor al afirmar que la nueva generación prefiere vivir con la realidad inmediata? **6.** ¿Cree usted que la juventud de hoy no propone nada, que no tiene ningún plan? **7.** ¿Es egoísta la juventud de hoy? **8.** Comparada con la generación anterior, ¿cree usted que la generación de hoy es superior o inferior, en el campo de la moral? **9.** ¿Cree usted que los jóvenes tienen fe en los grandes ideales políticos? **10.** ¿Por qué hay tantas gentes que tienen una diversión favorita para sus ratos de ocio? **11.** ¿Qué significa la frase "privatización de la vida"? **12.** ¿Tienen los jóvenes de hoy más prisa para llegar a la felicidad que los hombres de otras generaciones? Explique. **13.** ¿Quiénes son los *angry young men*? **14.** ¿Cuál, de todas las características de la nueva generación mencionadas por el autor, le parece a usted más importante? **15.** ¿Cree usted que los viejos son casi siempre conservadores? ¿Cómo explica usted esto?

A. Modismos

por lo que se refiere a — en lo tocante a

Y es que — Lo que ocurre es que

desde dentro — siendo actor en los acontecimientos mismos

pesa . . . como un destino — se siente como una fatalidad

Lo dado como óptimo — Aquello que se consideraba el sumo bien

se tenía que poner de relieve — tenía que hacerse notar

vividos . . . como grandes — sentidos . . . como grandes (ideales)

así — en la misma forma

en su realidad bruta — desprovisto de todo adorno

en su sentido — en cuanto a su significado

no entrando en polémica con ello — sin querer discutirlo

desentendiéndose de ello — no prestándole ninguna atención

Se vuelve la espalda a — Se muestra absoluta indiferencia ante

por tanto — pues; por consiguiente

Escepticismo que se comunica, en todo cuanto no es estrictamente de fe, a los mismos creyentes — Duda que se extiende hasta los creyentes mismos en todos los aspectos de la vida, con excepción de la fe

no sé si tanto como positivista — quizá no tanto como positivista

produjo, y aun puso de moda, sentimientos de angustia — creó en las gentes sentimientos de profundo dolor y hasta llegó a poner a éstos de moda

se ha habituado a la contingencia — se ha acostumbrado a lo fortuito

se ha . . . instalado en ella — se ha . . . hecho parte de ella

está aprendiendo a renunciar a los grandes porqués — se va acostumbrando a no esperar respuesta a las interrogaciones fundamentales del hombre

según creo — en mi opinión

la tónica de desconfianza — la preponderante falta de fe

el atenimiento positivo a la realidad — el ceñirse en todo momento a la vida tal como es

más a ras de suelo — en un plano más real e inmediato

Nos falta hablar — Nos queda por discutir

De lo . . . dicho . . . se desprende la respuesta — De lo anterior . . . se deduce fácilmente la contestación

Por lo demás — En cuanto a las demás consideraciones

a propósito de ella — en relación con ella

por parte de quienes — de aquellos que

muy a la vista — evidente

ciertamente — sin duda

no suelen acusarse diferencias — no se ven, por lo común, diferencias

todas participan, por igual, de la naturaleza humana — todas están bajo las mismas influencias de la condición humana

el desvío de las grandes frases — la indiferencia ante la retórica

incluso — hasta

En suma — En una palabra

respecto de — en cuanto a

una privatización de la existencia — una tendencia a no participar en los grandes movimientos públicos o colectivos

pese a — a pesar de

Repárese en que . . . — Obsérvese que . . .

se da — ocurre; se manifiesta

se proclaman comunistas — se dicen ser comunistas

por antonomasia — por excelencia

a causa de su escepticismo — debido a su falta de confianza

en efecto — efectivamente; en realidad

en resumen — en pocas palabras

ser sui iuris — ser su propia ley; tener ley propia

EJERCICIOS

Exprese usted las ideas contenidas en las palabras en cursiva empleando una palabra o frase de la presente lección.

A

1. Una situación así tenía que *hacerse notar* en breve plazo.   **2.** La causa, *en mi opinión*, no es difícil de hallar.   **3.** Habrá que resignarse, *por consiguiente*, a la recesión y a la devaluación.   **4.** Es ésta una tendencia *muy evidente* en la generación actual.   **5.** El joven de hoy aspira, *sin duda*, a un mínimum de confort material.   **6.** Los jóvenes niegan *hasta* la sinceridad de los manifiestos políticos.   **7.** Esto es, *en una palabra*, lo que esperaba de ustedes.   **8.** *A pesar de* su entusiasmo, no termina nunca lo que ha comenzado.   **9.** *Obsérvese que* he dicho "privatización."   **10.** Esta nueva generación es, *en pocas palabras*, intensa, utilitaria y escéptica.

B

1. *En lo tocante a* moral, es poco en lo que creen. **2.** Lo han rechazado todo, pero *sin querer discutirlo.* **3.** Muchos jóvenes *no prestan ninguna atención a* los consejos de sus mayores. **4.** Hoy día es común *mostrar absoluta indiferencia ante* las grandes causas. **5.** *Lo que ocurre* es que no tiene un céntimo. **6.** *Nos queda por discutir* la decepción contemporánea. **7.** Es realmente falta de fe y, *en relación con ella*, es conveniente hacer algunas reflexiones. **8.** Es la generación escéptica *por excelencia.* **9.** Son pocos los que *se dicen ser* idealistas. **10.** Esto *ocurre* en muy raras ocasiones.

B. Vocabulario

A

Singulares y plurales

Hay cinco casos de diferencias entre el español y el inglés en cuanto al uso de singulares y plurales.

1. Singular en español — Plural en inglés:
    la condolencia – *condolences*
    la enhorabuena – *congratulations*

2. Singular en español — Singular y plural en inglés:
    la física – *physic, physics*
    el talento – *talent, talents*

3. Plural en español — Singular en inglés:
    los celos – *jealousy*
    las enaguas – *petticoat*
    los esponsales – *bethrothal*
    las exequias – *funeral*
    las nupcias – *wedding*
    las tinieblas – *darkness*
    las vacaciones – *vacation*

4. Singular y plural en español — Plural en inglés:
    la tenaza, las tenazas – *tongs*
    la tijera, las tijeras – *scissors*
    el pantalón, los pantalones – *trousers*

5. Singular y plural en español — Singular en inglés:

(a) En algunos casos la forma singular y la plural de ciertos sustantivos — concretos o abstractos — tienen el mismo significado, pero no se usan siempre en las mismas construcciones:

la boda, las bodas – *wedding*
el funeral, los funerales – *funeral*
el helado, los helados – *ice cream*
el postre, los postres – *dessert*

Hay construcciones hechas en que se prefiere una de las dos formas: **La novela termina en boda** (*with a wedding*). **Encargó que no se invitase a nadie a sus funerales. Aquí se venden pastas y helados** (*pastry and ice cream*). **¿Qué van a tomar de postre** (*for dessert*)?

(b) El plural es, a veces, más poético que el singular:

el horizonte, los horizontes – *horizon*
la lejanía, las lejanías – *distance*

Esta diferencia se advierte también en inglés: **cielo** — *sky;* **cielos** — *heavens.*

(c) Cuando un sustantivo, concreto o abstracto, puede pensarse como expresión de una idea colectiva (concepción sintética) se usa el singular; si se piensa en los objetos, acontecimientos o personas que integran la totalidad (concepción analítica), se emplea el plural:

- Sustantivos concretos:

el cabello, los cabellos – *hair*
el correo, los correos – *post office*
el equipaje, los equipajes – *luggage*
la gente, las gentes – *people*

- Sustantivos abstractos:

el ansia, las ansias – *anxiety*
el aplauso, los aplausos – *applause*
la capacidad, las capacidades – *capacity*
el conocimiento, los conocimientos – *knowledge*
la debilidad, las debilidades – *weakness*
la estupidez, las estupideces – *stupidity*
el progreso, los progresos – *progress*
el remordimiento, los remordimientos – *remorse*
la vacilación, las vacilaciones – *hesitation*

(d) Cuando una parte del cuerpo tiene dos componentes se usa el singular para referirse a la totalidad, y el plural para aludir a los componentes:

  el bigote, los bigotes – *moustache*
  la espalda, las espaldas – *back*
  la nariz, las narices – *nose*

(e) Hablando de legumbres que están constituidas de segmentos o partes, generalmente se usa el singular para referirse a la unidad (la planta), y el plural para aludir a las partes:

  el ajo, los ajos – *garlic*
  la col, las coles – *cabbage*
  la espinaca, las espinacas – *spinach*
  la lechuga, las lechugas – *lettuce*

(f) Hay sustantivos que en español tienen dos formas, singular y plural, y sólo una en inglés. Son de este tipo los sustantivos que se refieren a ciertos animales:

  el ciervo, los ciervos – *deer*
  el pescado, los pescados – *fish*
  la trucha, las truchas – *trout*
  el cordero, los corderos – *lamb*

(g) Hay casos en que el singular se refiere a la unidad y el plural a la idea colectiva:

  consejo – *a piece of advice;* consejos – *advice*
  mueble – *a piece of furniture;* muebles – *furniture*
  negocio – *a business deal;* negocios – *business*
  noticia – *a news item;* noticias – *news*

(h) El singular y el plural pueden tener acepciones diferentes:

  ánimo – *intention;* ánimos – *courage*
  condición – *disposition;* condiciones – *aptitudes*
  escalera – *staircase;* escaleras – *stairs*
  facilidad – *ease;* facilidades – *easy terms*
  fuerza – *strength;* fuerzas – *vim, vigor and vitality*
  dinero – *money;* dineros – *funds*
  polvo – *dust;* polvos – *face powder*

(i) En frases preposicionales es común el empleo de los plurales:

a expensas de – *at the expense of*
a fines de – *at the end of*
a impulsos de – *moved by*
a instancias de – *at the suggestion of*
a principios de – *at the beginning of*
de [como] resultas de – *as a result of*
en tiempos de – *at the time of*

(j) En frases idiomáticas los plurales pueden tener significado nuevo:

Es una señora muy entrada en carnes. *She is a very portly lady.*
¿Por qué viene usted a estas horas? *Why do you come at this unusual hour?*
Por esas fechas habían ya salido de la universidad. *At that time they had already left the university.*
¿Para qué aprender nuevas mañas a estas alturas? *Why learn new tricks in one's old age?*

EJERCICIOS

Diga usted cuál de las dos formas — singular o plural — se debe usar en las siguientes oraciones. ¡Ojo! En algunos casos sólo una forma es posible; en otros hay doble posibilidad.

1. En la aduana revisaron (todo mi equipaje – todos mis equipajes). **2.** Tenía (vasto conocimiento – vastos conocimientos) de la lengua española. **3.** Esos pobres soldados fueron (carne de cañón – carnes de cañón). **4.** Pásame (la tijera – las tijeras). **5.** Ahora échale (ajo – ajos). **6.** Me guiaré por (tu consejo – tus consejos). **7.** Le dió cariñosos golpecitos (en la espalda – en las espaldas). **8.** Tiene (un celo horrible – unos celos horribles). **9.** No me siento con (fuerza – fuerzas) para rebatirle. **10.** Mi chico ha hecho (gran progreso – grandes progresos) en matemáticas. **11.** Prefiero la ensalada de (lechuga – lechugas). **12.** Mañana iremos a pescar (trucha – truchas). **13.** Saldremos a (principio – principios) de enero. **14.** Usted, caballerito, ¿quién le ha dado permiso para volver (a esta hora – a estas horas)? **15.** No puedo tolerar (tanta estupidez – tantas estupideces). **16.** ¡Cuidado! ¡Se va a chamuscar (el bigote – los bigotes)! **17.** Tráigame el cepillo para quitarme (el polvo – los polvos). **18.** Esta niña no tiene (condición – condiciones) para la música. **19.** (Es mi ánimo – Son mis ánimos) decírselo. **20.** En este rincón podríamos poner (un mueble diferente – muebles diferentes).

Sírvase comparar sus respuestas con la siguiente clave:

1. Más plausible: singular
2. Ambas
3. Singular
4. Más plausible: plural
5. Singular
6. Ambas
7. Más plausible: singular
8. Plural
9. Fuerza física: singular
   Fuerza moral: plural
10. Más plausible: plural

11. Ambas
12. Plural
13. Plural
14. Plural
15. Ambas
16. Ambas
17. Singular o plural, según el sentido
18. Plural
19. Singular
20. Ambas, según el sentido

B

Diferencias de significado

1. Tras — tras de — detrás de (*preposiciones*);
atrás — detrás (*adverbios*).

Tras se emplea especialmente en

(a) Estilo literario:

Tras (*Behind*) la brillante fachada, el miserable interior.

(b) Con el verbo **ir,** en sentido figurativo:

Va tras (*He seeks*) el aplauso del público.

Tras de puede ser igual a **tras,** aunque no muy frecuentemente:

Está tras (de) la puerta.

También significa "fuera de, además de":

Tras de dejarme plantada (*Besides standing me up*) me hizo reconvenciones.

Detrás de es la preposición más comúnmente empleada para expresar posterioridad:

Estaba escondido detrás de un pilar.

Atrás y **detrás** (*adverbios*) no son exactamente iguales; éste indica un grado mayor de proximidad y es, por lo tanto, algo más específico:

Vienen detrás (*in the rear*).
No te quedes atrás. *Don't lag behind.*

Atrás (y no **detrás**) se emplea en gradaciones:

Venía un poco [mucho] más atrás (*a little* [*much*] *farther behind*).

También se usa **atrás** después de la preposición **hacia**:

Córranse hacia atrás, por favor. *Move toward the rear, please.*

Asimismo, se emplea **atrás** con verbos de movimiento:

No se me eche atrás. *Don't back out now.*
Háganse atrás. *Back up!*

Detrás, en cambio, es la forma preferida después de la preposición **por**:

Le dio un empujón por detrás (*from behind*).

2. Destinar.

Este verbo rige la preposición **a.**

Significa

(a) Asignar o reservar una cosa:

Hemos destinado (*We have set aside*) estos fondos a costear los gastos de viaje.
La corporación ha destinado (*has allocated*) un total de veinte millones de dólares a operaciones bancarias.

(b) Designar una persona para un empleo:

Le destinaron a una colonia de ultramar.

(c) Expresión de propósito:

Es una medida destinada a (*intended to*) mejorar el servicio de autobuses.

3. Principio.

Puede significar

(a) Comienzo:

¡Hombre de Dios! ¡Comience por el principio!

(b) Fundamento o canon:

Es un principio del cual no me desvío jamás.

(c) Frases hechas:

Al principio (*At first*) no dijo nada.
Lo acepto en principio (*in principle*).
Llegará a principios de mayo (*in the early days of May*).

4. Vista.

(a) Visión:

Tengo muy mala vista (*eyesight*).

(b) Panorama:

> ¡Qué hermosa vista (*view*)!

(c) Cuadro o fotografía:

> "Mundo Hispánico" trae una hermosa vista (*photo*) de Constantinopla.

(d) Expresiones preposicionales:

> Está a la vista. *It is obvious.* [*It is within sight.*]
> Se descubren las imperfecciones a la simple vista (*at a glance*).
> Produce muy mala impresión a primera vista (*at first sight*).
> Siempre lo hace con vistas a las ganancias (*with a view to making a profit*).
> Nos negaremos a su petición en vista de (*in view of*) lo ocurrido.
> Conque, ¡hasta la vista (*so long*)!

(e) Expresiones verbales:

> ¿Por qué bajas la vista? *Why do you lower your eyes?*
> Clavó [Fijó] la vista en ella. *He stared at her.*
> Tendremos que hacer la vista gorda. *We will have to pretend we didn't see anything.*
> No pierdas de vista (*Don't lose sight of*) los beneficios indirectos.
> Pasó la vista por los cuadros. *He glanced at the pictures.*
> Todo eso salta a la vista (*is self-evident*).
> Camine usted rápido sin volver la vista atrás (*without looking back*).

5. Referir — referirse.

Referir tiene el sentido de

(a) Relatar:

> Refiere el cronista un caso extraordinario de antropofagia.

(b) Relacionar:

> Vive este pueblo referido a su tierra (*tied to its land*).
> Los términos "derecha" e "izquierda" van referidos al espectador (*are given from the standpoint of the spectator*).

Referirse pide la preposición **a** y significa

(a) Aludir:

> Yo no me refiero a usted. *I am not referring to you.*

(b) Tener que ver con:

> Era algo que se refería (*pertained*) a la vida de su hijo.

Frase idiomática:

> Por lo que a México se refiere (*Insofar as Mexico is concerned*) no hay por qué temer.

N.B. El verbo inglés *to refer* a menudo no puede traducirse por medio de **referir**:

> Sométalo [Preséntelo] al juicio [a la consideración] del gerente. *Refer it to the manager.*
> Me remitió al capítulo V. *He referred me to chapter V.*

6. Claro — desde luego — naturalmente — ni que decir tiene — por supuesto.

Hay muchas expresiones que se emplean para dar por cierto o asegurar lo que se dice. No todas ellas ocupan el mismo lugar en la oración y, además, su uso depende del tono o intención del enunciado.

Claro se usa como intercalación o como exclamación al principio de la oración. Va seguida de **que** cuando se une a un verbo:

> —¿Vendrá usted mañana? — ¡Claro! [¡Claro que vendré!]

La expresión **Claro es** se refiere a una evidencia manifiesta desde el principio. Comparada con las demás, es poco frecuente:

> Y esto, claro es, no debiera ocurrir.

Más común es hallarla seguida de **que** al principio de la oración:

> Claro es que esta generación niega a sus antecesores.

Claro está es frase intercalada y se cuenta entre las más comunes; en contraposición con **claro es,** alude a una evidencia final que se afirma con énfasis:

> Este tren de vida, claro está, no podremos mantenerlo por mucho tiempo.

Tal como **claro es,** puede usarse seguida de **que**:

> Claro está que yo se lo explicaré.

Desde luego se emplea también como frase intercalada:

> Desde luego, la ciencia es cosa más alta que la universidad.
> Tiene usted sobrada razón, desde luego.

Naturalmente es común en Hispanoamérica, quizá por influencia del francés (*naturellement*) o del inglés (*naturally*):

> —¿Usted lo cree? —¿Yo? ¡Naturalmente!

Ni que decir tiene se usa como intercalación o al comienzo de la oración, dando a entender la superfluidad de explicaciones más prolijas. Esta expresión es más común en España que en Hispanoamérica:

> Estas consideraciones, ni que decir tiene, son puramente provisionales.

Por supuesto se usa poco hoy día en España, pero es todavía muy corriente en Hispanoamérica:

> —¿Usted ya se lo dijo? —¡Por supuesto!

7. Estimar.

Significa

(a) Apreciar:

> Esto es lo que la juventud realmente estima (*appreciates*).

(b) Calcular:

> Es imposible estimar (*to estimate*) el monto de las pérdidas.

(c) Juzgar:

> Estimo conveniente (*I think it is advisable*) hacer las reparaciones ahora mismo.

Frase hecha:

> Le estiman en poco. *They hold him in low esteem.*

8. Caber.

Expresa este verbo

(a) La acción de poder contenerse algo en un espacio determinado:

> Aquí caben (*There is room here for*) veinte pasajeros.

(b) Corresponder o tocarle a alguien una cosa:

> Me cupo a mí la suerte [el honor] (*It was my good fortune* [*my privilege*]) de tenerle por compañero de cuarto.

(c) Seguido de un infinitivo puede significar "ser oportuno, ser posible":

> Aquí cabe preguntar (*At this point it seems legitimate to ask*) si vale la pena hacerlo.
> A esta juventud cabe caracterizarla (*It is possible to characterize*) como "juventud adulta."

Modismos:

> No cabe en sí de contento. *He is beside himself with joy.*
> No cabe la menor duda (*There isn't the slightest doubt*) de que sufre de alucinaciones.

EJERCICIOS

I. *Sírvase emplear una de las palabras o frases que se dan a la derecha para llenar los espacios en blanco.*

1. Esta cantidad —— a cubrir los gastos del viaje.
2. El jardín queda —— de la casa.
3. Haga usted el favor de —— todo lo ocurrido.
4. Siempre trabaja —— un rápido ascenso.
5. No pierda usted —— las ventajas de nuestro plan.
6. Los viejos caminan lentamente y por eso vienen ——.
7. Cuando le hice la pregunta me —— al Diccionario de la Real Academia.
8. Ayer me —— la buena suerte de sacar un premio.
9. Ha sido imposible —— el coste de las reparaciones.
10. Me niego —— a aprobar esas medidas.
11. Este capítulo —— los primeros amores del héroe.
12. Las nuevas ordenanzas —— a asegurar el orden público.
13. Desde este promontorio se abarca una hermosa ——.
14. Presente usted su proyecto al —— de un experto.
15. En este teatro —— mil personas.

en principio
pasó la vista
remitió
principio
estimar
tras de
de vista
detrás
por detrás
caben
refiere
está(n) destinada(s)
vista
juicio
desde luego
referirme
cupo
con vistas a
a principios de
atrás

II. *Exprese usted con una palabra o frase de la sección anterior la idea contenida en los pasajes en cursiva:*

1. La propuesta generacional es la tarea de una minoría, *por supuesto*.
2. No *he aludido* a usted.   3. Todo eso *es más que obvio*.   4. Julián *está contentísimo*.   5. *Tuve* la buena suerte de encontrarle en la calle.   6. *En lo que a España concierne*, no hay nada que añadir.   7. Al entrar *la miró con fijeza*.   8. Recuerdo que era algo que *tenía que ver con* la conducta de los muchachos.   9. *Calculo* que los gastos ascenderán a cinco mil pesos.
10. Entró y *echó una rápida mirada a* los muebles.

C. Gramática

I. SUSTANTIVACIÓN

1. La categoría gramatical que con mayor facilidad se convierte en sustantivo es la de los adjetivos. La conversión de éstos puede ser absoluta, en cuyo caso figuran como sustantivos en el diccionario; tales son los que aparecen en las siguientes oraciones:

La sala tiene diez metros de **ancho,** catorce de **largo** y tres de **alto.**
A veces, los **técnicos** ganan más que los **profesionales.**
Gran parte de la psicología moderna se basa en el estudio del **subconsciente.**

2. De mayor importancia es la sustantivación pasajera de un adjetivo (o participio) que se refiere a un sustantivo expreso o sobreentendido dentro del contexto, en cuyo caso el adjetivo (singular o plural) puede llevar un determinativo (masculino o femenino). Este tipo de sustantivación tiene un significado concreto e individual.

Los jóvenes de hoy quieren ayudar a los **necesitados.**
Él prefiere a los profesores fáciles, yo a los **difíciles.**
Juan cortó estas ramas pequeñas, yo aquellas **grandes.**

3. Hay también adjetivos sustantivados que se emplean sin artículo. En inglés tales adjetivos pueden expresarse con la adición de *one* o *ones.*

¿Los alumnos? Hay de todo: **buenos** y **malos** (*good ones and bad ones*).
Todos vinieron corriendo, **viejos** y **jóvenes.**

4. El adjetivo también se sustantiva en frases con el verbo **tener,** tales como **tener algo de, tener mucho [poco] de, no tener nada de,** etc.

Esa generación nada tiene de interesante. *There is nothing interesting about that generation.*
Y ¿qué tiene de particular? *And what's so striking about that?*

En español moderno se advierte una tendencia a hacer concordar el adjetivo con el sustantivo en construcciones con el verbo **tener:**

Le agradaban sus cartas por lo que tenían de románticas.
Yo no veo que esos comentarios tengan nada de halagadores.

309

5. El español posee como recurso especial el sustantivo neutro formado con el artículo **lo** + *adjetivo*. Esta sustantivación neutra tiene los siguientes significados:

(a) Connotación partitiva.

Connota una fracción o aspecto de un todo o conjunto que es susceptible de una división u oposición. Al decir **la utilidad de este libro,** calificamos "el libro" de "útil," sin pensar en la calidad opuesta (inútil). Por el contrario, con la frase **lo útil de este libro** calificamos el contenido del libro separando la parte útil de la inútil. El neutro tiene un valor partitivo cuando implica un fraccionamiento mental:

> La profundidad del abismo me causó vértigo. (Calificamos el abismo.)
> El eco rebotó de lo profundo del abismo. (Precisamos de qué parte del abismo llega el sonido.)
> La importancia de los ideales es indiscutible. (Calificamos los ideales.)
> Lo importante es tener ideales. (Hay dos esferas que se contraponen: lo trivial y lo importante.)

(b) Connotación colectiva.

La forma neutra connota otras veces una colectividad de cosas que tienen una cualidad en común:

> Guarde todo lo útil en la memoria y deseche lo demás. (Lo útil = todos los conocimientos útiles.)
> El tiempo pasado con él me hizo creer en lo imposible y lo maravilloso. (Muchos fenómenos que parecen imposibles o maravillosos.)

(c) Connotación abstracta.

La forma neutra se emplea cuando el sustantivo abstracto no existe: **lo abrupto, lo corriente, lo desagradable, lo estricto, lo lineal, lo halagüeño,** etc.

(d) Connotación ponderativa.

En otros casos el artículo **lo** combinado con adjetivo (o adverbio) tiene valor intensificativo:

> No te das cuenta de lo fácil que es.

El empleo de la forma neutra es de evitarse si no se puede justificar con una de las citadas razones.

6. El concepto adjetival puede expresarse no sólo por medio del adjetivo mismo, sino también por medio de grupos de palabras, o sea, frases y cláusulas adjetivales. Toda idea adjetival — compóngase de una o de varias palabras — es susceptible de sustantivación:

el mitin de ayer	= el de ayer
las conferencias de ayer	= las de ayer
la discusión y la riña ocurrida ayer entre los delegados . . .	= lo de ayer
los discursos que anunciaron para ayer	= los que anunciaron para ayer
la reunión que anunciaron para ayer	= la que anunciaron para ayer
las fiestas, los bailes, y los paseos que anunciaron para ayer	= lo que anunciaron para ayer

Tal como el adjetivo mismo, la frase o cláusula introducida por **lo** tiene también un significado abstracto o colectivo, mientras que la introducida por **el, la,** etc., se refiere siempre a un sustantivo o nombre de persona citada o sobreentendida.

7. Los adverbios, preposiciones y conjunciones se sustantivan con poca frecuencia por medio de la anteposición de un determinativo, en cuyo caso la conversión es absoluta, lo que equivale a decir que los sustantivos de este grupo no se inventan libremente, sino que aparecen como tales en el diccionario:

El **bien** y el **mal** siempre están reñidos.

Vive en las **afueras** de la ciudad.

Algunos estudiantes prefieren renunciar a sus vacaciones: los **más** (= la mayoría) no quieren prescindir de ellas.

Es tan poco maduro; no se preocupa por el **cómo** ni el **cuándo**.

Esta generación ha aprendido a renunciar a los grandes **porqués**.

A esta pregunta los jóvenes han contestado con un rotundo **no**.

II. OTROS USOS DE "LO"

1. El pronombre objeto **lo** resume o repite un concepto expresado anteriormente en la forma de un infinitivo, cláusula, u oración:

¿Abandonarla ahora? Le aseguro que no lo haría nunca.

Que el electorado eligiera presidente al candidato socialista no lo pudo concebir nadie.

Era ambicioso; lo demostraba en su constancia y aplicación.

2. La misma forma sirve para reproducir un grupo de sustantivos que no significan personas, cuando aquéllos se recapitulan con **todo**:

Deberes y promesas, todo lo echó en el olvido.

3. Lo reproduce o anuncia un predicado, sea adjetivo o sustantivo, de cualquier género o número:

Nuestra generación no está enferma aún, pero va a estarlo.

Aunque quiera serlo, nunca se hará médico.

Aunque no lo parezca, ese muchacho es muy agresivo.

4. Lo + *adj. o adv.* puede emplearse independientemente con significado exclamativo o ponderativo:

¡Lo bien que se adapta usted! (¡Qué bien se adapta usted!)

¡Lo imposibles que parecían todos nuestros proyectos en aquellos días! (¡Qué imposibles parecían . . .!)

¡Lo divertidos que pasamos la noche! (¡Qué divertidos . . .!)

5. En exclamaciones **lo que** equivale a **¡cuánto!:**

¡Lo que vale ser hijo de gente rica!

¡Lo que importa andar bien vestido!

6. La construcción ponderativa es especialmente frecuente tras un verbo intelectivo y las preposiciones **por** y **en;** el adjetivo concuerda generalmente con su referente:

¡No puedes figurarte lo mal que me sientan las palabras vacías!

El valor de esta obra no consiste en lo difícil de su estilo.

La lectura parece difícil por lo largas que son las oraciones.

Le agradezco por lo generosamente que me ha ayudado en todo.

7. Se usa en la construcción hiperbólica **de lo más** + *adj.* con concordancia o sin ella:

Ese socorro directo es de lo más noble que hay.

Sus reflexiones son siempre de lo más inocentes.

8. El pronombre indefinido **todo** cuando sirve de complemento del verbo o predicado nominal se reproduce obligatoriamente con **lo:**

La obediencia ciega a la autoridad no lo es todo.

Amenazados con otra guerra, los pacifistas lo abandonaron todo.

9. A lo + *adj. o s.* funciona como adverbio de modo:

Le invito a comer, pero a lo pobre.

Quiere vivir a lo millonario.

NOTA: Esta misma idea (al estilo de) se expresa por medio de a la . . . cuando se alude a una nación, provincia o ciudad: Se visten a la italiana. Comen sentados a la japonesa. Si se emplea un sustantivo, a lo . . . es obligatorio: Canta a lo Caruso.

EJERCICIOS

A

I. *Emplee la construcción* **lo** + adjetivo + **de** . . . *para contestar las preguntas de la columna de la izquierda y complete las oraciones con una de las frases de la columna de la derecha.*

Ejemplo: ¿Qué tiene de sorprendente esa solución?
Lo sorprendente de esa solución es que nos ofrece varias posibilidades.

1. ¿Qué tiene de agradable esta fiesta?
2. ¿Qué tiene de raro este caso criminal?
3. ¿Qué tiene de malo esa propuesta?
4. ¿Qué tiene de extraño ese parecer?
5. ¿Qué tiene de absurdo ese plan?

a. nos obliga a postergar nuestras vacaciones.
b. el banco cierra sus puertas a las dos.
c. parte de premisas falsas.
d. todos están hablando en español.
e. no tiene ascensor.
f. la policía no tiene una sola pista.
g. nos han servido un buen champaña.
h. carece de fundamentos.

[Respuestas manuscritas:]
① Lo agradable de esta fiesta es que
② Lo raro de este caso criminal es que
③ Lo malo de esa propuesta es que
④ Lo extraño de ese parecer es que
⑤ Lo absurdo de ese plan es que

II. *Formule usted una oración empleando un sujeto de la columna de la izquierda con una de las frases de la columna de la derecha y añada al final un adjetivo:*

1. Este episodio
2. Estos casos
3. Sus parientes
4. Tus chistes
5. La música popular
6. Las muchachas de hoy
7. Mi amiga favorita
8. Su mirada

tiene(n) mucho de
no tiene(n) mucho de
tiene(n) algo de
no tiene(n) nada de
tiene(n) bastante de
tiene(n) poco de

[Respuestas manuscritas:]
no tiene nada de interesante ... dramático, romántico
Tienen algo de raro
Tienen nada de particular
Tienen bastante de agresivo
tienen mucho de divertido ... curiosa
Tienen algo de
Tiene mucho sensibilidad
algo de misterioso

III. *Llene los espacios en blanco con la forma de la columna de la derecha que mejor represente la idea contenida en los pasajes en cursiva:*

1. En nuestra sociedad hay dos clases: una que dirige y *otra que obedece.* Yo pertenezco a ——.

2. Ayer en la reunión estudiantil pronunciaron discursos el Secretario de la Universidad y *el Decano.* —— resultó especialmente interesante.

3. Dicen que no habrá fiesta este año, porque *el patrón está enfermo.* Me sorprende —— porque le veo llegar al trabajo todos los días.

el de
la de
los de
las de
lo de
el que
la que
los que
las que
lo que

4. *Anoche en casa de Jaime, hubo una discusión violentísima;* si —— vuelve a ocurrir, creo que no aceptaré más sus invitaciones.

5. Este país tiene dos temporadas de lluvia: la primera cae en los meses de *marzo, abril y mayo;* la otra, en los meses de septiembre, octubre y noviembre. ——, que es más severa, comienza con el equinoccio primaveral.

6. *El mitin de ayer acabó en gritería y trompazos.* Todos saben que —— se repetirá indefinidamente, hasta que los delegados aprendan a deliberar con serenidad.

7. *Los libros que usted trajo de Madrid* son de mayor interés que las obras compradas aquí. Lo curioso es que —— cuestan menos.

8. *Las frutas de Valencia* son tan famosas como *las frutas de California;* —— surten los mercados de Norteamérica y —— surten los mercados europeos.

9. No me refiero, claro está, a *las actitudes* de los viejos sino a —— la juventud actual.

10. *Hay mucho en la nueva generación que yo no entiendo*, pero —— más me desconcierta es su pretensión de madurez.

B

I. *Escoja usted la forma más adecuada para completar las siguientes oraciones; luego explique por qué prefiere el sustantivo simple o la combinación* **lo** + adj. *A veces ambas formas son posibles, según el punto de vista.*

1. (La vacuidad – lo vacío) de sus palabras hizo una mala impresión en el auditorio. **2.** (La ridiculez – lo ridículo) de su caso es que, si no acepta nuestra ayuda, todo el proyecto se le echará a perder. **3.** (La infinidad – lo infinito) es un concepto cuyo alcance pocos logran comprender completamente. **4.** (La comicidad – lo cómico) de esta pieza la ha hecho una de las obras favoritas del público madrileño. **5.** El lector indiferente tiende a prestar exagerada atención a (la comicidad – lo cómico) de una obra, en perjuicio de sus aspectos más serios. **6.** (La bajeza – lo bajo) de su carácter acabó aislándolo del resto de la juventud. **7.** (La amplitud – lo amplio) de este piso causa que sea más elevado su alquiler. **8.** No hay que juzgar un libro por (la exterioridad – lo exterior), es decir, por la cubierta. **9.** (La cortesía – lo cortés) no quita lo valiente. **10.** Al perdonavidas hay que responderle con (la fuerza – lo fuerte). **11.** (La altura – lo alto) de esta montaña les infunde respeto a los alpinistas. **12.** Plantaron su tienda en (la altura – lo alto) de la montaña.

II. *Construya usted oraciones en que contrasten las siguientes palabras:*

alto *adj.*	los altos *s.*
amanecer *v.*	amaneceres *s.*
deber *v.*	deberes *s.*
bien *adv.*	bienes *s.*
alrededor *adv.*	alrededores *s.*
sí *adv.*	el sí *s.*

III. *Modifique usted las siguientes oraciones sustituyendo la frase en cursiva por otra que contenga* **lo,** *sea como artículo o complemento.*

> *Ejemplo:* ¡*Qué animada* es la conversación de Julita!
> **¡Lo animada que es la conversación de Julita!**

1. ¡*Qué pronto* se casa usted! **2.** Le dimos las gracias *porque nos recibió amablemente.* **3.** ¡*Cuánto* vale ser hijo de millonario! **4.** Todos se dan cuenta de *la imposibilidad de* la estrategia propuesta por el comandante. **5.** ¡*Cómo* nos divertimos en casa de Rosario! **6.** Marcelo es despreocupado y algo bohemio; dice que quiere vivir *como un poeta.* **7.** ¡*Cuánto* sufro teniendo que soportar sus impertinencias! **8.** Esta actriz es prodigiosa; su actuación es *la más perfecta* que se haya visto hasta ahora. **9.** Nadie que no haya viajado por mar puede concebir *la violencia de* una tempestad tropical.   **10.** María no está cansada ahora, pero *sí estará cansada* cuando vuelva a casa.

D. Estilística y composición

Abuso de los neutros

No es recomendable el uso excesivo de formas y construcciones neutras en la lengua escrita cuando la materia que se discute exige un mínimo de sustantividad.   Los neutros no tienen rigurosa exactitud pues no distinguen el género másculino del femenino.   Todo sustantivo, por el contrario, tiene que ser masculino o femenino.   No hay sustantivos neutros.

La expresión neutra es para muchos una forma cómoda de evitar la búsqueda de vocablos precisos y, por esta razón, el empleo insistente de los neutros, donde en realidad no son necesarios, es un índice de incapacidad discriminativa o de descuido en la expresión.

En los ejemplos que siguen se dan en cursiva los neutros y se proponen entre paréntesis una o más sustituciones posibles:

1. *Lo único* que se puede sacar en limpio de *lo dicho* es *lo siguiente*. (La única conclusión posible es ésta:)

2. Hasta ahora no se ha hecho un estudio sistemático de *lo variable* que es el tiempo durante el verano.   Cuando se haga *esto* se podrá saber *lo que* el hombre debe hacer para evitar la pérdida de las cosechas. (Hasta ahora no se ha hecho un estudio sistemático de las fluctuaciones del tiempo [del régimen de lluvias] durante el verano.   A menos que se tengan datos seguros sobre la materia no se podrá determinar qué medidas son necesarias [las más indicadas] para evitar la pérdida de las cosechas.)

3. El viaje turístico es siempre vertiginoso y molesto.   Los que han ido a España en verano con algún grupo de maestros saben *esto* muy bien.   (El viaje turístico es siempre vertiginoso y molesto, como pueden atestiguarlo los que han ido a España . . .)

4. Los jóvenes que han aprendido el respeto por las leyes en el seno de la familia no van a olvidar *todo esto* de la noche a la mañana. (. . . no van a olvidar este principio de moral social . . .)

5. Nunca me ha parecido satisfactorio *esto* de explicar las ruindades del hombre por las influencias del medio social. (*Omitir:* esto de.)

EJERCICIOS

A

En las oraciones siguientes se dan en cursiva las frases que contienen un neutro. Proponga usted una enmienda sea por sustitución, compresión u omisión:

1. *Lo que me parece más sobresaliente* de esta discusión es la ecuanimidad del conferenciante. **2.** Si los socios no ven *lo valioso* que hay en estos reglamentos no van a respetarlos. **3.** *Todo esto* nos parece absurdo porque nos damos cuenta de la escasa influencia que tiene la religión en la vida de muchos hombres. **4.** Prescribir la enseñanza de la moral como una obligación más de la universidad es *algo* que no tiene nada que ver con los fines primordiales de la enseñanza superior. **5.** Su hijo no tiene la menor noción de *lo bueno* y de *lo malo*. **6.** Se dice que la juventud no sabe aplicarse a quehaceres útiles y que *por eso* sufre muchos males. *Todo eso* es cierto. **7.** *Lo mejor que se puede hacer* es iniciar cuanto antes una reforma administrativa. **8.** *Lo más importante que debemos hacer ahora* es garantizar la libertad de acción.

B

Haga usted los cambios que sean necesarios para evitar las construcciones neutras que a usted le parezcan innecesarias. ¡Ojo! ¡No todas son indeseables!

Muy apreciado Juan:

Contesto tu pregunta: lo que más llama la atención en este rincón del mundo es lo seca y desolada que es la tierra. Hay aquí muchos minerales pero lo difícil es llevarlos a un puerto. Todo conspira en contra de los deseos del hombre.

La vida es cara porque cuanto aquí se consume hay que traerlo de fuera. Como podrás imaginarte, todo se vende a precios irrisorios. Lo común es beber cerveza o gaseosas pues el agua es escasísima. Y esto no es todo. Casi no hay vida social. ¡Si vieras lo aburridos que son los fines de semana!

Esto que te he contado te convencerá de que lo esencial en la vida no es ganar dinero cuando uno se ve obligado a renunciar a cuanto es de desear para hacer la vida medianamente pasable. Algún día te diré lo mucho que he aprendido aquí en lucha con la desolación y la monotonía.

Es todo, por el momento.

Un cordial saludo de tu aburrido amigo,

José Luis

Traducción

A

1. A young man of the new generation has told me that he — like many others — wants a minimum of security and a strict adherence to reality. **2.** Gone are the days of high-sounding words, fuzzy ideologies and militant organizations. **3.** There was a time when distinctions were made between the majority and an élite. The distance between these two spheres is gradually becoming shorter and shorter. **4.** We are living in an epoch of restlessness and impatience: everybody wants to have a modicum of happiness immediately. **5.** The new generation seeks material comfort through the purchase of appliances, a car and a home. **6.** There is nothing grandiose about its goals: it prefers privacy, "domestic felicity," a hobby and, above all, peace of mind. **7.** Another trait of today's youth is its mobility. Young men and women want to travel in order to know other people at close range. **8.** This generation does not want to take part in large collective movements, of the kind that led to the disaster of war. **9.** Peculiar though it may seem, the young people of today want to help others in a direct, effective way, and not through just verbal promises. **10.** It has been said that morality has suffered. Naturally, the old people always think that the present-day youth is worse than the youth of thirty years ago. **11.** Young people, in turn, accuse the old generation of hypocrisy and self-deception. **12.** What characterizes the present-day youth is its indifference toward words and even great emotions. **13.** Some have thought that ours is a quiet generation, one dominated by caution and prudence. **14.** Above all, this generation wants to be taken for an adult youth. As a matter of fact, below its surface of maturity and seriousness there is — fortunately — a strong youthful spirit.

B

1. The Spanish Civil War — in so far as Spain is concerned — is the event which has exercised the greatest influence upon today's youth. **2.** The previous generation experienced the war from within, that is to say, as belligerents. **3.** But the young people of today merely received an incomprehensible and unwanted legacy which was theirs whether they liked it or not. **4.** These young people live in the midst of disillusionment; they can see the great abyss between the ideals proclaimed in the past and the "brutal reality" that weighs upon them today. **5.** What was once considered best suddenly became false, abominable. Behind the shiny façade, there was a wretched interior. **6.** It is not surprising, then, that the present generation should challenge what has been imposed upon it. **7.** But it does so, not by arguing against it but simply by ignoring it. Young people have turned their backs on the past. **8.** The most characteristic trait of the present youth is its scepticism, its loss of faith, except in religious matters. **9.** One might say that our present generation has passed from spiritual depression to negativism, and finally to a frank devaluation of our cultural acquisitions. **10.** It is easy to understand now why existentialism gained so many supporters; these are the ones who now speak of anguish and despair. **11.** Undoubtedly, among the devotees of existentialism there are many who are just following a trend, a fashionable philosophy. **12.** Man has, however, an unbelievable capacity to adapt himself and has become used to hopelessness. He has reconstructed his life upon it. **13.** He has learned to live without an answer to the great interrogations, as if these were no longer as awesome as we formerly thought. **14.** Of course, this is an extreme attitude. Most young people have reached a sort of compromise, and manage to continue living with cheerless resignation.

Vocabulario mínimo

abyss el abismo
to **accuse** acusar
acquisition la conquista
to **adapt** adaptarse
adherence: a strict — (to) el estricto atenimiento (a)
anguish la angustia
answer *s.* la respuesta
appliance el aparato eléctrico doméstico
to **argue (against)** entrar en polémica (con)
attitude la actitud
awesome imponente
to **become: has become used (to)** se ha acostumbrado (a); **is gradually becoming shorter and shorter** es cada vez menor
behind tras
belligerent el beligerante
below por debajo de
best óptimo,-a
caution la cautela
to **challenge** recusar
to **change** tornarse
cheerless sombrío,-a
compromise la transacción
to **concern: in so far as Spain is concerned** por lo que se refiere a España
to **continue** seguir (i)
despair la desesperación
devotee el devoto, el adepto
disaster el desastre
disillusionment la desilusión, la decepción
effective eficaz
even hasta
event el acontecimiento
to **exercise** ejercer
to **experience** vivir, experimentar
façade la fachada
faith la fe
fashionable de moda
formerly antes
fortunately por fortuna
fuzzy confuso,-a
to **gain** atraer
to **go: gone are the days** pasó la época
goal la meta, el propósito

grandiose grandioso,-a
happiness la felicidad
high-sounding altisonante
hobby el entretenimiento favorito, "hobby"
home la casa
hopelessness la desesperanza
however sin embargo
hypocrisy la hipocresía
to **ignore** desentenderse (ie) (de)
immediately en seguida
to **impose** imponer; **what has been imposed upon it** lo que se le ha impuesto
indifference el desvío (de)
interrogation el porqué
just simple, simplemente
kind el tipo
to **lead to** producir
legacy el legado
to **like: whether they liked it or not** quiera que no
longer: no — ya no
loss la pérdida
to **manage** lograr
matter cuestión; **as a — of fact** de hecho, en efecto
maturity la madurez
merely solamente, simplemente
midst: in the — of en medio de
mobility la movilidad
modicum el mínimo
morality la moral, la moralidad
most: — of la mayor parte de
once en otra época
peace: — of mind la tranquilidad
peculiar: — though it may seem por raro que parezca
people las gentes; **young —** los jóvenes; **old —** los viejos
present actual; **— day** actual
previous anterior
privacy el retiro
to **proclaim** proclamar
promise la promesa
purchase la compra
quiet tranquilo,-a
range: at close — de cerca

to **reach** llegar (a)

reality la realidad; **brutal —** el hecho bruto

to **reconstruct: he has reconstructed his life upon it** se ha instalado en ella

restlessness intranquilidad

to **say: that is to —** es decir; **one might —** se podría decir

scepticism el escepticismo

self-deception el autoengaño

seriousness la seriedad

shiny brillante

sphere la esfera

suddenly de repente

to **suffer** decaer

supporter el defensor

surface la superficie, el aspecto exterior

surprising sorprendente; **it is not —** no llama la atención

to **take: — for** considerar; **— part in** participar en

through mediante

time la época

trait el rasgo

trend la corriente, la tendencia

turn *s.:* **in —** a su vez

to **turn: — one's back (on)** volver (ue) la espalda (a)

unwanted indeseado,-a

way la forma

to **weigh** pesar

within: from — desde dentro

wretched miserable

youth la juventud

youthful juvenil

Composición libre

A

1. ¿Por qué protestan los jóvenes en contra de las ideas de sus padres?

2. Tesis: La generación joven tiene un carácter más (o menos) decidido que la de sus padres.

B

1. ¿Cree usted que es satisfactoria la vida familiar de la juventud? ¿Por qué?

2. Tesis: Yo creo que los jóvenes de hoy viven (no viven) en medio de una gran desilusión.

❧ 13 ❧

La misión
de la universidad

JOSÉ ORTEGA Y GASSET

A. La Universidad consiste, primero y *por lo pronto*, en la enseñanza superior que debe recibir el hombre medio.

B. *Hay que* hacer del hombre medio, ante todo, un hombre culto— *situarlo a la altura de los tiempos* —. Por tanto, la función primaria y central de la Universidad es la enseñanza de las grandes disciplinas   5 culturales.

Éstas son:

1ª Imagen física del mundo (Física).

2ª Los temas fundamentales de la vida orgánica (Biología).

3ª El proceso histórico de la especie humana (Historia).   10

4ª La estructura y funcionamiento de la vida social (Sociología).

5ª El plano del Universo (Filosofía).

C. Hay que hacer del hombre medio un buen profesional. Junto al aprendizaje de la cultura, la Universidad le enseñará, por los procedimientos intelectualmente más sobrios, inmediatos y eficaces, a ser un   15 buen médico, un buen juez, un buen profesor de Matemáticas o de Historia en un Instituto. Pero *lo específico de* la enseñanza profesional no aparecerá claro mientras no discutamos el tema.

D. No se ve razón ninguna densa para que el hombre medio necesite ni deba ser un hombre científico. Consecuencia escandalosa: la ciencia,   20 en su sentido propio, esto es, la investigación científica, no pertenece de una manera inmediata y constitutiva a las funciones primarias de la

322

Universidad, ni tiene que ver *sin más ni más* con ellas. En qué sentido, no obstante, la Universidad es inseparable de la ciencia y, por tanto, tiene que ser también o además investigación científica es cosa que más adelante veremos.

5 Ante todo separemos profesión y ciencia. Ciencia no es cualquier cosa. No es ciencia comprarse un microscopio o barrer un laboratorio; pero tampoco lo es explicar o aprender el contenido de una ciencia. En su propio y auténtico sentido, ciencia es sólo investigación: plantearse problemas, trabajar en resolverlos y llegar a una solución. En 10 cuanto se ha arribado a ésta, todo lo demás que con esta solución se haga ya no es ciencia. Por eso no es ciencia aprender una ciencia ni enseñarla, como no es usarla y aplicarla. Tal vez convenga — ya veremos con qué reservas — *que* el hombre encargado de enseñar una ciencia *sea por su persona* un científico. Pero *en puro rigor* no es nece- 15 sario, y *de hecho* ha habido y hay formidables maestros de ciencias que no son investigadores, es decir, científicos. Basta con que sepan ciencia. Pero saber no es investigar. Investigar es descubrir una verdad o su inverso: demostrar un error. Saber es simplemente *enterarse bien de* esa verdad, poseerla una vez hecha, lograda.

20 La ciencia es una de las cosas más altas que el hombre hace y produce. Desde luego es cosa más alta que la Universidad *en cuanto ésta es institución docente*. Porque la ciencia es creación, y la acción pedagógica se propone sólo enseñar esa creación, transmitirla, inyectarla y digerirla. Es cosa tan alta la ciencia, que es delicadísima y — quieras o no — 25 excluye de sí al hombre medio. Implica una vocación peculiarísima y *sobremanera infrecuente* en la especie humana. El científico viene a ser el monje moderno.

Pretender que el estudiante normal sea un científico es, por lo tanto, una pretensión ridícula *que* sólo *ha podido abrigar* (las pretensiones se 30 abrigan, como los catarros y demás inflamaciones) *el vicio de utopismo* característico de las generaciones anteriores a la nuestra. Pero, además, no es tampoco deseable *ni aun idealmente*. La ciencia es una de las cosas más altas, pero no la única. *Hay otras pares a su lado,* y no hay razón para que aquélla llene a la humanidad, desalojando a éstas. Y, 35 sobre todo, *la ciencia es de lo más alto:* la ciencia, pero no el científico. El hombre de ciencia es un modo de existencia humana tan limitado como otro cualquiera, y aun más que algunos imaginables y posibles.

Hay, pues, *que sacudir bien de ciencia el árbol de las profesiones*, a fin de que quede de ella lo estrictamente necesario y pueda atenderse a las profesiones mismas, cuya enseñanza se halla hoy completamente silvestre. En este punto *todo está por iniciar*. Una ingeniosa racionalización pedagógica permitiría enseñar mucho más eficaz y redondeadamente las profesiones, en menos tiempo y con mucho menos esfuerzo.

Pero ahora acudamos a la otra distinción entre ciencia y cultura. Yo quisiera no sólo *dejar bien preciso* en la mente del lector el concepto de cultura, sino mostrar su radical fundamento.

Cultura es el sistema de ideas vivas que cada tiempo posee. Mejor: el sistema de ideas desde las cuales el tiempo vive. Porque *no hay remedio ni evasión posible:* el hombre vive siempre desde unas ideas determinadas, que constituyen el suelo donde se apoya su existencia. Ésas que llamo "ideas vivas o de que se vive" son, *ni más ni menos*, el repertorio de nuestras efectivas convicciones sobre lo que es el mundo y son los prójimos, sobre la jerarquía de los valores que tienen las cosas y las acciones: cuáles son más estimables, cuáles son menos.

No está en nuestra mano poseer o no un repertorio tal de convicciones. Se trata de una necesidad ineludible, constitutiva de toda vida humana, sea la que sea. La realidad que solemos nombrar "vida humana," nuestra vida, la de cada cual, *no tiene nada que ver con* la biología o ciencia de los cuerpos orgánicos. La biología, como cualquiera otra ciencia, no es más que una ocupación a que algunos hombres dedican su "vida." El sentido primario y más verdadero de esta palabra "vida" no es, pues, biológico, sino biográfico, que es el que posee *desde siempre* en el lenguaje vulgar. Significa el conjunto de lo que hacemos y somos, esa terrible faena — que cada hombre tiene que ejecutar *por su cuenta* — de sostenerse en el Universo, de llevarse o conducirse por entre las cosas y seres del mundo. Vivir es, *de cierto*, tratar con el mundo, dirigirse a él, actuar en él, ocuparse de él. Si estos actos y ocupaciones en que nuestro vivir consiste se produjesen en nosotros mecánicamente, no serían vivir, vida humana. El autómata no vive. Lo grave del asunto es que la vida humana no *nos es dada* hecha, sino que, queramos o no, tenemos que irla decidiendo nosotros instante tras instante. En cada minuto necesitamos resolver lo que vamos a hacer en el inmediato, y esto quiere decir que la vida del hombre constituye para él un problema perenne. Para decidir ahora lo que va a hacer y ser dentro de un momento tiene, quiera o no, que formarse un plan, por simple o pueril que éste sea. No es que _deba_ formárselo, sino que no hay vida posible, sublime o ínfima, discreta o estúpida, que no consista esencialmente en conducirse según un plan.

5 En suma: _el hombre no puede vivir sin reaccionar ante el aspecto primerizo de su contorno o mundo_, forjándose _una_ _interpretación_ _intelectual de él y de su posible conducta en él_. Esta interpretación es el repertorio de convicciones o "ideas" sobre el Universo y sobre sí mismo a que arriba me refiero y que — _ahora se ve claro_ — no puede 10 faltar en vida ninguna.

La casi totalidad de esas convicciones o "ideas" no se las fabrica robinsonescamente el individuo, sino que las recibe de su medio histórico, de su tiempo. En éste se dan, naturalmente, sistemas de convicciones muy distintos. Unos son supervivencia herrumbrosa y torpe 15 de otros tiempos. Pero hay siempre un sistema de ideas vivas que representa el nivel superior del tiempo, un sistema que es plenamente actual. Ese sistema es la cultura.

En nuestra época, el contenido de la cultura viene en su mayor parte de la ciencia. Pero lo dicho basta para _hacer notar_ que la cultura no es 20 la ciencia. _El que hoy se crea más que en nada en la ciencia_ no es a su vez un hecho científico, sino una fe vital — por tanto, una convicción característica de nuestra cultura.

El régimen interior de la actividad científica no es vital; el de la cultura, sí. Por eso, a la ciencia _la traen sin cuidado_ nuestras urgencias 25 y sigue sus propias necesidades. Por eso se especializa y diversifica indefinidamente; por eso no acaba nunca. Pero _la cultura va regida por la vida como tal_, y tiene que ser en todo instante un sistema completo, integral y claramente estructurado. Es _ella el plano de la vida_, la guía de caminos por la selva de la existencia.

30 _De aquí la importancia_ histórica que tiene devolver a la Universidad su tarea central de "ilustración" del hombre, de enseñarle la plena cultura del tiempo, de descubrirle con claridad y precisión el gigantesco mundo presente, _donde tiene que encajarse su vida_ para ser auténtica.

La necesidad de crear vigorosas síntesis y sistematizaciones del saber, 35 para enseñarlas en la "Facultad" de Cultura, irá fomentando un género de talento científico que hasta ahora sólo se ha producido por azar: el talento integrador.

Hombres dotados de este genuino talento *andan más cerca de ser buenos profesores* que los sumergidos en la habitual investigación. Porque uno de los males traídos por la confusión de ciencia y Universidad ha sido entregar las cátedras, *según la manía del tiempo*, a los investigadores, los cuales son casi siempre pésimos profesores, que ⁵ sienten la enseñanza como un robo de horas hecho a su labor de laboratorio o archivo. Así me ha acontecido durante mis años de estudio en Alemania: he convivido con muchos de los hombres de ciencia más altos de la época, pero *no he topado con* un solo buen maestro. *¡Para que venga nadie a contarme que* la Universidad Alemana es, ¹⁰ como institución, un modelo!

(José Ortega y Gasset, "La misión de la universidad"—extractos, Obras completas, Tomo IV, Madrid, Revista de Occidente, 1957, págs. 335-348.)

PREGUNTAS

A

1. ¿Cuál es la obligación principal de la universidad, según nuestro autor? **2.** ¿Qué otra obligación, en el campo profesional, tiene la universidad? **3.** ¿Qué ejemplos da el autor de lo que la ciencia no es? **4.** ¿Cuál es el verdadero sentido de la palabra "ciencia," esto es, de la investigación científica? **5.** ¿Cómo define el autor el verbo "investigar"? **6.** ¿Cuál es la función de la universidad en lo relativo a las ciencias? **7.** ¿A qué utopismo de las generaciones anteriores alude el autor? **8.** ¿Qué opinión tiene el autor del científico? **9.** ¿Por qué dice el autor que un autómata no vive? **10.** ¿Es verdad que el hombre no vive "robinsonescamente"? ¿Qué quiere decir esto? **11.** ¿Qué relación ve el autor entre vida y cultura? **12.** ¿Qué recomienda en particular el autor en el campo de la cultura? **13.** ¿Qué opinión tiene el autor de los investigadores que son a la vez profesores? **14.** ¿Qué nos dice Ortega sobre sus maestros alemanes?

B

1. ¿Cuáles son los cinco campos fundamentales que debe estudiar un estudiante universitario? **2.** Dice el autor que la universidad no tiene por qué hacer del hombre medio un científico. ¿Está usted de acuerdo? **3.** ¿Cree usted que la universidad de hoy da demasiada importancia a las ciencias? **4.** ¿Puede ser buen profesor de ciencias el que no es investigador? **5.** ¿En qué sentido se puede comparar al investigador con un monje? **6.** El autor propone reducir las ciencias a lo estrictamente necesario. ¿Por qué lo propone? **7.** ¿Qué entiende el autor por "ideas vivas"? **8.** ¿En qué consiste la vida, según Ortega? **9.** ¿De qué se sirve el hombre para hacer sus decisiones? **10.** ¿Qué nos quiere decir el autor al afirmar que vivir es "conducirse según un plan"? **11.** ¿Qué es cultura, según Ortega? **12.** ¿Es verdad que la mayor parte de las ideas vienen del campo de la ciencia? **13.** ¿Hay una relación entre la vida del hombre medio y los intereses de la investigación? **14.** ¿Qué entiende el autor por "la selva de la existencia"?

A. Modismos

por lo pronto — provisionalmente

Hay que . . . situarlo a la altura de los tiempos — Es preciso . . . ponerlo en armonía con las exigencias de su época

lo específico de — el carácter específico de

sin más ni más — sin beneficio de análisis

que . . . sea por su persona — que . . . sea él mismo

en puro rigor — en realidad

de hecho — en efecto

enterarse bien de — conocer a fondo

en cuanto ésta es institución docente — en sus funciones de institución de enseñanza

sobremanera infrecuente — muy poco común

que ha podido abrigar . . . el vicio de utopismo — que sólo . . . el vicio de las ilusiones vanas ha podido fomentar

ni aun idealmente — ni siquiera en la mejor de las circunstancias

Hay otras pares a su lado — Hay otras (cosas) igualmente importantes a su lado

la ciencia es de lo más alto — la ciencia es una disciplina excelsa

Hay . . . que sacudir bien de ciencia el árbol de las profesiones — Es necesario . . . eliminar del campo profesional toda la ciencia que no sea estrictamente necesaria

todo está por iniciar — no se ha hecho nada

dejar bien preciso — aclarar

no hay remedio ni evasión posible — no se puede cambiar ni evitar nada

ni más ni menos — justa y cabalmente

No está en nuestra mano — No gozamos de libertad para elegir entre

no tiene nada que ver con — no es una cuestión de

desde siempre — desde tiempos inmemoriales

por su cuenta — por sí mismo

de cierto — sin duda

nos es dada — la recibimos ya preformada

reaccionar ante el aspecto primerizo de su contorno o mundo — reaccionar ante la realidad inmediata de su ambiente

ahora se ve claro — ahora es evidente

hacer notar — dar a entender

El que hoy se crea más que nada en la ciencia — El hecho de que el hombre tenga hoy tanta fe en la ciencia

la traen sin cuidado — poco le importan

la cultura va regida por la vida como tal — la cultura es determinada por la vida misma

De aquí la importancia — Esto explica la importancia

donde tiene que encajarse su vida — donde ha de acomodarse su vida

andan más cerca de ser buenos profesores — se aproximan más al ideal del buen profesor

según la manía del tiempo — de acuerdo con la aberración de la época

no he topado con — no he encontrado

¡Para que venga nadie a contarme que . . .! — ¡Nadie me va a decir a mí que . . .!

EJERCICIOS

Dé usted el equivalente idiomático de las palabras y frases en cursiva:

A

1. La ciencia es, *en efecto*, mucho más importante de lo que él se imagina. **2.** Usted debiera *conocer a fondo* estos detalles. **3.** El caso del hombre sin vicios es *muy poco común*. **4.** *No gozamos de libertad para* aceptarlo o rechazarlo. **5.** El éxito del verdadero intelectual *no es una cuestión de* suerte. **6.** Usted habrá de saber que esto ha ocurrido así *desde tiempos inmemoriales*. **7.** El repaso tendría que hacerlo su hijo *por sí mismo*. **8.** Esta distinción es, *sin duda*, la más fundamental. **9.** La organización social *la recibimos ya preformada*. **10.** Ahora *es evidente* que no hay tal contraposición.

B

1. Usted no debe aceptar afirmación alguna *sin beneficio de análisis*.
2. Esos argumentos no son, *en realidad*, convincentes.   3. Ahora comprendo por qué *no se puede cambiar ni evitar nada*.   4. En el campo de la investigación atómica *no se ha hecho nada* en este país.   5. Éste es, *justa y cabalmente*, su verdadero fundamento.   6. Con esto basta para *dar a entender* su verdadero significado.   7. *A mí me importa poco* que usted lo crea o no.   8. *Esto explica* la necesidad de crear una "Facultad de Cultura."   9. Este tipo de hombre *se aproxima al* maestro modelo.   10. Hasta ahora no *he encontrado* un verso perfecto en todo el poema.

B. Vocabulario

A

I. *Dé un sinónimo de las palabras en cursiva consultando, cuando sea necesario, la lista que se da a la derecha:*

1. Éstas son mis *creencias* en política.
2. Todo hombre piensa acerca de su *vida* en la tierra.
3. El *significado* primario de la palabra es otro.
4. El hombre necesita tener una concepción del *mundo*.
5. Le interesa más el *trabajo* de laboratorio.
6. Usted debe *proponerse* el problema con exactitud.
7. Otro fin del científico es *probar* que hay un error.
8. El profesor de ciencia sólo *intenta* enseñar y no investigar.
9. Una ciencia no debe *desplazar* a otra.
10. Es la realidad que solemos *llamar* "vida."

sentido
labor
síntesis
convicciones
existencia
enseñanza
universo
nombrar
pretender
pertenecer
desalojar
acontecer
plantearse
demostrar

II. *Diga usted qué adjetivo tomado de la presente lección podría emplearse para completar el pensamiento de las oraciones que van al final de cada sección:*

1. Usted ha llegado a cierta conclusión, que va a comunicar a otros, sabiendo que producirá enorme sorpresa y hasta estupor: "Esta conclusión

les va a parecer a ustedes ——." **2**. Usted desea referirse a la base o
fundamento de algo aludiendo, en particular, a su raíz misma: "Discutiré
ahora mi teoría explicando su —— fundamento." **3**. Hay ciertas ideas
que influyen directamente sobre la vida del hombre, otras, no. Refiriéndose
a las que tienen verdadero significado y vigencia usted dice: "Todo hombre
debe vivir de acuerdo con sus —— convicciones." **4**. Usted desea calificar
la conducta de un muchacho diciendo que es más que mala. "La conducta de este muchacho es ——." **5**. Usted recuerda haberse encontrado
una vez ante algo que le pareció descomunal por su enorme tamaño.
"Estaba yo frente a una roca en que se había tallado un —— monumento."
6. Usted desea referirse a ciertos medios que realmente producen el efecto
deseado. "Siempre habremos de emplear medios ——." **7**. Usted está
hablando del arte de un escritor, el cual le parece a usted extraordinaria-
mente noble, elevado y excelso. "El arte de este poeta es ——." **8**. Usted
desea calificar lo que alguien ha hecho destacando la fealdad y rudeza de
su conducta. "Creo que su actuación ha sido ——." **9**. Para aludir a lo
inevitable de algo usted diría: "Ésta es una responsabilidad ——." **10**. Queriendo expresar la necesidad de que algo sea acreditado y genuino usted
dice: "Ésta es la única manera —— de vivir la vida."

NOTA: *Si no ha encontrado las palabras que se piden, búsquelas en la
siguiente lista alfabética:*

auténtico	ineludible	radical
efectivo	ínfimo	silvestre
eficaz	integral	sublime
escandaloso	pésimo	torpe
gigantesco	propio	

B
Diferencias de significado

1. Consistir (en) — constar (de).

Ambos verbos pueden significar *to consist of*.

El primero se refiere a la naturaleza de una cosa considerada en su
totalidad, y establece una relación de igualdad, tal como lo hace el
verbo **ser**:

La misión principal de la universidad consiste en (*is*) la enseñanza
superior que debe recibir el hombre medio.
La prudencia consiste en (*consists of, is*) saber y querer aplicar a
nuestra vida los dictados de la conciencia.

Constar:

(a) Es de carácter analítico, pues alude a las partes que integran o constituyen una cosa:

El programa consta de seis números. *The program consists of six numbers.*

(b) Significa también "haber testimonio de algo":

Así consta en el testamento. *It is so stated in the will.*

(c) Seguido de **que** y referido a una persona específica, quiere decir "saber, estar seguro de algo":

Me consta que hizo el pago. *I am sure he paid.*

2. Instituto.

Hay en español un buen número de palabras para designar diferentes instituciones educacionales.

(a) Escuela elemental o primaria. Ésta puede ser pública o privada. La enseñanza media se imparte en la escuela secundaria, llamada comúnmente **instituto** en algunos países; en otros se la denomina **escuela superior** o **liceo.** En España, sin embargo, no se emplea el adjetivo "superior" para referirse a la escuela secundaria. Las **escuelas superiores,** en España, son de nivel universitario.

El **instituto** puede ser también un centro de estudios avanzados dentro de un campo específico:

Instituto de Energía Atómica, Instituto de Encimas, Instituto Pedagógico, etc.

(b) Se emplea la palabra **colegio** cuando nos referimos a cualquier institución de enseñanza, primaria o secundaria (media):

Niño, ya es hora de ir al colegio.

En España hay, además, **colegios mayores,** esto es, centros universitarios de carácter residencial dedicados a impartir una educación complementaria, a modo de perfeccionamiento de los conocimientos profesionales propios de cada facultad. La palabra "colegio" no significa *college,* excepto en el sentido de conjunto de profesionales o dignatarios:

el Colegio de Abogados, el Colegio de Cardenales.

(c) Viene, por fin, la **universidad** que es tanto *college* como *university.*

3. Propio.

(a) Su acepción más común es la de "pertenencia":

Garabateó su propio libro (*his own book*).

(b) Correcto, riguroso:

La ciencia, en su sentido propio (*in the correct* [*strict*] *sense of the word*), es la investigación científica.

(c) Adecuado, conveniente:

Esto no me parece lo más propio (*the most appropriate thing to do*) en las presentes circunstancias.

(d) "Mismo," en sentido reforzativo, cuando precede al sustantivo:

El propio Juan (*John himself*) confesó que no era de buena calidad.

(e) "Característico," cuando va seguido de **a** o **de:**

Son travesuras propias de la juventud. *These pranks are characteristic of youth.*

4. Todo.

Se emplea en diferentes frases.

Ante todo (*First of all*) hablemos de sus rasgos personales.
No es del todo malo. *It is not entirely bad.*
Con todo [Así y con todo] (*In spite of it*) se podría sacar cierto provecho.
Me gusta el traje, sobre todo (*especially*) la falda.
Vino con maletas y todo. *He came with bags and all.*
A todo esto (*In the meantime*) el muchacho se había subido al árbol.
Todo está en comenzar. *It is all a matter of beginning.*
Tendremos que jugarnos el todo por el todo. *We'll have to stake everything on it.*

5. Proponer — proponerse.

El verbo **proponer**

(a) Equivale a "hacer una propuesta":

Propongo (*I propose*) que se reconsidere el proyecto de ley No. 42.

(b) Significa "presentar la candidatura de alguna persona":

Propongo (*I nominate*) al Sr. Torres.

Proponerse alude a un proceso mental y es igual a "formularse un plan de acción":

Se propuso (*He planned*) denunciar esas irregularidades.
El profesor se propone sólo enseñar.

N.B. Le propuso matrimonio. *He proposed to her.*

6. Realidad.

Hay palabras, tales como **realidad,** que se prestan a confusiones por tener varios significados que se deducen, muchas veces, del contraste implícito que se establece.

Realidad es

(a) El mundo de las cosas concretas:

Las cosas constituyen nuestra más inmediata realidad.

(b) El ámbito de lo sentido y vivido, en contraposición con lo imaginado:

Eso no pasa de ser un sueño; cosas así no ocurren en la realidad.

(c) Estado efectivo y ya existente, en oposición a lo que es sólo potencialidad:

Lo que antes sólo existía en el papel de los proyectos es hoy día una realidad.

(d) En el plano artístico, **realidad** es lo que cada artista (literato, pintor, etc.) ha ideado y configurado por vía intuitiva:

Sostiene el crítico que la realidad artística tiene existencia autónoma.

(e) En sentido filosófico, cuanto existe, incluso los valores ideales y los universales:

En matemáticas hay una realidad que consiste en el "ser número," que es muy distinta del "ser figura."

La realidad que solemos nombrar "vida humana" no tiene nada que ver con la biología, o ciencia de los cuerpos orgánicos.

7. Decidir — decidirse.

Decidir alude al proceso mental que va envuelto en una resolución; lleva implícita la idea de haberse escogido entre dos disyuntivas:

Decidió marcharse.

Decidirse, por el contrario, tiene una connotación volitiva; apunta a la acción que sigue al acto de sobreponerse a una dificultad o impedimento:

Se decidió por fin (*He finally made up his mind*) a hacer el viaje.

8. Convicción — convencimiento.

Ambas palabras expresan el resultado de la reflexión y pueden traducir la palabra inglesa *conviction*.

Se entiende por **convicción** la firme creencia en algo; esta creencia hasta puede ser resultado de intuiciones más que de una rigurosa confrontación intelectual:

> El hombre de convicciones no da su brazo a torcer.

El **convencimiento** es la certeza a que se llega tras un largo razonar:

> Tengo el convencimiento (*conviction* [*certainty*]) de que ésa es una política equivocada.

Convicción no significa *conviction*, en el sentido de "condena":

> El fallo condenatorio (*His conviction*) es irremisible.

EJERCICIOS

I. *Llene usted los espacios en blanco con una palabra o frase tomada de la sección anterior.*

1. Para afirmar que algo es característico de la edad madura digo: Esto es —— de la edad madura. **2.** Aludiendo a un joven que parece vivir en sueños, usted diría: Este muchacho no sabe transigir con la —— diaria. **3.** Para decir que Juanita ha tomado la resolución de mudarse, usted afirmaría: Ella ha —— mudarse. **4.** Refiriéndonos a un muchacho que hace sus estudios medios en España podríamos decir: Este muchacho está matriculado en un ——. **5.** Cuando tenemos la certeza de que alguien ha sido injusto con nosotros decimos: Tenemos —— de que ha sido injusto con nosotros. **6.** Si usted quiere decir que Luis ha hecho la firme decisión de terminar el año con éxito, usted diría: Sé que Luis se ha —— terminar el año con buenas calificaciones. **7.** Para expresar la idea de que Antonio le ha declarado a Mercedes su deseo de casarse con ella, usted diría: Antonio ——. **8.** Usted está leyendo un documento. Al terminar, después de contar las hojas, usted dice: Este informe —— catorce hojas. **9.** Al presentar la candidatura de alguien digo: Señor Presidente: —— al Sr. Ruiz. **10.** Si quiero decir que lo afirmado por Pedro no es lo más indicado, digo: Lo que Pedro dijo no es lo más ——.

II. *Exprese usted la idea de las palabras en cursiva empleando una expresión idiomática en que figure la palabra* **todo.**

1. Afirme usted que el examen que usted escribió no es *completamente malo*. **2.** Diga usted que le será necesario *arriesgarlo todo*. **3.** Diga usted que *en primer lugar* será necesario pagar las deudas. **4.** Exprese usted la siguiente oración cambiando la segunda parte: Usted se acostumbrará a los baños de agua fría; *lo único que le será necesario es comenzar a hacerlo*. **5.** Cambie usted la segunda parte de esta oración: Es un mueble un poco grande; *a pesar de ello*, me gusta.

C. Gramática

El subjuntivo

I. GENERALIDADES

Se omiten en este resumen muchos de los casos más comunes de subjuntivo que se estudian en las gramáticas elementales, pues son construcciones que no requieren mayor comentario.

El subjuntivo implica una proyección en el tiempo o en lo imaginado; alude a acciones ocurridas o por ocurrir que se piensan como (a) actos probables o inciertos, o (b) como datos de la mente (suposiciones, meras alternativas o abstracciones).

II. SUBJUNTIVO DE PROYECCIÓN

1. Llevan subjuntivo las cláusulas dependientes que siguen a verbos que apuntan hacia hechos conjeturables, esto es, que están todavía por ocurrir o que se conciben como simples posibilidades. Entre estos verbos se hallan los que expresan las siguientes ideas:

COMPULSIÓN: Obligue a sus alumnos a que usen más el microscopio.

DECISIÓN: Hemos decidido [dispuesto] que usted mismo resuelva sus problemas.

DESEO: Quiero que usted me haga justicia.

DUDA: Duda que tenga una jerarquía de valores.

EXHORTACIÓN: Le insté (invité) a que se enterase de la verdad.

INSISTENCIA: Insistió (Se empeñó) en que nos condujéramos correctamente.

INTENCIÓN: Procure usted que su plan de vida sea práctico.

NEGACIÓN: Niega que el científico sea necesariamente buen profesor.

OPOSICIÓN: Me opongo a que la universidad se convierta en un mero centro de investigaciones científicas.

SUPOSICIÓN: Supongamos que la vida fuese toda automática.

Muchos de estos verbos y sus similares se emplean en español sólo para expresar una proyección, pero hay algunos que pueden ir seguidos de una cláusula que alude a una acción definida. Compárense:

No creo que es hombre razonable. No creo que sea hombre razonable.

Insisto en que usted no quiere aceptarme nada. Insisto en que usted me lo acepte.

Comprendo que no es fácil de resolver. Comprendo que no sea fácil de resolver.

2. Verbos de comunicación.

Estos verbos pueden dar lugar a tres tipos de construcciones:
(a) Sin complemento y con subjuntivo:

Mando que ella venga.

(b) Con complemento y con subjuntivo:

Le mando (a ella) que venga.

(c) Con complemento e infinitivo:

Le mando venir.

De estas tres formas la menos común es la primera. Ésta se emplea, en particular, cuando la persona aludida en la cláusula dependiente no está presente, y también cuando el tono de la oración es formal o protocolario. La segunda construcción insiste claramente en la idea de persona **(ella venga),** mientras que la tercera destaca la acción **(venir),** sin recalcar la idea de persona. Si la persona que habla no está interesada en la persona a quien se transmite lo dicho, se puede omitir el complemento. Compárense:

Propongo que se haga de otro modo. (*Impersonal*)
Le propongo (a usted) que lo haga de otro modo. (*Personal*)

Se notará que el verbo **mandar,** como también **pedir, ordenar, prohibir** y otros, llevan implícita la idea de voluntad. Si el verbo es de simple comunicación oral o escrita **(advertir, decir, escribir, indicar, telefonear, gritar,** etc.), no se puede usar el infinitivo: **Le dije que lo investigase.** (*Incorrecto:* "Le dije investigarlo.")

3. Los verbos que expresan una actitud o un estado psicológico **(sentir, temer, esperar,** etc.) piden las más veces el subjuntivo en la cláusula dependiente porque las emociones y sentimientos son, para el español, fenómenos internos cargados de indefinición que proyectan incertidumbre a las acciones que están con ellos relacionadas.

Confío en que sepan ciencia.
Celebramos que usted lo haya decidido así.

Hay cierta tendencia en el español moderno a emplear el indicativo con verbos de emoción cuando el que habla no tiene duda acerca de una acción: **Temo que es un hombre de pocos méritos. Espero que lo hará. Confío en que sabrá cumplir con su deber.**

4. Piden subjuntivo los verbos impersonales que expresan un juicio valorativo de agrado, conveniencia, necesidad o suficiencia en relación con una acción futura. Habrá de observarse que estos verbos tienen el mismo sentido que algunas expresiones impersonales: **Es importante que . . .; Es conveniente que . . .; Es grato que . . .;** etc.

Importa mucho que seamos cultos.
Conviene que nos mantengamos en guardia contra la rigidez.
Me agrada que ustedes se comporten bien.

5. También se emplea el subjuntivo en construcciones concesivas en que se hace una suposición por medio de la construcción **por** + *adj.* (*adv.*) + **que** + *verbo:*

Por importantes que sean las ciencias, no deben desplazar a las humanidades.
Por mucho que sepa, no será nunca buen maestro.

6. Puede emplearse el subjuntivo con sentido concesivo cuando se establece una alternativa:

Seamos ricos o pobres, la vida constituye siempre un problema.

La alternativa puede también expresarse por medio de dos subjuntivos enlazados por el relativo **lo que** o la conjunción **o;**

Diga lo que diga, no se lo creeré.
Venga o no venga, tenemos que terminar.

7. En oraciones en que se niega un postulado al cual se supone estar falsamente relacionado otro, se pone el verbo del segundo postulado en subjuntivo:

Ese muchacho no es tan inocente que vaya a creerse eso.
Él no sabe tanto que no necesite mi ayuda.

8. Semejante a la construcción anterior es la que contiene una cláusula introducida por la conjunción **porque.** Lleva subjuntivo esta cláusula cuando expresa una posible causa que se desea negar. Si la causa se concibe como real, se usa el indicativo:

No se lo digo porque quiera molestarle.
No he aceptado el puesto porque prefiera trabajar con ellos.
No se lo digo, porque no quiero molestarle.
No he aceptado el puesto, porque prefiero trabajar con ustedes.

9. La cláusula de modo introducida por **como** lleva subjuntivo si el verbo tiene sentido optativo:

Hágalo usted como más le guste.
Lo prepararemos como usted quiera.

Si el verbo de la cláusula adverbial se refiere a un hecho específico, se emplea el indicativo:

>Lo hice como usted quería.

10. Se emplea el subjuntivo en oraciones exclamativas en que está sobreentendido un deseo de mayor o menor vehemencia:

>¡Que Dios te proteja!
>¡(Que) Dios te acompañe!
>¡Ojalá (que) sea (fuese) así!
>¡Quién pudiera decirte lo que siento!

11. En oraciones que contienen expresiones de posibilidad **(tal vez, acaso, quizá(s), posiblemente)** se pueden usar el subjuntivo y el indicativo, según el grado de duda, mayor o menor, que haya acerca de la acción:

>**(a)** Tal vez no sepa usted cuál es la función de la universidad.
>Quizá(s) sea como usted dice.

>**(b)** Es quizá(s) menos deseable.
>Tal vez lo tiene ahí.
>Posiblemente sabe todo eso.

12. Se usa el subjuntivo en cláusulas que se refieren a un antecedente indefinido o negativo:

>No hay quien entienda mejor que él nuestro proceso histórico. (No hay nadie que . . .)
>No hay cosa en el orbe por donde no pase algún nervio divino. (No hay nada . . .)

13. Va en subjuntivo el verbo de una oración en que un relativo hace las veces de sujeto y alude a una o más personas o cosas que constituyen un subgrupo o cantidad indefinida:

>Los que quieran asistir escriban aquí su nombre.
>Podrán votar cuantos hayan pagado sus cuotas.
>Lo que diga ese señor me importa muy poco.
>Quien no haya entendido levante la mano.

En todos estos ejemplos se ha singularizado un grupo (o cantidad) menor cuyo número (o extensión) no se conoce. La incertidumbre del que habla la expresa el subjuntivo.

EJERCICIOS

A

I. *Llene los espacios en blanco con la forma del verbo que crea usted necesaria. En caso de haber más de una forma posible, sírvase usted indicarlo.*

1. (saludar) Poco importa que usted no me ——. **2.** (llevar) Está bien que la obra —— por título una frase ambigua. **3.** (incluir) Es inexplicable que se —— en ese estudio detalles tan absurdos. **4.** (venir) Ahora comprendo que no —— Pedro y tú a estas insípidas reuniones. **5.** (llegar) Es muy de lamentar que el catedrático siempre —— con retraso. **6.** (decir) Francamente yo esperaba otra cosa. Me parece muy raro que no —— una sola palabra de protesta. **7.** (haber) Parece imposible que usted no —— visto las consecuencias de esta política. **8.** (parecer) El que —— algo difícil esta tarea no debe arredrar a un hombre como usted. **9.** (ir) ¿Le parece a usted decoroso que los alumnos —— a la universidad sin zapatos? **10.** (juzgar) Nuestras costumbres serán siempre un misterio para quienes —— a un pueblo con la mentalidad del turista.

II. *Diga usted cuál es la forma requerida por el sentido y dé luego, donde sea posible, una segunda versión en infinitivo, haciendo los cambios que sean necesarios.*

1. (actuar) No soy yo responsable de que —— ellos como autómatas. **2.** (justificarse) No me explico que Enrique —— de esa manera. **3.** (bajar) Me encontré con ella poco después de que —— del trolebús. **4.** (ser) El profesorado tiene la culpa de que no —— más eficaz la enseñanza. **5.** (haber) Me alegro de que usted —— obtenido la beca.

B

Llene los espacios en blanco con la forma requerida por el sentido. En caso de haber más de una forma posible, sírvase indicarlo.

1. (atreverse) Lo que es indigno de un hombre de bien es que —— a hacer insinuaciones acerca de la honra de sus amigos. **2.** (sentirse) El contenido del libro ha hecho que muchos críticos —— disgustados. **3.** (haberse) Lo que es sorprendente es que el autor —— expresado en lenguaje vulgar. **4.** (constituir) La realidad española vista a través de la corrida de toros parece que —— su primera visión del pueblo español. **5.** (recibir) Ésa fue la primera impresión que Max —— al ingresar en la universidad. **6.** (ocurrir) ¿Es que crees que no sé todo lo que —— dentro de ti en este

339

momento?   **7.** (pasarse) Es una torpeza que ustedes —— las tardes en el Retiro.   **8.** (poder) Al ver que empeoraba de salud, decidió separarse del grupo de expedicionarios. Por eso es él quien mejor —— contar ahora parte de lo sucedido.   **9.** (aspirar) Nunca supe cuántos de aquellos jóvenes —— a la fama al ingresar en la carrera militar.   **10.** (deber) Estábamos convencidos de que —— hacer esos trabajos a pesar de nuestra repugnancia por ellos.   **11.** (salir) Procure usted que ellos —— a tiempo.   **12.** (ir) ¿Hay razón alguna para que ellos no —— a clases?   **13.** (seguir) Le instamos a que —— estudiando en esta universidad.   **14.** (mantenerse) Le propongo que —— dentro de los límites de la cordialidad.   **15.** (defender) Poco importa que usted le ——.   **16.** (llegar) Bien puede ser que —— mañana. **17.** (entregarse) Los que —— a la desesperación también adoptan un plan de vida.   **18.** (considerar) No le he invitado porque le —— persona influyente.   **19.** (caer) Nada hay que —— fuera del campo de la filosofía. **20.** (diversificar) Siempre me ha agradado que mis estudiantes —— sus estudios.

D. Estilística y composición

La elipsis

El fenómeno llamado elipsis, que consiste en la omisión de una o más palabras del discurso, es común tanto en inglés como en español. Hay muchos casos en que las dos lenguas coinciden en tener construcciones elípticas para expresar una misma idea:

—¡Arriba con él! *Up with it!*
—¿Irás en primera? *Are you going first class?*
—No, en segunda. *No, second.*

Por desgracia, hay también muchas construcciones que por ser elípticas en inglés y no en español dan pie a no pocos errores de composición y estilo, especialmente cuando el alumno se deja guiar por la sintaxis de su lengua natal. Resultan así falsas elipsis españolas, las cuales producen invariablemente en el hispanoparlante la impresión de estar oyendo frases cojas.

En todos los ejemplos que siguen hay un error por haberse omitido una o más palabras. Compárense los dos textos españoles.

1. El lago cerca de la ciudad de Osorno es imponente. (*Debe ser:* El lago que está cerca de la ciudad de Osorno es imponente.)

2. Una de sus ideas geniales fue la Alianza para Progreso. (*Debe ser:* . . . fue la Alianza para Fomentar el Progreso.)

3. Iré a su casa, si posible. (*Debe ser:* . . . si (me) es posible.)

4. Acudió la policía por los disturbios en la Fábrica Ford. (*Debe ser:* . . . a causa de los disturbios de la Fábrica Ford, o bien, . . . a causa de los disturbios ocurridos en la Fábrica Ford.)

5. Muchos indios abandonaron las zonas en poder de los españoles. (*Debe ser:* Muchos indios abandonaron las zonas que estaban en poder de los españoles.)

EJERCICIOS

Diga si hay falsas elipsis en las oraciones siguientes y proponga una enmienda donde sea necesaria.

A

1. Marque usted con un asterisco todos aquellos no oficialmente en su lista. **2.** Para informes, diríjase a la Secretaría de la Universidad. **3.** Haga usted el favor de comprar dos billetes para coche dormitorio. **4.** Villagrán, en las faldas de los Andes, es una aldea antiquísima. **5.** Nosotros, de la edad moderna, no entendemos así la vida. **6.** Los libros en ese cajón debieran ser devueltos a la biblioteca. **7.** El palacio en el centro de la ciudad es una joya arquitectónica. **8.** Señoritas, ¿quieren ustedes hermosas uñas?

B

1. El cuadro en la pared izquierda es el mejor. **2.** En el hermoso paseo a lo largo de la bahía hay hermosas palmas. **3.** Con la pequeña república de Haití, donde se habla francés, hay un total de veinte naciones. **4.** ¿Cuál es el camino más directo a la casa de Juan? **5.** Haga usted algunas mejoras, si necesarias. **6.** Los materiales de construcción en la calle pertenecen al dueño del solar. **7.** Dice que en su país hay mucho salitre, que se usa no sólo para explosivos sino también para abonos. **8.** Esa famosa organización, con sede en Washington, D. C., presta sus servicios sin recibir remuneración alguna.

Traducción

A

1. The first duty of the university is to make a cultured man of the average man. **2.** In order to do this it should expose him to five cultural fields: (1) the physical image of the world; (2) the basic subjects of organic life; (3) the historical process of mankind; (4) the structure and functioning of social life; and (5) the concept of the universe. **3.** Naturally, the university should also train professionals: physicians, judges, high school teachers, etc. **4.** We must establish, however, a distinction between science and the professions. If we do not, we are likely to reach untenable conclusions. **5.** In the first place, a man can be an excellent physician without being a scientist — using the latter word in its correct and proper meaning. **6.** The same is true in the world of teaching: a man can be a first-rate science teacher and not be an investigator. **7.** Strictly speaking, to do research work means to discover truth, or the reverse, to demonstrate an error; but to know a science is only to be well acquainted with its truths. **8.** Since not all men are born to be true scientists, it seems ridiculous to attempt to make men of science out of all college students. **9.** Science is something special, something unique which excludes the average man. It is an occupation for a few. **10.** It requires a very peculiar vocation and a dedication which are very infrequent among human beings. **11.** Science is not the only possible occupation of man. There are others which are its equal and, therefore, there is no reason to let science displace them. **12.** Finally, let us remember that what is superior is science, not the scientist. The latter can be as limited as any other being, and sometimes even more so.

B

1. One must also distinguish science from culture; but, first, I should like to explain the concept of culture and show its basic roots. **2.** Let us remember that all men live in accordance with certain ideas; a few of these are original, most of the others are inherited. **3.** I am referring, of course, to living ideas, that is, those that serve as foundations for our existence. **4.** The serious part is that we are not free to choose between having or rejecting a repertoire of ideas. Choosing is an unavoidable necessity. **5.** Culture is precisely that body of living convictions with which we face the world. They permit us to create a hierarchy of values and to determine which things or actions are to be highly regarded and which are not. **6.** We use our convictions to sustain ourselves and to get along in the universe. Whether we like it or not, this is our ever present problem. **7.** Life is, then, a way of approaching the world, of dealing with it, of acting in it. **8.** Most of the ideas which constitute today's culture come to us from the sciences, but this does not mean that culture is science. **9.** We can now understand why one of the main tasks of the university is to communicate to students, clearly and precisely, the ideas of their time, so that they may be able to fit their lives into their cultural world. **10.** The university must, therefore, have the services of men with a coordinating talent who can present meaningful syntheses of human knowledge. **11.** Unfortunately, my experience tells me that often university professorships are turned over to investigators who are wretched teachers. **12.** These men think of teaching as hours stolen from their work in the laboratory or in the archives.

Vocabulario mínimo

accordance: in — with de acuerdo con, apoyándose en
acquainted: to be well — enterarse bien
to **act** actuar
to **approach** acercarse (a)
archive el archivo
to **attempt** intentar
average: — man el hombre medio
basic fundamental
born: are — to be vienen al mundo para ser
choosing el escoger, la elección
college *adj.* universitario,-a
coordinating: — talent talento integrador
correct propio,-a
cultured culto,-a
to **displace** desalojar
equal: they are its — son sus pares
even: — more so aún más
ever present perenne
to **exclude** excluir
to **expose** poner frente a
to **face** encararse con
few: a — los menos, unos pocos
finally por último
first-rate formidable
to **fit (into)** encajar
foundation el fundamento, la base

free: man is not — no está en la mano del hombre
functioning el funcionamiento
to **get: — along** llevarse
to **have** contar (ue) con
hierarchy la jerarquía
high school el instituto, el liceo, la segunda enseñanza
however sin embargo
image la imagen
infrequent: very — sobremanera infrecuente
inherited heredado,-a
judge el juez
knowledge el conocimiento, el saber
life el vivir, la vida
like: whether we — it or not queramos o no
likely: we are — to es probable que
living *adj.* vivo,-a; efectivo,-a
mankind la humanidad
meaning el significado, el sentido
meaningful significativo,-a
most la mayor parte de
often a menudo
peculiar: very — peculiarísimo,-a
professorship: university — la cátedra
proper propio,-a; auténtico,-a

to **reach** llegar
to **refer to** referirse (ie) a
to **regard: to be highly regarded** ser estimable
to **reject** rechazar
  repertoire el repertorio
  research work trabajos de investigación
  reverse el reverso
  root: basic roots radical fundamento
  serious: the — part lo grave
  since puesto que
to **steal: hours stolen from** un robo de horas hecho a
  strictly: — speaking en rigor

structure la estructura
superior excelso,-a
task la tarea
teaching la enseñanza
therefore por (lo) tanto
today: today's actual
to **train** preparar
true verdadero,-a; **the same is —** lo mismo se puede decir
to **turn over** entregar
unavoidable ineludible
unfortunately por desgracia
untenable insostenible
wretched pésimo,-a

Composición libre

A

1. ¿Cree usted que es obligación del profesor crear entusiasmo por la materia que enseña? ¿Cómo lo puede hacer?
2. Tesis: En mi opinión la cultura es (no es) la suma de las ideas de que vive un hombre y también cuanto hace, por elemental que esto sea.

B

1. ¿Qué ideas heredadas del siglo XIX le parecen a usted inoperantes en la época actual?
2. Tesis: Una universidad de primera categoría debe preparar futuros investigadores y no contentarse sólo con transmitir el contenido de las ciencias.

℘ **14** ℘

Hispanoamérica: sociedad y economía

DANIEL COSÍO VILLEGAS

Poco prudentes han de ser los hispanoamericanos si no han logrado convivir bien con sus semejantes, a pesar de que están condenados a hacerlo *en claustros cerrados.* Es evidente que el monje, recluido *de verdad* dentro de un claustro físicamente, materialmente cerrado, hace
5 el mayor esfuerzo imaginable para *entenderse* con quienes habrá de compartir su vida entera. Y *sin embargo, como que* el hombre hispanoamericano no lo ha intentado con toda la decisión que debiera, y, si lo ha hecho, ha fracasado *en* muy *buena medida.*

   Bastaría para convencerse de ello echar una mirada a la estructura
10 social de cualquiera de nuestros países y, *por desgracia,* en esto no parece haber excepciones, siquiera de grado. Ninguno tiene una clase media (o, por lo menos, no la tiene bastante numerosa y compacta) cuya existencia mitigue el contraste tajante y doloroso entre una clase baja desmesuradamente pobre, y una alta, también desmesuradamente rica.
15 Quizás lo único en que estas dos clases coincidan sea en su espesa ignorancia; *en lo demás,* ni pueden ser más distintas ni estar más distantes. E insisto en que no debemos disimular el desvío abominable que separa a nuestras clases bajas de las altas: el observador superficial tiende a *ver la paja en el ojo ajeno,* pero no la viga en el propio, de modo
20 que es frecuentísimo que quienes proceden de países donde la indumentaria europea está generalizada crean que las distancias sociales son

345

menores en sus países de origen y mayores en los de población indígena, simplemente porque en éstos a la separación social se agrega la "nota de color" de una vestimenta pintoresca.

Claro que no hay sociedad moderna en que esas diferencias sociales no existan y aun claramente visibles; pero las nuestras me parecen 5 mayores y como más hirientes, como que envenenan más el cuerpo social todo, conduciéndolo a convulsiones violentas de tiempo en tiempo, entre otras razones, porque en nuestra América parece que debiera haber para todos mucho espacio, mucho aire, mucha luz y comida y abrigo bastantes. Y no olvidemos, al hablar de clases sociales, 10 ese fenómeno al que los sociólogos atribuyen tanta importancia: la capilaridad social, o sea la mayor o menor facilidad o dificultad con que el hombre de una clase inferior *se desprende de su clase* para trepar a otra superior.

En cuanto a nuestra clara y profunda división en clases, supongo que 15 *no es menester* especular mucho para admitirla y sentir su magnitud: bastaría pensar en un indio boliviano o peruano, a un extremo, y en un señorito de La Paz o de Lima, al otro; en un negro de la costa caribeana de Colombia, y en el rico industrial antioqueño; en un roto chileno y en el "dandy" que *concurre al Club* de la Unión de Santiago; 20 entre un negociante mexicano con casas de recreo en Cuernavaca, Taxco y Acapulco, y *un lacandón* trashumante. Puede algún hispano-americano ingenuo pensar que, si las distancias sociales son grandes en nuestra América, no lo son tanto como en la Europa occidental o en los Estados Unidos, porque entre nosotros no hay ni una verdadera 25 aristocracia, ni un genuino proletariado industrial: la primera, una clase de verdad encopetada; la segunda, se diría, no simplemente baja, sino subterránea.

Quizás nuestras clases altas sean, *en efecto*, menos altas que la aristocracia tradicional europea o que el hombre inverosímilmente 30 adinerado de los Estados Unidos, *si bien* no puede dudarse de que nada en el mundo hay tan bajo como un indio de la altiplanicie boliviana; *pero aun siendo cierto lo primero*, el hecho no nos favorece. Por una parte, la aristocracia europea es menos aristocrática de lo que aparenta; por otra, poquísimo o nada representa en la vida colectiva, *de modo* 35 *que* ha dejado de ser punto de comparación social o fuente de envidia o rencor; *de hecho*, es un grupo social confinado. *En todo caso*, y en

una justa medida en que sea verdadera aristocracia, ha tenido tiempo para afinarse y pulirse. La nuestra, al contrario, es tan reciente, *se ha hecho tan a la vista de nosotros,* está amasada tan crudamente con el solo ingrediente del dinero, y su fortuna se deriva de manera tan directa
5 del despojo, del *factor oficial* o del azar, que no puede ser objeto de admiración, y, a veces, *podría regateársele hasta el olvido;* a ello ha de agregarse su falta general de buen gusto y de refinamiento. Muchos de los héroes de nuestra independencia fueron caballeros adinerados; en todos los países de América la clase media alta que fue formándose en
10 la segunda mitad del siglo XIX llegó a ser, en ocasiones, ilustrada, generosa y progresista; pero el rico de este siglo *no tiene perdón de Dios por cualquier parte que se le mire.* Así, *ha de tenerse presente* que nuestra aristocracia, directa o indirectamente, gobierna o ha gobernado nuestros países, y, aun en aquellos en que ha sido batida, no acepta un
15 papel social de mero ornato, sino que acecha la oportunidad de retornar al poder. *De ahí que, en el mejor de los casos, se la mire con recelo* y, en el peor, *se la tenga por* enemiga.

Nuestra estructura económica es, por supuesto, otro obstáculo formidable para que los hombres convivan más en nuestra América.
20 Si hemos aceptado que la estructura social se caracteriza por profundas divisiones en clases, debemos suponer que gran parte de esas divisiones *tienen su origen en* la disparidad de medios y de oportunidades económicas: a un extremo, grandes riquezas invertidas en tierras, fincas y, ahora, en industrias — que permiten una vida fácil, de ocio, de despre-
25 ocupación; al otro, un salario menguado e inseguro; *de un lado,* el palacio con hipódromo privado, según se dice en Buenos Aires: del otro, el famoso *"conventillo."* Y no se olvide que los vicios de esta organización producen *efectos cada vez más generales y cada vez más sensibles: en manera alguna* tiene la misma significación ser pobre en el siglo XII
30 que serlo en el XX, pues la industria moderna ha despertado la codicia del hombre al desplegar ante sus ojos, en tienda tras tienda, una variedad infinita de mercaderías, de servicios, de satisfacciones y de placeres; *en suma,* cosas que el hombre de otras épocas no podía imaginar siquiera y, *en consecuencia,* tampoco podía ambicionar. Y el hombre mismo ha
35 cambiado, él, *por su cuenta,* o como resultado de una acción exterior; pero *lo cierto es que* el ser humano de este siglo *no está dispuesto a* seguir siendo pobre, ni a tolerar que al lado suyo haya hombres iguales

a él, excepto en la riqueza. Durante muchos años, siglos, la religión cristiana ha podido ser un freno a los apetitos materiales del hombre, o una compensación de su pobreza; hoy, el cristianismo ha perdido para siempre esa función, reservándose la más modesta de dar un aire inocente de simple buena suerte a la riqueza *adquirida* quizás *de mala* 5 *ley.*

Pero hay un hecho que se olvida con frecuencia al analizar las peculiaridades de la estructura económica de nuestros países, hecho que impide también *una mayor convivencia* entre los hombres de América: la coexistencia de formas e instituciones económicas primitivas y de 10 formas e instituciones ultraavanzadas. Todos conocemos el brillante cartel de la *Panagra:* un monstruo del aire cruza el cielo del Perú o de Bolivia a una velocidad de 500 kilómetros por hora y a una altura de 6,000 metros, mientras abajo, en el desierto calcinado, unos indios con su tropilla de llamas lo miran pasmados. 15

En realidad, la Panagra, *al fin vieja celestina* del imperialismo, ha sido bondadosa con nosotros los hispanoamericanos, pues, sin violentar la verdad, ha podido sustituir por la llama otro medio de transporte más primitivo, pero no menos general: el lomo del indio mismo, en que se han acarreado por siglos, y se siguen acarreando, bienes y 20 personas.

No es fácil la convivencia entre hombres que viven en mundos económicos radicalmente distintos: ¿será fácil el entendimiento entre el hombre que *carga a cuestas* su trigo o su maíz para llevarlos al mercado, y el hombre que recibe por avión algún repuesto para la 25 maquinaria de su fábrica? De hecho, es muy frecuente hallar en los países americanos grupos humanos que viven en una economía hija del capitalismo más avanzado. LA PERLA, de Steinbeck, no plantea otro problema en su dramático argumento.

Las diferencias sociales y económicas en nuestros pueblos son tan 30 grandes y tan macizas que no pueden aminorarse o reajustarse de una manera normal, tranquila, diaria, mecánica, diríamos; falta o es pobre, además, la "capilaridad social," pues faltan o son pobres los medios y las oportunidades para mudar de clase o grupo.

(Daniel Cosío Villegas, "Los problemas de América"—extractos, *Extremos de América*, México, Tezontle, 1949, págs. 249-272.)

PREGUNTAS

A

1. ¿Qué deben hacer los que viven en claustros cerrados? **2.** ¿Qué particularidad tiene la clase media en Hispanoamérica? **3.** ¿Qué creen aquellos que juzgan a su pueblo por la indumentaria? **4.** ¿Qué consecuencias traen las grandes diferencias entre clases sociales? **5.** ¿Qué extremos en la escala social de Hispanoamérica podría usted mencionar? **6.** ¿De qué individuos se podría decir que su clase social no sólo es baja sino subterránea? **7.** ¿Qué clase representa poco en la vida social de Europa, según el autor? **8.** ¿Por qué cree el autor que la aristocracia hispanoamericana es inferior a la europea? **9.** ¿A qué deben la mayor parte de los ricos su fortuna, según el autor? **10.** ¿Qué eran, socialmente hablando, algunos héroes de la independencia? **11.** ¿Cuál es la actitud de la aristocracia hispanoamericana, según el autor? **12.** ¿Cuál es la característica principal de la vida económica del hombre en Hispanoamérica? **13.** ¿Por qué ambiciona mucho más el hombre de hoy? **14.** ¿Qué ejemplo podría dar usted de la coexistencia de economías primitivas y economías avanzadas en Hispanoamérica?

B

1. ¿A qué se debe la falta de entendimiento entre los hombres de los países hispanoamericanos? **2.** ¿Qué entiende usted por "capilaridad social"? **3.** ¿Qué críticas podrían hacerse a la clase rica de los países hispanoamericanos? **4.** En su opinión, ¿qué tipo de rico merece ser respetado? **5.** ¿Qué pruebas hay de que la clase rica vive bien en Hispanoamérica? **6.** ¿Cuáles son las características de un "conventillo"? **7.** ¿Qué pruebas podrían darse de que el hombre pobre de hoy no se resigna a seguir siendo pobre? **8.** ¿Cree usted que el cristianismo podría hacer una labor social eficaz? **9.** ¿Qué entiende usted por "imperialismo"? **10.** ¿Cree usted que las grandes compañías extranjeras son o no son deseables en la vida económica de Hispanoamérica? **11.** ¿Por qué se dice que el indio es un medio de transporte? **12.** ¿Cuáles son algunas de las expresiones del capitalismo más avanzado en Hispanoamérica? **13.** ¿Cómo explicaría usted la inestabilidad política de Hispanoamérica? **14.** ¿Cree usted que el autor tiene razón en todo lo que dice en su ensayo?

A. Modismos

en claustros cerrados — dentro del mismo recinto

de verdad — realmente

entenderse — llevarse bien

sin embargo — no obstante

como que — casi parece que

en buena medida — en gran parte

Bastaría — Sería suficiente

por desgracia — infortunadamente

en lo demás — en otros sentidos

ver la paja en el ojo ajeno, etc. — ver los defectos ajenos, por pequeños que
    sean, y no los propios, que son mucho mayores

Claro que — Naturalmente

se desprende de su clase — sale de su clase

En cuanto a — En lo relativo a

no es menester — no es necesario

concurre al Club — se reúne con otros en el Club

un lacandón — indio maya del estado de Chiapas, México

en efecto — realmente

si bien — aunque

pero aun siendo cierto lo primero — pero aunque lo primero fuese cierto

de modo que — y por esta razón

de hecho — en realidad

En todo caso — De todos modos

en una justa medida en que sea — y en la misma proporción en que sea

se ha hecho tan a la vista de nosotros — se ha formado en tiempos tan recientes

el factor oficial — los "favores" concedidos por el gobierno

podría regateársele hasta el olvido — podría resultarle difícil ser olvidada

no tiene perdón de Dios — no merece ser perdonada

por cualquier parte que se le mire — cualquiera que sea el lado por donde se
    le considere

ha de tenerse presente — hay que recordar

De ahí que — Ésta es la razón de que

en el mejor de los casos — en las circunstancias más favorables *se la mira con recelo* — se desconfía de ella

se la tenga por — se la considere como

tienen su origen en — se originan en

de un lado — por una parte

"conventillo" — casa de vecindad para gentes muy pobres

efectos cada vez más generales — efectos que se van generalizando aún más con el tiempo

y cada vez más sensibles — y que se sienten con creciente intensidad

en manera alguna — de ningún modo

en suma — en una palabra

en consecuencia — por consiguiente

por su cuenta — por sí solo

lo cierto es que — el hecho es que

no está dispuesto a — no se resigna a

adquirida . . . de mala ley — adquirida . . . deshonestamente

una mayor convivencia — una mayor armonización social

Panagra — compañía afiliada de Pan American Airways y Grace Line

al fin vieja celestina — para decir verdad, antigua intermediaria

carga a cuestas — lleva sobre las espaldas

EJERCICIOS

Emplee una frase idiomática en lugar de las palabras en cursiva.

A

1. Hasta ahora no ha habido *realmente* un cambio. **2.** *No es necesario* especular mucho sobre ello. **3.** La aristocracia, *aunque* muy reciente, es rica. **4.** *De todos modos*, la clase alta no es tan alta como se supone. **5.** *Por una parte*, la sociedad se caracteriza por la profunda división de clases. **6.** Lo que usted ha hecho *no merece ser perdonado*. **7.** Ahora sabemos por qué *se la considera como* hija del despojo. **8.** Eso no es así *de ningún modo*. **9.** Podría llamarse, *en una palabra*, un claustro. **10.** El indio *lleva sobre las espaldas* bienes y personas.

B

1. Es, *en gran parte*, una clase social sin refinamiento. **2.** Nada puedo decirle *en lo relativo a* riquezas adquiridas *de mala ley*. **3.** El indio es *realmente* un medio de transporte. **4.** *En realidad* no es un genuino proletariado. **5.** Una pequeña cantidad *sería suficiente*. **6.** Así ha ocu-

351

Ha de tenerse presente

Sin embargo

rrido, *no obstante,* desde los tiempos coloniales. **7.** *Hay que recordar*
que la aristocracia ha gobernado nuestros países por muchos años. **8.** *El*

lo cierto es que hecho *es que* reciben un salario menguado. **9.** Esto explica por qué *se*

La mira con recelo desconfía de ella. **10.** El hombre contemporáneo *no se resigna a* ser pobre.

Está dispuesto a.

B. Vocabulario

A

I. ADJETIVOS TERMINADOS EN "-ABLE," "-IBLE."

(a) *Dé usted los adjetivos terminados en* **-able** *o* **-ible** *que corresponden a los siguientes verbos, y empléelos en una oración original:*

> *Ejemplo:* aceptar — **aceptable**
> **Su proposición no es aceptable.**

1. abominar **2.** admirar **3.** imaginar **4.** preferir **5.** sentir **6.** ver

(b) *Dé usted la forma* negativa *de los adjetivos terminados en* **-able** *o* **-ible** *que corresponden a los siguientes verbos, y empléelos en una oración original:*

> *Ejemplo:* comprender — **incomprensible**
> **Lo que usted ha dicho es incomprensible.**

1. explicar **2.** creer **3.** evitar **4.** olvidar **5.** sustituir **6.** tolerar

II. *Haga usted el favor de emplear una de las palabras de la derecha para completar las siguientes oraciones. Úsese siempre la forma que pide el sentido.*

(a) SUSTANTIVOS

1. El conjunto de máquinas que se emplean en una fábrica se llama ——.

2. Los objetos que vende un comerciante tienen el nombre colectivo de ——.

3. Todo aquello que el hombre necesita para defenderse del mal tiempo (casa, ropa, etc.) se llama ——.

4. El vivir en armonía con otras personas se llama ——.

5. Los que tienen una ambición desordenada de riquezas sufren de ——.

abrigo
satisfacción
convivencia
codicia
suerte
mercaderías
maquinaria

(b) ADJETIVOS

1. Una sociedad que hace grandes progresos es muy ——.
2. La ropa de los indios es hermosa y llamativa por tener muchos colores. Es ——.
3. A todo lo que existe o funciona debajo de la tierra se le llama ——.
4. De una persona que es franca, inocente y un poco infantil se dice que es ——.
5. De los ricos, esto es, los que tienen mucho dinero, decimos que son hombres ——.

subterráneo,-a
ingenuo,-a
adinerado,-a
trashumante
pintoresco,-a
menguado,-a
progresista

(c) VERBOS

1. De aquellos que dan una impresión errónea por medio de falsas apariencias decimos que —— ser lo que no son.
2. Cuando una persona no obtiene resultados positivos en ninguna forma decimos que ha ——.
3. La acción de llevar algo o transportarlo en un carro la expresa el verbo ——.
4. El acto de ir a un lugar para estar en compañía de otras personas es el de ——.
5. La acción de reemplazar una cosa por otra se expresa por medio del verbo ——.

acarrear
aparentar
ambicionar
concurrir
sustituir
especular
fracasar

B

Diferencias de significado

1. Haber de.

(a) Puede expresar este verbo la idea de un futuro o condicional:

—Y ¿por qué no me das lo mío? — Lo has de saber [lo sabrás] cuando seas mayor.

Ése era Giner de los Ríos, el que más tarde había de ser llamado [sería llamado] "el maestro."

(b) Cuando indica probabilidad es igual a "deber de":

Doña Francisca ha de ser [debe de ser] muy rica.

(c) Puede significar *to have to*, cuando la oración expresa un destino inevitable:

Las cosas siempre son como han de ser (*as they have to be*).

No sabía cómo iba a hacerlo, pero ¡él había de ser rico (*he had to be rich*)!

(d) Obligación:

Estas obras de caridad han de hacerlas [deben hacerlas] los ricos.

(e) Proyección o suposición:

¡Quién había de decir (*Who would have thought*) que se casaría a los cincuenta!

—¿Qué pasa aquí? — ¡Qué había de pasar! *What do you think is going on!*

(f) Para expresar una negación:

—¿Hay o no hay tropiezos? — ¡Qué ha de haber! *How could there be!*

2. Intentar — atentar.

Intentar significa

(a) Tratar de:

Intentó (*She tried to*) fugarse por la ventana.

(b) Iniciar la ejecución de algo:

Puede que sea demasiado difícil pero, por lo menos, intentémoslo (*let's try it*).

Atentar lleva siempre implícita la idea de ilegalidad; va comúnmente seguido de la preposición **contra;**

Prohibir la libre expresión es atentar contra (*to infringe upon*) los derechos de todo ciudadano.

3. Ropa — indumentaria — vestuario — vestido — vestidura — vestimenta.

Las tres primeras tienen significado genérico.

Ropa es el conjunto de prendas que viste el hombre, sean interiores o exteriores:

¡No se quite usted la ropa (*clothes*)!
Vaya usted a la Sección de Ropas (*wearing apparel*).

Indumentaria significa también **ropa,** pero no es palabra común; se la prefiere para aludir a prendas de vestir en sentido histórico o social:

Acabo de comprar una excelente obra sobre indumentaria española (*Spanish costume*).

Vestuario es el conjunto de trajes que llevan actores y actrices (*wardrobe*).

Vestido puede ser el equivalente de **indumentaria** en su más amplia acepción, pero las más veces tiene un sentido específico, pues se refiere, en particular, a las prendas exteriores que viste la mujer:

Encima de la ropa blanca se puso un vestido de encaje (*lace dress*).

Vestidura, traje que llevan hombres o mujeres en grandes o solemnes ocasiones:

Admiramos su rica vestidura (*vestment, robe*).

Vestimenta, sinónimo — algo más literario — de **ropa**;

Añada usted la nota de color de una vestimenta pintoresca (*picturesque attire*).

4. Llegar a ser.

Es uno de los muchos verbos con que se expresa una transformación. Su equivalente inglés es *to become.* Se emplea para expresar el resultado de un cambio paulatino cuya etapa final se concibe como una culminación:

Después de diez años llegó a ser presidente de la corporación.

Hacerse se usa cuando el cambio se concibe como simple resultado de un deseo o un esfuerzo, sin insistir particularmente en la etapa de culminación:

Si usted quiere hacerse abogado tendrá que dedicar seis años al estudio de la jurisprudencia.

Hacerse (*adjetivo*) expresa un cambio en general:

El ruido se hace insoportable por las noches.

Si el cambio apunta a un resultado involuntario se habrá de usar **quedarse** (*adjetivo*):

Se quedó sordo. *He became deaf.*

Cuando hay un simple cambio de ocupación, sin mediar un esfuerzo, se puede usar **meterse**;

Se metió soldado.

Hay quienes evitan este uso de **meterse** por parecerse mucho a **meterse a,** verbo que tiene un sentido peyorativo:

Se metió a dirigente de trabajadores. *He dabbled in labor leadership.*

La idea de cambio visible se expresa por medio de **ponerse** + *adjetivo:*

Se puso pálida.

Si el cambio es radical se habrá de usar **volverse**;

Se volvió loca. *She became insane.*

El invierno se ha vuelto crudo, ¿verdad?

Yo creía que los peces se volvían colorados al cocerlos.

355

Para expresar cambios en la naturaleza misma de las cosas se emplean los verbos **convertirse, transformarse** o **tornarse**: este último es más literario:

El agua pronto se convierte en vapor.

El gigante se transformó en una nube.

Lo dado como óptimo se torna pronto pésimo.

Cuando se habla del fin o destino final de algo se emplea **ser de**:

¿Qué es de Juan? *What has become of John?*

Hay, por fin, muchos casos de cambios físicos o psíquicos que se expresan por medio de verbos reflexivos: **debilitarse, enfermarse, marearse, desesperarse, entristecerse, inquietarse,** etc.

IMPORTANTE: El estudiante no deberá usar los otros verbos con que puede expresarse *to become* si el verbo reflexivo es la única forma de expresar la idea de cambio. Por ejemplo:

Se emocionó. (*Imposible:* Se puso emocionado.)

Otros usos:

Se conmovió; se serenó; se asombró; se acostumbró; se perdió, etc.

5. Caso.

(a) Frases preposicionales:

Lo tendré todo listo, dado el caso de que venga (*in case he comes*).

En el mejor de los casos (*At best*) se la mira con recelo.

En todo caso (*In any case*) habrá que ir a recibirle.

(b) Construcciones verbales:

No hagas caso a [de] los murmuradores. *Pay no attention to gossips.*

Usted hizo caso omiso de (*You ignored*) mis recomendaciones.

Francamente eso no hace [no viene] al caso (*is beside the point*).

Tu tío Feliciano, pongo por caso (*for example*), es de los que no pagan tasas.

Sé que algún día se verá en el caso de pagarlas (*he will be forced to pay them*).

Bueno, señores, vamos al caso (*let's get to the point*).

6. Sensible.

(a) Es **sensible** todo aquello que puede observarse o que se deja sentir:

Se producen efectos cada vez más sensibles.

(b) También se aplica a los actos o sucesos que producen sentimiento; en este sentido es igual a "lamentable":

¡Qué sensible pérdida! *What a regrettable loss!*

(c) Se refiere también a lo que tiene capacidad de sentir:

El poeta es un ser extremadamente sensible.

N.B. En ningún caso expresa la idea de la palabra inglesa *sensible:*

Un hombre cuerdo, sensato, razonable (*A sensible man*).
Un hombre de mucha sensibilidad (*A very sensitive man*).

7. Significado ← significación.

Significado quiere decir *meaning:*

Explíqueme el significado de todo esto.

Significación:

(**a**) Puede ser sinónimo de **significado:**

El alumno habrá de buscar en el diccionario toda palabra cuya significación no pueda explicar.

(**b**) Hay ocasiones, sin embargo, en que **significación** lleva envuelta una idea de menor inmediatez y alude no tanto a la denotación como a las connotaciones implícitas en algo:

Es una fiesta de gran significación (*significance*) para todo español.

(**c**) También quiere decir "importancia":

No sé cuál sea mi significación (*I don't know how important I am*) dentro del partido.

8. Faltar — faltarle a uno — hacerle falta a uno — necesitar.

Faltar quiere decir

(**a**) No haber algo allí donde debiera estar presente:

Aquí falta (*is missing*) un botón.

(**b**) Seguido de la preposición **a** significa "no concurrir":

Faltó a muchas clases. *He was absent from many classes.*

(**c**) Seguido de **a** y un sustantivo de contenido psíquico, significa "no cumplir con algo":

Faltó a (*He failed to show*) la obediencia [la disciplina, al respeto, etc.].

(**d**) En la frase negativa **no faltaba más,** para decir "naturalmente, por supuesto":

El que los estupefacientes sean peligrosos no prueba nada porque todo en el mundo es peligroso, no faltaba más.

(**e**) La misma frase, entre puntos de exclamación, traduce la sorpresa con que se hace una suposición:

Pues, ¡no faltaba más! *That would be the last straw!*

Faltarle a uno algo significa "no tener algo":

Me faltan fuerzas para hacer el viaje.

A éste le falta un tornillo (*has a screw loose*).

Frase hecha:

¡No me faltes! *Don't be disrespectful with me!*

Hacerle falta a uno quiere decir "necesitar":

Lo que a usted le hace falta es una novia.

Ese señor no tiene sentido común, y buena falta le hace (*he surely needs it*).

El verbo **necesitar** se diferencia de **hacerle falta a uno** en que expresa un rumbo positivo de la mente; apunta hacia lo que se desea tener y no hacia lo que no se tiene:

Necesito un dictáfono en mi despacho.

EJERCICIOS

I. *Exprese la idea de las palabras en cursiva empleando una palabra o frase de la sección anterior:*

1. El hombre digno es el que *trata de* vivir de acuerdo con principios. **2.** ¿Por qué *no concurrió* usted a la sesión de ayer? **3.** Algunos políticos se *han atrevido a violar* el espíritu de la constitución. **4.** ¡Quién *iba a pensar* que moriría tan joven! **5.** Mi profesor de historia, *por ejemplo*, sostiene la misma teoría. **6.** ¿Cuál es *el significado* de esta palabra? **7.** Como ya es mayor de edad, muy pronto se *casará, naturalmente*. **8.** Ahora me dirás qué es lo que aquí *debiera estar y no está*. **9.** Siempre *deberás* conducirte como persona bien nacida. **10.** *No le prestes atención*, si te dice algo.

II. *Traducciones del verbo* to become. *Llene usted los espacios en blanco con la forma que pide el sentido. Emplee siempre el infinitivo.*

1. Uno no puede ———— orador de la noche a la mañana. **2.** Si nos ve en esta facha tu mujer va a ———— roja. **3.** Es un pobre diablo que ahora quiere ———— director de escena. **4.** Trabaje usted mucho. Ésa es la única forma de ———— hombre famoso. **5.** Si no está acostumbrado a viajar por mar usted va a ————. **6.** Si sigue usted haciendo tonterías va a ———— en el hazmerreír de las gentes. **7.** No sé qué va a ———— de Juan. **8.** Con tantas angustias y desgracias podría ———— loca.

C. Gramática

Subjuntivo de Abstracción

Hay numerosos casos en que el subjuntivo se usa para referirse a un hecho concreto que la mente desrealiza al darle expresión lingüística. Si digo **Me explico que tenga usted pocos deseos de ir,** mi punto de partida es un hecho definido: **usted tiene pocos deseos de ir.** La mente, sin embargo, saca este hecho de la esfera de las realidades concretas y lo transforma en hecho problemático o indefinido por estar presente, aunque sólo en forma implícita, un contenido de comprensión, extrañeza, satisfacción o desagrado. Examinemos dos ejemplos:

> El indio estuvo en su puesto más de tres horas, pero como persona alguna le comprara nada, decidió regresar a su choza.
>
> Fue una verdadera casualidad que pasara por allí el forastero.

En estas oraciones hay un contenido de extrañeza ante dos hechos concretos pero inesperados: **nadie compró nada** y **el forastero pasó por allí.**

Hay otros casos de subjuntivo de abstracción que resultan de una analogía con una construcción en subjuntivo, cuya presencia se adivina. Así, por ejemplo, en la oración **Como su carta no llegase a nuestras manos tuvimos que cambiar de planes,** el significado es doble: (a) el hecho mismo **la carta no llegó a nuestras manos,** y (b) una posible oración en subjuntivo que tiene contenido afectivo: **es extraño que no llegara a nuestras manos la carta.** Estos paralelismos subconscientes entre dos construcciones son a veces sutilísimos y difíciles de demostrar, precisamente porque el contenido afectivo está sobreentendido y no expreso.

El subjuntivo de abstracción se halla en las siguientes construcciones:

1. En cláusulas dependientes que contienen una abstracción de un hecho concreto y que siguen a un verbo de contenido emocional o intelectual.

> AGRADECIMIENTO: Le agradezco que se haya tomado tantas molestias para complacernos. (*Hecho concreto:* Usted se ha tomado tantas molestias . . .)
>
> ALEGRÍA: Me alegro de que hayas comprado la finca. (*Hecho concreto:* Has comprado la finca.)
>
> APROBACIÓN: Apruebo que hayan vendido su casa de recreo.

COMPRENSIÓN: Comprendo que tengas pocas ganas de concurrir al club.

CONOCIMIENTO: Ahora me explico que vivan en un conventillo.

DESCONOCIMIENTO: Yo no sabía que fuese rica.

SENTIMIENTO: Siento que no estés aquí con nosotros.

SORPRESA: Parece (Considero) extraño (raro, increíble, etc.) que no te des cuenta de ello.

2. En cláusulas introducidas por **como,** cuando el sentido es temporal o explicativo. En el primer caso **Como** significa **Cuando;** en el segundo, **Debido a que . . .** (*Because, As*) o **Puesto que** (*Since . . .*).

(a) Como yo le explicase las muchas dificultades que había, decidió no intentarlo. (*When I explained to him . . .*)
Como le acusara yo de falta de honradez, me increpó violentamente. (*When I accused him . . .*)

(b) Como no comprendiese el alcance de mis palabras, tuve que callarme. (*As he did not understand . . .*)
Como fuera ya bastante tarde, tuvimos que regresar. (*Because it was quite late . . .*)

3. En cláusulas que expresan un hecho fortuito cuya causa no se acierta a explicar:
Dio la casualidad de que llamaran en ese momento por teléfono.
Es una gran sorpresa para mí que haya aquí tanta pobreza.
Era mucha coincidencia que él viniera en traje de etiqueta sin haberle yo prevenido.

NOTA: Las ideas expresadas por estas oraciones son **llamaron por teléfono, hay pobreza,** y **él vino en traje de etiqueta.** Se observará que en todos los ejemplos hay un contenido de extrañeza.

4. El que emplea un superlativo puede prestar atención a la persona o cosa de que habla y también al grupo a que pertenece dicha persona o cosa. Si el verbo de la cláusula adjetival que sigue a un superlativo expresa una acción concebida como específica por habérsela relacionado con un grupo determinado, se usa el indicativo, haciendo con él una afirmación exenta de duda:
Es el joven más inteligente que ha pasado por este establecimiento. (. . . de cuantos han pasado . . .)

Si se resta realidad a la acción del verbo dependiente por haberse relacionado la acción con una totalidad de número indeterminado se usará el subjuntivo, resultando así una afirmación dubitativa:

> Es el alumno más inteligente que haya pasado por este establecimiento. (. . . de cuantos hayan pasado . . .) (*He is, as far as I know, the most intelligent young man . . .*)

Son del mismo tipo las construcciones con **único, primero** y **último;**

> Es la única que comprenda mis palabras.
> Es el primero que haya cumplido con lo prometido.
> Eso fue lo último que dijera antes de morir.

5. Se usa el subjuntivo en oraciones que contienen la expresión **El que . . .,** porque el hecho concreto a que alude está pensado como premisa o creación de la mente y no como realidad.

> El que tengan ustedes un avión particular prueba que son ricos. (*Hecho concreto:* Ustedes tienen un avión particular.)
> El que usted lo diga corrobora plenamente mis sospechas. (*Hecho concreto:* Usted lo dice.)

6. Cuando hay un contenido afectivo en construcciones impersonales que van seguidas de un predicado, se pone en subjuntivo el verbo del predicado:

> Lo (que es) inconcebible es que usted acepte favores oficiales.
> Lo (que es) chocante es que usted hable sin estar bien informado.
> Lo (que es) importante es que el tema sea novedoso.

En cada una de estas oraciones se subentiende un hecho concreto que se expresa en un plano de mayor abstracción: **Usted acepta . . .; Usted habla . . .; el tema es. . . .**

7. En oraciones que contienen la expresión **De ahí que** (*That's why . . .*), cuando el verbo expresa un hecho pensado como abstracción, esto es, como dato de la mente. Si el verbo expresa un hecho definido se empleará el indicativo. Compárense:

> De ahí que tengo estos dinerillos. (*That's why I do have a little money.*)
> De ahí que tenga estos dinerillos. (*That's why it is possible for me to have . . . That's why I happen to have . . .*)
> Tengo mucho trabajo encima; de ahí que me encuentra usted aquí. (*. . . you find me here.*)
> Tengo mucho trabajo encima; de ahí que me encuentre usted aquí. (*. . . you happen to find me here.*)

361

8. En construcciones de corte literario en que se alude a resultados definidos:

> Esas injusticias fueron la causa de que él se marchara para siempre de su pueblo. (*Hecho concreto:* Él se marchó.)
> El resultado de todo ello fue que no volviese a ver a sus padres durante el resto de su vida. (*Hecho concreto:* . . . no volvió a ver a sus padres . . .)

De lo dicho se desprende que el escritor español puede recurrir al subjuntivo cuando desea diferenciar su estilo del lenguaje coloquial. Por lo tanto, no deben llamar la atención oraciones como las siguientes:

> (*Cláusulas concesivas*) No quiso confiarle el dinero aunque fuese ya una muchacha mayor.
> (*Dubitación tras un interrogativo indirecto*) Más adelante diremos cuál sea la diferencia entre un sistema y otro.
> (*Cláusulas principales*) Bueno fuera que el hombre de hoy aprendiera a vivir con sus semejantes.

EJERCICIOS

A

Llene los espacios en blanco con la forma del verbo que mejor exprese la idea de la oración. En caso de haber más de una forma posible, haga usted el favor de indicarlo.

1. (ver) Llegamos a las once, cuando él ya se había marchado, de modo que no le ——. **2.** (faltar) Abrigábamos la esperanza de que no nos —— dinero. **3.** (ser) Por muy caritativo que —— ese señor, nunca haré buenas migas con él. **4.** (poder) No hay quien —— tolerar a estos muchachitos mal educados. **5.** (hacer) No conseguimos nada por más esfuerzos que ——. **6.** (partir) Llegamos con gran retraso a pesar de que —— esa mañana antes de salir el sol. **7.** (permitir) Sé que no podremos prever todos los inconvenientes, pero tendremos que llevar a buen término el proyecto tal como lo —— las circunstancias. **8.** (sacar) Es un comerciante muy astuto: no hay negocio de que no —— considerables ganancias. **9.** (desear) Incluiremos en el libro cuanto usted —— añadir. **10.** (divertirse) Nunca me opuse a que —— los jóvenes. **11.** (explicar) Le invité a que nos —— los detalles de la transacción. **12.** (aceptar) Lo más indicado era que nosotros —— gustosos sus ofrecimientos. **13.** (repetir) No he de creerlo por mucho que usted lo ——. **14.** (querer) No hago dádivas porque —— ganarme el beneplácito de sus padres. **15.** (caer) Hazme el favor de cerrar las puertas antes de que —— el chaparrón. **16.** (lograr) Me inclino a pensar que ellos no —— lo que se han propuesto. **17.** (saber) Tendré que cambiar ideas con quien —— algo de economía. **18.** (poder) Le aseguro a usted que estas labores no son tan fáciles que —— encargarse de ellas un joven inexperto. **19.** (haber) No estoy seguro de que —— recobrado la razón. **20.** (venir) Tampoco me opongo a que usted —— a visitar a nuestra hija. **21.** (desear) No te vayas a imaginar que le dije eso porque —— engañarla. **22.** (gustar) Muchacho, no seas tonto. Cásate con la que más te ——. **23.** (decir) Usted sabe que don Mariano no es persona fácil de convencer. Cuanto usted le —— será poco. **24.** (resultar) Trate usted de que sus explicaciones —— menos prolijas. **25.** (recoger) Le encargué que —— la correspondencia de hoy. **26.** (poder) No hay quien —— con chicos tan mimados. **27.** (preocupar) Lo que aquí nos —— es saber qué llevó al autor a escribir sobre este tema. **28.** (poder) ¿Cree usted que hay persona que —— resistir lo que usted hace conmigo? **29.** (fingir) Se le ha ocurrido que usted y yo —— un flirt para despertar celos en su marido. **30.** (emocionarse) Verás tú cómo —— ella al verte.

B

I. *Llene los espacios en blanco con la forma verbal requerida por el sentido y dé luego, donde sea posible, una segunda versión con el verbo en el infinitivo, haciendo los cambios que sean necesarios.*

1. (terminar) Se lo diré antes de que —— la fiesta. **2.** (regresar) No es raro que —— nosotras a las dos de la madrugada. **3.** (ir) Nos recomendó que —— al teatro después de la cena. **4.** (verse) Siento mucho que ustedes —— obligadas a hacer este sacrificio. **5.** (recordar) Juan, espero que —— el buen nombre de tu familia. **6.** (venir) Al principio no quiso invitarle, pero luego le escribió que —— en seguida. **7.** (poder) No estaré tranquila hasta que —— ver a Graciela en mi casa. **8.** (conseguir) ¿Cree usted que ella —— terminar esto antes de las seis? **9.** (enterarse) Cuando —— tu marido le va a caer muy mal. **10.** (entablar) Nos prohibió terminantemente que —— conversación con el vecino. **11.** (abrir) Le dije que —— una cuenta en el banco. **12.** (salir) Lo supimos sin que —— ninguna de nosotras a la calle. **13.** (ser) No es necesario que él —— guapo. **14.** (escribir) Mi maestro prefiere que yo —— siempre a doble espacio. **15.** (despachar) Le telefoneé que —— el pedido hoy mismo. **16.** (terminar) Irás al país del dólar tan pronto como —— tus estudios. **17.** (jugar) Le aconsejó que no —— a las cartas. **18.** (tomar) Se empeñó en que todos —— helados. **19.** (comportarse) Procure usted que —— bien estos muchachos. **20.** (gritar) Por mucho que —— no le hagas caso.

II. *Diga usted en español cuál es la diferencia de significado entre las formas (a) y (b) de cada oración.*

1. (a) Como no me comprendió tuve que repetírselo.

(b) Como no me comprendiese tuve que repetírselo.

2. (a) Es el libro más hermoso que publicó esa editorial.

(b) Es el libro más hermoso que publicara esa editorial.

3. (a) De ahí que puedo descifrar el misterio.

(b) De ahí que pueda descifrar el misterio.

4. (a) Ésa fue la última recomendación que nos hizo.

(b) Ésa fue la última recomendación que nos hiciera.

5. (a) Dio la casualidad de que nadie notó su ausencia.

(b) Dio la casualidad de que nadie notase su ausencia.

D. Estilística y composición

Grados de concreción y abstracción

El hombre puede expresarse en distintos niveles de concreción o abstracción al referirse a su mundo interior o al que le rodea. Podrá, pues, aludir a una cosa o persona específica, a la clase o categoría a que ésta pertenece, o bien a ideas generales de mayor o menor alcance conceptual.

Nada hay que impida la combinación de distintos grados de especificidad o de abstracción, siempre que lo permita el tema de que se habla. Por otra parte, no se deben hacer mezclas antojadizas de diferentes enfoques, ni emplear grados de concreción o abstracción que no concuerden con el tenor o el propósito del discurso. Así, por ejemplo, en una discusión de intelectuales, nadie hablaría del sentimiento trágico de la vida en los hombres empleando el vocabulario concreto de una transacción comercial — a menos que se desee producir hilaridad general.

El grado de concreción o abstracción determina en gran parte el tipo de vocabulario que se habrá de emplear o, dicho al revés, el vocabulario puede reflejar distintos modos de encuadrar la realidad, esto es, diferentes rumbos de la mente.

Examinemos ahora un grupo de sustantivos, ordenándolos en tres niveles para contrastar, en particular, los extremos en la gradación de cada ejemplo, esto es, los grupos I y III:

I	II	III
(COSAS O PERSONAS)	(CATEGORÍAS O CLASES)	(CONCEPTOS GENERALES)
cosa	ciencia	filosofía
desayuno	alimento	sustento
piropo	cumplido	obsequiosidad
sueño	ilusión	subjetivismo
crimen	moralidad	valores éticos
producto literario	literatura	proceso creativo

Obsérvense ahora las disonancias producidas por la mezcla de palabras provenientes de distintos niveles de abstracción:

1. La filosofía de Francisco Romero es una grandiosa estructuración de cosas filosóficas. (*Debe ser:* . . . de conceptos filosóficos.)

2. Después de bañarme y vestirme voy a la cocina y tomo mi diario sustento. (*Debe ser:* . . . el desayuno.)

3. Al ver a Mariquita por la calle le guiñé un ojo y le expresé mi obsequiosidad. (*Debe ser:* . . . le dije un piropo.)

4. Las niñas de diez y ocho viven de subjetivismos. (*Debe ser:* . . . sueños; . . . ilusiones.)

5. Los valores éticos arrancan de la actitud del hombre ante el crimen. (*Debe ser:* . . . el bien y el mal.)

6. La historia literaria es el estudio del proceso creativo a través del tiempo. (*Debe ser:* . . . del producto literario.)

EJERCICIOS

A

En las siguientes oraciones se han destacado algunas palabras y frases que no están en consonancia conceptual con el resto de la oración. Haga usted los cambios que usted crea necesarios.

1. El indio es un hombre trabajador *que tiene gran potencia intelectual.*
2. Estoy seguro de que la juventud sabrá asumir las responsabilidades sociales que pronto serán suyas, aunque sean muchos *los resbalones* que haya tenido en sus días universitarios. **3.** Sé muy bien que la educación de la población indígena es *asunto* que no se puede reglamentar totalmente.
4. Para comprender la belleza y espiritualidad de esa mujer debes fijarte

en *su manera de andar.*   **5.** — Pues, te diré lo que pienso — le dijo su padre —: tú no sacarás nunca buenas notas porque *no vives dentro del clima académico de la universidad.*   **6.** Los mexicanos son excelentes alfareros porque *siempre han estado en contacto con la materia.*   **7.** Había vivido hasta entonces en pequeños apartamentos.   Por fin decidió comprarse *una construcción* amplia y bien soleada.   **8.** En verano prefiero llevar vestidos de *cromatismo más vivo.*   Son más alegres y vistosos.

B

Estudie las siguientes oraciones y proponga cambios allí donde usted vea disonancias de concepción.

1. Usted, como crítico, no parece tener ningún criterio que le permita juzgar la trascendencia de mis ideas, y si sirven para algo o no.   **2.** Usted es el culpable del accidente.   Por lo tanto, voy a hacer una súplica ante el juez.   **3.** Cuando le dije que no iba a llover se alegró mucho.   En su cara se veía reflejada una gran euforia.   **4.** Ayer tuve un disgusto.   Cuando iba al Hipódromo, cogí mal la curva y nos estrellamos contra un tronco.   El coche quedó completamente destrozado.   **5.** Mi incertidumbre se debe a que no sé si debo comprar lechugas o tomates.   **6.** La diferencia entre estos dos planes es microscópica.   **7.** Las cuentas que tú llevas de los gastos diarios son inescrutables.   **8.** Este muchacho se ha dado al vicio de comer caramelos.

❧ Traducción

A

1. Man, in Latin America, has not succeeded in living harmoniously with his fellow beings in spite of the fact that he must live with them within a closed social structure.   **2.** There is not a single country which does not have a sharp separation of social classes.   **3.** Unfortunately, there is hardly a middle class in the Latin American countries and, besides, the upper class is often unbelievably wealthy.   **4.** Of course, nowhere in the world is there a country without social differences, but in Spanish America they seem to be greater and more conspicuous.   **5.** Such differences bring about contrasts which are offensive and painful.   **6.** Some Latin Americans believe that these differences are less pronounced in their native countries because everybody wears European clothes.   **7.** We all know that these inequalities lead to the violent movements that shake the South American continent from time to time. **8.** There ought to be enough room, food and shelter for everybody on a continent that is so big and so rich. **9.** It is not necessary to do much speculating to become convinced that this is in no way true (so). **10.** Most countries have been governed in the past by a moneyed aristocracy. **11.** This is not the illustrious and generous high middle class that was gradually formed in the middle of the XIX century. **12.** On the contrary, the aristocracy is often the result of chance or plunder and, therefore, it is not an object of admiration. **13.** One must add that it has been created crudely in recent times, almost before our very eyes. **14.** Even in those nations where it has been beaten down, it is still awaiting the opportunity to return to power.

B

1. A formidable obstacle to harmonious living in Spanish America is the economic structure of society. **2.** There is one group, on the one hand, that owns landed property and manufacturing concerns; these permit it to lead an easy, carefree life. **3.** There is also a mass of people who get a meager salary and live in tenement houses. **4.** It cannot be said that the poor man in the XX century does not desire the enormous variety of goods displayed in store windows. **5.** No man today is willing to continue being poor or tolerate others being (*subjuntivo*) disproportionately wealthy. **6.** Man has changed either by his own effort or as a result of social evolution. **7.** Upon analyzing the economic peculiarities of the continent one discovers the co-existence of an ultraadvanced economy and a primitive one. **8.** This dramatic contrast is clearly visible in the well-known Panagra poster. **9.** In it appear a modern airplane cruising at great speed and a group of Indians below looking at it in astonishment. **10.** These are the Indians who for centuries have carried goods and people on their backs. **11.** How can there be an understanding between the man who only knows poverty and the industrialist who receives a spare part by plane? **12.** These men belong to two economic worlds that are radically different. **13.** It almost seems that the social and economic differences are so great that they cannot be bridged in a normal, quiet way. **14.** And let us not forget that the defects of this system will be more and more noticeable as time passes.

ℝ
Vocabulario mínimo

to **add** agregar
airplane el avión
to **analyze** analizar
astonishment: in — pasmado,-a
to **await** esperar, acechar
back la(s) espalda(s)
to **beat: — down** batir
to **become: — convinced** convencerse
being: fellow — el semejante
to **belong** pertenecer
to **bridge** salvar
to **bring: — about** producir
carefree despreocupado,-a
to **carry** acarrear
century: for centuries durante siglos
chance el azar
clothes las ropas, la indumentaria
course: of — claro que
coexistence la coexistencia
concern: manufacturing — la fábrica, la empresa
conspicuous claramente visible
to continue seguir (i)
contrary: on the — por el contrario
to **create** crear
to **cruise** volar (ue)
to **desire** desear; **does not —** no ambiciona tener
different distinto,-a
to **discover** descubrir; **one —s** se descubre(n)
displayed desplegado,-a (ante sus ojos)
disproportionately desmesuradamente
effort: by his own — por su cuenta
enough suficiente
eyes: before our very —s a la vista de nosotros
food la comida, los alimentos
formed: that was gradually — que fue formándose
to **get** recibir
goods los bienes, las mercaderías
greater mayor
hand: on the one — de un lado
hardly apenas; **there is —** casi no hay
harmoniously: to live — convivir
house: tenement — el "conventillo"

illustrious ilustre
industrialist el industrial
inequality la desigualdad
Latin: — American el hispanoamericano
to **lead** conducir, llevar
living: harmonious — la convivencia
meager menguado,-a
middle la mitad; **middle** *adj.* medio,-a
moneyed adinerado,-a
most la mayoría de
movement la convulsión
native: — country el país de origen
necessary: it is not — no es menester (necesario)
noticeable visible; **will be more and more —** serán cada vez más visibles
nowhere en ninguna parte
obstacle el obstáculo
offensive hiriente
ought: there — to be debiera haber
to **own** ser dueño de
painful doloroso,-a
part: spare — el repuesto
to **pass** pasar; **as time passes** con el correr (el transcurso) del tiempo
people las personas
plane el avión
plunder el despojo
poster el cartel
power el poder
pronounced: less — menor, menos marcado,-a
property: landed — fincas
result: is the — of se deriva de
to **return** retornar, volver (ue)
room el espacio
separation la división
to **shake** sacudir, conmover (ue)
sharp (bien) marcado,-a
shelter el abrigo
single: not a — ni un solo
speculating: to do much — especular mucho
speed la velocidad
spite: in — of the fact that a pesar de que
to **succeed** lograr

therefore por esto, por esta razón
time: from — to — de tiempo en tiempo
ultraadvanced ultraavanzado,-a
unbelievably inverosímilmente, increíblemente
understanding el entendimiento, la comprensión

unfortunate desgraciado,-a
unfortunately por desgracia
upper alto,-a
way: in no· — en manera alguna
well-known conocido,-a
within dentro de
willing: to be — estar dispuesto,-a

🌀

Composición libre

A

1. ¿Por qué hay revoluciones en Hispanoamérica?
2. Tesis: La aristocracia hispanoamericana no tiene verdadero prestigio.

B

1. ¿Cómo se explican las grandes diferencias entre clases sociales de Hispanoamérica?
2. Tesis: Un país en que no hay oportunidades para mudar de clase social no puede llegar a ser una gran nación.

⊛ 15 ⊛

Máscaras mexicanas

OCTAVIO PAZ

Viejo o adolescente, criollo o mestizo, general, obrero o licenciado, el mexicano *se me aparece como* un ser que se encierra y se preserva: máscara el rostro y máscara la sonrisa. Plantado en su arisca soledad, espinoso y cortés *a un tiempo*, todo le sirve para defenderse: el silencio y la palabra, la cortesía y el desprecio, la ironía y la resignación. Tan 5 celoso de su intimidad como de la ajena, ni siquiera se atreve a rozar con los ojos al vecino: una mirada puede desencadenar la cólera de esas almas cargadas de electricidad. Atraviesa la vida como desollado; todo puede herirle, palabras y sospecha de palabras. Su lenguaje está lleno de reticencias, de figuras y alusiones, de puntos suspensivos; en 10 su silencio hay repliegues, matices, nubarrones, arcoíris súbitos, amenazas indescifrables. Aun en la disputa prefiere la expresión velada a la injuria: *"al buen entendedor pocas palabras."* En suma, entre la realidad y su persona establece una muralla, *no por invisible menos infranqueable*, de impasibilidad y lejanía. El mexicano siempre *está lejos, lejos del* 15 *mundo* y de los demás. Lejos, también de sí mismo.

El lenguaje popular refleja hasta qué punto nos defendemos del exterior: el ideal de la "hombría" consiste en *no "rajarse"* nunca. Los que se "abren" son cobardes. Para nosotros, *contrariamente a* lo que ocurre con otros pueblos, abrirse es una debilidad o una traición. El 20 mexicano puede doblarse, humillarse, "agacharse," pero no "rajarse," esto es, permitir que el mundo exterior penetre en su intimidad. El "rajado" es de poco fiar, un traidor o un hombre de dudosa fidelidad, que cuenta los secretos y es incapaz de afrontar los peligros *como se debe.*

El hermetismo es un recurso de nuestro recelo y desconfianza. Muestra que instintivamente consideramos peligroso *el medio que nos rodea.* Esta reacción se justifica si se piensa en lo que ha sido nuestra historia y en el carácter de la sociedad que hemos creado. La dureza y hostilidad del ambiente — y esa amenaza, escondida e indefinible, que siempre flota en el aire — nos obligan a cerrarnos al exterior, como esas plantas de la meseta que acumulan sus jugos tras una cáscara espinosa. Pero esta conducta, legítima en su origen, *se ha convertido en un mecanismo que funciona solo*, automáticamente. Ante la simpatía y la dulzura, nuestra respuesta es la reserva, pues no sabemos si esos sentimientos son verdaderos o simulados. Y, además, nuestra integridad masculina corre tanto peligro ante la benevolencia como ante la hostilidad. Toda abertura de nuestro ser entraña una dimisión de nuestra hombría.

Nuestras relaciones con los otros hombres también están teñidas de recelo. Cada vez que el mexicano *se confía a* un amigo o a un desconocido, cada vez que se "abre," abdica. Y teme que el desprecio del confidente siga a su entrega. Por eso la confidencia deshonra y es tan peligrosa para el que la hace como para el que la escucha; no nos ahogamos en la fuente que nos refleja, como Narciso, sino que la cegamos. Nuestra cólera no se nutre nada más del temor de ser utilizados por nuestros confidentes — temor general a todos los hombres — sino de la vergüenza de haber renunciado a nuestra soledad. El que confía, se enajena; *"me he vendido con Fulano,"* decimos cuando nos confiamos a alguien que no lo merece. Esto es, nos hemos "rajado," alguien ha penetrado en el castillo fuerte. La distancia entre hombre y hombre, creadora del mutuo respeto y la mutua seguridad, ha desaparecido. No solamente estamos a merced del intruso, sino que *hemos abdicado.*

Todas estas expresiones revelan que el mexicano considera la vida como lucha, concepción que no lo distingue del resto de los hombres modernos. El ideal de hombría para otros pueblos consiste en una abierta y agresiva disposición al combate; nosotros acentuamos el carácter defensivo, listos a repeler el ataque. El "macho" es un ser hermético, encerrado en sí mismo, capaz de *guardarse* y guardar lo que

se le confía. La hombría se mide por la invulnerabilidad ante las armas enemigas o ante los impactos del mundo exterior. El estoicismo es la más alta de nuestras virtudes guerreras y políticas. Nuestra historia está llena de frases y episodios que revelan la indiferencia de nuestros héroes ante el dolor o el peligro. *Desde niños* nos enseñan a sufrir con 5
dignidad las derrotas, concepción *que no carece de* grandeza. Y si no todos somos estoicos e impasibles — como Juárez y Cuauhtémoc — al menos procuramos ser resignados, pacientes y sufridos. La resignación es una de nuestras virtudes populares. Más que el brillo de la victoria *nos conmueve* la entereza ante la adversidad. 10

La preeminencia de lo cerrado frente a lo abierto no se manifiesta sólo como impasibilidad y desconfianza, ironía y recelo, sino como *amor a la Forma*. Ésta contiene y encierra a la intimidad, impide sus excesos, reprime sus explosiones, la separa y aísla, la preserva. La doble influencia indígena y española *se conjugan* en nuestra predilección 15
por la ceremonia, las fórmulas y el orden. El mexicano, *contra lo que* supone una superficial interpretación de nuestra historia, aspira a crear un mundo ordenado *conforme a* principios claros. La agitación y encono de nuestras luchas políticas prueban hasta qué punto las nociones jurídicas *juegan un papel* importante en nuestra vida pública. 20
Y en la de todos los días, el mexicano es un hombre que *se esfuerza por* ser formal y que muy fácilmente se convierte en formulista. Y es explicable. El orden — jurídico, social, religioso o artístico — constituye una esfera segura y estable. *En su ámbito* basta con ajustarse a los modelos y principios que regulan la vida; nadie, para manifestarse, 25
necesita recurrir a la continua invención que exige una sociedad libre. Quizá nuestro tradicionalismo — que es una de las constantes de nuestro ser y lo que da coherencia y antigüedad a nuestro pueblo — parte del amor que profesamos a la Forma.

Las complicaciones rituales de la cortesía, la persistencia del hu- 30
manismo clásico, el gusto por las formas cerradas en la poesía (el soneto y la décima, por ejemplo), nuestro amor por la geometría en las artes decorativas, por el dibujo y la composición en la pintura, la pobreza de nuestro Romanticismo *frente a* la excelencia de nuestro arte barroco, el formalismo de nuestras instituciones políticas y, en fin, la 35
peligrosa inclinación que mostramos por las fórmulas — sociales, morales y burocráticas —, *son otras tantas* expresiones de esta tendencia

de nuestro carácter. El mexicano no sólo no se abre; *tampoco se derrama.*

Si en la política y el arte el mexicano aspira a crear mundos cerrados, en la esfera de las relaciones cotidianas procura que imperen el pudor, 5 el recato y la reserva ceremoniosa. El pudor, que nace de la vergüenza ante la desnudez propia o ajena, es un reflejo casi físico entre nosotros. *Nada más alejado de* esta actitud que el miedo al cuerpo, característico de la vida norteamericana. *No nos da miedo* ni vergüenza nuestro cuerpo; lo afrontamos con naturalidad y lo vivimos *con cierta plenitud —* 10 *a la inversa de lo que* ocurre con los puritanos. Para nosotros el cuerpo existe; da gravedad y límites a nuestro ser. Lo sufrimos y gozamos; no es un traje que estamos acostumbrados a habitar, ni algo ajeno a nosotros: somos nuestro cuerpo. Pero las miradas extrañas nos sobresaltan, porque el cuerpo no vela intimidad, sino la descubre. El 15 pudor, así, tiene un carácter defensivo, como la muralla china de la cortesía, o las cercas de órganos y cactos que separan en el campo a los jacales de los campesinos. Y por eso la virtud que más estimamos en las mujeres es el recato, como en los hombres la reserva. Ellas también deben defender su intimidad.

(Octavio Paz, *El laberinto de la soledad*—extractos, México, Fondo de Cultura Económica, 1950, págs. 26-31.)

PREGUNTAS

A

1. ¿Qué emplea el mexicano para defenderse? **2.** ¿Por qué no quiere mirar al vecino con excesiva fijeza? **3.** ¿Qué tiene de particular el lenguaje del mexicano? **4.** ¿Por qué desconfía el mexicano del medio que le rodea? **5.** ¿Con qué compara el autor la personalidad del mexicano? **6.** ¿Es reservado el mexicano sólo ante la hostilidad de otros? **7.** ¿De qué se avergüenza el mexicano? **8.** ¿Es el mexicano un ser fundamentalmente agresivo? **9.** ¿Qué características hispánicas e indígenas se hallan fundidas en el carácter del mexicano? **10.** ¿Qué es lo que más conmueve al mexicano? **11.** ¿Qué ejemplos del amor del mexicano por las formas nos menciona el autor? **12.** ¿Cómo nace el pudor? **13.** ¿Qué entiende usted por "espíritu puritano"? **14.** ¿Cuál es la virtud que más aprecia el mexicano en las mujeres?

B

1. Cuando el autor nos dice que el mexicano es un ser que "se encierra y se preserva," ¿qué nos quiere decir? **2.** ¿Qué simbolizan los "nubarrones" y los "arcoíris" de que habla el autor? **3.** Explique usted el significado de la máxima: "a buen entendedor pocas palabras." **4.** ¿Qué significa "rajarse" literalmente y en el contexto de este artículo? **5.** ¿Qué quiere decir la palabra "hermetismo," aplicada al mexicano? **6.** ¿Qué piensa el mexicano de la confidencia, según el autor? **7.** El autor emplea una figura literaria: "el castillo fuerte del mexicano." ¿A qué se refiere esta figura? **8.** ¿Qué es el estoicismo? ¿Puede usted dar un ejemplo de conducta estoica? **9.** ¿Qué diferencia hay entre ser "formal" y ser "formulista"? **10.** ¿Cómo se explica el tradicionalismo mexicano, según el autor? **11.** ¿Hay una relación entre lo barroco y el gusto por las formas? Explique. **12.** ¿Cree usted que al norteamericano le gustan las fórmulas? ¿Pruebas? **13.** ¿Con qué contrasta el autor el pudor del mexicano? **14.** Dice Octavio Paz que el mexicano "aspira a crear mundos cerrados." ¿Qué quiere decir esto?

A. Modismos

se me aparece como — tiene para mí el carácter de

a un tiempo — a la vez

"Al buen entendedor pocas palabras." — No es necesario dar explicaciones prolijas al hombre inteligente.

no por invisible menos infranqueable — no menos difícil de escalar por ser una muralla psicológica que no vemos

está lejos del mundo — vive distanciado de la realidad que le rodea

no "rajarse" — no entregarse (sentido figurativo)

contrariamente a — a diferencia de

como se debe — en la debida forma

el medio que nos rodea — nuestro medio ambiente

se ha convertido en un mecanismo que funciona solo — se ha transformado en automatismo

se confía a — deposita su confianza en

"me he vendido con Fulano" — he hecho confidencias indebidas a Fulano

hemos abdicado — nos ponemos a merced de otros

guardarse — mantener en secreto su vida privada

Desde niños — Desde nuestra infancia

que no carece de — no exenta de
nos conmueve — nos afecta; nos impresiona
amor a la Forma — respeto por la formalidad, la corrección y las exterioridades
se conjugan — se funden
contra lo que — en contraposición con lo que
conforme a — según
juegan un papel (galicismo) — tienen una función
se esfuerza por — hace todo lo posible por
En su ámbito — En su medio ambiente
frente a — comparada con
son otras tantas — son también
tampoco se derrama — tampoco se expande
Nada más alejado de — Nada más ajeno a
No nos da miedo — No nos asusta
con cierta plenitud — casi plenamente
a la inversa de lo que — a diferencia de lo que

EJERCICIOS

Exprese la idea de las frases en cursiva empleando una de las palabras o expresiones presentadas en la sección anterior.

A

1. El mexicano es *a la vez* actor y testigo de un drama vital. **2.** *A diferencia de* lo que dicen algunos ensayistas mal informados, el mexicano es un hombre de gran sensibilidad. **3.** Tendremos que cumplir con nuestras obligaciones *en la debida forma*. **4.** Es un individuo que no *deposita su confianza en* nadie. **5.** *Desde nuestra infancia* nos enseñan a ser formales. **6.** Esas prácticas *se han transformado en* hábito. **7.** Quiere que la reforma educacional se haga *según* ciertos principios ya consagrados. **8.** *Haré todo lo posible* por dejarle satisfecho. **9.** *Comparado con* otros pueblos el nuestro es un pueblo mesurado. **10.** *A mí no me asusta* la muerte.

B

1. Hay un dicho que dice: *No es necesario dar explicaciones prolijas al hombre inteligente.* **2.** En más de un sentido somos el resultado de *nuestro medio ambiente.* **3.** Cuando no sabemos comportarnos con un mínimum de reserva *nos ponemos a merced de otros.* **4.** Hay algunas mujeres que no saben *mantener en secreto su vida privada.* **5.** Lo que más me *impresiona* es su dignidad en la derrota. **6.** En el alma del mexicano *se funden* a veces emociones opuestas. **7.** *En contraposición con* lo que afirman algunos, el pueblo mexicano tiene gran originalidad. **8.** Estas virtudes populares *tienen una función* muy especial en la vida mexicana. **9.** La cortesía, la formalidad y la mesura excesivas son *también* expresiones del carácter mexicano. **10.** *Nada más ajeno a* mi intención que el ofenderle.

B. Vocabulario

A

En español cada verbo tiene su correspondiente gerundio (**-ando, -iendo**); la forma participial (**-ante, -ente, -iente**), en cambio, no es de formación libre, sino que se ha convertido permanentemente en adjetivo o sustantivo, si es que existe, y así figura en los diccionarios. Nótense los siguientes ejemplos:

GERUNDIO	ADJETIVO	SUSTANTIVO
amando	amante	el amante
correspondiendo	correspondiente	el correspondiente
residiendo	residente	el residente

El participio de presente es de formación libre en inglés para todos los verbos (*cooking, interesting, ironing*), y tiene muchas funciones que no corresponden al gerundio español: a menudo es necesario buscar entre circunlocuciones españolas la equivalencia del participio inglés. Obsérvese la variedad de formas que éstas pueden tomar:

(a) Sólo dos gerundios, **ardiendo** e **hirviendo,** tienen valor plenamente adjetival en español:

Tráiganos dos tazas de agua hirviendo (*boiling water*).
Las viejas desfilaban llevando velas ardiendo (*burning candles*).

NOTA: El estudiante debe recordar que el gerundio, excepción hecha de los dos casos recién mencionados, no se emplea en función adjetival:

Aquí tiene usted un libro que describe las costumbres mexicanas. (*Inadmisible:* describiendo las costumbres mexicanas.)

(b) Muchos participios ingleses corresponden a adjetivos españoles en **-ante, -dor, -oso,** etc.:

Este pueblo no tiene biblioteca circulante (*circulating library*).
El paisaje mexicano tiene una belleza encantadora (*a captivating beauty*).
Ese hombre es muy codicioso (*grasping*).

(c) Rara vez el participio inglés corresponde a un sustantivo adjetivado en español:

La moribunda (*dying woman*) estaba rodeada de sus hijos.

El coche-comedor (*dining car*) está más adelante; el coche-cama, más atrás.

(d) Existen unos cuantos sustantivos derivados del participio pasivo latino:

La moribunda (*dying woman*) estaba rodeada de sus hijos.
Los graduandos (*graduating students*) deben presentarse al decano.

(e) Tratándose de verbos de posición, el español emplea siempre el participio pasado y no el gerundio:

Vi a una muchacha arrodillada (*kneeling*) a los pies de la Virgen.
Dejó la ropa colgada (*hanging*) en el patio.

(f) Otras circunlocuciones toman la forma de frases preposicionales:

Recibe lecciones de cocina (*cooking lessons*).
Tiene un fusil de retrocarga (*breech-loading rifle*).
No usa tabla de planchar (*ironing board*).
Compré dos kilos de manzanas para cocinar (*cooking apples*).
El viento es de un frío penetrante (*piercing cold*).

(g) Y otras toman la forma de cláusulas adjetivales:

Llame al hombre que está en la puerta (*standing in the doorway*).
Recibí un paquete que contiene ropa (*containing clothes*).

EJERCICIOS

Emplee usted en oraciones originales la traducción española más adecuada de las siguientes frases:

	GERUNDIO	CLÁUSULA	ADJETIVO
1. running water (**agua**)	corriendo	que corre	corriente
2. drinking water (**agua**)	bebiendo	que se bebe	potable
3. a growing boy (**muchacho**)	creciendo	que crece	creciente
4. an ever increasing rythm (**ritmo**)	creciendo	que crece	creciente
5. the dancing maiden (**joven**)	danzando	que danza	danzante
6. the bubbling stream (**arroyo**)	burbujeando	que burbujea	burbujeante
7. the coming months (**meses**)	viniendo	que vienen	venideros
8. the floating island (**isla**)	flotando	que flota	flotante
9. the boiling tea (**té**)	hirviendo	que hierve	hirviente

10. a frightening noise (**ruido**)	aterrando	que aterra	aterrador
11. the hanging gardens (**jardines**)	colgando	que cuelgan	colgantes
12. a moving account (**relato**)	conmoviendo	que conmueve	conmovedor
13. the buzzing bees (**abejas**)	zumbando	que zumban	zumbadoras
14. a burning forest (**bosque**)	ardiendo	que arde	ardiente
15. an encircling maneuver (**maniobra**)	envolviendo	que envuelve	envolvente
16. a perspiring man (**hombre**)	sudando	que suda	sudante
17. a thundering voice (**voz**)	tronando	que truena	tronante
18. a crackling fire (**fuego**)	crepitando	que crepita	crepitante
19. an entertaining scene (**escena**)	entreteniendo	que entretiene	entretenida
20. a rocking chair (**silla**)	meciendo	que mece	mecedora

B

Diferencias de significado

1. Jugo — zumo.

Jugo es término genérico con que se nombra el líquido que es parte constitutiva de ciertas sustancias animales o vegetales:

> Sin el jugo gástrico no sería posible la digestión.
> El jugo de estas hojas tiene aplicaciones medicinales.

La palabra **zumo** se reserva para referirse al líquido que se exprime de ciertas frutas:

> Me gustan el zumo de naranja y el zumo de uvas.

El líquido azucarado con que se envasan las frutas tampoco es **jugo**:

> Le voy a servir duraznos en almíbar (*canned peaches*).

En Hispanoamérica se usa poco la palabra **zumo** y se dice indistintamente:

> jugo de peras
> peras en su jugo (en almíbar)

N.B.: exprimelimones [exprimidor] (*lemon squeezer*)
licuadora (*blender*)

2. Conducta — comportamiento — proceder.

La palabra **conducta** tiene un sentido más general y abstracto que los otros dos sustantivos, pues lleva implícita la existencia de conceptos morales que dan rumbo y sentido a nuestros actos y también la idea de continuidad. Significa "modo de conducirse":

> Su conducta es irreprochable.
> Le dieron certificado de buena conducta.

Comportamiento:

(a) Alude a las manifestaciones exteriores y ocasionales de la conducta:

> Este niño es un problema: su comportamiento (*conduct*) deja mucho que desear.

(b) También se usa en física para referirse al modo en que funciona algo:

> Newton formuló las leyes del comportamiento de las masas materiales.

Proceder tiene un sentido más específico aún, pues se refiere a un modo de obrar en el mundo de relación:

> Admiro su proceder: nos ha hecho un descuento aunque, legalmente, no tenía por qué hacerlo.

En este último ejemplo no se podrían usar ni **conducta** ni **comportamiento.**

3. Benevolencia — bondad.

La **benevolencia** es la simpatía o buena voluntad con que se recibe o considera algo. Lo contrario de **benevolencia** es "malevolencia" o "mala voluntad":

> Nuestra integridad masculina corre tanto peligro ante la benevolencia como ante la hostilidad.

La **bondad** es la virtud que lleva al hombre a hacer el bien. No es, pues, una predisposición pasajera del ánimo sino un don del ser y, por lo tanto, puede ser la fuente primaria de la **benevolencia.** Lo contrario de **la bondad** es "la maldad":

> Su bondad ha incitado a otros a olvidar odios y rencores.

4. Guardar — guardarse; resguardar — resguardarse.

El verbo **guardar** puede significar

(a) Poner algo en lugar seguro:

> Guárdelo en la cómoda.
> Todo lo guarda bajo llave.

(b) Observar y cumplir lo que es debido:

> No quiere guardar (*He does not wish to observe*) los mandamientos.
> Guardó silencio. *He kept silent.*
> Guardó su palabra. *He kept his word.*
> Hay que guardar ciertas consideraciones (*One must show some deference*) a un dignatario.

(c) Conservar, retener:

Guardo entre mis recuerdos una clara imagen de mis padres.
Guarde usted copia de su partida de nacimiento.

Guardarse significa

(a) Contenerse, refrenarse:

El mexicano es un ser hermético, encerrado en sí mismo, que sabe
guardarse (*keep to himself*) y guardar lo que se le confía.

(b) Seguido de la preposición **de** es igual a "precaverse" o "cuidarse de
hacer o no hacer algo":

Guárdate de las malas lenguas. *Beware of evil tongues.*
Guárdese usted de decirle lo que ha ocurrido. *Take care not to tell
him what has happened.*

(c) Guardar un secreto:

Todo se lo guarda. *He keeps everything to himself* [*He is very secretive*].

Resguardar significa "proteger" o "defender":

Resguárdelo como pueda. *Guard it as well as you can.*

Resguardarse es "protegerse a sí mismo":

Se resguardó (*He protected himself*) con el paraguas.
Se resguardó bajo el alero. *He sought shelter under the eaves.*

5. Confiar — confiarse (en, a) — fiarse (de).

Confiar es poner algo al cuidado de otra persona:

Le confió el manejo de sus cuentas. *He entrusted to him the handling
of his accounts.*
Es incapaz de guardar lo que se le confía *(what is entrusted to him)*.

Seguido de **en, confiar** es igual a "tener fe en algo o alguien," pero sin
que contemos con ninguna seguridad:

Confío en que nos resultará bien. *I trust it'll come out all right.*

Confiarse, seguido de la preposición **en,** también significa "tener fe en
algo o alguien," pero con la intensificación que va implícita en el pronombre reflexivo:

Yo (me) confío en usted. *I put my trust in you.*

Se emplea **confiarse a** para decir "ponerse en manos de, entregar la
confianza a alguien":

Cada vez que el mexicano se confía a un amigo, abdica. *Whenever the
Mexican entrusts himself to a friend he ceases to be his own master.*

Fiarse de significa "poner la confianza en alguien"; implica mayor seguridad que el verbo **confiar en:**

> Fíate de tus amigos y verás. *Trust your friends and you'll see.*

Ninguna de las formas verbales estudiadas significa *to confide:*

> No le hagas (digas) confidencias. *Don't confide in him.*

6. Procurar.

Significa "tratar de":

> Procure usted ser breve. *Try to be brief.*
> Los demás procuramos ser resignados, pacientes y sufridos.

Procurar no se usa en el sentido de "obtener algo":

> Conseguí sus servicios. *I procured his services.*

7. Mover — moverse; conmover — conmoverse.

Mover significa

(a) Poner en movimiento:

> La energía eléctrica mueve las máquinas.
> La foto está movida (*blurred*).

(b) Motivar un acto del espíritu:

> No me mueve el deseo de lucro. *I am not motivated by financial gain.*

(c) Seguido de la preposición **a** significa "infundir, inclinar":

> La escena nos movió a compasión (*moved us to compassion*).
> Su ruego nos movió a socorrerle (*moved us to come to his aid*).

Nótense las siguientes expresiones:

> Presentó la moción de que se postergase la discusión. *He moved to postpone the discussion.*
> Se mudarán mañana. *They'll move tomorrow.*
> ¡Andando! *Get a move on!*

Moverse:

(a) Hablando de personas, quiere decir cambiar de posición o, simplemente, agitar alguna parte del cuerpo:

> Ahora voy a tomar una foto: ¡no se muevan!

(b) Cambiar de lugar o desplazarse:

> ¡No te muevas de aquí! *Stay where you are!*

Conmover tiene el sentido de

(a) Perturbar o alterar el orden establecido:

> La guerra civil conmovió todos los órdenes de la vida española. *The Civil War affected all aspects of Spanish life.*

(b) Enternecer:

A nosotros siempre nos conmueve la entereza ante la adversidad.

Conmoverse significa "enternecerse":

No se conmueve ante el dolor humano. *He is not moved by human grief.*

8. Afrontar — encarar; encararse con — enfrentarse con.

Afrontar se usa en el sentido de "arrostrar, hacer cara a, hacer frente a algo":

Afrontaron el peligro con calma. *They faced the danger calmly.*

Encarar significa

(a) Ponerse frente a otra persona en actitud desafiante:

Encaró a su enemigo. *He faced his enemy.*

(b) Se usa también figurativamente para expresar la idea de "afrontar":

Debemos encarar el mundo con valor.

Encararse con y **enfrentarse con** son verbos reflejos que expresan la idea de "medirse con alguien" y "hacer frente a algo" respectivamente:

Se encaró con Juan. *He stood up to John.*

Se enfrentaron con el enemigo. *They confronted the enemy.*

Frase hecha:

No pude darle la cara. *I couldn't face him.*

9. Enajenarse — enajenación; ensimismarse — ensimismamiento.

Son términos muy comunes en los estudios psicológicos y caracterológicos. **Enajenarse** (= estar en ajeno) es "salir de nuestro yo para entregarnos a otra persona o a algo externo"; lleva implícita la idea de pérdida del autodominio:

El que confía se enajena. *He who trusts ceases to be his own master.*

La **enajenación,** por tanto, es el hecho de estar fuera de sí:

En el amor hay siempre enajenación. *In love there is always surrender.*

Ensimismarse, proceso contrario de **enajenarse,** es estar inmerso en lo propio (= estar en sí mismo), incapacitado para tomar contacto con el mundo exterior:

Vive ensimismado en su dolor. *He lives immersed in his grief.*

El **ensimismamiento** es, por consiguiente, el fenómeno de inmersión en el yo:

La generación de la posguerra se caracteriza por su ensimismamiento (*withdrawal*).

EJERCICIOS

Llene usted los espacios en blanco con una palabra o frase de la sección anterior.

1. Es buenísimo; es la personificación de la ——. **2.** El mexicano sabe —— de las miradas de otros. **3.** Fue una escena triste que me —— profundamente. **4.** Para el desayuno pida usted —— de naranjas. **5.** Es un perfecto caballero. Durante nuestra visita ni siquiera mencionó la deuda que con él tenemos. Admiro su ——. **6.** No hace nada, ni dice nada. Parece estar sumergido en su yo. Es un verdadero caso de ——. **7.** No creo que pueda irse sin pagar el alquiler, pues antes de sacar los muebles tendrá que —— con el dueño. **8.** Compré también esta lata; son duraznos en ——. **9.** Me dice el maestro que tu —— en la escuela es pésimo. **10.** Si quieres aprender a conducirte como persona bien educada no olvides estas tres reglas de ——. **11.** Mientras hable el señor Director ustedes habrán de —— el más absoluto silencio. **12.** No sé a quién recurrir pues no —— en ninguno de mis parientes. **13.** He asignado un lugar a todas estas cosas. Por favor, no las ——. **14.** Para no provocar la maledicencia hay que —— de los falsos amigos. **15.** Le presenté a él la petición porque es de todos conocida su ——. **16.** Le aseguro a usted que a él no le —— el deseo de exhibirse en público. **17.** Dicen que el mexicano no —— de nadie. **18.** Necesito reducir estas legumbres a papilla. Tráeme la ——. **19.** Señores, no me gusta tener que esperar a nadie; por favor —— llegar a tiempo. **20.** Señor presidente, quiero —— de que se cierre la sesión, pues ya son pasadas las seis.

C. Gramática

El gerundio

I. FORMA SIMPLE

1. El gerundio denota una circunstancia que coincide con la acción del verbo principal o la precede. En el primer caso es el equivalente de **al** + *inf.*

> Saliendo (Al salir) de la oficina se despidió con una sonrisa.
> Habiendo resguardado su intimidad, se sintió seguro de sí mismo.

2. Su uso más frecuente es modificar al verbo principal como adverbio de modo:

Entró corriendo (Entró a la carrera). *He ran in.*
Salió gateando (Salió a gatas). *He crawled out.*
Contestó gritando (Contestó a gritos). *She shouted back.*

3. El gerundio puede también referirse al complemento directo de un verbo de percepción, sea ésta física o mental (**ver, oír, observar, recordar, conocer, encontrar, imaginar,** etc.) o de representación (**pintar, describir, representar,** etc.). Los elementos de la oración se reparten así:

Verbo de percepción + Complemento directo + Gerundio

Anoche sentimos a alguien tratando de abrir la puerta.
Desde aquí se distingue a los campesinos trabajando en los campos.
El cuadro representa un grupo de mexicanos cantando "Las posadas."

4. Además del gerundio, un infinitivo o una cláusula sustantival pueden servir para expresar una acción percibida. Establezcamos ahora una comparación entre estos tres tipos de oraciones: (a) **Anoche oí llorar a Luisa;** (b) **Anoche oí a Luisa llorando y fui a consolarla;** (c) **Anoche oí que lloraba Luisa y fui a consolarla.** Estas tres construcciones existen también en inglés: *I saw him carry the bags; I saw him carrying the bags; I saw that he was carrying the bags.*

(a) La primera construcción — con infinitivo — puede tener varios sentidos, según el tiempo del verbo de percepción:

● Alude a una acción en proceso de desarrollo (aspecto imperfectivo), si sigue a un verbo de percepción en presente:

Lo (Le) oigo cantar. *I hear him sing (singing).*
Lo (Le) veo bailar. *I see him dance (dancing).*

● Alude a una acción momentánea o que ya ha terminado (aspecto perfectivo), si sigue a un verbo de percepción en pretérito:

Le vi salir de casa.
Le oí gritar mi nombre.

NOTA: Esta construcción tiene a veces un marcado sentido sustantival: **Oí repicar las campanas = Oí el repicar (el repiqueteo) de las campanas. Vi volar los pájaros = Vi el vuelo de los pájaros.**

- Alude a un proceso de repetición (aspecto reiterativo), si sigue a un verbo de percepción en imperfecto:
  > La veíamos llegar tarde todos los días.
  > Le oíamos cantar siempre la misma canción.

(b) La segunda construcción — con gerundio — se emplea cuando deseamos especificar un proceso de desarrollo, evitando la posible ambigüedad de la construcción anterior:
  > Veo a Juan haciendo compras.
  > La vi bailando.

Esta segunda construcción no se usa con verbos de acción instantánea o cuando la acción se da por terminada:

Incorrecto	*Correcto*
Oimos la puerta cerrándose de golpe.	Oímos cerrar la puerta de golpe.
Le vi cerrando los ojos.	Le vi cerrar los ojos.

(c) La tercera construcción — con cláusula relativa — se usa cuando deseamos expresar lo percibido sin insistir en la idea de persona, aun cuando esté presente en la oración. En este caso, como en la construcción con infinitivo, la acción puede darse en proceso de desarrollo o como acto repetido o ya terminado:
  > Vi que bajó (bajaba) al patio. *I saw that he went down (was going down) to the patio.*
  > Veíamos que regresaban a las cinco. *We used to see them return (returning) at five.*
  > Oímos que llamaron (llamaban) a Juan. *We heard John called (being called).*

Para la mayoría de los escritores españoles esta construcción no admite el empleo de un complemento pronominal:
  > *Incorrecto:* Le vi que sufría.
  > *Correcto:* Vi que sufría.

De las tres construcciones, la más común es la primera, pues el infinitivo puede significar tanto terminación como continuidad o repetición. La menos común es la segunda — con gerundio —, ya que se usa sólo cuando es indispensable referirse al aspecto durativo de la acción, distinguiéndolo claramente del aspecto no durativo, o perfectivo. Si no nos interesa el aspecto durativo o, si hay ya otras palabras que lo expresan, lo mejor es emplear el infinitivo o bien la construcción con cláusula.

5. Para hacer resaltar el valor exclamativo de la cláusula sustantival, se construye ésta con **cómo** y no con gerundio:

Oiga cómo cantan esos hombres. *Listen to those men singing!*
Mire cómo trabajan esos obreros. *Look at those men working!*

6. El gerundio puede hacer las veces de una expresión adverbial. Obsérvese la diferencia de construcción entre el español y el inglés.

(a) Con significado modal:

Animaron la fiesta contando episodios de su vida. *They livened up the party by telling some incidents of their lives.*

(b) Con significado causal:

Habiendo tanto que hacer, dudo que terminemos hoy (= Puesto que hay tanto que hacer . . .). *Since there is so much to do . . .*

(c) Con significado temporal:

Habiendo salido los campesinos, se dispuso a trabajar. *After the peasants left . . .*

(d) Con significado condicional:

Repartiéndonos el trabajo, todos tendríamos que trabajar menos (= Si nos repartiésemos . . .). *If we divided the work . . .*

(e) Con significado concesivo:

Aun teniendo buenas aldabas, no se hará miembro de este casino (= Aunque tiene, o tenga, buenas aldabas . . .). *Even if he has . . ., Although he has pull . . .*

NOTA: Los preceptistas más estrictos de la lengua condenan el uso del gerundio para significar consecuencias o efectos, pues éstos lógicamente siguen a la acción principal en el tiempo en vez de coincidir con ella:

Me inscribí en la universidad para estudiar derecho. (*Inadmisible:* estudiando derecho)
El general llegó por la mañana y fue agasajado por el Ministro. (*Inadmisible:* siendo agasajado)
Nació en 1930, estudió en el Instituto Pedagógico y se casó en 1957. (*Inadmisible:* estudiando en el Instituto Pedagógico, casándose en 1957)

7. En español se emplea un infinitivo y no el gerundio después de una preposición. Es excepción la combinación **en** + *ger.*, la cual se emplea para denotar anterioridad inmediata:

En terminando aquí (*As soon as I finish*) nos vamos.

II. FORMA COMPUESTA

Combinado con el gerundio, **estar** forma la conjugación progresiva. Aunque es verdad que **hablo** equivale a *I speak* y a *I am speaking*, no debemos desatender los tiempos progresivos, pues éstos insisten en un proceso de desarrollo (aspecto imperfectivo) y dan al lenguaje, a través de esta idea, un valor contrastivo a menudo muy deseable. Resulta así que el tiempo simple y la forma compuesta correspondiente pueden tener connotaciones muy diferentes.

En el lenguaje escrito, que carece de los recursos de entonación, el que presta atención al estilo emplea las formas progresivas con pleno valor contrastivo para expresar un sinnúmero de emociones: anhelo, desaprobación, entusiasmo, extrañeza, frustración, impaciencia, etc. En las siguientes oraciones se compara el tiempo simple con la forma progresiva, dándose una traducción a fin de que se vea la diferencia que hay entre ellos:

Tiempo simple (Sin contenido afectivo)	Forma progresiva (Con contenido afectivo)
Deseo que te cases. *I want you to get married.*	(ANHELO) Estoy deseando que te cases. *I really wish you would get married.*
Malgasta su dinero a manos llenas. *He squanders his money.*	(DESAPROBACIÓN) Está malgastando su dinero a manos llenas. *He is always squandering his money.*
¡Cuánto nos divertimos anoche! Bailamos hasta las tres. (*We danced until 3:00 A.M.*)	(ENTUSIASMO) ¡Cuánto nos divertimos anoche! Estuvimos bailando hasta las tres. (*We danced and danced until 3:00 A.M.!*)
El profesor fuma puros. *The professor smokes cigars.*	(EXTRAÑEZA) El profesor está fumando un puro. *Believe it or not, the professor is smoking a cigar.*
Esperaba verla aquí . . . y no aparece. *I was expecting to see her here . . . and no sign of her!*	(VEHEMENCIA) Estaba esperando verla aquí . . . y no aparece. *I was hoping to see her here . . . and no sign of her!*
¿Vas a haraganear ahí toda la mañana? *Are you going to loaf there all morning?*	(IMPACIENCIA) ¿Vas a estar haraganeando ahí toda la mañana? *Are you going to do nothing but loaf there all morning?*

1. La conjugación progresiva se da algo menos en combinación con verbos cuya acción o estado tiende a prolongarse, pues éstos designan precisamente una acción o estado que persiste y, por lo tanto, no hay necesidad de emplear el verbo **estar** para formar un tiempo progresivo. Por ejemplo, nadie diría "estoy conociendo." Por la misma razón, no se emplea **estar** ordinariamente con el gerundio de **aborrecer, amar, estimar, ir, permitir, poseer, respetar, saber, ser, tener, tolerar, venir,** etc.

2. Además de la conjugación progresiva construida con **estar,** el gerundio se combina con otros verbos llamados "modales" que, sin perder por completo su significado, indican algún aspecto especial de una acción. Son éstos de tres tipos básicos: (**a**) de movimiento, (**b**) de continuación y (**c**) de reposo.

(**a**) **Andar** + *ger.* significa una acción que se repite, pero sin meta ni propósito:

> Anda contando sus penas a todo el mundo.

Ir + *ger.* significa una acción acumulativa o progresiva que apunta hacia una meta, o bien una acción que se inicia:

> Iba sufriendo con dignidad las derrotas.
> Va anocheciendo.

Venir + *ger.* denota el progreso ininterrumpido de la acción que empezó en un momento dado:

> Desde hace meses vienen mostrando interés en nuestras artes decorativas.

(**b**) **Seguir** + *ger.* recalca la continuación de un acto empezado en un momento indefinido en el tiempo:

> Dieron las doce pero seguimos [continuamos] trabajando.

(**c**) **Quedar(se)** + *ger.* acentúa la prolongación de la acción y la inmovilidad del sujeto:

> Se quedó contemplando el paisaje de nuestra meseta.

3. El angloparlante necesita recordar que el progresivo en español no se emplea en los siguientes casos:

(**a**) para expresar un acto del futuro inmediato; el español emplea el verbo **ir** + **a,** o un futuro:

> Voy a visitarle esta tarde. *I'm visiting him this afternoon.*

(**b**) para aludir a lo escrito:

> Veo en la carta de nuestro cliente que nos solicita muestras. *I see in our client's letter that he is requesting samples.*

4. Toda acción que refleja un estado afectivo por medio del progresivo deberá ir en voz activa. El español, en este caso, rechaza la voz pasiva.

¡Nos están robando! *We're being robbed!*

¡Ésa sabe muy bien cuando la están mirando! (. . . *when she is being observed!*)

En estos dos casos no se podría decir "estamos siendo robados," "está siendo mirada."

EJERCICIOS

A

I. *Combínense las dos partes de cada oración en una sola reemplazando uno de los verbos con el gerundio. Puede usted cambiar el orden de las palabras u omitir algunas de ellas.*

Ejemplo: A los veraneantes les faltó dinero; tuvieron que abreviar las vacaciones.

Faltándoles dinero a los veraneantes, tuvieron que abreviar las vacaciones.

1. Su padre es dueño de la fábrica. A Juan no le costará trabajo conseguir un empleo. **2.** Cerramos primero la puerta con llave; salimos luego a dar una vuelta. **3.** José vendía dibujos y pinturas; reunía dinero para comprar regalos de navidad. **4.** Los muchachos estudian geometría; se preparan para los cursos de arquitectura. **5.** Permaneció largo rato junto al jacal; observaba a los campesinos. **6.** Prefiere defenderse del mundo; establece una muralla entre su yo y los demás. **7.** La educación universal puede convertirse en un mal, si no sabemos aprovecharla. **8.** Al oír la gritería de los aficionados se acercó más al toro. **9.** La impasibilidad es muy recomendable, pero la hemos exagerado; se ha convertido en un mal. **10.** El joven entra en la casa; duda si debe confesar sus faltas. **11.** Este artista renuncia a los artificios estereotipados; nos ofrece la radiografía de los impulsos del corazón humano. **12.** Apoyó la cabeza contra el árbol; se puso a soñar despierta. **13.** Regula su vida cuidadosamente; se ajusta siempre a modelos y principios. **14.** Se encierra en su intimidad; impide así todo exceso. **15.** Usted es un muchacho demasiado joven; yo no debería emplearle aquí.

II. *Sustituya usted las cláusulas de gerundio por medio de una cláusula o frase introducida por una de las conjunciones o preposiciones de la columna de la derecha:*

1. Habiendo llovido toda la noche, tuvimos que aplazar el viaje.
2. Viendo al muchacho saltar la tapia, le llamó a gritos para detenerle.
3. Habiendo pasado dos meses en España, volvió a su patria.
4. Empleando detalles menores, los críticos ponen de relieve los defectos y no los méritos.
5. Comprándolos en el mercado, tendrá que pagar menos.
6. Sabiendo la verdad, no quiso decírnosla.
7. Gritando y empujando, desbarataron la reunión.
8. Mintiendo no se gana nada.
9. No teniendo verdadera necesidad, sigue trabajando día y noche.
10. Estudiando un poco más, sacarías mejores notas.
11. Vendiendo sólo productos de primera calidad, podremos mantener nuestra reputación.
12. No contando usted con los fondos necesarios, no podrá iniciar el proyecto.

Luego de
Si
Aunque
Con
Cuando
Al + *inf.*
Después de
Sin
Como
A pesar de
Porque
A fuerza de
Puesto que
Aun cuando

B

I. *Sustituya usted las formas verbales que se dan en cursiva por una forma progresiva en que figure uno de los siguientes verbos modales o auxiliares:* **andar, estar, ir, quedar(se), seguir, venir.** *¡Ojo! Escoja usted el auxiliar o modal que exprese el sentido indicado entre paréntesis.*

1. (Desaprobación) ¿Has visto a Porfirio? *Estrena* "smoking" y zapatos de charol. **2.** (Prolongación con inmovilidad) Sin moverse en lo más mínimo, Adela *miró* la escena que se desarrollaba ante ella. **3.** (Continuidad) Desde hace años *predica* la necesidad de una reforma social. **4.** (Acción cumulativa) *Recoge* ropa para enviar a las víctimas de las zonas inundadas. **5.** (Insistencia) El Sr. Bermúdez se ha mudado. *Vive* ahora en la calle de Lope de Vega. **6.** (Acción iterativa) Le *dice* a todo el mundo que tiene novia en Filadelfia y no es verdad. **7.** (Extrañeza) Me dicen que José *sirve* de guía a grupos de excursionistas. **8.** (Progreso sin interrupción)

Ese comentarista *pronostica* calamidades desde hace algún tiempo. **9.** (Permanencia en el mismo lugar) Felipe es un muchacho serio; en vez de jugar, siempre *estudia* en su cuarto. **10.** (Continuidad) No se interrumpa usted; *lea* la carta, por favor. **11.** (Progreso sin interrupción) Hace treinta años que *brego* con esta gente; creo que tengo derecho a descansar un poco. **12.** (Agitación) La vigas se pudren, la casa se *hunde*, y nadie hace nada. **13.** (Persistencia) Acostado en mi cama, *leí* hasta las tres de la mañana. **14.** (Continuidad) Aunque es mayor de edad, *respeta* a sus padres. **15.** (Alejándose de la persona que observa) Los vendedores *pregonan* sus mercancías por la calle.

II. *Escoja usted la terminación que pide el sentido de cada oración. ¡Ojo! En algunos casos puede haber doble posibilidad.*

1. A esa señora la oía siempre (quejarse – quejándose). **2.** Cuando entré pude oír a la criada (exigir mejor paga – exigiendo mejor paga). **3.** Al cruzar el puente vimos a un muchacho (bañarse – bañándose) en el río. **4.** Se levantó para ver (amanecer – amaneciendo). **5.** Oí (el teléfono sonando – que sonaba el teléfono). **6.** Le vi (salir – saliendo) hace un minuto. **7.** Repetidas veces (le vi pasar – le vi pasando) por delante de la casa. **8.** Yo también le oí (practicar – que practicaba) la lección de piano. **9.** Oyó a Daniel (llamarle – que le llamaba). **10.** Veo (que José respeta – a José respetar) a sus mayores. **11.** Salí a tomar el sol y vi a Rafael (pasearse – paseándose) en el parque. **12.** Me asomé a la ventana y oí (cantar – cantando) a los pájaros. **13.** Es la primera vez que (te oigo nombrándolo – te lo oigo nombrar). **14.** Veo (a Luis poseer – que Luis posee) muchos discos. **15.** Al bajar del automóvil la vi (caer – cayendo) al suelo. **16.** Le observé con atención y le vi (copiar – copiando) del libro toda una lista de verbos. **17.** Le sentí (llegar – llegando). **18.** Aquí vemos un gráfico (explicando – que explica) los efectos de la inflación. **19.** Yo vi (a Alberto no queriendo – que Alberto no quería) prestarnos el dinero. **20.** Oí (cerrar la puerta – cerrándose la puerta) con estrépito.

D. Estilística y composición

Figuras literarias

Las figuras literarias son recursos de forma o contenido que el escritor emplea para dar mayor eficacia expresiva a su estilo. El estudiante de composición debe tener por lo menos una ligera idea de la naturaleza de algunas figuras para apreciar su valor.

Intentemos ahora un estudio elemental de las figuras más comunes.

1. El símil. Es una comparación en que aparecen dos elementos unidos por el nexo "como," o su equivalente:
>Tu amor es como el vino que embriaga.
>He vivido cual hoja al viento.

2. La metáfora. Es una comparación implícita: la atención se concentra en el segundo elemento de la comparación, dejando subentendido el primero. Compárense las dos figuras hasta aquí estudiadas:
>*Símil:* La muerte es como un mar sin fondo.
>*Metáfora:* ¡Mar sin fondo! ¡Al atardecer llegan hasta mí tus negras olas!

3. La antítesis. Es la figura que contrapone dos ideas o dos entes:
>Con tu amor viviendo muero.
>Es mucha la verdad de su mentira.

4. La hipérbole. Es un abultamiento o exageración cuyo fin es dar dimensión inusitada a algo:
>Cayó el árbol y retumbaron los montes.
>Mi ansia es eternidad de espera.

5. La personificación. Es la figura por la cual se humaniza lo inanimado:
>Al golpe del hacha gimió el tronco.
>La fábrica hizo rechinar sus dientes.

EJERCICIOS

A

Identifique las figuras literarias que aparecen en las siguientes oraciones:

1. Mi alma es como un templo abandonado. **2.** (Aludiendo a una mujer): Claridad transparente. **3.** No quiero esta envejecida juventud. **4.** Corre, corre la hora con sus sesenta muertes. **5.** ¡Hasta el cielo llegó el eco de mis gritos! **6.** Eres rosa humedecida; eres claridad de cielo. **7.** Alba rosada, soñando en la distancia. **8.** ¡Oh, éxtasis del atardecer! **9.** Se estremece la tarde. **10.** (Hablando de un pájaro): Frágil nota amarilla.

B

I. *Formule una oración completa con un símil que incluya un elemento de cada columna. Escoja sólo términos dignos de enlazarse.*

1. vejez
2. amor
3. vida   **es como . . .**
4. juventud

a. río que va al mar
b. silencio tenebroso
c. diario nacimiento
d. sueño engañoso
e. escondido reloj
f. raíz oculta
g. resignado afán
h. mar invisible
i. callado furor malsano
j. canto sin palabras

II. *Para cada una de las palabras de la columna de la izquierda, proponga una de las metáforas que se dan en la columna de la derecha. Escoja con cuidado.*

1. (cabellera)
2. (silencio)
3. (pájaro)
4. (mediodía)

a. presencia de la muerte
b. voraz eternidad
c. aguas circulares
d. relámpago negro
e. mundo hueco
f. desnuda transparencia
g. ardiente resplandor
h. flor mojada
i. canto amarillo
j. cercana muerte

III. *Escoja usted la hipérbole (columna de la derecha) que más convenga a cada uno de los términos que aparecen en la columna de la izquierda.*

1. tormenta
2. silencio
3. amor
4. pesadilla

a. cascada de luz
b. centro del mundo
c. horrísona convulsión
d. laguna sin orillas
e. vértigo de cenizas
f. mar sin fondo y muerto
g. dulce huracán sin fin
h. islas en el cielo
i. verde azul de océano
j. grito que se congela

IV. *Exprese usted una personificación en una frase completa que incorpore un elemento de cada columna.*

a. muchachas en ronda
b. alegría del mar
c. responsos funerarios
1. olas   d. obsesión de viaje
2. flores   e. furias matutinas
3. golondrinas   f. miradas atentas
4. hormigas   g. mujercillas inquietas
h. carcajada amarilla
i. gentecilla laboriosa
j. tejedoras de aire

V. *Exprese una antítesis que contenga un elemento de cada columna:*

a. águila loca
b. diminuto ser
c. espesor de la nada
1. grandeza   d. luces muertas
2. silencio   e. cuerpo luminoso
3. vida   f. plenitud sonora
4. estrellas titilantes   g. puerta del deseo
h. continuo desfallecer
i. temblor de cielo
j. noche insomne

Traducción

A

1. It has been said that the Mexican always seems to us to be wearing a mask, whether he is rich or poor, young or old. **2.** He defends himself with words and silence, with politeness or scorn. He is, in fact, a curious mixture of kindness and distrust. **3.** In his life one finds shades of meaning, sudden enthusiasms and incomprehensible threats. **4.** Certain expressions in his popular language tell us that the Mexican is no man "to surrender" to others. If he does, he is admitting a lack of manliness. **5.** The Mexican's attitude toward others is tinged with an instinctive fear which is part of an automatic reaction to his social milieu. **6.** It makes little difference whether others show him cordiality or gentleness because he will persist in his reserve for fear that these may be false. **7.** He would rather stay within the walls of his inner castle and maintain that aloofness that his insecurity demands.

8. To other modern men being manly means to be self-assertive, even aggressive. **9.** The Mexican, on the other hand, assumes a defensive attitude and gets ready to defend himself from the assaults of the outer world. **10.** He has been conditioned to do this since his childhood days. He, therefore, admires above all man's fortitude and self-reliance. **11.** There is much evidence of the Mexican's tendency to adhere to patterns of behavior or formulas. This is his way of reaching a sphere of action that is safe and stable. **12.** This is evidenced by his everyday life, his artistic creations and even his institutions, all of which mold and give meaning to the life of the nation. **13.** One of the most significant artistic manifestations in Mexican history is the baroque. This is an art with abundant twists and profuse decoration, all subjected to a strict, formal balance. **14.** Like this art, the Mexican's life is a complicated expression of inner tensions under a cover of politeness and formality.

B

1. The Mexican respects the private life of others to such an extent that he does not even dare look at his fellow beings intently. **2.** He is a man of few words. His language is full of half-truths, hints and subtle implications. **3.** He could be described as an individual who has raised a wall between himself and the rest of the world in order to safeguard his privacy. **4.** The Mexican thinks that one who allows others to enter into his private domain is unworthy of trust and is a traitor to himself and to others. **5.** We need only to examine Mexican history to understand this attitude of distrust and insecurity. **6.** Think of the many adversities of the past, the harshness of the soil and that constant threat that seems to hover over poor peoples, and you will understand the Mexican. **7.** He fears being used by his fellow beings and especially by those who call themselves his friends. Of course, all of us, to a certain point, have the same fear. **8.** When he has been too trusting he says: "I have betrayed myself to So-and-So" and feels ashamed of his lack of caution. **9.** He prefers to suffer within the labyrinth of his loneliness rather than risk the indignity of being exposed. **10.** This is why the Mexican has always been stoic and long-suffering; he is able to face grief, danger and even death with calm. **11.** His wariness has taught him to guide himself by certain fixed patterns. He is a man who admires principles and propriety. **12.** Do you understand now why the Mexican believes so strongly in jurisprudence and in strict norms of collective conduct? **13.** He will never appreciate the American's openness and friendliness toward a stranger. **14.** The Mexican's self-containment leads him to be formal and aloof, as if he lived behind a cactus fence.

✿ Vocabulario mínimo

to **adhere** ceñirse (i) a
to **admit** confesar (ie)
  all: — of us todos nosotros
  aloof cerrado,-a; reservado,-a
  aloofness la reserva, el aislamiento
to **appreciate** llegar a comprender
  ashamed avergonzado,-a
  assault el ataque
to **assume** adoptar
  balance el equilibrio
  behavior la conducta
  being: fellow — el semejante, el prójimo
to **betray oneself** venderse (con)
to **call: — themselves** se dicen ser
  castle el castillo
  caution la cautela
  childhood la infancia; **since — days** desde niño
to **condition: he has been conditioned** le han enseñado
  cordiality la simpatía
  course: of — claro está
  cover el recubrimiento
to **dare** atreverse (a)
to **demand** exigir
  distrust la desconfianza
  domain: private — la intimidad
  even: not — ni siquiera
  everyday diario,-a
  evidence las pruebas
to **evidence: is evidenced by** se nota (se observa) en
to **expose: being exposed** ser desenmascarado
  extent: to such an — a tal punto
to **face** afrontar, enfrentarse con
  fact: in — en efecto
  fear: for — that por temor de que
  fence la cerca
  fixed fijo,-a
  fortitude la fortaleza
  friendliness la cordialidad
  gentleness la dulzura, la suavidad
to **get: — ready** aprestarse (a)
  grief el dolor
  half-truth la reticencia
  hand: on the other — por el contrario

  harshness la dureza
  hint la indirecta
to **hover** cernerse (ie)
  implication la insinuación
  incomprehensible incomprensible, indescifrable
  inner interior
  intently con curiosidad (fijeza)
  labyrinth el laberinto
  language el lenguaje
to **lead** llevar
  like a semejanza de
  loneliness la soledad
  long-suffering sufrido,-a
to **make: it makes little difference whether** poco importa que
  man: is no — to no es hombre que + *subj.*
  manliness la hombría
  manly macho
to **mean** implicar
  meaning el sentido
  milieu el medio
  mixture la mezcla
to **mold** dar forma
to **need: we — only** basta
  norm la norma
  openness la franqueza
  outer exterior
  pattern el patrón
to **persist: he will — in his reserve** seguirá siendo reservado (cerrado)
  point: to a — en cierta medida
  politeness la cortesía
  privacy la vida privada
  propriety la corrección, el decoro
to **raise** erigir
to **reach** alcanzar
to **risk** exponerse a
to **safeguard** resguardar
  scorn el desprecio
  self-assertive contundente
  self-containment la reserva, la mesura
  self-reliance la autosuficiencia
  shade: — of meaning matiz
  So-and-So Fulano
  soil el suelo, la tierra

to **stay**: **he would rather** — preferiría permanecer
stranger el extraño, el desconocido
strongly decididamente, firmemente
to **subject** someter
subtle sutil
sudden repentino,-a; súbito,-a
to **surrender**: — **to others** abrirse con otros
to **think**: — piénsese
threat la amenaza
to **tinge**: **is tinged with** refleja
toward para con, ante

traitor el traidor; **is a** — **to himself** se traiciona a sí mismo
trust la confianza
trusting confiado,-a
twist el retorcimiento
unworthy indigno,-a
to **use**: **being used** ser utilizado
wall la muralla
wariness la cautela
to **wear** llevar
whether: — **he is rich** sea rico
why: **this is** — de ahí que

Composición libre

A

1. ¿Qué diferencias básicas hay entre el carácter del mexicano y el del norteamericano?
2. Tesis: El hombre "cerrado" tiene más (menos) virtudes que defectos.

B

1. ¿Está usted de acuerdo con el autor cuando sostiene que el norteamericano expresa sus emociones y anhelos más abiertamente que el mexicano? ¿Por qué?
2. Tesis: Muchos de los rasgos fundamentales del pueblo mexicano se pueden observar a través de sus predilecciones. Mis razones son las siguientes:

❦ 16 ❦

Cara y cruz

ENRIQUE LAFUENTE FERRARI

Frente al arte velazqueño — mesura y serenidad que encubren una desilusionada visión del hombre que sabe poner nobleza en sus miserias —, la obra de Goya escarba en todas las miserias porque sabe que, *de hecho, queramos que no*, coexisten con la alegría y la belleza. El genio de una nación *está integrado por* una tensión más o menos violenta ₅ entre extremos polares. *España es ella misma polaridad extrema*, cara o cruz, Don Quijote y Sancho, Santa Teresa y Quevedo, luz y tinieblas. Y eso es lo que Goya como Picasso expresan.

Si en Velázquez se llega a un equilibrio, a un punto de armoniosa estabilidad poco duradera, en Goya las fuerzas *entran en colisión.* ₁₀ Velázquez es un lago de aguas quietas; Goya es un volcán en erupción. Siempre nos da lo inesperado porque pasa, sin transición, de la refinada delicadeza al exabrupto, del goce al sarcasmo, de la belleza a la irreverencia. Refleja, sobre un fondo de temperamento ibérico, las tormentas de su tiempo, tiempo de revoluciones, pero no en su lenguaje profesional, ₁₅ opuesto a la retórica del neoclasicismo de sus contemporáneos, sino *en la adecuación a los contenidos mentales y profundos de su momento,* en *la impresionante estenografía de sus manchas.*

Si queremos saber lo que fue una época, su pintura nos lo dice, *no por lo superficialmente ilustrativo*, sino por las calidades estéticas con ₂₀ que la traduce. Aquella época que decapitaba reyes y se sometía a

los capitanes de fortuna, cuando los cimientos de la sociedad se con-
movían y *se renegaba de la fe* que había hecho a Europa; la época que
borraba reinos del mapa y creaba imperios efímeros es la que está
simbolizada en los osados relámpagos de Goya, y no en las delgadas
5 estampas de David. Frente a la beatería neoidealista y la devoción por
el arte de los antiguos, Goya, sin doctrina programática alguna, *quiso
ser moderno.* Lo fue tanto que *tardaríamos en comprenderle.* "Con él
comienza la anarquía moderna," dijo Berenson, poco gustador de la
pintura de su tiempo, es decir, del nuestro.
10 El genio de Goya es cuántico porque *fue sacando de sí nuevas capacidades de creación* que no parecían contenidas en su obra anterior. *Por
ello* el asombro y el desconcierto que sintieron ante sus obras los críticos
del siglo pasado. Goya, en cada etapa, *se calzaba las botas de siete
leguas* y aparecía más allá de lo que se esperaba y de *lo que alcanzaba
15 la vista de las gentes.* Marchaba solitario por una senda que tenía su
meta en las extremas osadías de hoy. He dicho ya en otras ocasiones
que Goya adivinó las heterodoxas vocaciones que las etiquetas de la
historia del arte designarían como "naturalismo," "impresionismo,"
"expresionismo," "surrealismo" . . .
20 Hay artistas que parecen traerlo todo ya aprendido: Velázquez fue
uno de ellos. La perfección fue inseparable de sus pinceles. Goya no
fue precoz y tuvo que luchar para expresarse y *no fueron los suyos los
lentos grados al Parnaso* de un aprendizaje racional y sin lágrimas.
Pero en su arte brotaba, a veces, de repente, una nueva dimensión y
25 sus obras se transformaban; el pintor ayer torpe se aparecía como
habilísimo y delicado; el cantor de la vida ligera y amable *se adentraba
por* las oscuridades misteriosas de la caverna; el festivo cronista de la
vida cortesana apetecía, *de pronto,* los dramas sangrientos y los mis-
terios del alma humana. Sus grises sutiles se tornaban en manchas
30 violentas y en tinieblas amenazantes, y los lindos rostros de las duquesas
se transformaban en las carátulas de la decrepitud y del horror.
Del artista moderno tuvo la maldición y la libertad del autodidacticismo. Desdeñó, *acaso torpe discípulo,* las enseñanzas académicas:
el mismo confesó que sus únicos maestros habían sido Velázquez,
35 Rembrandt y la naturaleza. Pero fueron muchos más: podría haber
añadido: Jordán, Tiépolo, algunos franceses, algún inglés . . . y tantos
otros. Su cultura visual era omnívora, pero todo lo asimiló y lo hizo

399

suyo. "Aún aprendo" decía gráficamente en un dibujo realizado a los ochenta años. *Nunca estuvo cerrado a nada.* Hasta a Mengs — su antípoda — *le miró de reojo* en alguna de sus obras. *De aquí* la complejidad de su arte, su intrincada elaboración de todo lo que vio, puesta al servicio, no de una imitación escolástica, sino de su propia y original 5 visión. Se asimiló la tradición barroca y las ideas de la Ilustración, *el encaramiento franco del modelo* que Velázquez le enseñó, las gracias del rococó, y la penumbra misteriosa de Rembrandt. Superó las acechanzas de sus males, los desastres de la guerra, el fracaso de sus ilusiones filantrópicas, la sordera, la soledad . . . Superó, sobre todo — 10 y ésa es la profunda raíz de su modernidad — el viejo concepto profesional y artesano de la pintura.

Un precioso texto de una carta suya de 1788, cuando su originalidad comenzaba a brotar potente, nos lo dice. *Está abrumado de encargos,* es ya un retratista *a la moda* y, en vez de complacerse, gruñe: "Estoy 15 deseando que no se acuerden (de mí) para vivir con más tranquilidad . . . y el tiempo sobrante emplearlo en *cosas de mi gusto."* Las crisis de *su vida,* que *abundó en ellas,* no hacen sino aumentarle *el gusto por su libertad artística* y, cuando *se queda sordo, desligado de la sociedad* en la que tantos éxitos personales había logrado, quiere dedicar pre- 20 ferentemente su pintura "al capricho y a la invención," que eran "las cosas de su gusto."

Fue uno de los pocos artistas españoles — Picasso fue otro ejemplo — que necesitó siempre dar ocupación a sus manos, empleadas en una incesante expresión gráfica. Por eso nos han quedado de él tantos 25 dibujos, mientras son tan escasos los que conservamos de sus compatriotas pintores. Poseyó imaginación, y en ello veía Mayer un rasgo nórdico, como don esencial de este aragonés de linaje vasco, obsesionado por los trasgos, la superstición y la brujería.

Le interesaba el hombre como animal pecador e insensato y fue, por 30 ello, el cronista y delator de sus vicios y caídas. Atraído por la mujer, la adoraba y la flagelaba, alternativamente. Era humano y sabía el valor inestimable de la vida que el hombre malgasta y degrada sin saber el valor de lo que destroza. Soñaba con la razón y denunciaba la tara de irracionalidad que la vida y la sociedad siembran por todas 35 partes. *Era "pueblo" en las raíces de su ser* y su vida transcurrió entre reyes, aristócratas y sabios. Vivió en una sociedad oligárquica y lega-

lista, y fustigó a los nobles, a los cortesanos y a los leguleyos . . . Era pueblo y nos hizo ver la bestial crueldad del pueblo cuando irrumpe en la historia y, como las fieras domesticadas que escapan de su jaula, huelen la sangre. Como el Diógenes con la linterna de uno de sus
5 dibujos, buscaba al hombre y no lo encontraba. Sus dos grandes enemigos fueron, como Baroja hubiera dicho, la estupidez y la crueldad.

Creó en figuras los mitos y los símbolos de su época: el Coloso que aterrorizaba a los pueblos, el Monstruo de la guerra devorador de hombres, la Masa como actor ciego de la Historia, la Paz y el Trabajo
10 como ilusiones supremas del mundo burgués que iba a venir, *la Razón como sucedáneo de la fe*, la Desilusión como secuela de las utopías, el terror del Misterio del más allá, el Absurdo como inseparable compañero de la existencia humana, el Presentimiento de la tragedia, la Soledad del hombre como intuición inesquivable . . . Todo esto está en Goya,
15 pero sobre todo en el Goya cuántico que *de vez en vez* aparecía: en "San Antonio de la Florida," en los "Caprichos," en los "Desastres," en las pinturas negras, en sus cuadros de capricho e invención . . .

Nadie ha expresado mejor el movimiento, el devenir, la metamorfosis en que lo que es, no es ya, y lo que va a ser, está siendo. Por eso, en
20 sus retratos, la vida y el parecido están, más que en la fidelidad a los rasgos de su modelo, en lo inaprehensible momentáneo: el gesto, el aire, el ademán, la huella de un hábito vital que viene de dentro a fuera. Pero sobre ello pone su acento propio, toma parte en la acción, sube a las tablas y mueve sus marionetas *a su antojo*. *Ejerce violencia sobre*
25 *sus modelos*, acentúa, deforma y *se apasiona* porque ha perdido la impasibilidad de los retratistas de oficio. Sus comentaristas hablaron a veces de caricatura; en realidad es el descubridor de la distorsión expresiva que hoy nos complace. Y la distorsión subjetiva de las formas naturales es, frente a *la "físeos mímesis"* de los griegos y de los rena-
30 centistas, la llave que abre la puerta a lo que llamamos el "arte moderno."

(Enrique Lafuente Ferrari, "Cara y cruz," *Mundo Hispánico*, No. 164, noviembre, 1961, págs. 9-14.)

PREGUNTAS

A

1. ¿Cuál es la diferencia fundamental entre el arte de Velázquez y el de Goya?
2. ¿Con qué compara el autor a Velázquez y a Goya?   **3.** ¿Cuál es el extremo opuesto de la delicadeza?   **4.** ¿Qué grandes acontecimientos históricos se dan en la época de Goya?   **5.** ¿Por qué desconcertaba Goya a la gente y a los críticos?   **6.** ¿En qué sentido no fue Goya un pintor precoz?   **7.** ¿Qué desdeñó Goya?   **8.** ¿Qué males tuvo que sufrir Goya?   **9.** ¿Qué decía Goya de los trabajos que hacía por encargo?   **10.** ¿Cuál fue la actitud de Goya ante la mujer?   **11.** ¿Por qué se dice que Goya era "pueblo"?   **12.** ¿Cuáles fueron los grandes enemigos de Goya?   **13.** ¿Qué aspecto de su época expresa especialmente la pintura de Goya?   **14.** ¿Cree usted que la generación presente está mejor dispuesta para comprender a Goya?

B

1. ¿Cuáles son los extremos que caracterizan el genio español, según el autor?
2. ¿Qué refleja la pintura de Goya?   **3.** Dice el autor que la pintura refleja en sus calidades estéticas el espíritu de una época.   ¿Qué quiere decir esto?
4. ¿Por qué dice el autor que el genio de Goya es "cuántico"?   **5.** ¿De qué movimientos artísticos es antecesor Goya?   **6.** ¿Qué transformaciones se ven a lo largo de la carrera artística de Goya?   **7.** ¿Qué tradición se asimiló Goya?   **8.** ¿Qué prueba hay de que Goya estaba siempre dispuesto a aprender algo nuevo?   **9.** ¿En qué sentido es Goya un moderno?   **10.** ¿Qué atraía más que nada a Goya, como pintor?   **11.** ¿Qué mitos o símbolos creó Goya?
12. ¿Qué opinión tenía Goya del pueblo?   **13.** ¿Cree usted que Goya nos da una visión alegre del mundo?   Explique.   **14.** ¿Qué aspectos del arte moderno se hallan en la pintura de Goya?

A. Modismos

Frente al arte velazqueño — En contraposición con el arte de Velázquez
de hecho — efectivamente
queramos que no — de todos modos; por encima de nuestra voluntad
está integrado por — se compone de; consiste en
España es ella misma polaridad extrema — España misma es un contraste de
  extremos opuestos

entran en colisión — chocan unas con otras

en la adecuación a los contenidos mentales y profundos de su momento — a través de una interpretación personal de las ideas básicas de su tiempo

la impresionante estenografía de sus manchas — las vívidas impresiones que nos comunican sus lienzos

no por lo superficialmente ilustrativo — no a través de lo exterior y concreto

se renegaba de la fe — se rechazaban las creencias

quiso ser moderno — intentó ser moderno

tardaríamos en comprenderle — no le comprenderíamos sino después de algún tiempo

fue sacando de sí (mismo) capacidades de creación — fue hallando dentro de sí nuevas posibilidades de creación

Por ello — Por esta razón

se calzaba las botas de siete leguas — se adelantaba a sus contemporáneos

lo que alcanzaba la vista de las gentes — lo que podía ver el hombre común

no fueron los suyos los lentos grados al Parnaso — sus años de aprendizaje no revelan una evolución gradual o constante

se adentraba por — penetraba en; se internaba por

de pronto — de repente

acaso torpe discípulo — quizá porque era discípulo inexperto

Nunca estuvo cerrado a nada — Siempre mostró receptividad para todo

le miró de reojo — le miró disimuladamente

De aquí — De aquí arranca; Ésta es la explicación de

el encaramiento franco del modelo — la visión objetiva del modelo

Está abrumado de encargos — Tiene excesivo trabajo

a la moda — preferido por las gentes de su tiempo

cosas de mi gusto — cosas que me agradan

[su vida] abundó en ellas — hubo en su vida un buen número de crisis

el gusto por su libertad artística — su deseo de sentirse libre como artista

se queda sordo — pierde la facultad de oír

desligado de la sociedad — sin contacto con la sociedad

Era pueblo en las raíces de su ser — Se sentía, desde el fondo de su alma, parte del pueblo

la Razón como sucedáneo de la fe — la Razón como falso reemplazo de la fe

de vez en vez — una que otra vez; de vez en cuando

a su antojo — como le da la gana

Ejerce violencia sobre sus modelos — Transforma sus modelos

se apasiona — reacciona con vehemencia
la fiseos mimesis — la imitación de la naturaleza

EJERCICIOS

Exprese usted la idea de las palabras en cursiva empleando una palabra o frase de la sección anterior.

A

1. Quiero dedicarme a cosas *que me agradan.* **2.** *Intentó* representar el monstruo de la guerra. **3.** Tendrá que confesarlo *de todos modos.* **4.** *No comprendieron sus cuadros sino mucho después* porque no estaban preparados para entenderlos. **5.** Combatió la irracionalidad de los hombres y, *por esta razón,* muchos pensaron que odiaba al género humano. **6.** *De repente* se transformó en hombre violento. **7.** Dicen que sus retratos eran las pinturas *preferidas por las gentes de su tiempo.* **8.** Después de quedarse sordo vivió *sin conexiones con* la sociedad. **9.** Salía a la calle *una que otra vez.* **10.** Se servía de modelos *como le daba la gana.*

B

1. Hoy día *se rechazan las creencias religiosas.* **2.** *En contraposición con* el concepto profesional de la pintura, defendió la expresión del yo creador. **3.** Nuestro personal *se compone de* pintores y artesanos. **4.** Al pintar la sociedad *penetró en* las aberraciones de su época. **5.** *Miró disimuladamente* los modelos barrocos. **6.** *Esto explica* la originalidad de su visión. **7.** Llegó el día en que *tuvo excesivo trabajo.* **8.** Se acostumbró a las desilusiones, pues *hubo en su vida un buen número de ellas.* **9.** A los cuarenta *perdió la facultad de oír.* **10.** Cada vez que habla de la estupidez humana *reacciona con vehemencia.*

B. Vocabulario

A

I. *Busque en el vocabulario final los adjetivos que están relacionados con los siguientes sustantivos de color y úselos en una oración.*

Ejemplo: El (color) naranja produce reflejos ——. **(anaranjados)**

1. El amarillo **2.** El azul **3.** El violeta **4.** El blanco **5.** El gris **6.** El negro **7.** El rojo **8.** El rosa **9.** El verde **10.** El pardo

II. *Complete cada oración con una de las palabras a la derecha.*

1. Cuando los diferentes elementos de un cuadro concuerdan unos con otros decimos que el cuadro tiene ——.

2. En una pintura cuyos colores nos agradan admiramos su ——.

3. Cuando una obra pictórica tiene demasiados detalles podemos criticar su excesivo ——.

4. Si las diferentes partes de un cuadro se contrapesan unas con otras, el cuadro tiene entonces un marcado ——.

5. Cuando en una pintura se hace violencia a la realidad y se la deforma decimos que en ella hay una manifiesta ——.

6. Hay casos en que la pintura está hecha de acuerdo con un plan previo. Decimos entonces que la pintura tiene una evidente ——.

7. La característica principal de un cuadro en que todo es definido y sólido es su ——.

8. La abundancia de luz da a la obra gran ——.

9. Si en un cuadro hay muchas tonalidades bien combinadas admiramos en él la ——.

10. Un cuadro en que están bien representados los objetos en relación con la distancia tiene buena ——.

11. Si el pintor presta atención a la forma, el color, la textura y las masas decimos que su obra tiene gran ——.

12. Una pintura en que los rasgos y líneas no tienen suficiente definición y firmeza se caracteriza por su ——.

13. Cuando los objetos aparecen en un cuadro en tal forma que casi se puede mirar a través de ellos, la obra tiene ——.

14. Si en la obra hay detalles que el pintor ha representado con finura y sutileza decimos que el cuadro tiene ——.

15. Un cuadro en que aparecen muchos elementos imposibles de comprender o apreciar a primera vista puede ser criticado por exceso de ——.

matización
firmeza
perspectiva
imprecisión
luminosidad
transparencia
armonía
complejidad
delicadeza
colorido
plasticidad
detallismo
estructura
distorsión
equilibrio

III. *Diga usted cuál de las palabras que se dan a la derecha podría aplicarse a cada una de las siguientes descripciones:*

1. Arte que comunica un fuerte contenido emocional mediante distorsiones o exageraciones de la realidad.

2. Expresión artística que revela la transformación de los objetos bajo el impacto de la luz y el color.

3. Representación exacta de ciertos aspectos externos de las cosas para intensificar el realismo de éstas.

4. Corriente pictórica sin gran contenido intelectual que erige como valor supremo del arte el culto de lo bello.

5. Arte que se inspira en el mundo de los sueños y en la subconsciencia y que presenta la realidad en inesperadas asociaciones irracionales.

6. Tipo de pintura que sigue los cánones establecidos por los teorizantes del arte pictórico.

7. Arte dramático y expansivo que expresa una liberación de fuerzas interiores a través de una multiplicidad de retorcimientos decorativos.

8. Escuela pictórica del siglo XVIII que busca sus temas en la antigüedad y la presenta con mesura, nobleza y equilibrio.

neoclasicismo
naturalismo
surrealismo
impresionismo
expresionismo
academicismo
barroquismo
esteticismo

B

Diferencias de significado

1. Cubrir — cubrirse — encubrir.

Cubrir quiere decir

(a) Tapar:

   Cubrieron la vereda con grava.

(b) Pagar, o reunir lo suficiente para hacer un pago:

   Cubrieron (*They covered*) todos los gastos.

N.B. El participio pasado requiere muchas veces la preposición **de:**

   El suelo estaba cubierto de flores.

En este caso se está diciendo únicamente que había muchas flores en el suelo.

Si el verbo **cubrir** se emplea con el sentido de "ocultar" se habrá de emplear la preposición **con**:

El piso estaba enteramente cubierto con la alfombra.

Cubrirse expresa la idea de taparse el cuerpo con alguna prenda de vestir:

Al salir del agua no tenía con qué cubrirse.

FRASE HECHA: ¡Cúbrase! *Put on your hat!*

Encubrir tiene el sentido de ocultar algo para que nada se sepa, por ser lo que se ha ocultado desagradable o vergonzoso:

Sé que su madre encubre (*covers up*) todas sus bellaquerías.

La mesura y la serenidad encubren (*hide*) una desolada visión del hombre.

2. Punto.

Aparece en varios modismos.

La carne está a punto (*ready*).

Vino al punto (*immediately*).

No sé a punto fijo (*with certainty*) si vendrá o no.

Usted ha dado en el punto. *You've hit the nail on the head.*

Es punto menos que imposible averiguarlo. *It is almost impossible to find out about it.*

Se lo contaré a usted punto por punto (*in detail*).

Y ahora, punto en boca (*mum's the word*).

Cómprese usted una camiseta de punto (*a jersey*).

Hemos llegado a un punto muerto (*stalemate*).

Ahora pongamos los puntos sobre las íes (*let's get down to brass tacks*).

3. Tormenta — tempestad — borrasca — temporal.

En el lenguaje cotidiano se emplean estos sustantivos para designar la perturbación atmosférica que va acompañada de lluvia intensa, truenos, rayos o relámpagos. Se diferencian, sin embargo, en algunos usos especiales.

Tormenta es el término más comúnmente empleado en sentido figurativo para aludir a las fuertes conmociones del espíritu humano o del conjunto social:

Goya refleja las tormentas de su tiempo (*the turmoil of his time*).

Tempestad se emplea más que las otras palabras para referirse a la perturbación de las aguas marinas causada por la violencia de los vientos (vendavales):

Nada hay tan aterrador como una tempestad en el mar (*storm at sea*).

407

Se emplea también en sentido figurativo:

> Su propuesta produjo una tempestad (*rumpus*) entre los delegados.

Borrasca es término usado en metereología con un significado específico:

> borrasca [tempestad] magnética (*magnetic storm*).

Temporal se emplea en expresiones náuticas, tales como:

> aguantar [correr] un temporal (*to lie to a storm*).

4. Calidad — calidades.

La **calidad** no es, propiamente, una cualidad sino un valor que se deriva de un conjunto de **cualidades;** dicho valor puede variar desde su expresión más alta hasta la más baja. Por eso se puede hablar, en orden descendente, de calidad óptima, excelente, superior, alta, mediana, mediocre, baja, mala, pésima, ínfima. La palabra **calidad** tiene, pues, un sentido valorativo. En plural, se emplea la palabra en el sentido de "valores," particularmente espirituales o estéticos:

> Es un hombre de buenas calidades (*of high moral character*).
> Este cuadro se destaca por sus calidades estéticas (*its artistic attributes*).

5. Capacidad — habilidad — aptitud — talento.

Se entiende por **capacidad** la suficiencia mental o física de una persona o cosa:

> Tiene capacidad para las matemáticas.
> Tiene una gran capacidad de trabajo (*capacity for work*).
> La capacidad máxima de esta máquina es cuatro caballos de fuerza.

También se usa **capacidad** para referirse a la contenencia:

> ¿Qué capacidad tiene esta vasija? El decalitro es una medida de capacidad.

Habilidad, en singular, significa más bien "destreza" que "inteligencia":

> Este señor ha demostrado gran habilidad (*skill*) para llevar los negocios de mi familia.
> Ella no tiene habilidad manual.

También puede significar "tacto":

> Es hombre de suma habilidad para tratar a sus clientes.

Hay muchos casos en que el inglés pide *ability* donde el español diría **capacidad(es):**

> No dude usted de la capacidad (*ability*) del gobierno para hacerse obedecer.
> Este muchacho tiene capacidades técnicas (*technical ability*).

La palabra **habilidad** tiene, pues, un sentido más restringido que *abilities*. Esto se puede observar, particularmente, en el uso del plural, **habilidades,** palabra que comúnmente se asocia con la idea de mañas, y no con genuinas capacidades: A man of many abilities = **Un hombre de muchas capacidades; Un hombre de muchas habilidades** = el hombre de ingenio e invención (*a very able man*); más a menudo significa el hombre que se las arregla para hacer algo sacando el mayor provecho personal posible (*a very crafty* [*cunning*] *man*).

Aptitud es idoneidad innata para llevar a cabo algo:

Esta señorita tiene grandes aptitudes para la música.

Talento se usa sólo en singular. Significa capacidad intelectual, no física:

Es un escritor de mucho talento (*a very talented* [*intelligent*] *writer*).
Tiene mucho talento para los negocios. *He has a lot of business ability.*

A man of many talents sería **Un hombre de muchas capacidades (muchos dones naturales).**

6. Siete leguas.

Hay en español toda una serie de frases en que aparecen numerales:

Lo haré en un dos por tres (*in a jiffy*).
Así es, como que tres y dos son cinco (*as sure as can be*).
No había más que cuatro gatos (*four poor devils*).
Vengan esos cinco. *Shake!*
¡Ya te diré cuántas son cinco! *I'll tell you a thing or two!*
Es un mentiroso de siete suelas (*a downright liar*).
Se calzaba las botas de siete leguas. *He advanced with giant stride.*
Es hora de tomar las once (*a snack* [*a drink*]).
Siguió en sus trece. *He stuck to his guns.*
Les da quince y raya a los demás. *He's a thousand times better than the others.*

7. Lograr — conseguir — malograrse.

El verbo **lograr** significa

(a) Obtener lo que se desea:

Nunca logré (*got*) nada sin tener que trabajar mucho.
Goya vivió desligado de la sociedad en que había logrado tantos éxitos (*in which he had been so successful*).

(b) Alcanzar un estado de perfección o madurez:

Ésta es una obra bien lograda (*a successful work*).

Conseguir significa obtener algo como resultado de una petición o de un esfuerzo:

> Conseguí lo que había pedido.
> Después de mucho esperar, conseguí un nombramiento.

Malograrse es no alcanzar la perfección esperada:

> Todos mis esfuerzos se malograron (*came to naught*).

Neologismo:

> Es una ideología destinada a disimular el logrerismo. *It is an ideology intended to cover up the thirst for quick and easy gains.*

8. Fuera — afuera.

El uso de estos adverbios está hoy día en proceso de cambio, y, por ello, es impossible hacer distinciones definitivas. Ambos señalan "un lugar en el exterior."

(a) Fuera es algo más definido e implica mayor inmediatez que **afuera**:

> Fuera (*Outside*) cantaban los gallos.

(b) Fuera se combina comúnmente con el adverbio **ahí**:

> —No, no salgo; ahí fuera (*out there*) hace mucho calor.

(c) Afuera, por el contrario, tiene una connotación de mayor lejanía:

> El viento silba afuera.

Es fácil comprender ahora por qué se emplea **afuera** (y no **fuera**) en oraciones que implican distancia:

> Más afuera [Muy afuera] (*Farther out* [*Much farther out*]) se veían unas borrosas nubes.

N.B.: Vive en las afueras de Buenos Aires (*the outskirts of Buenos Aires*).

(d) Con verbos de movimiento se usa **afuera** con más frecuencia que **fuera**:

> Salga usted afuera.
> Vámonos fuera.

(e) Con las preposiciones **para** y **hacia** hay mayor indecisión. Ésta quizá se deba al hecho de que ambas preposiciones terminan en **a,** por lo cual parecen iguales, en la conversación, los siguientes pares:

> para fuera – para afuera
> hacia fuera – hacia afuera

(f) Fuera se usa en expresiones elípticas en que se han omitido las palabras **de casa:**

Hoy comemos fuera.

¿Está fuera, entonces? *Is he out, then?*

El café prefiero tomarlo fuera.

(g) Fuera se combina con las preposiciones **de, desde, por:**

Es gente de fuera (*outsiders*).

Nos llega un suave rumor desde fuera.

Lo examinó por fuera.

(h) Fuera, y no **afuera,** se combina con **de** para formar una preposición:

Es un acontecimiento fuera de lo común (*uncommon*).

Siempre dice algo fuera de propósito (*beside the point*).

Siempre ha mostrado una desgana de vivir tan fuera de lo normal (*so abnormal*).

(i) Frases verbales:

Lo han dejado fuera de dudas. *They have proved it beyond all doubt.*

Está fuera de sí (*beside himself*).

EJERCICIOS

I. *Diga cuál de las dos formas que se dan entre paréntesis es la que se debe usar. En caso de ser posibles ambas formas, sírvase indicarlo.*

1. Admiro la (cualidad – calidad) de su trabajo. **2.** Quédese usted ahí (fuera – afuera). **3.** Íbamos navegando hacia el Estrecho de Magallanes cuando se desató una terrible (tempestad – borrasca). **4.** La mesa está cubierta (de – con) un mantel. **5.** Los padres a veces (cubren – encubren) las maldades de sus hijos. **6.** Para ser un buen mecánico se necesita tener (capacidades – habilidades) técnicas. **7.** Es sin duda un muchacho de (muchos talentos – mucho talento). **8.** La isla Juan Fernández está mucho más (fuera – afuera). **9.** Después de mucho rogar (logramos – conseguimos) el puesto. **10.** Nadie como él para describir las (tempestades – tormentas) del corazón humano.

II. *Complete las siguientes oraciones con alguna palabra o expresión estudiada en la sección anterior.*

1. Si nos damos prisa lo terminamos en ——. **2.** Guárdeme usted el secreto. No olvide usted: ¡punto ——! **3.** Para no pasar por tonto lo mejor es no decir nada fuera de ——. **4.** La noticia le ha puesto furioso. En realidad está fuera ——. **5.** Te felicito. ¡Vengan ——! **6.** Hoy vamos a cenar ——. **7.** Por favor, no se quite usted el sombrero. ¡——!

8. Quiero tener más informes. Hágame el favor de contarme la aventura punto ——. **9.** Esto no había ocurrido nunca antes. ¿No le parece a usted un hecho fuera ——? **10.** No vive en la ciudad misma sino en las ——. **11.** Nunca llegó a escribir una buena obra literaria. Es el típico caso del escritor cuyos esfuerzos se han ——. **12.** No puedo contestarte con seguridad porque no sé a —— si quedó en venir o no. **13.** ¡Qué individuo más inútil! ¡Es un farsante de ——! **14.** Es punto menos —— ponerse en comunicación con él. **15.** Para no ofenderle es preciso tratarle con suma ——.

C. Gramática

Oraciones condicionales

I. PATRONES BÁSICOS

De los cuatro patrones condicionales básicos, dos piden indicativo, y dos subjuntivo.

1. Con indicativo

(a) Condición simple.

Es aquella que establece una relación directa y, a veces, automática entre una condición y un resultado. Si la condición se expresa en presente, la cláusula principal podrá ir en presente o futuro. Si la condición va en imperfecto o pretérito, la cláusula principal se habrá de expresar en imperfecto o pretérito:

> Si no trabajas, no te pago (no te voy a pagar).
> Si hablas demasiado nadie te escuchará.
> Si pintaba lindos rostros de duquesas, los transformaba en carátulas de decrepitud.
> Si deformó sus modelos fue para darles mayor expresividad.

(b) Condición de futuro probable.

En este caso se establece un supuesto cuya realización se tiene como probable. La condición va nuevamente expresada en presente y el resultado en diversas formas verbales, como lo indican los siguientes ejemplos:

> Si viene mañana (y lo más probable es que venga), dile (le dices, le dirás) que no puedo pagarle.
> Si dice otra vez que se siente cansado (y lo más probable es que lo diga), niégale (le niegas, le negarás) toda ayuda.

2. Con subjuntivo

(a) Condición de futuro improbable.

Con ella se expresa algo que se tiene por improbable. Tal condición emplea el imperfecto de subjuntivo; el resultado puede expresarse en condicional o en imperfecto:

> Si llegase él mañana (lo cual no espero), le llevaríamos (llevábamos) a nuestra casa de campo.
>
> Si ella se casase este año (lo cual no es probable), quedarían (quedaban) resueltos todos nuestros problemas.

IMPORTANTE: no se emplean nunca el futuro de indicativo, ni el condicional, ni el presente de subjuntivo en una cláusula condicional.

(b) Condición irreal.

En este caso se relacionan una suposición y un posible resultado, pero sin colocarlos dentro de un marco de tiempo. El verbo de la cláusula condicional deberá ir en imperfecto de subjuntivo y el de la cláusula principal en condicional o imperfecto de subjuntivo en **-ra.**

> Si fuese [fuera] sólo un artesano de la pintura, no sería hoy tan famoso.
>
> Si usted conociese [conociera] a esa mujer, la adoraría.
>
> Si eso ocurriese [ocurriera], me iría (fuera).

El uso del imperfecto de subjuntivo en **-ra** (último ejemplo) es un tanto libresco.

II. PATRONES NO SISTÉMICOS

Hay varios tipos de oraciones condicionales en que se hacen combinaciones de tiempos diferentes de las que se han estudiado hasta aquí:

1. La condición simple en presente puede ir seguida de un condicional (en vez de un futuro) cuando se desea expresar la acción del verbo principal con menos énfasis, esto es, más suavemente.

> Si sigues entregado a la vida ligera, tendríamos que privarte de tu mesada.
>
> Pues, bien; si nos pagan esa deuda, compraríamos el cuadro.

2. En ciertas oraciones condicionales se usa el presente en lugar del condicional perfecto para dar a la acción mayor dramatismo:

> Si no hubiese llegado a tiempo, me despide (me habría despedido).
>
> Si se hubiese caído del árbol, se mata (se habría matado).

413

3. También para dar dramatismo a la acción se puede emplear el imperfecto en vez del condicional perfecto:

> Si no le hubiesen socorrido, de seguro que se moría (se habría muerto).
> Si lo hubiese sabido, le despedía (le habría despedido).

De lo dicho se deduce que hay, a veces, hasta tres formas de expresar una idea dentro del patrón condicional:

> Si le hubiera encontrado en la calle, le habría pegado.
> Si le hubiera encontrado en la calle, le pegaba.
> Si le hubiera encontrado en la calle, le pega.

III. SUSTITUCIONES

Hay varias construcciones condicionales que no llevan **Si:**

1. La construcción **De** + *infinitivo:*

> De tener yo dinero (*If I had money*) me marcharía al extranjero.
> De ser así (*If it were so*) mejor sería no hablar más.

2. El gerundio puede aproximarse a la idea condicional:

> Resultaría más fácil pintándolo (*if we painted it*) de un solo color.
> Haciéndolos en casa (*If we made them at home*) se ahorraría mucho dinero.

3. La conjunción **como**, especialmente en amenazas:

> Como no llegues a tiempo (*If you don't get here on time*), te doy una paliza.
> Como me contestes una sola palabra (*If you answer back one single word*), te privo del postre.

4. Las expresiones **Con** + *infinitivo* y **Con que** + *subjuntivo:*

> Con decir la verdad (*If you told the truth*) salías del paso.
> Con venir más temprano (*If you came earlier*) se acababan los problemas.
> Con que diese [diera] usted (*If you gave*) una explicación, quedaríamos todos satisfechos.
> Con que se callase usted (*If you kept quiet*) se arreglaba todo.

5. La conjunción **cuando** + *subj.:*

> Cuando me prometas algo (*If you promise something to me*), cúmplelo.
> Cuando no sepas qué decir (*If you don't know what to say*), cállate.

6. Frases elípticas:

> Yo que usted (*If I were you*) no le daba un real.
> Yo en su caso (*If I were in your place*), haría lo mismo.

IV. ORACIONES CONDICIONALES INCOMPLETAS

Hay algunas exclamaciones e interrogaciones que parecen presentar un caso especial de subjuntivo cuando en realidad no pasan de ser oraciones en que se ha omitido la cláusula condicional:

¡Con mucho gusto lo hiciera! (*Posible oración completa:* Yo lo hiciera [haría] con mucho gusto, si tuviese tiempo.)

Más te valiera callar. (*Posible oración completa:* Si esas fuesen las consecuencias, más te valiera [valdría] callar.)

¿Qué hay que yo no le diera? (*Posible oración completa:* ¿Qué hay que yo no le diera [daría], si de mí dependiese?)

V. OTROS CASOS DE "SI"

1. El **si** que expresa duda por haber dos alternativas no está sujeto a las reglas del **si** condicional. Muchas veces la segunda alternativa queda solamente sobreentendida. La traducción inglesa de este **si** es *whether:*

No sé si debo dártelo (o no).

Mañana te diré si lo compraremos (o no).

En inglés se confunden frecuentemente *if* y *whether: I don't know if* (*whether*) *he is coming or not.* En español es indispensable hacer la distinción, ya que **si** (*whether*) pocas veces va con subjuntivo.

2. Hay otro **si** que tampoco es condicional y que se emplea como simple reforzativo al comienzo de una oración:

¡Si no es así! *I'm telling you it is not so!*

¡Si es mayor que yo! *Why, she is certainly older than I!*

¡Si tú no sabes! *Why, (I am sure) you don't know!*

3. A veces se usa **si** después de **apenas** sin resultar ningún cambio en el significado:

Como no ganaba mucho apenas si podía mantenerse a flote.

EJERCICIOS

A

Diga usted si las formas que se dan entre paréntesis son correctas o no.

1. Si me (avisen – avisan), vengo. **2.** Si llueve, no (vendré – vendría). **3.** Si (se niegan – se negasen) a hacerlo, por favor no insista usted. **4.** Llame usted al electricista, si lo (necesita – necesitase). **5.** Si no fuese por mi hermano, te lo (diese – daría). **6.** Si (hacía – hiciese) un mal examen, se echaba a llorar. **7.** Si no es por el policía, ¿qué (hubiese sido – habría sido) de ti? **8.** Si él me hubiese visto en esas condiciones, me (echaría – echaba) a la calle. **9.** Si (ha – hubiese) de ser así, tú te afliges por nada. **10.** ¿Cómo vas a hacer nada bien, si no (pones – pusieses) tu alma en ello? **11.** Si lo (dices – dijeses) por mí, te has equivocado. **12.** No digáis tonterías, si no (queréis – quisiérais) que os tengan por necios. **13.** Si hubieses traído más dinero, no (tendrías – tuvieses) dificultades. **14.** Si llegase a saberlo, me (castigaba – castigaría). **15.** Si todavía no (soy – fuese) un menesteroso, es porque sé conservar el dinero. **16.** Si (podamos – pudiéramos) ayudarle, con gusto lo haríamos. **17.** ¿Cómo van a creer en ti, si no (eres – fueses) honrado? **18.** Si pintaba retratos (era – fuera) porque le pagaban bien. **19.** Si logro vender bien el solar, (iremos – iríamos) a la Ciudad de México. **20.** Si tuviéramos tanto dinero como él, (hiciéramos – hiciésemos) un viaje alrededor del mundo.

B

I. *Exprese la idea condicional sin emplear* **si:**

1. Podrías ganar mucho dinero, si trabajas este verano. **2.** Si yo lo hubiese sabido, la habría invitado también. **3.** Si yo estuviera en su lugar (de usted), no lo permitía. **4.** — Mira, tú; si me traes notas así el mes próximo, te prohibo ir a fiestas. **5.** Si nos diera usted cien dólares al mes, se acabarían nuestras angustias. **6.** Si así fuera, mejor sería no ir. **7.** Si hiciéramos un resumen, ahorraríamos mucho tiempo. **8.** Si te encuentras en un aprieto, llama a la policía. **9.** Si lo dices con vehemencia, no vas a convencer a nadie. **10.** Te lo repito: si me mientes otra vez, te voy a castigar severamente.

II. *Complete usted las siguientes oraciones:*

1. ¡Si pudiera yo hablar contigo a solas, ——. **2.** Si me da ella el dulce "sí," ——. **3.** Si volvieran tus ojos a mirarme tiernos, ——. **4.** Si me dieras siquiera una esperanza, ——. **5.** Si adivinaras lo que te dice mi corazón, ——. **6.** ¡Rayos! Si hubiera sabido que eres una cotorra, ——. **7.** ¡Demontre! Si me hubieran dicho que ibas a tener tan respetable mole, ——. **8.** ¡Córcholis! Si hubiera conocido antes a la que es hoy mi suegra, ——. **9.** ¡Zambomba! Si hubiera sabido lo mal que cocinas, ——. **10.** ¡Puf! Si hubiera sabido que ibas a fumar en esa maloliente pipa, ——.

D. Estilística y composición

Indefinición del pensamiento

Nada hay más desconcertante que el estilo vago, especialmente en el discurso conceptual. La indefinición del pensamiento obliga al lector a ir adivinando significados, disgustado algunas veces, si las ideas no enlazan unas con otras, y exasperado, otras, si no entiende lo que ha leído.

Las causas de la vaguedad de sentido son de dos tipos: formales y conceptuales.

I. VAGUEDAD DE FORMA

1. Vocabulario impreciso:

> Para la universidad no hay elementos de selección, mientras que para el alumno deben existir siempre.

La frase **elementos de selección,** sobre la cual descansa el contraste entre universidad y estudiante, no dice nada y, por lo tanto, la oración entera no tiene sentido. A juzgar por el pasaje a que pertenece esta oración, se intentó decir lo siguiente: **La universidad no da al estudiante ocasión alguna para elegir en materia de moral; el estudiante cree, sin embargo, que debiera tener siempre un margen de libertad para hacer decisiones por cuenta propia.**

2. Frases y oraciones inconexas:

> No tengo disposición para ganarme la vida, como lo hacen muchos. El mundo es grande y yo quiero verlo.

En este ejemplo, la segunda oración no tiene relación directa con la primera. Posible corrección: **No tengo disposición para ganarme la vida, como lo hacen muchos, porque no me gustan los trabajos sedentarios. El mundo es grande y yo quiero verlo.**

3. Ambigüedades:

> Le ayudaremos en cuanto nos sea posible.

Esta oración tiene dos posibles interpretaciones: *We will help him in any way possible. We will help him as soon as possible.*

4. Antecedentes o sujetos distanciados:

> Las reglas impuestas por una generación no son siempre las mejores. Cambian los gustos y las necesidades del hombre y es necesario tener nuevos principios y deducir de ellos una nueva moral que esté en consonancia con la vida contemporánea. Nosotros, los jóvenes, debemos reexaminarlas.

La última palabra, **reexaminarlas,** se refiere a un antecedente lejano, esto es, **las reglas impuestas por una generación.**

5. Omisión del sujeto:

> Hoy día hay tantas posibilidades, tantas filosofías y tantas decisiones que sin ayuda de nadie los resultados pueden ser desastrosos.

En esta oración no se menciona persona alguna. La idea central es ésta: **Si los jóvenes no cuentan con la ayuda de nadie al decidir entre múltiples ideas y múltiples posibilidades de acción, los resultados pueden ser desastrosos.**

6. Omisión del complemento:

> Es nuestra obligación comprender, porque un problema no se resuelve nunca cuando no hemos descubierto la causa de nuestra confusión.

Aquí debió añadirse un complemento: **Es nuestra obligación comprender la naturaleza de un problema, pues nunca se resuelve nada cuando no hemos descubierto la causa de nuestra confusión.**

7. Abuso de alusiones vagas:

> Como resultado de las prohibiciones, y por otras razones, los jóvenes son rebeldes.

Hay aquí tres alusiones vagas: (1) ¿de qué prohibiciones se habla? (2) ¿cuáles son esas otras razones? y (3) ¿a qué jóvenes se alude aquí? La oración debió decir lo siguiente: **Como resultado de las prohibiciones impuestas por los padres** (*Omítase:* y por otras razones), **los jóvenes de hoy se rebelan en contra de la tutela de sus mayores.**

8. Exceso de intercalaciones:

> Sufrió las nuevas injurias y, habiendo licencia de su amo, aunque con más razón pudiera decirse que él era el amo, ya que, llegada la época en que se remudan las cuadrillas, él era quien iba y venía haciéndose responsable de las cuadrillas de servidores, pues, si faltaba algún indio, él había de sufrir las consecuencias, confiado en la justicia, en la aspereza de la tierra que no dejaba subir caballos y en las fuerzas de sus compañeros y en las suyas, determinó no ir más a servir a su enemigo. (*Adaptación de un párrafo del Padre Las Casas*).

Aquí hay dos verbos principales, **sufrió** y **determinó** separados por un exceso de intercalaciones.

II. VAGUEDAD DE CONTENIDO

1. Incoherencia:

> Con su río Amazonas, la costa del Brasil es la admiración de todos los que la contemplan. Tiene más de 4,000 millas, y los vapores paran en todos los puertos.

En esta oración hay tres pensamientos mal unidos: el río Amazonas, la costa del Brasil y los vapores. Para dar cohesión al pasaje habría que omitir el primer elemento, que no está relacionado con el resto del pasaje. Lo demás podría unirse añadiendo una alusión a puertos: **Las costas del Brasil son la admiración de todos, y lo son también sus grandes puertos, en los cuales hacen escala vapores grandes y pequeños.**

2. Falta de lógica:

> Centro América abunda en minas que jamás han sido descubiertas. (*Debió ser:* Centro América tiene muchas minas que aún no han sido explotadas.)
>
> El Perú tiene mesetas muy altas atravesadas por los Andes. (*Debió ser:* En la región andina del Perú hay altas mesetas.)

3. Rodeos intelectuales:

> OBLIGACIONES DE LOS HIJOS PARA CON SUS PADRES
>
> Es éste uno de los muchos problemas de la época actual, resultado de las diferencias entre la generación vieja y la joven. Estas diferencias son innegables, y tienden a ser mayores cada vez, a tal punto que establecen una verdadera incomunicación entre padres e hijos.

En este pasaje sólo hay simplezas que todo el mundo sabe, y que no contestan en modo alguno la pregunta implícita en el título.

4. Asociaciones de ideas dispares:

> La influencia de la cocina francesa es también muy importante y se combina con la española.

Aquí es necesario recurrir a una o más de las siguientes posibilidades: (1) omitir la segunda cláusula; (2) hacer dos oraciones de una; (3) añadir algo al final. Posible corrección: **La influencia francesa en materia de comidas es también muy importante. Son muy famosos algunos platos en que se combinan la cocina francesa y la española.**

EJERCICIOS

A

En cada una de las oraciones siguientes se señala la causa de la indefinición del pensamiento. Sírvase precisar las ideas haciendo todos los cambios que usted crea convenientes:

1. (Falta de lógica) En España hay dos tipos de montañas: unas son verticales y otras son horizontales.
2. (Ambigüedad) —— Mira, guapo, cómprame uno de estos ópalos.
3. (Vocabulario impreciso) Los estudiantes han pedido más poder en la organización dc la universidad.
4. (Fraseología inconexa) La ciudad es moderna y vigorosa. En la costa hay una estación inalámbrica que la comunica con el resto del mundo.
5. (Intercalaciones y elaboraciones) Como estaba lloviendo y sabíamos que no nos esperaban hasta las cuatro —— la hora de nuestro té ——, en lugar de salir a mojarnos, nos pareció más conveniente entrar en Chez Henri, la tienda más lujosa de la ciudad, a esperar ahí a que pasara el chaparrón.
6. (Rodeo intelectual) No creo en los gobiernos tiránicos por muchas razones: no respetan la libertad, sin la cual no es posible vivir dignamente. El hombre necesita sentirse libre.
7. (Abuso de alusiones vagas) Lo curioso es que a los estudiantes a quienes se les presentan problemas morales son los que no se interesan en tales consideraciones.
8. (Asociación de ideas dispares) La historia registra los hechos del pasado y, por eso, la estudiamos en las escuelas desde el primer año.

B

En las siguientes oraciones se dan en cursiva algunas palabras o frases mal empleadas y se insinúa una posible corrección. Haga usted los cambios que crea necesarios para aclarar o precisar el pensamiento.

1. *Es extraña función de la mente cuando* el poeta transforma la realidad en material literario. (Aquí falta un sujeto: ¿qué es extraño?)
2. En la época de la conquista los avances se hicieron en medio de grandes dificultades *y en proporción numérica irrisoria respecto de los soldados.* (Lo que se quiso decir es que no había relación entre la importancia de las conquistas y el número de los conquistadores.)
3. Sólo dentro de un clima de libertad y democracia podemos vivir en paz y progresar. De otro modo, no podrán *quedar* ni la libertad, ni la democracia, ni nuestra cultura. ("Quedar" no significa "to survive.")

4. Es necesario *tolerar;* de otro modo, nadie respetará nuestras ideas. (La primera oración debió tener un sujeto personal: nosotros. Además, no debe confundirse "tolerar" con "ser tolerante.")

5. Los padres exigen de sus hijos un comportamiento modelo, olvidando que ellos también fueron jóvenes. Esto es más común de lo que pudiera suponerse. *Lo hacen porque han olvidado que nadie es perfecto.* (El sujeto de "hacen" está demasiado lejos de "padres." ¿Se podría cambiar el orden de las oraciones?)

6. La libertad es a veces demasiado cómoda *porque no implica obligaciones.* (Aquí se quiso establecer una relación directa entre "la libertad" y "los deberes" u "obligaciones" que impone.)

7. Hay *muchas maneras* de abordar el problema. ¿Por qué no preguntarse primero cuál sería *la solución más práctica?* (La primera oración anuncia un tema y la segunda, otro.)

8. Las mujeres no quieren ser idealizadas hasta el punto de convertirse en seres irreales, pero los hombres, por el contrario, quieren hallar en ellas un ser que sobrepase las imperfecciones de la naturaleza humana. *Esta actitud se debe a que uno quiere ser igual al otro.* (La última oración es vaga porque no se refiere directamente a la mujer, como lo pide el sentido. Además, ¿se podría cambiar el orden de las oraciones?)

Traducción

A

1. In Goya one finds both a subtle, delicate painter and an implacable critic of courtly life and of human stupidity in general.   **2.** His paintings allow us to see with painful clarity the angel and the demon that are found in most human beings.   **3.** He could paint with equal ease the beauty of a duchess and the ugly faces of goblins and monsters.   **4.** Goya freely appropriated the pictorial traditions of the past and transformed them into something new and unexpected.   **5.** Such was his fame that he became the most fashionable painter of his day; he finally began to complain of being overwhelmed with work.   **6.** "I want to be forgotten," he would grumble.   His ambition was to have more time to devote himself to the world of whimsicality and inventiveness.   **7.** He made numberless sketches of his works, and this explains why he left behind more drawings than any other Spanish artist.   **8.** Goya was a strange mixture of kindness and harshness: he loved life and hated those who caused its degradation or destruction.   **9.** He was a man of the masses, but at the same time he feared the cruelty of the common man who behaves at times like a wild beast that has escaped from a cage.   **10.** He deformed his models in order to make them convey a message with a personal accent.   **11.** He has also left us a collection of somber prints depicting the false values erected by superstition and ignorance.   **12.** He believed that reason is a poor substitute for faith and that disillusionment is the inevitable sequel of all utopias.   **13.** Among his constant preoccupations was his desire to expose the monstruosity of war — the devourer of men.   **14.** Goya was the champion of peace, work and sanity in an age of convulsions and tragedy.

B

1. Velázquez's art succeeds in covering up man's imperfection by giving a very personal treatment to his subjects.   **2.** This approach is, to a large extent, the result of his self-restraint and serenity.   **3.** Goya, on the other hand, gives us extreme contrasts in typical Spanish style.   **4.** Spain is, after all, a country of violent contrapositions: lights and shadows, refinement and crudeness, suavity and bluntness, don Quijote and Sancho.   **5.** In Goya one finds beauty but also the threatening darkness and the drama of the human soul.   **6.** His were dramatic days that witnessed the downfall of kings and kingdoms and the creation of short-lived empires.   **7.** Without a preconceived doctrine of any kind, Goya reflects Spanish society, not in the academic language of his epoch but in a highly personal style.   **8.** His genius was always in a state of growth.   This is the reason why his creative capacity was the cause of constant astonishment among his contemporaries.   **9.** He got ahead of his time by breaking artistic norms and initiating the daring innovations of today.   **10.** The critics of the past century were at a loss to classify a man who fused and confused the labels of art historians.   **11.** It would be a mistake to assume that Goya was a precocious artist.   Nothing could be farther from the truth.   **12.** Some painters, such as Velázquez, appear before us, all of a sudden, as finished artists who seem to have had no period of apprenticeship.   **13.** Goya's growth was slow and painful, but each one of his new phases had an unmistakable seal of originality.   **14.** It seems warranted to say, then, that Goya is the forerunner of many trends that were later to be a part of what is known as "modern art."

Vocabulario mínimo

age la época
all: after — en el fondo
any: — **other** ningún otro
to **appear:** — **before us** se nos presenta
apprenticeship el aprendizaje
approach el enfoque
to **appropriate** apropiarse (de)
to **assume** suponer
astonishment el asombro, la sorpresa
to **be:** — **at a loss** no acertar (ie) a; **nothing
could** — **farther from the truth** nada
más inexacto
beast: wild — la fiera
to **become** llegar a ser, convertirse (ie) en
to **behave** conducirse
being s. el ser
bluntness la brusquedad, el exabrupto
both: — ... **and** tanto ... como
to **break** romper; — **norms** desobedecer
(forzar) normas
cage la jaula
capacity la capacidad; **creative** —
capacidad(es) de creación
cause el motivo
champion el campeón, el adalid
common: — **man** el pueblo
to **complain** quejarse
to **confuse** confundir
to **convey** transmitir
convulsions las tormentas
courtly cortesano,-a
to **cover:** — **up** encubrir
creative creador,-a
crudeness la crudeza, la tosquedad
daring osado,-a
darkness las tinieblas
day la época, el tiempo
demon el demonio
to **depict** representar
to **devote:** — **oneself** dedicarse
devourer el devorador, la devoradora
disillusionment la desilusión
downfall la caída
drawing el dibujo
duchess la duquesa
empire el imperio

to **erect** erigir
to **expose** desenmascarar
extent: to a large — en gran parte
fashionable de moda
finished completo,-a
forerunner el precursor
to **forget: I want to be forgotten** quiero que
se olviden de mí
freely con toda libertad
to **fuse** fundir
genius el genio
to **get: he got ahead of his time** se adelantó
a su tiempo
goblin el trasgo
growth la evolución
to **grumble** gruñir
hand: on the other — por el contrario
harshness la aspereza
to **hate** odiar
historian: art — el historiador del arte
imperfection las imperfecciones
innovation la innovación; **daring** —s las
osadías
inventiveness la invención
kind: of any — de ninguna clase, alguna
kingdom el reino
label la etiqueta
language el lenguaje
to **leave: he left behind** nos ha dejado
loss: to be at a — no acertar (ie) a
mass la masa; **he was a man of the** —**es**
era pueblo
mistake el error
mixture la mezcla
monster el monstruo
most la mayoría
numberless innumerables
overwhelmed abrumado,-a
phase la etapa
painful penoso,-a; doloroso,-a
painting la pintura, el cuadro
pictorial pictórico,-a
poor pobre; mal(o),-a
preconceived programático,-a
print el grabado
reason: this is the — **why** de ahí que
refinement el refinamiento

423

to reflect reflejar
sanity la sensatez
seal el sello
self-restraint la mesura
sequel la secuela
short-lived efímero,-a
sketch el esbozo
somber sombrío,-a
something un todo
state: in a — of en proceso de
strange raro,-a; extraño,-a
stupidity la estupidez
style el estilo; **in typically Spanish —** en forma típicamente española
suavity la delicadeza, la finura

subject el modelo
substitute el sucedáneo
subtle sutil
to **succeed** lograr, conseguir (i)
  sudden: all of a — de repente
  then pues, entonces
  threatening amenazante, inquietante
  treatment el tratamiento
  trend la corriente, la tendencia
  unexpected inusitado,-a; inesperado,-a
  unmistakable inconfundible
  warranted justificado,-a
  whimsicality el capricho
to **witness** presenciar, ser testigo de
  work la obra

Composición Libre

A

1. ¿Por qué se dice que Goya, como pintor de retratos, no estaba interesado simplemente en el parecido entre el cuadro y su modelo?

2. Tesis: La pintura de Goya es (no es) la expresión de una actitud crítica.

B

1. ¿Cómo expresa Goya su descontento radical ante ciertos aspectos de su época?

2. Tesis: En mi opinión Goya es (no es) fundamentalmente español. Mis razones son las siguientes:

Glosario de nombres propios

Aranguren, José Luis (1909–   ). Ensayista y profesor de ética en la Universidad de Madrid.

Arciniegas, Germán (1900–   ). Ensayista e historiador colombiano.

Bach, J. S. (1685–1750). Compositor alemán; se destaca por la sublimidad de sus obras de música religiosa.

Baroja, Pío (1872–1956). Novelista español de la generación del '98, conocido por su disconformidad intelectual.

Beethoven, Ludwig van (1770–1827). Compositor alemán, famoso por la variedad y hondura de sus composiciones.

Berenson, Bernard (1865–1959). Crítico de arte norteamericano; autoridad en arte italiano.

Cosío Villegas, Daniel (1900–   ). Ensayista e historiador mexicano.

Cuauhtémoc (1497–1522). Último emperador azteca. Luchó contra Cortés en defensa de su pueblo.

Chaucer, Geoffrey (1340?–1400). Poeta inglés, autor de la obra *The Canterbury Tales*.

David, Louis (1748–1825). Artista francés. Fue el pintor de Napoleón.

Diógenes de Sinope (413–323 a. de J. C.). Filósofo griego, conocido por su espíritu cáustico.

Dior, Christian (1905–1958). Creador de modas femeninas, nacido en Francia.

Frank, Waldo (1889–   ). Ensayista norteamericano e intérprete de la cultura hispánica.

Goya, Francisco de (1746–1828). Pintor y aguafuertista español.

Jordan, Rudolf (1811–1887). Pintor alemán nacido en Berlín.

Juárez, Benito (1806–1872). Patriota y estadista mexicano.

Jung, Carl Gustav (1875–1961). Psiquiatra y psicólogo suizo.

Kafka, Franz (1883–1924). Novelista de Bohemia y uno de los prosistas más famosos de la época actual.

Lafuente Ferrari, Enrique (1898–   ). Profesor de historia del arte y miembro de la Academia de Bellas Artes de Madrid. Autor de *Breve historia de la pintura española*.

Laín Entralgo, Pedro (1908–   ). Ensayista español, profesor y ex rector de la Universidad de Madrid.

Lapesa, Rafael (1908–   ). Distinguido lingüista y crítico español, profesor de la Universidad de Madrid.

La Rochefoucauld, François de (1613–1680). Pensador francés, intérprete del alma humana.

Lombroso, Gina (1872–1944). Física italiana; autora de *La donna nella societá attuale* (1927).

Marías, Julián (1914–   ). Crítico y filósofo español, discípulo de Ortega y Gasset.

Mayer, Hans (1907–   ). Crítico alemán, profesor de literatura y conferenciante sobre temas sociológicos e historia de la cultura.

Mengs, Antoine Raphael (1728–1779). Pintor alemán de la escuela italiana.

Newton, Sir Isaac (1642–1727). Científico inglés, matemático y filósofo.

Ortega y Gasset, José (1883–1955). Pensador y filósofo español, intérprete de la filosofía alemana en España.

Parménides (floreció ca. 475 a. de J.C.). Filósofo eleático griego nacido en Italia.

Paz, Octavio (1914–   ). Poeta y ensayista mexicano.

Pertegaz, Manuel. Español; contemporáneo; experto en modas femeninas.

Picasso, Pablo (1881–   ). Pintor y escultor hispano-francés, renovador de toda la pintura moderna.

Picón Salas, Mariano (1901–1965). Pensador y crítico venezolano, intérprete de la realidad americana.

Poincaré, Jules Henri (1854–1912). Matemático francés.

Rembrandt, Harmenszoon van Rijn (1606–1669). Pintor holandés.

Sábato, Ernesto (1911–   ). Ensayista y novelista argentino.

Santa Teresa de Jesús (1515–1582). Religiosa española, autora de obras místicas.

Schelsky, Helmut (1912–   ). Sociólogo alemán, profesor de sociología y filosofía.

Steinbeck, John E. (1902–   ). Novelista norteamericano contemporáneo.

Tiépolo, Giovanni Battista (1696–1770). Pintor y grabador italiano.

Toda Oliva, Eduardo (1915–   ). Miembro del servicio consular español, ex jefe de la Sección de Intercambio Cultural de Madrid.

Unamuno, Miguel de (1864–1936). Profesor de griego y Rector de la Universidad de Salamanca. Autor de ensayos y novelas.

Urgoiti, Ricardo (1900–   ). Ensayista español, experto en tecnología moderna. Colaborador de *ABC* y *Nueva Revista de Occidente*.

Valéry, Paul (1871–1945). Poeta simbolista francés y filósofo, autor de *Le Cimetière Marin* (1920).

Vaz Ferreira, Carlos (1873–1958). Filósofo, ensayista y educador uruguayo.

Velázquez, Diego Rodríguez de Silva y (1599–1660). Pintor español, artista oficial de la corte de Felipe IV.

Vilches, Ernesto (1879–1954). Actor español, famoso por su actuación en *El eterno don Juan*, una de sus creaciones.

Zum Felde, Alberto (1888–   ). Crítico y ensayista uruguayo.

Vocabulario

Quedan excluidas de este vocabulario muchas palabras y expresiones de índole elemental, como también los vocablos que en inglés y español tienen parecida o igual ortografía y el mismo significado. Se excluyen, además, los adverbios terminados en -mente, cuando figura el adjetivo correspondiente, los participios pasados, cuando figura el infinitivo, los diminutivos, aumentativos y superlativos de uso corriente, y toda palabra o expresión que queda explicada claramente en su contexto.

Los modismos están registrados en la gran mayoría de los casos bajo el verbo, si lo tienen, o bajo el sustantivo, si no hay verbo, o bajo cualquier otro componente principal, si no hay verbo o sustantivo.

En la preparación de este vocabulario se han empleado las mismas abreviaturas que aparecen en el cuerpo del texto.

LISTA DE ABREVIATURAS

adj	adjetivo	*m*	masculino
adv	adverbio	*neg*	negativo
Am	americanismo	*neol*	neologismo
col	coloquial	*pp*	participio pasado
conj	conjunción		
dial	dialecto	*pág(s)*	página(s)
dir	directo	*perf*	perfecto
f	femenino	*pl*	plural
fam	familiar	*prep*	preposición
fut	futuro	*pres*	presente
ger	gerundio	*pret*	pretérito
imperf	imperfecto	*progr*	progresivo
indef	indefinido	*pron*	pronombre
indic	indicativo	*rel*	relativo
indir	indirecto	*s*	sustantivo
inf	infinitivo	*sing*	singular
interj	interjección	*subj*	subjuntivo

A

a *prep* to; at; after (with time expressions)!

abajo *adv* below; down with (it, him, etc.)!

abarcar to take in, encompass

abastecer to supply, service

abastecimiento *m* supplying

abatido,-a *adj* downcast; abject

abdicar to surrender, capitulate

aberración *f* aberration, abnormality

abertura *f* opening

abierto,-a *adj* frank; **lo abierto** that which is public

abismo *m* chasm, abyss

abogacía *f* legal profession

abogado *m* lawyer

abono *m* fertilizer; season ticket

abordar to approach (a problem)

aborrecer to hate, loathe

abrazo *m* embrace, hug

abrecoches *m* doorman

abreviar to shorten

abreviatura *f* abbreviation

abrigar to shelter; to wrap up; to cherish (the hope)

abrigo *m* shelter

abrir to open; **abrir bufete** to set up a (law) practice; **en un abrir y cerrar de ojos** in a jiffy

abrirse to be too trusting; **abrirse paso** to make one's (own) way

abrumar to oppress, overwhelm

absoluto: en absoluto at all

abstenerse to refrain

abuelo *m* grandfather

abultamiento *m* enlargement, inflating

abultar to exaggerate; to make larger

abundar to be numerous, abound

aburrido,-a *adj* bored; boring

aburrimiento *m* boredom

aburrir to bore

aburrirse to become bored

acabado,-a *adj* worn-out, exhausted

acabar to complete, terminate, end; **acabar de** to have just; **acabar con** to eliminate; **acabar mal** to come to a bad end; **no acabar de ser** not to be (altogether)

acabarse to end; to be used up; **y se acabó** and that's all there is to it

academicismo *m* academism, formalism

acalorado,-a *adj* heated

acampar to camp

acaparar to monopolize, hoard

acarrear to haul; to bring along

acaso *adv* perhaps

acción: acción de gracias thanksgiving

acechanza *f* spying; surprise, waylaying

acechar to stalk, be on the watch for, await

accite *m* oil

acentual *adj* stress

acentuar to accent; to accentuate, highlight

acepción *f* meaning

aceptar to accept, admit

acerca de *prep* about, concerning

acercarse a to approach

acero *m* steel

acertado,-a *adj* right, fit; skillful; well-directed

acertar (ie) a to succeed in

acervo *m* heap; store; **acervo común** storehouse of words

acierto *m* lucky hit; **con gran acierto** very rightly

aclaración *f* explanation

aclarar to explain, clarify

aclaratorio,-a *adj* explanatory

aclimatarse to become acclimated

acne *m* acne, pimples

acogedor,-a *adj* kindly

acoger to receive; to accept

acomodación *f* adjusted form

acomodado,-a *adj* well-to-do

acomodarse to fit

acomodo *m* adjustment

acompañante *mf* companion

acondicionamiento *m* conditioning, adjustment

acondicionar to outfit, equip, ready

aconsejable *adj* advisable

aconsejado,-a *adj* recommended

acontecer to happen, occur, take place

acontecimiento *m* happening, event

acorralar to corner

acortamiento *m* shortening

acostado,-a *adj* lying (down)

acostarse (ue) to go to bed

acostumbrado,-a *adj* usual

acostumbrarse a to get used to

acrecentar (ie) to increase

acreditado,-a *adj* valid

actitud *f* attitude; **tomar actitudes** to take on a certain pose

acto: en el acto immediately; readily

actuación *f* act, action; behavior; acting

actual *adj* today's, up-to-date, present-day

actualmente *adv* at the present time, now

actuar to act, perform; to take action

acuclillarse to squat

acudir to show up; to go, come; to go on to

acuerdo *m* agreement; **estar de acuerdo** to agree; **de acuerdo con** in accordance with; **ponerse de acuerdo** to come to an agreement, agree

acuñar to mint

acusar *Gallicism* to reveal, note

adecuación *f* adaptation, fitting

adelantado,-a *adj* advanced

adelantarse a to get ahead of, outstrip

adelante *adv* ahead; **más adelante** farther on, in a moment, later on

adelanto *m* progress

ademán *m* gesture

además *adv* besides

adentrarse por to enter

adentro *adv* inside; **para sus adentros** to oneself

adinerado,-a *adj* wealthy, moneyed

adivinar to guess, surmise; to discover

adjudicar to award (a contract)

adjunto,-a *adj* attached (hereto)

admirarse to wonder at, be surprised

admirativo,-a *adj* laudatory

adrede *adv* built for that purpose

aduana *f* customs

adversativo,-a *adj* adversative (expressing opposition)

advertencia *f* warning; remark

advertir (ie) to notice, realize; to warn

aeromoza *f* stewardess

afán *m* striving; eagerness

afanarse to strive, toil

afectividad *f* emotion

afectivo,-a *adj* emotional

afecto *m* affection

afectuoso,-a *adj* affectionate

afeitar to shave

afianzar to fasten; to strengthen

afianzarse to grab hold

aficionado,-a *adj* fond; *mf* fan, follower

aficionarse a to be fond of

afín *adj* related, similar; *pl* related (fields)

afinar to refine

afirmación *f* assertion, statement

afirmar to state, assert; to secure, fasten

afligirse to be sorry, grieved; to worry

afortunado,-a *adj* fortunate

afrontar to face

afuera *adv* outside; **afueras** *f pl* outskirts

agacharse to crouch; *Am* demean oneself

agasajar to entertain royally, regale

agente *m* policeman, secret service man

agitación *f* excitement

agitado,-a *adj* frenzied

agitar to stir

agitarse to become agitated, excited

agobiar to overburden, oppress

agónico,-a *adj* agonizing, pertaining to death or dying

agotador,-a *adj* exhausting

agotar to exhaust, use up

agotarse to become exhausted

agradar to please

agradecer to be grateful for; to appreciate; to thank

agrado *m* pleasure

agravar to make more severe

agregar to add

agreste *adj* wild, rough

agrícola *adj* agricultural

agrietar to crack

agrupación *f* grouping, cluster

agrupar to group

aguacate *m* avocado

aguafuertista *mf* etcher

aguantar to stand, tolerate

agudo,-a *adj* sharp; acute

águila *f* eagle

aguja *f* needle

ahí *adv* there; **de ahí que** and that's why, with the result that

ahogarse to drown

ahora *adv* now; **ahora bien** now then; **ahora mismo** right now

ahorrar to save

ahorros *m pl* savings

airado,-a *adj* angry; violent; depraved

aire *m* air; appearance; **aire acondicionado** air conditioning; **al aire libre** in the open air; **en el aire** now broadcasting

airoso,-a *adj* elegant, spruce, dapper
aislar to isolate
ajeno,-a (a) *adj* someone else's; detached from; foreign (to); **en ajeno** absent in spirit; **nada más ajeno (a)** nothing farther (from)
ajo *m* garlic
ajustar to arrange, adjust
ajustarse a to follow
alabanza *f* praise
alabastro *m* alabaster
alado,-a *adj* winged; ethereal
alarde *m* showing off
alargar to lengthen
alarido *m* howl, whoop
alazán,-a *adj* sorrel, reddish-brown
alba *f* dawn
albañil *m* mason, bricklayer
albura *f* (pure) whiteness
alcachofa *f* artichoke
alcance *m* reach; scope; import; significance, importance; range; **al alcance de** within reach of
alcanzar to reach, attain; to perceive, grasp
aldaba *f* (door) knocker; **tener buenas aldabas** *col* to have pull
aldea *f* village
alegrarse de to be glad (about)
alegre *adj* joyful
alegría *f* joy
alejado,-a *adj* distant, (far) away
alejarse to move away
alemán,-a *adj* German
alfarero *m* potter
alfombra *f* rug
algarabía *f* noise, gibberish
algo something; **algo por el estilo** something of the sort
algodón *m* cotton
alguacil *m* bailiff
aliado *m* ally
alimentar to nourish
alimento *m* food, nourishment
alisadora *f* surfacer
alma *f* soul; **alma en pena** ghost; **alma que lleva el diablo** crazy person
almacén *m* (department) store; stockroom
almíbar *m* sugar syrup
almorzado,-a *adj* having eaten lunch
alpinista *mf* mountain climber

alquilar to rent
alquiler *m* rent
alrededor *adv* around; **alrededores** *m pl* surroundings, outskirts
altanero,-a *adj* haughty, arrogant
altavoz *m* loudspeaker
alternancia *f* alternation
alternativamente *adv* alternately
altiplanicie *f* high plateau
altivez *f* haughtiness
altivo,-a *adj* proud, haughty
alto,-a *adj* high; exalted, noble; eminent; *m* stop; **los altos** *m pl Am* the second floor
altoparlante *m* loudspeaker
altura *f* height, level; **a la altura de** in consonance with
aludir to refer, allude
allá *adv* there; **más allá de** beyond; **el más allá** life after death, the hereafter
allanar to smooth (out)
ama *f* mistress, housewife; **ama de casa** housewife
amalgamarse to contract, fuse
amanecer to dawn; *m* dawn
amañado,-a *adj* clever
amañarse to be handy (at something)
amarar to land on water
amargo,-a *adj* bitter
amarillear to jaundice
amarillento,-a *adj* yellowish
amarillo *m* yellow
amasar to amass, make; to knead (make) bread; to form
ambicionar to desire earnestly (to have)
ambientar to give atmosphere to
ambiente *m* atmosphere; environment, circle; **medio ambiente** environment
ambigüedad *f* ambiguity
ámbito *m* area, zone, confines
ambos,-as *adj pl* both
ambulatorio *m* public dispensary
amenaza *f* threat
amenazante *adj* threatening
amenazar to threaten
americana *f* (sack) coat
amilanarse to be intimidated
aminorar to reduce, diminish
amistad *f* friendship
amistoso,-a *adj* friendly; of friendship
amo *m* master
amontonar to pile (up)

amoratar to make black and blue
amostazarse to become provoked, angry
ampliar to broaden
amplio,-a *adj* broad, large, extensive, roomy
amplitud *f* breadth, roominess
anacrónico,-a *adj* anachronistic
anaranjado,-a *adj* orange
anciano,-a *adj* old; *mf* old man, old woman
anchoa *f* anchovy
andamio *m* scaffold
andar to walk; to be; **andar a caballo** to ride horseback; **andar atrasado** to be slow (clock); **andar con rodeos** to beat around the bush; **andar más cerca de** to be closer to
andino,-a *adj* Andean
anestésico *m* anesthetic; **anestésico afectivo** a case of emotional insensitiveness
anglicismo *m* Anglicism
angloparlante *adj* English-speaking
angosto, -a *adj* narrow
angustia *f* anguish, suffering, trouble
angustiar to grieve; to distress
angustioso,-a *adj* distressing
anhelante *adj* panting, gasping
anhelar to desire eagerly, crave
anhelo *m* longing
anillo *m* ring
animador *m* master of ceremonies
animar to liven up
ánimo *m* will, courage; spirit; intention; **ánimos** courage, spirit
anochecer to get dark; *m* nightfall
anotar to note, jot down
ansia *f* longing, yearning
ansiar to long for
ansiedad *f* anxiety; vehement longing
antaño *adv* long ago
ante *prep* before, in the presence of; **ante todo** above all
anteceder to precede
antecesor *m* predecessor
antepasados *m pl* ancestors
anteponer to place before
anteposición *f* the act of placing before, anteposition
anterior *adj* preceding, previous
antes *adv* before; **cuanto antes** at once
antesala *f* antechamber

anticipación *f* anticipation; **con anticipación** in advance
anticipar to move ahead
anticultura *f* Philistinism; **propósito de anticultura** degrading intent
antiguo,-a *adj* old; ancient; *m pl* the ancients
antioqueño,-a *adj* of or pertaining to Antioquia, Colombia
antipatía *f* dislike
antipático,-a *adj* unpleasant
antípoda *m* direct opposite
antiquísimo,-a *adj* very old
antítesis *f* antithesis
antojadizo,-a *adj* capricious, fickle
antojo *m* whim, fancy; **a su antojo** as one pleases
antonomasia *f* antonomasia (use of an epithet instead of the proper name of a person); **por antonomasia** par excellence
antropofagia *f* cannibalism
anudar to form
anunciar to advertise
anuncio *m* announcement, ad(vertisement)
anverso *m* obverse, the front (side)
añadir to add
año *m* year; **entrado en años** advanced in years
apacible *adj* peaceful; gentle
apadrinar to sponsor, foster
apagar to put out, extinguish
apagarse to go out
aparato *m* device, contraption; set; **aparato de uso doméstico** appliance
aparatoso,-a *adj* ostentatious, showy
aparcamiento *m* parking
aparcar to park
aparecer to appear; to be
aparecerse to show up, appear
aparentar to feign, pretend; to look
aparición *f* emergence, appearance
aparte *adv* aside, apart
apasionamiento *m* vehemence, intense excitement
apasionante *adj* exciting
apasionarse to become impassioned, be stirred up
apatía *f* apathy, indifference
apellido *m* surname, family name
apenas *adv* scarcely

apestar to plague
apetecer to long for, crave
apetitoso,-a *adj* appetizing
apiadarse to have pity
apiñar to jam together, crowd
aplazar to postpone
aplicación *f* diligence
aplicado,-a *adj* industrious
aplicar to apply; **aplicarán sus mayores esfuerzos a** will make every effort to
apócrifo,-a *adj* false
apoderarse de to seize
apología *f* eulogy
aposición *f* apposition
apoyarse to lean (on), rest
apoyo *m* support
apreciado,-a *adj* dear
apremio *m* pressure; difficult situation
aprendizaje *m* apprenticeship; learning
apresuradamente *adv* hastily
apresurarse a to hurry
apretar (ie) to squeeze
apretujar to squeeze, press hard
aprieto *m* tight spot, jam
aprobación *f* approval
aprovechar to take advantage of, make use of; to be useful; to be to a person's advantage; **¡aproveche usted!** enjoy your meal!
aproximarse a to approach, come close to
apuesto,-a *adj* elegant, spruce
apuntar a to point at, aim at; to hint at, be directed toward
apurado,-a *adj* hurried, hard pressed; difficult, dangerous
apuro *m* need, fix, difficult situation
aquí *adv* here; **de aquí** thence, this explains, this is the reason for
aragonés,-a *adj* Aragonese
arancel *m* tariff; **arancel aduanero** customs tariff
árbitro *m* umpire, referee; arbiter
árbol *m* tree
arbusto *m* bush
arcaizante *adj* antiquated, obsolete
arcoíris *m* rainbow
archivo *m* archives; files
ardilla *f* squirrel
argot *m* slang
argumento *m* plot
arisco,-a *adj* surly; shy

arma *f* weapon
armatoste *m* bulky piece of furniture
arquitectónico,-a *adj* architectonic, architectural
arrabal *m* suburb
arraigado,-a *adj* established, deeply rooted, persistent
arrancar to leave, take off; **arrancar de** to originate in
arrastrar to drag, carry (along)
arrebatado,-a *adj* impetuous, rash
arrebato *m* rage; rapture
arredrar to frighten
arreglar to fix; **arreglárselas para** to manage to
arreglo *m* adjustment; **con arreglo a** in accordance with
arrepentirse (ie) de to repent; to back down
arriba *adv* above; up
arribar to arrive
arribista *mf* social climber
arriesgado,-a *adj* risky
arriesgar to risk
arriesgarse a to take the risk of
arrinconar to put in a corner; to displace, dislodge
arrodillarse to kneel
arrojar to throw, hurl
arrostrar to face
arruga *f* wrinkle
arrugar to wrinkle
arruinar to ruin, spoil
arte *m* art; **bellas artes** *f pl* fine arts
artefacto *m* device, contrivance
artesano,-a *adj* commercialized; *m* craftsman
articulista *mf* author of the article
artículo *m* article; **artículo de primera necesidad** staple
artífice *mf* craftsman, artist
artificio *m* artifice, trick
asalto *m* round (in boxing)
ascender (ie) to climb; to amount to
ascensional *adj* upward, climbing
ascensionalmente *adv* in an upward direction
ascenso *m* promotion
ascensor *m* elevator
asear to clean
asedio *m* siege
asegurado,-a *adj* secure

asegurar to assert; to insure

asegurarse to secure for oneself; to insure oneself, get insurance

asemejarse to resemble

asentarse (ie) to settle (establish) oneself

asesinato *m* murder

asfaltar to pave (with asphalt)

así *adv* so, thus; like that; **así como** as well as; **así . . . como** both . . . and; **así que** as soon as; **así y con todo** nevertheless

asidero *m* handle

asiduidad *f* assiduity

asignatura *f* course, subject of study

asimismo *adv* likewise

asistir a to attend, be present at

asomarse a to look out of (a window)

asombrar to astonish, cause astonishment

asombrarse to be astonished

asombro *m* astonishment

asombroso,-a *adj* astounding, astonishing

asordinado,-a *adj* soft (sounding)

aspaviento *m* fuss, excitement

aspecto *m* appearance, look, mien; respect

aspereza *f* roughness, unevenness

aspiradora *f* vacuum cleaner

astronave *f* spaceship

astuto,-a *adj* sly

asunto *m* matter, affair

asustador,-a *adj* frightening

asustar to frighten

atardecer *m* dusk

atascarse to get stuck

atender (ie) to attend, look after; **atender a** to pay attention to

atenerse (ie) a to abide by; to rely on, expect

atenimiento (a) *m* reliance (on)

atento,-a (a) *adj* aware (of)

aterrador,-a *adj* terrifying

aterrorizar to terrorize

atesorar to hoard up

atestar to stuff, cram

atestiguar to testify

atónito,-a *adj* astonished

atracción *f* attraction

atractivo *m* charm

atragantarse to choke

atrasado,-a *adj* backward; **andar atrasado** to be slow (clock)

atraso *m* backwardness

atravesar (ie) to cross (over), go through

atreverse a to dare

atropello *m* (act of) running over; outrage

atroz *adj* atrocious

atta. abbreviation for **atenta carta**

aturdir to stun, bewilder

auditivo,-a *adj* auditory

auditorio *m* audience

auge *m* vogue

aula *f* classroom

aumentar to increase

aun *adv* even, still

aún *adv* still; **más aún** in addition

aureomicina *f.* aureomycin

auriculares *m pl* headphones

auspiciar to sponsor

autobote *m* motorboat

autocar *m* (interurban) bus

autocine *m* outdoor movie theater, drive-in

autodeterminación *f* self-determination, self-management

autodeterminismo *m* self-determination

autodidacticismo *m* self-instruction

autodidacto,-a *adj* self-educated

autodominio *m* self-control

autoengaño *m* self-deception

autoescuela *f* driving school

autoestimación *f* self-esteem

autogiro *m* autogiro

autómata *m* automaton

automatización *f* automation

automotor *m* (railway) motor coach

automovilista *mf* motorist

automovilístico,-a *adj* auto

autónomo,-a *adj* autonomous

autopilotaje *m* self-piloting

autorretrato *m* self-portrait

autoservicio *m* self-service

auto-stop *m* hitchhiking; **hacer auto-stop** to hitchhike

autosugestión *f* self-hypnosis, self-suggestion

autovaloración *f* self-judgment

autovía *f* turnpike

autovisión *f* the act of seeing oneself

autovivienda *f* (house) trailer

auxiliar *adj* auxiliary; assistant

auxilio *m* aid, assistance

avance *m* advance, progress

avanzar to advance
avasallador,-a *adj* overpoweringly superior
ave *f* bird
aventajar to excel
aventurado,-a *adj* risky
avergonzarse (ue) to be ashamed
avería *f* damage; failure
avión *m* airplane
avisar to advise, notify; to tell
aviso *m* notice; warning
avivar to enliven; **avivar el seso** to sharpen up
ayuda *f* help, aid
ayudante *mf* assistant
azafata *f* lady of the queen's wardrobe; stewardess
azar *m* chance
azucarado,-a *adj* sweetened
azul *m* blue
azulado,-a *adj* blue, bluish
azulejo *m* (glazed) tile
azuloso,-a *adj Am* bluish

B

B. abbreviation for **bulto**; bundle, package
bache *m* hole, rut
bahía *f* bay
bailar to dance
bajada *f* fall
bajar to go down (in esteem)
bajeza *f* lowness, meanness
bala *f* bullet
balanza *f* scales
bancario,-a *adj* bank
bancarrota *f* bankruptcy
bandera *f* flag
bañarse to bathe
bañera *f* bathtub
barato,-a *adj* cheap
bárbaro,-a *adj* rough, coarse; tremendous
barbilampiño,-a *adj* beardless
barca *f* (small) boat, fishing boat
barco *m* boat, vessel
barraca *f* cabin, hut
barrer to sweep
barrio *m* section (of a city)
barroco,-a *adj* baroque

base *f* basis; **a base de** based on, with
bastante *adv* quite; *adj* enough
bastar to be enough; to be all that is needed
basura *f* garbage
batalla *f* struggle
batallar to struggle
batir to beat (down)
baturro,-a *adj dial* peasant
baúl *m* trunk
bazar *m* department store
beatería *f* sanctimony, hypocritical devoutness
beber to drink
bebida *f* drink; **bebida compuesta** mixed drink
beca *f* scholarship
belicoso,-a *adj* belligerent, aggressive
bellaquería *f* cunning trick, deviltry
belleza *f* beauty
bello,-a *adj* beautiful
bellota *f* acorn
beneficencia *f* charity
beneficio *m* benefit; **beneficios** *m pl* profits; **en beneficio de** to the advantage of
beneplácito *m* approval
biblioteca *f* library
bien *adv* well; **bien . . . o bien** whether . . . or; **más bien** rather; **si bien** although; *m* good; **bienes** *m pl* possessions, property; **en bien de** for the good of
bienestar *m* well-being, welfare
bienvenida *f* welcome
bigote *m* mustache
bigotudo,-a *adj* mustachioed
billete *m* ticket
bisel *m* bevel; **cortes en bisel** bevelled edges
bizco,-a *adj* cross-eyed; **quedarse bizco** *col* to be dazzled, dumbfounded
blancor *m* whiteness
blancuzco,-a *adj* off-white
blanquecino-a *adj* whitish
blanquinegro,-a *adj* black and white
boato *m* show, pomp
bobo,-a *adj* stupid; *mf* dunce
bocadillos *m pl* appetizer(s)
bochornoso,-a *adj* embarrassing; shameful
boda *f* marriage, wedding

bohemio,-a *adj* Bohemian; gypsy-like
boleto *m Am* ticket
bolsa *f* stock market
bolsillo *m* pocket
bolso *m* purse, bag
bolsón *m Am* school portfolio
bombón *m* (chocolate) candy
bondadoso,-a *adj* kind
borda *f* gunwale
borde *m* edge
borracho,-a *adj* drunk
borrar to erase, rub out
borrascoso,-a *adj* stormy
borroso,-a *adj* blurred, fuzzy; thick
bosque *m* woods
botar to launch
bote *m* boat; can; **bote salvavidas** lifeboat
boxeo *m* boxing
brazo *m* arm; **no dar su brazo a torcer** to be persistent
bregar to struggle
brillante *adj* shining; flashy
brillo *m* luster, brilliance; **dar brillo a** to polish
broche *m* clasp, brooch
broma *f* joke
bromatólogo *m* nutrition specialist
brotar to gush forth, come forth, bud
brujería *f* witchcraft, magic
brújula *f* compass
brusquedad *f* brusqueness, bluntness
bruto,-a *adj* brutal, bald, unadorned
bufanda *f* scarf
bufete *m* law office; **abrir bufete** to set up a law practice
bullicioso,-a *adj* turbulent; riotous
buque *m* ship; **buque de carga** freighter
burdo,-a *adj* coarse, crude, rough
burgués,- a *adj* bourgeois, middle-class
burla *f* ridicule, scoff(ing); jest
burlarse de to make fun of
bursátil *adj* stock market
buscar to seek (out)
búsqueda *f* search
butaca *f* (theater) seat

C

caballería *f* cavalry; chivalry
caballerito *m* sir (ironical)
caballero *m* sir

caballo *m* horse; **caballos de fuerza** horsepower; **a caballo** (on) horseback
cabellera *f* (head of) hair
caber to fit; to be possible
cabeza *f* head; **levantar cabeza** to be back on one's feet
cabezal *m* cutter head
cabida *f* room, space; **dar cabida a** to make room for
cabo *m* end; **llevar a cabo** to carry out, complete
cabra *f* female goat
cacao *m* cacao tree (bean)
cacería *f* hunt; search
cachivaches *m pl* trash, junk
cacho *m* crumb, small piece
cada *adj* each; **cada cual** each one
cadena *f* chain; **en cadena** multiple-car (accidents)
caer to fall; **caer bien** *col* to make a hit with; **caer en desuso** to become obsolete; **caer en error** to make a mistake; **caer en la cuenta** to catch on, get the point; **caer mal** *col* to displease, ride badly
caerse to fall (down); **caérsele a uno** to drop
café *m* coffee; cafe; **café cantante** night club
cafetero *m* coffee grower
caída *f* fall; downfall, blunder; failure
caja *f* box; **caja registradora** cash register
cajón *m* drawer; large box
calabaza *f* gourd
calcar to imitate, copy
calcinado,-a *adj* bone-dry
calco *m* imitation
caldo *m* broth
calidad *f* quality; *pl* values
calificación *f* grade
calificar to qualify; **calificar de** to call, classify (as)
calificativo,-a *adj* qualifying
calmarse to calm down
calor *m* heat, warmth; **con demasiado calor** too heatedly
calumniar to slander
calvo,-a *adj* bald
calzada *f* causeway; **calzada de acceso** driveway

calzado *m* footwear
calzar to put on (shoes)
callado,-a *adj* quiet; mysterious
callar not to mention
callarse to be (keep) quiet
calle *f* street; **echar a la calle** to throw (kick) out; **en plena calle** right in the middle of the street
callejear to linger in the streets
callejero,-a *adj* street
cámara *f* inner tube
camarada *m* comrade, companion
camaradería *f* comradeship
cambiable *adj* changeable
cambiar to change
cambio *m* change; **en cambio** on the other hand
caminar to walk
camino *m* road; **seguir su camino** to go on one's way
camioneta *f Am* station wagon
camisa *f* shirt
campana *f* bell
campanilla *f* (hand) bell; **de campanillas** prominent
campero,-a *adj* capable of going cross-country
campesino,-a *mf* peasant
campo *m* field; country; area
canal *f* gutter (of roof)
canasta *f* basket (for special uses, such as clothes)
canasto *m* basket
canciller *m* chancellor
candidatura *f* candidacy
candidez *f* innocence, gullibility
candoroso,-a *adj* frank; ingenuous
canon *m* canon; norm
cansado,-a *adj* tired; tiresome, boring
cansancio *m* fatigue
cansar to tire (out)
cansarse de to get tired of
canto *m* song
capacitar to enable, empower; **capacitar para** to prepare for
capilaridad *f* capillarity; mobility
capítulo *m* chapter
capota *f* top (of a car)
capricho *m* whim, caprice, whimsicality
caprichoso,-a *adj* whimsical, willful
captar to catch, get, capture

cara *f* face; **cara de enfermo** sick look; **cara de idiota** stupid look; **cara o cruz** heads or tails; **hacer cara a** to face; **poner cara de cólico** to look sick
carácter *m* characteristic; nature
caracterológico,-a *adj* of character
caramelo *m* lozenge, drop (candy)
carátula *f* mask
carcajada *f* burst of laughter
cárcel *f* jail
carecer de to lack
carga *f* load; freight; loading; obligation; **carga útil** payload
cargar to load
cargo *m* office; responsibility; **cargo de conciencia** burden on one's conscience; **a cargo de** under the direction of
cariñoso,-a *adj* affectionate
caritativo,-a *adj* charitable
cariz *m* appearance; significance
carne *f* meat; flesh; **carne de cañón** cannon fodder; **carne de cerdo** pork; **de carne y hueso** of flesh and blood
caro,-a *adj* dear; expensive
carpeta *f* folder
carrera *f* career, university studies
carretera *f* highway
carro *m* wagon, cart
carrocería *f* body (of auto)
carta *f* letter; **carta de naturaleza** naturalization papers
cartapacio *m* (book) satchel
cartel *m* poster
cartelón *m* placard
cárter *m* crankcase
cartera *f* portfolio; billfold
cartero *m* mailman
Caruso Italian opera singer; **a lo Caruso** in the manner of Caruso
casa *f* house; **casa de campo** country house; **casa de recreo** week-end house; **casa de vecindad** tenement house
casado,-a *adj* married
casarse con to marry
cáscara *f* rind; hull; shell
casero,-a *adj* domestic; home
caserón *m* large, tumble-down house
caseta *f* small house; bath house
casimir *m* serge
casino *m* club

caso *m* case; **en el mejor de los casos** at best; **en el peor (de los casos)** at worst
casquivano,-a *adj* scatterbrained
castigar to punish
castigo *m* punishment
castillo *m* castle; **castillo fuerte** fortress
casualidad *f* chance; coincidence; **dar la casualidad** to happen by chance
catarro *m* cold
catártico,-a *adj* cleansing, salubrious
cátedra *f* professorial chair, professorship
catedrático *m* professor
categoría *f* category; **de primera categoría** first-class
cauce *m* (water) course, channel
causa *f* cause; **a causa de** because of
causativo,-a *adj* causative (expressing cause)
cautela *f* caution, wariness
cautivador,-a *adj* attractive
caza *f* game; hunting
ceder to yield; **ceder el paso** to give the right of way
cegar (ie) to blind; to cover (stop) up
ceguera *f* blindness
celador *m* guard, watchman; proctor
celebrar to welcome (something), be glad (that)
celeste *adj* heavenly
Celestina *f* go-between, bawd
celo *m* zeal; **celos** *m pl* jealousy
celoso,-a *adj* jealous
cena *f* supper
ceniza *f* ash(es)
centavo *m* penny
centeno *m* rye
céntimo *m* cent
centrífugo,-a *adj* centrifugal
centrípeto,-a *adj* centripetal
centro-centro *m* the very heart of the city
ceñido,-a *adj* tight-fitting
ceñirse (i) a to keep close to, adhere to
ceño *m* frown; **con ceño** unfavorably
cepillo *m* brush
cera *f* wax
cerca *f* fence; **cerca de** *prep* near
cercano,-a *adj* near, close; approximate; related
cerdo *m* pig; **carne de cerdo** pork
cerebro *m* brain
cerquísima *adv* very near

cerradura *f* lock
cerrojo *m* bolt
cerrar (ie) to close; **cerrar de golpe** to slam shut; **lo cerrado** that which is private
cerrarse (ie) to close
cerrazón *f* gathering storm clouds
certero,-a *adj* sure
certeza *f* certainty
cerveza *f* beer
cesar de to stop
césped *m* grass
ciego,-a *adj* blind
cielo *m* sky; heaven
científico,-a *adj* scientific; **tan poco científico** so unscientific; *m* scientist
cierre *m* catch, clasp; fastener
cierto,-a *adj* true; (a) certain; **dar por cierto** to assert; **de cierto** to be sure; **lo cierto es que** the fact is that
cifra *f* figure; amount
cima *f* top, summit; crest, crown
cimientos *m pl* foundation
cincelar to chisel; to nurture
cine *m* movies; movie theater; **cine de sesión continua** continuous show; **cine mudo** silent movie(s); **cine sonoro** talkie(s)
cinematográfico,-a *adj* movie
cinta *f* film (strip)
cinturón *m* belt; **cinturón de seguridad** safety belt
circuito *m* district
circulación *f* traffic
circulatorio,-a *adj* traffic
circundar to encompass
circunloquio *m* circumlocution
cisne *m* swan
citado,-a *adj* given, mentioned
citar to quote
ciudadano,-a *adj* of the city; civic; *m* citizen
clamor *m* outcry
claridad *f* brightness, glory
claro,-a *adj* clear; **claro (es) que** of course; **claro está** of course; **a las claras** clearly; **dejar en claro** to make clear
claustro *m* cloister
clavar to nail, fix
clave *f* key (to a problem)
claxon *m* car horn

clima *m* climate; atmosphere
clínica *f* (private) hospital
cobarde *mf* coward
cobrar to take on
cocacolo *m col* teenager
cocer (ue) to boil, cook
cocina *f* kitchen; cooking
cocinar to cook
cocinero,-a *mf* cook
coche *m* coach; car; **coche cama** *m* Pullman car; **coche dormitorio** Pullman car, sleeper
codicia *f* greed
código *m* code; **código civil** civil law
coetáneo,-a *adj* contemporary
coger to seize; to take
cohete *m* rocket
cohetero,-a *adj* rocket
cohibir to restrain
cojo,-a *adj* lame, mutilated
col *f* cabbage; **col fuerte** sauerkraut
cola *f* tail; (waiting) line; **hacer cola** to wait in line
colación *f* light lunch
colarse (ue) to percolate; to slip in
coleccionar to collect
colegio *m* school
cólera *f* anger; choleric disposition
colgado,-a *adj* hanging
colgar (ue) to hang
cólico *m* colic; **poner cara de cólico** to look sick
coliflor *f* cauliflower
colocación *f* position, location; placing
colocar to place
colorado,-a *adj* red
colorido *m* color(ing)
coloso *m* colossus
comadre *f* mother or godmother (with respect to each other)
comadreo *m* small talk, chit-chat
comandante *m* commander; major
combatiente *m* combatant
combinación *f* slip
comedimiento *m* consideration, politeness
comentarista *mf* commentator
comercio *m* intercourse, exchange; business establishment
comestible *adj* edible; **comestibles** *m pl* groceries
cometido *m* assignment; commitment

comicidad *f* comicalness
comida *f* meal
comillas *f pl* quotation marks
como *adv* like; *conj* as (if); as (well as)
cómoda *f* bureau, chest of drawers
comodidad *f* comfort
cómodo,-a *adj* comfortable; easy
compadecerse de to pity
compadre *m* father or godfather (with respect to each other)
compañerismo *m* companionship, comradeship
comparecer to appear
compartir to share
compás *m* beat, cadence
compatriota *mf* compatriot
competencia *f* competition, contest, race
complacencia *f* pleasure, satisfaction
complacer to please
complacerse to be pleased
complaciente *adj* complaisant
complejo *m* complex
complementario,-a *adj* supplementary
complemento *m* object
completar to complement
complicarse to get complicated
componerse de to be made up of
comportamiento *m* behavior
comportarse to behave
compositor *m* composer
compostura *f* composure
comprensible *adj* comprehensible; **hace comprensible que** explains why
comprensión *f* understanding
comprobar (ue) to verify, check
comprometerse to become engaged (to marry)
compromiso *m* obligation
compuesto,-a *adj* compound
cómputo *m* computation
común *adj* common; **por lo común** usually, normally
comunicación *f* communication; **ponerse en comunicación con** to get in touch with
concatenación *f* linking
concebir (i) to conceive
conceder to grant; to give; **conceder crédito** to believe
concejo *m* council; **concejo municipal** city council
concernir (ie) to concern

concertado,-a *adj* harmonious
concertar (ie) to agree
conciencia *f* consciousness; **en conciencia** in all conscience; **tener conciencia de** to be aware of
concienzudo,-a *adj* conscientious, thorough
concierto *m* agreement, harmony; **sin plan ni concierto** without rhyme or reason
conciliábulo *m* (secret) meeting
conciudadano,-a *mf* fellow citizen
concluir to end (up)
concomitancia *f* accompanying circumstance
concomitante *adj* accompanying
concordancia *f* agreement
concordar (ue) to agree
concreción *f* concreteness
concretísimo,-a *adj* very specific
concurrir to go (along with others)
condensar to summarize
condensarse to take the form of reality
condescendencia *f* acquiescence
condescendiente *adj* obliging
condición *f* nature, character; state; **condiciones** aptitude; **condición viril** masculine psychology; **en condiciones de superioridad** in an advantageous position
condicionar to prepare, condition
condiscípulo *m* fellow student
condolerse (ue) to sympathize
conducir to lead; to drive
conducirse to conduct oneself, behave
conducto *m* conduit; duct
conductor *m* driver
conferencia *f* lecture
conferenciante *mf* lecturer
conferenciar to confer
confianza *f* confidence, trust
confianzudo,-a *adj* overly familiar
confiar to entrust (with)
confiarse en to trust in; **confiarse a** to put one's trust in
confidencia *f* (shared) secret
confidente *mf* confidant
configuración *f* configuration, nature
configurar to form, structure
configurarse to take form, shape
confinado,-a *adj* confined, limited
conformación *f* conformation; structure

conforme *adj* in agreement; **conforme a** in accordance with
conformidad *f* acceptance, compliance
confundir to confuse
confusión *f* confusing, mixing
congelación *f* (price) freezing
congelar to freeze, congeal
congénere *mf* fellow
conjugarse to be fused
conjunto *m* (combined) whole; group, complex, ensemble, set; body
conmoción *f* disturbance; excitement
conmover (ue) to move
conmoverse (ue) to be moved, shaken
connacional *m* fellow countryman
conocer to know, be familiar with; to meet
conocido,-a *adj* well-known; *m* acquaintance
conque *adv* so (then), well
consagrar to consecrate; to authorize
consciente *adj* conscious
consecuencia *f* consequence; **en consecuencia** consequently
conseguir (i) to obtain, accomplish, succeed in
consejo *m* counsel, a piece of advice
consentido,-a *adj* spoiled, pampered
consentimiento *m* consent
consentir (ie) to consent, let
conservador,-a *adj* conservative
conservar to keep, retain; to take (good) care of; **conservar su derecha** to keep to the right
considerar to consider; to include
consiguiente *adj* consequent; **por consiguiente** therefore
consistir en to consist of; to be
consocio *m* fellow partner
consolidarse to become established
consonántico,-a *adj* consonant(al)
consonar (ue) con to harmonize with
constar to be clear; **conste que** I want it to be clear that
constatable *adj* verifiable
constitución *f* founding, creation; nature
constituir to constitute, compose; to set up
constitutivo,-a (de) *adj* essential (to); constituent, component
construir to construct
consuegro *m* father-in-law of one's child

consuelo *m* consolation
consulta *f* consultation
contado: al contado cash
contador *m* accountant
contagiarse de to catch (a disease)
contaminarse to become contaminated
contar (ue) to tell; to have; contar con to have
contarse (ue) to be included
contenencia *f* capacity, size
contenido *m* content
contentarse con to be satisfied with
conterráneo *m* fellow countryman
contertuliano,-a *mf* fellow party-goer
continuación: a continuación below
contorno *m* contour, outline; environment
contra *prep* against; en contra de against
contrachapado,-a *adj* veneered
contrapartida *f* offsetting entry (bookkeeping)
contrapesar to compensate, counterbalance
contrapeso *m* counterbalance
contraponer to oppose
contraposición *f* opposition; en contraposición con in contrast with
contraproducente *adj* self-defeating; more than useless
contrariar to annoy, provoke
contrario,-a *adj* opposite; *m* opposite; al contrario on the contrary; al contrario de contrariwise to; por el contrario on the other hand
contrarrestar to counteract, combat
contrasentido *m* contradiction; (bit of) nonsense
contrayente *m* contracting party
contribuir to contribute
contrincante *m* opponent, competitor
convecino *m* nearest neighbor; fellow neighbor
conveniente *adj* suitable; profitable; advisable
convenir (ie) to suit, be suitable; to be important, a good thing; convenir en to agree to
conventillo *m Am* tenement house
conversión *f* conversion (turning toward)
convertirse (ie) en to become

convivencia *f* living together (in harmony)
conviviente *m* (living) companion
convivir to live together (in harmony)
convulsión *f* upheaval
copartidario *m* fellow (party) member
coqueteo *m* flirting
corazón *m* heart
corbata *f* tie
corcho *m* cork
¡córcholis! *interj* gee whiz!; by golly!
cordial *adj* friendly; poco cordial unfriendly
coronar to crown
corrección *f* propriety
corredor *m* porch, gallery
correo *m* mail; correo aéreo air mail
correr to run
correrse to slide (move) over
correspondencia *f* mail
corresponder to concern; to belong to; corresponder a to repay (a favor)
corrida *f* bullfight
corriente *adj* common, usual, ordinary; present (month)
corroer to corrode
corromper to corrupt
cortacésped *m* lawn mower
corte *m* cut; de corte literario of a literary nature
cortejante *m* wooer; boy friend
cortejar to woo, court
cortés *adj* courteous
cortesano,-a *adj* court(ly); *m* courtier
cortesía *f* courtesy
corteza *f* bark; crust
corto,-a *adj* short; quedarse corto to be overly modest
cortometraje *m* short (film)
cosa *f* thing; cosa igual anything like it; otra cosa que anything (else) but; sus cosas his personal affairs
cosecha *f* crop
cosidad *f neol* thingness
cosmotrón *m* atom smasher
costa *f* coast
costar (ue) to cost; costar trabajo to be difficult
costear to pay for
costumbre *f* custom; más . . . que de costumbre more . . . than usual
coterráneo *m* fellow countryman

cotidiano,-a *adj* daily, everyday

cotilleo *m* gossip, off-the-record comments

cotorra *f* chatterbox

coup de foudre French for "thunderbolt"; love at first sight

coyuntura *f* occasion

creador,-a *adj* creative; **creador de** that created; *m* creator

crecer to grow

crecimiento *m* growth

crédito *m* reputation; **conceder crédito a** to believe

creencia *f* belief

Creso Croesus (king of ancient Lydia, famous for his wealth)

creyente *mf* believer

crimen *m* crime

criollo,-a *mf* Creole, descendant of Spaniards

crisis *f* crisis; **crisis económica** depression

crispar to cause to twitch; **crispar los nervios** to put one's nerves on edge

cristal *m* pane of glass

criterio *m* judgment; criterion

crítica *f* criticism

cromatismo *m* coloration, coloring

crónica *f* article, feature story

cronista *mf* chronicler; reporter

cruce *m* intersection, crossing

crudo,-a *adj* raw; bleak, harsh (weather)

cruzada *f* crusade

cuadrado,-a *adj* square

cuadrilla *f* (work) crew, gang

cuadro *m* picture; chart

cualidad *f* quality

cualquier(a) *adj* any; whatever

cuán *adv* how

cuando *conj* (the days) when

cuántico,-a *adj* related to the quantum; self-renewing, innovating

cuantioso,-a *adj* large

cuanto *pron rel* everything which; **cuanto antes** at once; **en cuanto** as soon as; **en cuanto a** as for, in respect to

cuba *f* cask (for wine)

cubierta *f* cover

cubierto *p p de* **cubrir; a cubierto de** protected from

cuello *m* collar

cuenta *f* bill; account; **cuenta corriente** checking account, charge account; **a fin de cuentas** after all, in the final analysis; **caer en la cuenta** to catch on, get the point; **echar sus cuentas** to take stock of oneself; **más de la cuenta** more than one should; **por cuenta propia** on one's own; **por su cuenta** on one's own; **tener en cuenta** to bear in mind, take into account

cuerpo *m* body; corps

cuesta *f* hill; **cuesta abajo** downhill; **a cuestas** on one's shoulders (back)

cuestión *f* matter

cuidado *m* care; concern; safeguarding; **¡cuidado (con . . .)!** be careful (with . . .)!, watch out (for . . .)!; **tener cuidado** to be careful

cuidar de to care for, look after, take (good) care of

cuidarse de to be careful to

culata *f* (rifle) butt

culatazo *m* recoil

culpa *f* guilt; fault; **tener la culpa** to be to blame

culpable *adj* guilty; to blame for

culto,-a *adj* learned, educated, cultured

cumbre *f* summit

cumplido,-a *adj* courteous, correct; *m* formality, courtesy

cumplimiento *m* fulfillment

cumplir (con) to meet, satisfy, fulfill; to accomplish

cúmulo *m* lot, great many

cuña *f* wedge

cuño *m* die (for stamping coins)

cuota *f* dues

cupletista *f* popular singer

curación *f* cure

cursi *adj* flashy, vulgar, pretentious

cursilería *f* vulgarity, flashiness, pretentiousness

cursiva *f* italics

curva *f* curve; **curva cerrada** sharp curve

cutáneo,-a *adj* cutaneous; superficial

cuyo,-a *adj rel* whose; which

CH

chabola *f* shanty

chaleco *m* jacket

champaña *m* champagne
chamuscar to singe
chance *m Am* opportunity, possibility
chanclo *m* overshoe
chaparrón *m* downpour; squall, shower
chaqueta *f* jacket
charlar to chat
charol *m* patent leather
chasco *m* trick; disappointment;
  llevarse un chasco to be disappointed
chico,-a *adj* small; *m* boy; *f* girl
chisme *m* gossip
chismorreo *m* gossip(ing)
chiste *m* joke
chocante *adj* shocking; *Am* tiresome
chocar to collide; to shock
choque *m* collision
chorro *m* jet
choza *f* hut
chulo,-a *adj Am* pretty; good-looking
chut *m* kick (in soccer)
chutar to kick (in soccer)

D

dádiva *f* gift
dama *f* lady
dar to give; to make; to strike (hour);
  dar a entender to explain, hint; dar
  brillo a to polish; dar cabida a to
  make room for; dar categoría a to
  glorify, enthrone; dar un sablazo to hit
  for a loan; dar entrada a to admit;
  dar la casualidad de que to just happen
  that; dar la mano a to shake hands
  with; dar las gracias a to thank; darle
  la gana a uno to feel like; dar la razón
  to approve (what someone says); dar
  lugar a to give rise to; dar miedo a to
  frighten; dar ocupación a to keep
  busy; dar pie a to give cause (a basis)
  for; dar por to consider; dar por
  cierto to assert; dar por sentado to
  take for granted; dar prestado to
  loan; dar (mucho) que pensar to give
  concern, make wonder; dar razón de
  to give an account of; dar salida to
  let go out; dar una vuelta to take a
  walk; dar vergüenza to make
  ashamed; no dar su brazo a torcer to
  be persistent; ya dado already (completely) developed

darse to occur; to be produced, appear,
  exist; darse a to give oneself over to;
  darse cuenta de to realize, become
  aware of; darse prisa to hurry
dato *m* fact; *pl* data
debajo de *prep* underneath
debatirse to struggle
debe *m* debit (accounting)
deber to owe; *m* duty, obligation
debido,-a *adj* due, proper; en la debida
  forma in the proper way
débil *adj* weak
debilidad *f* weakness
debilitar to weaken
debilitarse to become weak
debutar to make one's debut
decaer to weaken, suffer; to lose
  ground
decalitro *m* decaliter (ten liters)
decano *m* dean
decena *f* ten's digit
decenio *m* decade
decepción *f* disappointment, disillusionment
decidido,-a *adj* determined, bold
decidir to decide; tenemos que irla
  decidiendo we have to structure it
  gradually through our decisions
décima *f* ten-line stanza of octosyllables
decir to say, tell; decir para sus adentros
  to say to oneself; diríamos we might
  say; es decir that is (to say); se dicen
  ser they claim to be; se diría one
  might say; y no está dicho and this
  does not mean
decisión *f* determination
declamación *f* eloquent delivery
declamador *m* eloquent talker
declarar to reveal
declararse a to propose (marriage)
declive *m* descent; slope
decorado *m* décor, scenery
decoro *m* decorum; respect
decoroso,-a *adj* decent, decorous
decrepitud *f* decrepitude; deca-
  dence
decurso *m* course (of time)
dedicarse to devote oneself
dedo *m* finger
deducir to deduce, derive
defectuoso,-a *adj* faulty; incorrect; improper

deficiente *adj* defective; **hay los modos deficientes** there are imperfect types; **quedar deficiente** to be wanting
definir to define, determine
definitivo,-a *adj* definitive; **en definitiva** definitively; particularly; in short
dehesa *f* meadow
dejar to let, allow; to leave; **dejar a un lado** to omit; **dejar de** to cease, to fail; **dejar dicho que** to leave a message stating; **dejar en claro** to make clear; **dejar plantado a** to stand (someone) up; **dejarse llevar** to let oneself be influenced
delante de *prep* in front of; in the presence of
delantero,-a *adj* front; **la parte delantera** the front
delator *m* denouncer
deleitar to produce pleasure
deleitoso,-a *adj* delightful
deletrear to spell (out)
deletreo *m* spelling
delgado,-a *adj* thin; delicate; unsubstantial
delicadeza *f* refinement, subtlety
delicia *f* pleasure, delight
delito *m* crime
demacrado,-a *adj* wasted away
demanda *f* request; complaint, charges
demás *adj pl* other(s); **por demás** too, extremely; **por lo demás** as for the rest
demasiado,-a *adj* too much; *pl* too many; *adv* too
demoledor *m* demolisher
demoler (ue) to demolish
¡demontre! *interj* good heavens!; boy oh boy!
demostrar (ue) to show
denigrar to defame, sully
denominar to name, call
denso,-a *adj* dense; real, strong
dentro de *prep* within
denunciar to denounce
depender de to depend on; to be subservient to
dependiente *mf* clerk
deporte *m* sport(s)
deportista *mf* sportsman
deportivo,-a *adj* sports
depositar to put (trust)
depreciarse to depreciate

depuración *f* purification; purging
derecho,-a *adj* right; *m* law, jurisprudence; *f* right, conservative factions; **conservar su derecha** to keep to the right; **tomar su derecha** to stay to the right
derivado *m* derivation
derivarse de to be the result of
derramarse to pour oneself out, spill over, be gushy
derretirse (i) to melt
derribar to knock over; to demolish
derrota *f* defeat
derrotar to defeat
derrotismo *m* defeatism
derrumbamiento *m* collapse
derrumbe *m* landslide
desabrido,-a *adj* tasteless; bland
desacuerdo *m* disagreement
desafiante *adj* defiant
desafiar to challenge, defy
desafortunadamente *adv* unfortunately
desagradable *adj* disagreeable
desagradar to displease
desagradecido,-a *adj* ungrateful
desagrado *m* displeasure
desahuciar to give up all hope for
desairado,-a *adj* uncomely; embarrassing
desalentarse (ie) to be discouraged
desaliñado,-a slovenly; careless
desaliño *m* slovenliness; neglect
desalojar to move out of; to displace, oust
desanimarse to become discouraged
desaprobación *f* disapproval
desarmonía *f* lack of harmony
desarreglar to put out of order
desarreglarse to get out of order
desarrollar to develop
desarrollarse to develop; to come to the fore, appear
desarrollo *m* development
desastroso,-a *adj* disastrous
desatar to untie; to unravel, decipher
desatarse to break loose (a storm)
desatender (ie) to slight, disregard
desbaratar to break up
descabellado,-a *adj* rash, wild
descalificar to disqualify
descansar to rest
descapotable *adj* convertible (car)
descaro *m* impudence

descenso *m* descent; retrogression
descifrar to solve, figure out
descomponer to break down
descomunal *adj* extraordinary
desconcertante *adj* disturbing, baffling
desconcertar (ie) to disturb, confuse
desconcierto *m* disagreement; confusion
desconfianza *f* mistrust, lack of confidence
desconfiar de to distrust
desconocido,-a *adj* unknown, unrecognized; *m* stranger
desconocimiento *m* ignorance
descontento *m* discontent(ment)
descorazonarse to become discouraged
descreído,-a *adj* unbelieving
descubrir to discover; to uncover, reveal
descuento *m* discount
descuidado,-a *adj* careless, negligent; dirty
descuidar to neglect
descuidarse to be distracted
descuido *m* carelessness; neglect
desde *prep* from; starting with, in accordance with; desde hace algún tiempo for some time now; desde luego of course
desdeñar to scorn, disdain
desdibujarse to become blurred
desdoblar to unfold
desdoro *m* loss of reputation
deseable *adj* desirable
desechar to throw away, reject
desempeñar to perform, carry out; to fill; desempeñar un papel to play a role
desempleo *m* unemployment
desencadenar to unleash
desenfado *m* casualness; cheek
desengañado,-a *adj* undeceived, disillusioned
desenmascarar to denounce, expose
desentenderse (ie) de to pay no attention to, ignore
desentrenado,-a *adj* out of training
desenvolverse (ue) to develop, evolve
desenvolvimiento *m* development
desequilibrio *m* imbalance
desesperanza *f* despair
desesperarse to become desperate
desfallecer to (grow) faint; to weaken
desfavorable *adj* unfavorable

desfilar to parade, pass by
desgana *f* indifference
desgracia *f* misfortune; por desgracia unfortunately
desgraciado,-a *adj* wretched; unfortunate
deshacer to undo
deshacerse to get out of order; to come undone; to come crashing down
deshonra *f* disgrace
deshonrar to be dishonorable
deshora *f* inopportune time; a deshora at an inconvenient time
deshumanización *f* dehumanization
designio *m* design, purpose
desigual *adj* uneven
desigualdad *f* inequality
desilusión *f* disillusionment
desinteresado,-a *adj* impartial; one who seeks no personal gain
desligado,-a *adj* detached
desliz *m* slip; mistake
deslumbrante *adj* dazzling, flashy
desmán *m* excess; misbehavior
desmayarse to faint
desmedido,-a *adj* excessive; boundless
desmedirse (i) to be impudent, ill-mannered
desmentir (ie) to belie
desmesurado, -a *adj* disproportionate, extreme
desnivel *m* difference of level; contrast
desnudez *f* nakedness
desnudo,-a *adj* bare, naked
desolado,-a *adj* desolate, deserted
desollado,-a *adj* skinned, skinless
desorden *m* disorder
desordenado,-a *adj* inordinate; wild
despabilarse to brighten up, come alive
despachar to ship
despampanante *adj* upsetting, disturbing
desparpajo *m* flippancy; impudence
despectivo,-a *adj* disparaging, contemptuous
despedir (i) to fire, dismiss
despedirse (i) de to take leave of, say good-bye to
despegar to take off (plane)
despejado,-a *adj* clear, cloudless
despertar (ie) to awaken; to begin to stir; *m* awakening
despertarse (ie) to wake up

despiadado,-a *adj* merciless
despistar to throw off the track
desplante *m Am* impudence, boldness
desplazar to take the place of, dislodge
desplazarse to shift from one place to another
desplegar (ie) to unfold; to display
desplegarse (ie) to open, unfold
desplome *m* collapse
despojar to divest
despojo *m* plunder, spoils
despreciar to scorn, slight
desprecio *m* contempt; rebuff
desprender to loosen, detach
desprenderse de to let go of; to loosen oneself; to give up; to be deduced
desprendido,-a *adj* desinterested, generous
despreocupación *f* unconcern, indifference
despreocupado,-a *adj* unconcerned; carefree
desprovisto,-a *adj* devoid
desrealizar to reduce to a state of unreality, conceive less concretely
destacar to point out; to make stand out, reveal
destacarse to stand out
destinado,-a (a) *adj* (which is) meant to, supposed to
destinar to destine; to designate, set aside
destinatario *m* addressee; consignee
destino *m* destination; employment
destreza *f* skill
destrozar to utterly destroy
destruir to destroy
desuso *m* disuse; **caer en desuso** to become obsolete
desvanecerse to vanish; to faint
desventaja *f* disadvantage
desvergonzado,-a *mf* scoundrel, shameless person
desviación *f* detour
desviarse to deviate
desvío *m* separation; detour; indifference, dislike
desvirtuación *f* (act of) spoiling
detallismo *m* richness in details
detener (ie) to arrest
detenerse (ie) to stop; **deteniéndose en** up to

determinado,-a *adj* specific
determinante *adj* limiting, determinative
determinar to decide
determinativo *m* determinant, modifier
detrás de *prep* behind
deuda *f* debt
deudor *m* debtor
devenir *m* process of becoming
devolución *f* return
devolver (ue) to give back, return
devorador,-a *mf* devourer
día *m* day; **al día** day by day; **de día** by day, in the daytime; **todos los días** every day
diagnosticar to diagnose
dialéctico,-a *adj* dialectic
diario,-a *adj* daily; *m* diary; **Diario de Sesiones** Congressional Record
dibujo *m* drawing, sketch
dicotomía *f* dichotomy
dictado *m* dictate
dictar *Am* to deliver (a lecture)
dicho,-a *adj* the aforesaid, said, that; **dicho sea de paso** let it be said in passing; **dejar dicho que** to leave a message stating
diente *m* tooth
diferencia *f* difference; **a diferencia de** unlike
diferenciar to differentiate
diferenciarse to differ
diferenciativo,-a *adj* differentiating
diferir (ie) to differ
difícilmente *adv* hardly (ever)
difundir to spread, broadcast
difundirse to spread
difunto *m* dead man
digerir (ie) to digest
dignamente *adv* in a dignified manner
dignatario *m* dignitary
digno,-a *adj* worthy, dignified
dije *adj Am* cute
diluir to dilute; to water down
diluvio *m* flood, torrent
diminuto,-a *adj* tiny
dimisión *f* resignation, surrender
dinerillo *m* small amount of money
diputado *m* deputy
dirección *f* address
directo,-a *adj* direct; short
director *m* principal of a school; **director de escena** stage manager

dirigir to direct; **dirigir la palabra a** to address

dirigirse a to address; to write to; to address oneself to

discernir (ie) to distinguish (between)

discípulo *m* student

disco *m* record

disconformidad *f* nonconformity

discordancia *f* disharmony

discordar (ue) to disagree

discreto,-a *adj* wise

discrimen *m* distinction

discriminativo,-a *adj* discriminative, distinguishing

disculpa *f* excuse

discurso *m* discourse, speech

discusión *f* argument

discutir to argue

disentir (ie) to dissent, disagree

diseñar to design

diseño *m* design, drawing; designing

disfrutar de to enjoy

disgustado,-a *adj* displeased, disgusted

disgustar to displease

disgusto *m* annoyance, unpleasant experience

disimuladamente *adv* furtively, stealthily

disimular to disguise; to cover up

disminuir to decrease, reduce

disonante *adj* dissonant, inharmonious

disonar (ue) de to be discordant with, run counter to

dispar *adj* disparate

disparado,-a *adj* like a shot, at great speed

disparar to shoot; to send forth

dispararse to blare (forth)

disparo *m* kick (in soccer)

dispensar to excuse

dispensario *m* dispensary, non-resident hospital

disponer to determine, direct; **disponer de** to make use of, have (at one's disposal)

disponerse a to prepare to

disposición *f* inclination; readiness, preparation; regulation; **a disposición de** at the disposal of; **tener disposición para** to be inclined to

dispositivo *m* device

dispuesto,-a *adj* prepared, disposed; willing

disputa *f* argument

disputar to argue

distanciar to place far apart, remove far from

distar to be far

distinguir to distinguish, make out

distintivo,-a *adj* distinguishing

distinto,-a *adj* different

distraerse to be absent-minded

disturbio *m* disturbance

disyuntiva *f* alternative

diversificar to diversify

diversión *f* entertainment; diversion (turning away from)

divertido,-a *adj* amusing; **lo divertido que** how pleasantly

divertirse (ie) to have fun; **¡cómo nos divertimos!** what a good time we had!

divisorio,-a *adj* dividing

divulgar to disclose, spread (abroad)

doblaje *m* dubbing (a film)

doblarse to yield, give in

doblez *m* fold; *f* duplicity

docente *adj* educational

dócilmente *adv* mildly; obediently

documental *adj* documentary

dolarcete *m col* buck

doler (ue) to hurt; to distress

dolerse (ue) de to complain about; to feel sorry for

dolor *m* pain; grief

dolorido,-a *adj* sore; heartsick

doloroso,-a *adj* painful; pitiful

domicilio *m* domicile; **a domicilio** (delivered) to one's home

dominante *adj* main

dominio *m* mastery

don *m* (natural) gift, talent

donación *f* bestowal

donaire *m* gracefulness

doncella *f* maid

dorar to gild; to brown

dorarse to become golden

dormido,-a *adj* asleep

dormirse to go to sleep; **dormírsele a uno** to go to sleep (on someone)

dorso *m* back

dotar de to endow with; to equip

dramaticidad *f* dramatic value

dramatismo *m* dramatic effect

dubitación *f* doubt

dubitativo,-a *adj* expressing doubt

duda *f* doubt
dudar to doubt; **a no dudarlo** doubtless
dudoso,-a *adj* doubtful, questionable
dueño *m* master; owner
dulce *adj* sweet
duque *m* duke
duquesa *f* duchess
duradero,-a *adj* lasting; **poco duradero** temporary, transitory
durar to last
durativo,-a *adj* durative (expressing progression or duration)
durazno *m* peach
dureza *f* harshness

E

ecuanimidad *f* impartiality
ecuménico,-a *adj* ecumenical, universal
echar to throw, cast; **echar a la calle** to kick out; **echar a perder** to ruin, spoil; **echar en el olvido** to put out of one's mind; **echar sus cuentas** to take stock of oneself
echarse to stretch out, lie down; **echarse a** to burst out
edad *f* age
edificante *adj* edifying
edificio *m* building
editorial *f* publishing house
educado,-a *adj* reared, brought up; **bien educado** well brought up; **mal educado** poorly brought up
efectivamente *adv* as a matter of fact
efectivo,-a *adj* actual, real; effective
efecto *m* effect; **en efecto** as a matter of fact
efectuar to carry out, realize
efectuarse to be held
eficacia *f* strength, force
eficaz *adj* efficient; effective
efímero,-a *adj* ephemeral, short-lived
efusión *f* vehemence; exuberance
eje *m* axis
ejecutar to carry out, perform
ejemplar *adj* exemplary; *m* specimen
ejemplarmente *adv* very typically
ejemplo *m* example
ejercer to exert
ejército *m* army
elaboración *f* processing

elaborar to work out, achieve; to set up (data)
eleático,-a *adj* Eleatic (pertaining to a fifth-century school of Greek philosophy)
elección *f* choice
elegir (i) to select
elemental *adj* elementary
elementalismo *m* simplicity
elevado,-a *adj* high, lofty; noble
elipsis *f* ellipsis (omission of one or more words)
elíptico,-a *adj* elliptical
elogiar to praise
elogio *m* praise
eludir to evade, avoid
ello: por ello for that reason
emanación *f* emanation; **emanación de la carburación** exhaust fumes
embajador *m* ambassador
embalaje *m* sprint (in track)
embalse *m* dam
embarcación *f* boat; vessel, ship
embargar to seize, attach (property)
embargo: sin embargo however, yet
embotellamiento *m* traffic jam
embriagar to intoxicate
embrollarse to get involved, tangled up
embrollo *m* muddle, mess
embutido *m* sausage
emisor *m* transmitter
emisora *f* transmitter, radio station
emocionante *adj* exciting
emocionarse to be moved, get excited
emparedado *m* sandwich
emparejar to match; to even out
emparentado,-a *adj* related
empeñar to pledge
empeñarse en to insist on
empeño (en) *m* determination to
empeorar to get worse
emperador *m* emperor
empero *adv* nevertheless
empezar (ie) to begin
empingorotado,-a *adj* stuck-up
emplazamiento *m* location
emplear to use, employ
empleo *m* use; job
emprender to undertake, start out on, initiate
empresa *f* enterprise, undertaking; firm

empresario *m* industrialist; business leader

empujar to push

empuje *m* impulse, thrust

empujón *m* push, shove

empuñar to grasp

enajenación *f* alienation, surrender

enajenarse to alienate oneself, estrange oneself

enamorado,-a *adj* in love; *mf* person in love

enamorar to make love to

enamorarse de to fall in love with

encabritarse to rear (horse)

encajar to squeeze (into); to fit, accommodate

encaje *m* lace

encallecerse to toughen; to grow insensitive

encaminar to direct

encantador,-a *adj* charming

encapsular to incorporate

encaramiento *m* confrontation

encarar to face, consider

encargar to put in charge; to tell

encargarse de to take charge of

encargo *m* commission

encauzar to channel

encender (ie) to light, ignite

encendido,-a *adj* (already) lighted, lit

enceradora *f* floor polisher

encerrar (ie) to enclose

encerrarse (ie) to close oneself in, seek seclusion

encima *adv* above; with me (you, etc.); por encima de over, above

encima *f* enzyme

encina *f* oak

encogerse to shrink (clothes)

encono *m* rancor, bitterness

encontrar (ue) to find, meet

encontrarse (ue) to be

encopetado,-a *adj* aristocratic

encrucijada *f* intersection, crossroads

encuadrar to focus, sight (as in photography)

encubrir to hide, cover up

encuentro *m* (sports) match

encumbrado,-a *adj* grown wealthy, made mighty

enchufado *m* person who has good political connections

enchufe *m* plug

enchufismo *m* influence peddling; practice of holding an extra job thanks to political influence

enchufista *m* influence peddler

energética *f* will-to-do

enérgico,-a *adj* energetic; strong-willed

enfadar to anger

enfadarse to get angry

enfermar to sicken; to get sick

enfermarse to get sick

enfermedad *f* illness

enfermizo,-a *adj* sickly; odd

enfermo,-a *adj* sick; *m* patient

enflaquecerse to get thin

enfoque *m* focus; manner of treating a subject, approach

enfrentar to put face to face

enfriarse to get cold

engañar to deceive

engañoso,-a *adj* deceptive; misleading

engendro *m* (abnormal) creature

enjambre *m* swarm

enlace *m* link, connector

enlazar to link, connect

enlucidor *m* plasterer

enmienda *f* correction

enojar to anger

enojarse to get angry

enorgullecerse de to be proud of

enredadera *f* vine

enredo *m* tangle

enriquecer to become rich, wealthy

enrojecerse to blush, redden

ensamblado,-a *adj* assembled

ensangrentar (ie) to bathe in blood

ensayista *mf* essayist

ensayo *m* essay; trial

enseñanza *f* instruction, teaching; enseñanza superior higher learning

ensimismarse to become absorbed in thought

ensueño *m* dream

entablar to start, initiate

ente *m* being; entity

entendedor *m* understanding person

entender (ie) to understand; dar a entender to explain, hint; entendámonos let's get one thing clear

entenderse (ie) con to deal with, consult; to get along with entendido,-a *adj* learned, skilled; well-informed

entendimiento *m* understanding

enterarse de to learn, find out about

entereza *f* constancy, fortitude

enternecer to move to pity

enternecerse to be moved to pity

entidad *f* entity

entierro *m* burial

entonación *f* intonation

entonces *adv* then; **por aquel entonces** at that time

entrada *f* entry; **dar entrada a** to admit

entrado: **entrado en años** advanced in years

entrañar to involve

entrañas *f pl* entrails

entrar en to enter; **entrar en acción** to function

entre *prep* between, among; in; **entre tanto** meantime

entrecortado,-a *adj* intermittent, broken

entrega *f* surrender

entregar to deliver; to distribute; to surrender, hand over

entregarse to devote oneself; to surrender

entrenar to train

entretenerse to amuse oneself

entrever to see at a glimpse; to encounter for a moment

entrevistar to interview

entristecer to make sad

entristecerse to get sad

entumecerse to get numb

enunciado *m* statement

enunciar to state, express

envanecido,-a *adj* conceited, vain

envasar to can (food)

envejecer to grow old

envejecido,-a *adj* old; tired

envenenar to poison

enviar to send

envidia *f* envy

envío *m* shipment

envoltura *f* wrapping

envuelto *p p de* **envolver**; **llevar envuelto** to imply

epígono *m* disciple

epilogar to sum up

epíteto *m* epithet (adjective which expresses a characteristic or attribute)

época *f* epoch, period, time; **por aquella época** at that time

equilibrar to balance

equilibrio *m* balance

equinoccio *m* equinox

equipaje *m* luggage

equipo *m* equipment; team

equivaler to be equivalent

equivocado,-a *adj* mistaken, wrong

equivocarse to be mistaken, make mistakes

erguido,-a *adj* upright, straight

erguirse to rise, stand

erigir to raise, construct, set up

erizarse to stand on end (hair)

erróneo,-a *adj* wrong, erroneous

error *m* mistake; **caer en error** to make a mistake

esbeltez *f* slenderness

esbelto,-a *adj* slim

esbozo *m* outline, sketch

escala *f* scale; **hacer escala** to call (at a port)

escalar to scale, climb

escalera *f* staircase

escalón *m* step, stage

escamoteo *m* sleight of hand

escandalizar to cause an outrage

escandaloso,-a *adj* shocking

escaparse to escape; **escapársele a uno** to get away from someone

escapatoria *f* escape, evasion

escape *m* exhaust (of car)

escarbar to scratch; to dig into

escasear to be scarce

escaso,-a *adj* scarce, small

escena *f* stage

escenario *m* stage; setting

escéptico,-a *adj* sceptical

escindir to split

esclavizar to enslave

escoger to pick, choose

escolar *adj* school

escollo *m* pitfall

escondido,-a *adj* hidden

escotado,-a *adj* low-necked

escrito *m* written material, writing

escritura *f* deed (document)

escrúpulo *m* scruple

escuchar to listen to, hear

esdrújulo *m* proparoxytone (word with stress on the third from the last syllable)

esforzarse (ue) en (por) to strive, make an effort
esgrimir to brandish
esmero *m* great care
eso: por eso for that reason
espacio *m* space; **espacio en blanco** blank space; **a doble espacio** double spaced
espacial *adj* space
espada *f* sword
espalda(s) *f* back
espantarse to be (get) frightened
espanto *m* terror
espantoso,-a *adj* frightful; awful, awesome
españolada *f* cheap Spanish imitation
especie *f* sort; species
especificativo,-a *adj* restrictive (clause)
esperar to hope
espeso,-a *adj* dense
espesor *m* thickness
espía *mf* spy
espiga *f* spike (of grain)
espinoso,-a *adj* thorny
espiritismo *m* spiritualism
espíritu *m* mind
esplendidez *f* splendor; **con esplendidez** regally
esplín *m* melancholy, ill-humor
espontáneo *m* spontaneous performer, improviser (at the bull ring)
espuela *f* spur; stimulus
esqueleto *m* skeleton
esquema *m* outline, diagram, schema
esquemático,-a *adj* schematic
esquimal *mf* Eskimo
estación *f* season; **estación de distribución** distribution point
estacionamiento *m* parking
estacionar to station; to park
estacionarse to park
estadista *m* statesman
estadístico,-a *adj* statistical; **estadísticas** *f pl* statistics
estallar to explode, burst; to break out
estampa *f* print, engraving
estancia *f* stay
estanque *m* pond, pool
estante *m* shelf
estantigua *f* phantom; *col* scarecrow
estaño *m* tin
estar to be (present); **estar de acuerdo** to agree; **estar en forma** to be in (good) shape; **estar hecho de** to have as its main component; **estar mal visto** to be looked upon with disapproval; **estar por** to be yet + *inf*; **¡ya está!** that's all there is to it!
este *m* east
estenografía *f* shorthand; representation, symbolization
extenso,-a *adj* extensive
estereotipado,-a *adj* stereotyped
esteticismo *m* aestheticism
estético,-a *adj* aesthetic
estilística *f* stylistics
estilo *m* style; **al estilo oriental** in oriental style; **algo por el estilo** something of the sort
estimable *adj* highly esteemed
estimar to esteem, appreciate
estímulo *m* stimulus
estirarse to stretch
estirpe *f* pedigree; family
estorbar to hinder, obstruct
estrafalario,-a *adj* slovenly; outlandish
estraperlo *m* black market
estrato *m* stratus, layer
estrecho,-a *adj* narrow, picayunish; *m* strait
estrella *f* star
estrellarse to crash
estremecerse to shudder; to quiver
estremecimiento *m* quiver; tremor
estrenar to use for the first time (clothes)
estrépito *m* racket, din, bang
estrepitoso,-a *adj* noisy, deafening
estreptomicina *f* streptomycin
estribar en to rest (be based) on
estructuración *f* organization, structuring
estruendo *m* uproar, confusion
estuche *m* (jewel) case
estudiantil *adj* student
estupefaciente *m* narcotic
estupefacto,-a *adj* stupefied, dumbfounded, aghast
estupidez *f* stupidity
estupor *m* amazement
etapa *f* stage, phase
ética *f* ethics
etimología *f* etymology (study of the derivation of words)
etiqueta *f* label

eufemístico,-a *adj* euphemistic
eufonía *f* euphony (acoustic effect)
euforia *f* euphoria
eufórico,-a *adj* euphoric
evaporarse to evaporate
evasión *f* escape
eventualmente *adv* possibly, perhaps
evidencia *f* self-evident fact
evidenciar to make evident, evidence
evitar to prevent, avoid
exabrupto *m* brusque outburst; bluntness
exactitud *f* precision
exacto,-a *adj* exact; self-contained, restrained
examen *m* examination
excederse to go too far
excelencia *f* excellence; **por excelencia** par excellence
excelso,-a *adj* sublime, lofty; superior
excitación *f* excitement
exclamativo,-a *adj* exclamatory
excluir to exclude
exento,-a *adj* free
exigencia *f* necessity, need
exigir to require, demand
existencias *f pl* stock (merchandise)
éxito *m* success; **con éxito** successfully; **tener éxito** to be successful
exonerar to exempt (from an obligation)
expansivo,-a *adj* expansive, unrestrained
expectativa *f* expectation(s)
expedicionario *m* member of an expedition; traveller
experimentar to undergo, have, experience; to feel
explicación *f* explanation
explicar to explain
explicativo,-a *adj* explanatory; nonrestrictive (clause)
explotar to exploit
expresión *f* form
expresividad *f* expressiveness
expreso,-a *adj* expressed
éxtasis *m* ecstasy
extender (ie) to spread; to hold out
extendido,-a *adj* widespread, popularized
exterior *adj* external; **en lo exterior** on the outside; visibly; *m* external world
exterioridad *f* outward appearance, externals, externality

exterminio *m* extermination
extractivo,-a *adj* extractable; **productos extractivos** raw materials
extranjería *f* alien nature
extranjerismo *m* foreign expression
extranjerizar to mix with foreign customs; to make look foreign
extranjero,-a *adj* foreign, alien; **al extranjero, en el extranjero** abroad
extrañeza *f* surprise, bewilderment; wonder(ment)
extraño,-a *adj* strange; of strangers
extraviarse to get lost, lose one's way
extremar to carry to the limit, exaggerate

F

fábrica *f* factory
fabricación *f* manufacture
fabricar to manufacture; to create
fabril *adj* manufacturing
facción *f* feature
facilidad *f* facility; favorable circumstance
facilitar to furnish, provide, give; to put at someone's disposal
factura *f* invoice
facultad *f* skill; school (of a university)
facha *f col* appearance; **en esta facha** in this get-up
fachada *f* façade, front
faena *f* task
falaz *adj* deceptive, misleading
falda *f* skirt; (lower) slope
falsedad *f* affectation
falta *f* lack; misdeed; **hacer falta** to be needed
faltar to remain; to lack, be missing **faltarle a uno** to be in need of, be short of; **faltar a clase** to miss class
falto,-a (de) *adj* lacking in
fallar to fail, falter
fallecer to decease, die
fallo *m* decision, verdict
fama *f* reputation; **tener fama de** to have the reputation of (being)
familiar *adj* family
fanfarronería *f col* blustering
fantasear to conjure up
fantasmagoría *f* phantasmagoria

faro *m* (car) light; **faros de carretera** high beams; **faros de cruce** low beams; **faros de posición** parking lights

farol *m* street lamp

farsante *m col* fake, humbug

fastidiar to annoy

fastidiarse to be annoyed; to go to the devil

fatídico,-a *adj* fateful

fatigado,-a *adj* tired

fatum Latin for "destiny, fate"

favorecer to favor

fe *f* faith

fealdad *f* ugliness

febril *adj* feverish

fecha *f* date

felicidad *f* happiness

feliz *adj* happy

felizmente *adv* fortunately

fenecer to die

feo,-a *adj* ugly

feria *f* fair; market

férreo,-a *adj* iron

ferrocarril *m* railroad

ferroviario,-a *adj* railway

fertilizante *m* fertilizer

fiar to entrust; **de poco fiar** untrustworthy

fiarse de to trust

ficticio,-a *adj* fictitious

fichero *m* card index, file

fiebre *f* fever

fiera *f* wild animal, beast

figurado,-a *adj* figurative

figurar to figure, be present

fijar to fix; to establish; to place

fijarse en to observe, pay particular attention to

fijeza *f* steadfastness; **con fijeza** intently

fijo,-a *adj* fixed; **de fijo** for sure

fila *f* row, single line

filisteo *m* Philistine

filólogo *m* philologist

fin *m* end; purpose, goal; **al fin** after all; **en fin** in short, finally

finado *m* dead man

final *adj* final; *m* end; **al final** at the end

finalizar to terminate, end

finca *f* real estate, landed property; *Am* farm, ranch

fingir to feign, fake

fino,-a *adj* courteous, polite

finura *f* fineness, excellence; delicacy

firma *f* firm

firmar to sign

firmeza *f* firmness

física *f* physics

flaco,-a *adj* skinny; feeble

flagelar to flay; to criticize severely

flamante *adj* bright; brand-new

Flandes *f* Flanders

flechazo *m* arrow shot

flirt *m* flirting; flirtation

flirteo *m* flirting

florecer to flourish

florero *m* vase

flote *m* floating; **mantenerse a flote** to stay out of trouble

fluir to flow

fomentar to promote, encourage

fonda *f* inn

fondo *m* bottom; background; essence; **fondos** *m pl* funds, money; **a fondo** thoroughly; **en el fondo** at heart, after all

fónico,-a *adj* phonic; **grupo fónico** breath group

foráneo,-a *adj* coming from outside

forastero *m* stranger, outsider

forense *adj* legal

forestación *f* reforestation

forjar to forge, make, coin

forma *f* manner; **nuestra forma de ser** our (national) character

formal *adj* formal; dependable, reliable

formalidad *f* reliability

formar to draw up, formulate; **formarse un concepto** to have an understanding

formidable *adj* first-rate, terrific

formular to describe by means of a formula

formulario *m* form, blank

formulista *adj* formulistic, lover of formulas

fortalecer to strengthen

fortalecerse to grow strong

fortaleza *f* fortitude, strength; fortress

fortín *m* small fort

fortuito,-a *adj* fortuitous

fortuna *f* fortune; wealth; **por fortuna** fortunately

forzoso,-a *adj* necessary

foto *f* photograph; **sacar una foto** to take a picture
fracasar to fail
fracaso *m* failure, flop
fraccionamiento *m* division
francachela *f* carousal
franco,-a *adj* frank; downright, total
franja *f* (broad) stripe
franqueza *f* frankness
frase *f* phrase; **frase hecha** set phrase, stock expression
fraseología *f* phrasing
frenar to brake
freno *m* brake; restraint
frente *f* forehead; **frente a** in front of, in the face of, as opposed to; **de frente** from the opposite direction; **hacer frente a** to face
fresa *f* strawberry
fresco,-a *adj* fresh, cool
frontal *adj* front
frontera *f* national boundary; limit
fuego *m* fire; **a fuego lento** on a low flame; **prender fuego a** to set fire to
fuente *f* spring, pool; source
fuera *adv* outside; **fuera de** *prep* out-(side) of; in addition to; **fuera de lo común** uncommon
fuerza *f* force; strength; **fuerza de ánimo** will power; **fuerza de voluntad** will power; **a fuerza de** by dint of, by force of; **por la fuerza** forcibly
fugarse to flee
fulgente *adj* fulgent, radiant, blazing
fumar to smoke
fumigador,-a *adj* fumigating
función *f* performance
funcionamiento *m* performance
funcionar to function, operate, work
funcionario *m* official, functionary
fundamento *m* grounds, reason; basis, principle; foundation; **radical fundamento** basic roots
fundirse to fuse, blend
fustigar to censure severely

G

galantear to court
galicismo *m* Gallicism (word borrowed from French)
gallardo,-a *adj* graceful; elegant
gallego-a *adj* Galician
gallo *m* rooster
gama *f* scale
gamberro *m* hoodlum, switch-blade carrier
gana *f* desire; **darle la gana a uno** to feel like; **de malas ganas** unwillingly; **sentir ganas de** to feel like
ganado *m* cattle
ganancia *f* profit
ganar to earn; to gain
garabatear to scribble (on)
garantizar to guarantee
garbo *m* fine bearing, jaunty air
garboso,-a *adj* spruce, elegant
gaseosa *f* bottled drink, soda pop
gasolinera *f* motor launch
gastar to spend
gasto *m* expense, expenditure
gato *m* cat; **cuatro gatos** *col* a few nondescript fellows
gemir (i) to moan
generacional *adj* (pertaining to a) generation
generalizador,-a *adj* generalizing
generalizarse to become popularized
genérico,-a *adj* generic
género *m* sort, type; material (textile); gender; genre (literary); **género humano** human race
generosamente *adv* generously; **lo generosamente que** the generous manner in which
genial *adj* brilliant, inspired
genocidio *m* genocide
gente *f* people; **gente de cuidado** dangerous people
gerente *m* manager
gerundio *m* present participle
gesticular to gesture
gesto *m* (facial) expression; gesture; act, deed
gigantesco,-a *adj* gigantic
girar to turn, spin
giro *m* expression, turn (of phrase)
glorieta *f* arbor, bower
goce *m* enjoyment
golfo *m* tramp, bum
golondrina *f* swallow
golpe *m* blow; **cerrar de golpe** to slam shut

golpear to beat
goma *f* gum
gota *f* drop
gotera *f* leak
gozar de to enjoy, have
grabado *m* engraving, print
grabador,-a *adj* recording; *m* engraver;
 f recorder; **grabadora de cinta** tape
 recorder
gracia *f* charm; great accomplishment;
 gracias *f pl* thanks; **dar las gracias** to
 say thanks
grácil *adj* slender
gracioso,-a *adj* witty, funny
gradación *f* scale, gradation
grado *m* degree; step
gráfico *m* graph
grande *adj* big; notorious
grandeza *f* grandeur
grato,-a *adj* pleasant, pleasing; welcome
grava *f* gravel
gravar to tax, assess
grave *adj* serious
grecolatino,-a *adj* Greco-Latin
grieta *f* crack
grifo *m* spigot, faucet
gris *m* grey
grisáceo,-a *adj* greyish
gritar to shout
gritería *f* shouting
grito *m* shout; **a gritos** shouting
grosero,-a *adj* rough, crude
grosso modo Italian for "approximately"
gruñir to growl, grumble
gorro *m* cap
guacamole *m* typical Mexican salad
guapo,-a *adj* handsome, good-looking;
 m honey
guardabarros *m* fender
guardar to keep; **guardar semejanza** to
 resemble; **guardar silencio** to keep
 quiet
guardia *m* traffic cop, policeman
guarnición *f* garrison
guerra *f* war
guerrero,-a *adj* warrior
guía *f* guide, guidance; **guía de caminos**
 guidebook
guiado *m* guiding, piloting
guillotina *f* paper cutter
guiñar to wink
guión *m* hyphen

gustador,-a *adj neol* fond; **poco gustador**
 lukewarm admirer
gustar to please; **¿Vd. gusta?** will you
 join us?
gusto *m* taste; **de su gusto** to one's liking
gustoso,-a *adj* glad(ly)

H

haber there to be; **al no haber** because
 there isn't; **haber de** to be to, must;
 habrá de observarse it must be observed; **hay que** one must; **no hay por
 qué temer** there is nothing to fear; *m*
 credit (accounting)
hábil *adj* skilled; capable
habilidad *f* skill
habilitación *f* equipping, outfitting; re-
 instatement
habitación *f* room
habitual *adj* customary
habitualidad *f* habitualness; (the state
 of) being taken for granted
habituarse to become accustomed
habla *f* speech; **de habla inglesa** English-
 speaking
hablador,-a *adj* talkative
hablar to speak; **hablar mal de** to criticize; *m* speech
hacendista *m* fiscal expert
hacer to make, produce; **hacer** (time
 expression) ago; **hacer buenas migas
 con** to get along with; **hacer cara a** to
 face; **hacer caso de (a)** to pay attention to; **hacer escala** to call (at a
 port); **hacer falta** to be needed; **hacer
 frente a** to face; **hacer las veces de** to
 take the place of, serve as; **hacer
 patente** to make evident; **hacer
 pedazos** to tear to pieces; **hacer
 violencia a** to distort
hacerse to become; **hacerse a la mar** to
 set sail
hacia *prep* toward
hacha *f* axe
hada *f* fairy
halagador,-a *adj* flattering
halagüeño *adj* attractive; promising
hallar to find
hallazgo *m* find(ing)

hambre *f* hunger; **pasar hambre** to starve, go hungry
hambriento,-a *adj* hungry
harto *adv* quite; (very) much
hasta *adv* even; *prep* until, as far as, (up) to; **hasta aquí** up to now
hastío *m* boredom
hazmerreír *m* laughingstock
he: he aquí here is; **he ahí** there is
hecho *p p de* **hacer; una vez hecho** after it has been established; *m* fact; act; event, happening; **hecho bruto** bald fact; **de hecho** as a matter of fact
hegemonía *f* hegemony
helado *m* ice cream
helarse (ie) to freeze
hematites *f* hematite, iron ore
heno *m* hay
heptasílabo,-a *adj* seven-syllable
heredar to inherit
herida *f* wound
herir (ie) to hurt; to wound
herirse (ie) to get hurt
hermético,-a *adj* hermetic; impenetrable
hermetismo *m* airtightness; impenetrableness, imperviousness
herramienta *f* tool
herrumbroso,-a *adj* rusty
hervir (ie) to boil
heterodoxo,-a *adj* unorthodox
hibridación *f* hibridization
hielo *m* ice
hilaridad *f* hilarity
hilo *m* thread
hincarse to stick; to sink; to kneel
hipérbaton *m* hyperbaton (unnatural inversion of word order)
hipérbole *f* hyperbole, exaggeration
hiperbólico,-a *adj* hyperbolical (containing an exaggeration)
hipódromo *m* race track
hiriente *adj* offensive
hispanizarse to become Hispanicized
hispanoparlante *adj* Spanish-speaking
hogar *m* home
hogareño,-a *adj* pertaining to the home
hoja *f* leaf; blade (of knife)
holgado,-a *adj* comfortable
holgura *f* ease, comfort; leeway
hombre *m* man; **hombre-cosa** soulless man; **hombre de bien** honorable man; **¡hombre de Dios!** man alive!

hombría *f* manliness
hombro *m* shoulder
homenaje *m* homage; gift
homúnculo *m* homunculus, dwarf
hondo,-a *adj* deep
hondura *f* depth
honra *f* honor
honradez *f* honesty
honrado,-a *adj* honest, honorable
hora *f* hour; **pasar las horas** to spend one's time; **por hora** by the hour
horario *m* schedule
hormiga *f* ant
horrísono,-a *adj* terrifying
horrorizarse to be horrified
hortaliza *f* vegetable
hospitalario,-a *adj* hospitable
hostería *f* inn
hostigar to pester; to make it hot for
hostilizar to harrass, antagonize
hoy *adv* today; **hoy día** nowadays
hoyo *m* hole
hueco,-a *adj* hollow, empty
huele *pres de* **oler** to smell
huelga *f* strike
huella *f* trace, mark
humanizar to make human
humedecer to moisten, dampen
humillar to humble
humillarse to humble oneself
humo *m* smoke
hundir to sink, plunge
hundirse to sink, settle
huracán *m* hurricane
huracanado,-a *adj* hurricane-like
huraño,-a *adj* retiring, shy

I

ibérico,-a *adj* Iberian, Peninsular
idear to think up, devise
identidad *f* equality
idioma *m* language
idoneidad *f* fitness, suitability
idóneo,-a *adj* suitable
iglesia *f* church
ignorar not to know, be ignorant of
igual *adj* equal; identical; **igual que** like, the same as; **cosa igual** anything like it; **de igual a igual** as an equal; **por igual** equally

igualdad f equality; identity
igualmente adv by the same token
iluminar to light
ilusorio,-a adj illusory, unrealistic
ilustración f enlightenment
ilustrado,-a adj cultured, learned
imaginarse to imagine
impacientarse to become impatient
impacto m blow
impartir to impart, transmit
impasibilidad f impassivity
impasible adj impassive, indifferent
impedimenta f encumbrance(s)
impedir (i) to prevent, not to permit
imperar to prevail, hold sway
imperecedero,-a adj undying
imperfectivo,-a adj imperfective (which denotes incomplete actions)
impermeable m raincoat
impertinencia f impertinent remark
implicar to imply
implícito,-a adj implied; **llevar implícito** to imply
imponente adj impressive
imponerse to win recognition
importar to matter, be important
imposible m that which is impossible
impreciso,-a adj inaccurate, imprecise
imprescindible adj essential, indispensable; unavoidable
impresionar to impress
imprimir to impart, impress
impunemente adv with impunity
inacentuado,-a adj unaccented
inadvertido,-a adj unnoticed
inagotable adj inexhaustible
inalámbrico,-a adj wireless
inaprehensible adj inapprehensible; **lo inaprehensible momentáneo** the evanescent (fleeting) moment
incansable adj untiring
incapacidad f inability
incertidumbre f uncertainty, incertitude
incesante adj constant, unceasing
incitación f provocation, incitement
inclinarse a to bend over; to tend to
incluir to include
inclusive $prep$ including
incluso adv even
incomunicación f isolation
inconciencia f unconscious
inconexo,-a adj disconnected

inconmensurable adj enormous
inconsciente m unconscious; unconscious being
inconveniente m obstacle, impediment; objection; **no hay inconveniente en** there is no objection to
incredulidad f incredulity
increíble adj incredible
incrementar to increase
increpar to rebuke
incruento,-a adj bloodless
inculcar to inculcate, implant
inculto,-a adj uncultured
incultura f lack of culture
incumbir to be of one's concern
indebido,-a adj undue; improper
indecible adj unspeakable; **lo indecible** beyond words
indeciso,-a adj indecisive
indefinición f vagueness, indefiniteness
indefinidamente adv endlessly
indescifrable adj incomprehensible, enigmatic
indeseable adj undesirable
indiano,-a adj Indian
indicado,-a adj appropriate; **lo más indicado** the best thing (to do)
indicador m signpost
índice m index
indicio m sign, indication
indígena adj indigenous, native
indigencia f poverty
indigente m pauper
indigesto,-a adj indigestible
indignarse to become indignant
indigno,-a adj unworthy
indiscutible adj unquestionable
índole f nature; kind, type
indudable adj doubtless, certain
indultar to pardon (a convict)
indumentario,-a adj of dress; f dress, clothes
industrial m industrialist
ineludible adj inescapable, unavoidable
inequívoco,-a adj unmistakable
inerte adj inactive
inescrutable adj inscrutable
inesperado,-a adj unexpected
inesquivable adj unavoidable
inestabilidad f lack of stability
inevitable adj unavoidable
infantil adj childhood

infatuar to make conceited
infeliz *adj* unhappy; unfortunate; dull, stupid
inferior *adj* lower
ínfimo,-a *adj* very low(ly); very humble
influir en to have an influence on
influjo *m* influence; **por influjo de** thanks to
influyente *adj* influential
informalidad *f* unreliability
informar to shape, give form to
informe *m* information; report
infortunio *m* misfortune
infraestructura *f* infrastructure
infranqueable *adj* impassable
infrascrito,-a *adj* undersigned
ínfulas *f pl* conceit, airs
infundir to infuse; to instill
ingeniería *f* engineering
ingeniero *m* engineer
ingenio *m* talent; cleverness; apparatus, contrivance
ingeniosidad *f* ingeniousness, clever idea
ingenuo,-a *adj* naïve, innocent, simple
ingrato,-a *adj* unpleasant
ingresar en to enter, go into
iniciarse to emerge
injuria *f* insult
injuriar to offend, insult; to abuse
injurioso,-a *adj* offensive, insulting
inmediatez *f* immediacy
inmediato,-a *adj* next
inmóvil *adj* motionless
innegable *adj* undeniable
innovación *f* innovation
inoperante *adj* inoperative, ineffectual, unable to work
inquietar to worry
inquietarse to become worried
inquieto,-a *adj* nervous, fidgety
inquietud *f* restlessness
inquina *f* aversion, ill will
inscribirse to register
inseguro,-a *adj* uncertain
insensatez *f* folly
insensato,-a *adj* foolish
insigne *adj* famous, renowned
insignificancia *f* detail, trifle
insinuar to suggest, hint (at)
insípido,-a *adj* flavorless
insistencia *f* insistent request
insobornable *adj* incorruptible

insomme *adj* sleepless
insoportable *adj* unbearable; most annoying
insoslayable *adj* unavoidable
instalar to erect, install
instalarse to establish oneself, settle
instante *m* instant; **en todo instante** at every moment
instar a to press, urge
instituto *m* high school
institutriz *f* governess
instrumental *adj* instrumental (pertaining to a deed or writ)
insultante *adj* insulting; impertinent
intacto,-a *adj* undamaged; untouched, unchanged
integrador,-a *adj* integrating, coordinating
integral *adj* integrated
integrante *adj* integral, member; **integrantes de** forming
integrar to make up; to integrate
íntegro,-a *adj* entire
intelectivo,-a *adj* of understanding
intelectual *adj* intellectual; intellectualistic
intemperie *f* elements (weather)
intempestivo,-a *adj* untimely, ill-timed
intención *f* intent
intensificativo,-a *adj* intensifying; *m* intensifier
intentar to try, attempt; to intend
intercalación *f* interpolation, intercalation
intercalar to insert, interpolate
intercambiable *adj* interchangeable
intercambio *m* exchange
interesado,-a *adj* partial; showing self-interest; *m* interested party
interesar to create interest
interesarse en (por) to be interested in
interfecto *m* murdered person
interior *adj* inner; spiritual
interioridad *f* inwardness, inner core
interlocutor *m* person addressed
intermedio *m* interval; **por intermedio de** by means of
internarse por to enter, penetrate
interponer to interpolate
intervenir (ie) to be involved
interviuvar to interview
intimidad *f* intimacy; privacy; inner life

intrincado,-a *adj* intricate
intrínseco,-a *adj* intrinsic, intimate
introverso,-a *adj* introvert
intruso *m* intruder
intuir to guess, sense
inusitado,-a *adj* unexpected, unusual
inútil *adj* useless
invasor,-a *adj* invading, invader
invención *f* inventiveness
invento *m* invention
inverosímil *adj* unlikely, fantastic, unbelievable
inversión *f* investment
inverso,-a *adj* opposite; **a la inversa (de)** on the contrary, contrary to, proceeding backwards, the other way around
invertir (ie) to invest
investigación *f* research
investigador *m* researcher, scholar
investigar to do research
invidencia *f* blindness
invitado,-a *mf* guest
inyectar to inject
ipso facto Latin for "at once"
ir to go; **ir envuelto en** to be implied in; **ir de** to wear, sport (a garment)
irrazonable *adj* unreasonable
irreal *adj* unreal
irrealista *adj* unrealistic
irrebatible *adj* irrefutable
irremisible *adj* irremissible, unpardonable
irrisorio,-a *adj* ridiculous, unbelievable
irrumpir to burst
irse to go away, leave; **írsele a uno** to get away from someone
isabelino,-a *adj* Elizabethan
isla *f* island
iterativo,-a *adj* iterative (indicating repetition)
izquierdo,-a *adj* left; *f* left

J

jacal *m Am* shack
jactancia *f* boasting
jactancioso,-a *adj* boastful
jactarse to boast
jaleo *m* confusion; jamboree
jamás *adv* never, ever
jamón *m* ham
jamona *f* fat, middle-aged woman

japonés,-a *adj* Japanese; **a la japonesa** Japanese style
jarabe *m* syrup
jarra *f* jug
jarro *m* pitcher
jarrón *m* urn
jaula *f* cage
jayanesco,-a *adj* brutish; gross
jerarquía *f* hierarchy
jerárquico,-a *adj* hierarchical
jerga *f* (special) jargon
jeroglífico *m* hieroglyph
jersey *m* jersey sweater
jira *f* picnic
jolgorio *m* merriment
jornada *f* day's journey; day
joven *adj* young; *mf* young person
joya *f* jewel, gem
joyería *f* jewelry shop
joyero *m* jeweler
jubilarse to retire
juez *m* judge
jugar (ue) to play; to gamble; **jugar a las cartas** to play cards
juguete *m* toy
juicio *m* judgment; **juicio valorativo** value judgment; **perder el juicio** to lose one's mind
junta *f* meeting; **junta directiva** board of directors
junto a *prep* near, next to
justamente *adv* precisely
justo,-a *adj* exact, correct; **justa y cabalmente** very precisely
juvenil *adj* of youth, youthful
juventud *f* youth
juzgar to judge, consider; **a juzgar por** judging by

K

k. p. h. abbreviation for **kilómetros por hora**

L

laberinto *m* labyrinth
labor *f* work; needlework; (school) work
lado *m* side; **a su lado** beside it (him, etc.); **dejar a un lado** to omit; **de un lado** on the one hand

ladrillo *m* brick
lamentable *adj* regrettable
lamentar to regret, be (very) sorry
lana *f* wool
lancha *f* boat, launch; barge
languidecer to languish
lanzador,-a *adj* launching
lanzamiento *m* launching
lanzar to hurl; to release; to launch
lápiz *m* pencil
largo,-a *adj* long; **a lo largo de** along, throughout; **por lo largas que son** because they are so long
largometraje *m* full-length feature (film)
lástima *f* pity
lata *f* can (of food)
latir to pulsate, throb
lato,-a *adj* broad
lavadora *f* washing machine
lavar to wash
lealtad *f* loyalty
lector *m* reader
lectura *f* reading
lechuga *f* lettuce
legalista *adj* legalistic
legua *f* league (distance)
leguleyo *m* petty lawyer, shyster
lejanía *f* distance
lejano,-a *adj* far, distant
lejísimos *adv* very far (away)
lejos de *prep* far from
lengua *f* tongue; **mala lengua** *col* gossip
lentamente *adv* slowly
leñador *m* (kindling) wood vender
levantar to raise; **levantar cabeza** to get back on one's feet
levantarse to get up
leve *adj* light, faint; gossamer
léxico,-a *adj* lexical; *m* lexicon
ley *f* law; **de mala ley** dishonestly, illegally
libertar to free
liberto *m* freedman
libra *f* pound
libraco *m* cheap book
libresco,-a *adj* bookish
licencia *f* permission; liberty, week-end pass
licenciado *m* licenciate; attorney, lawyer; **el señor licenciado** the honorable attorney
liebre *f* hare

lienzo *m* canvas
ligar to tie, link
ligero,-a *adj* light; slight; frivolous, flippant
limpiar to clean
limpio,-a *adj* clean; **sacar en limpio** to deduce
linaje *m* descent
lingüística *f* linguistics
linterna *f* lantern
lío *m col* jam, mess
liquen *m* lichen
liquidar to pay off; to liquidate
líquido,-a *adj* net (earnings)
listo,-a *adj* clever; ready
literato *m* writer
localizar to find
loco,-a *adj* crazy
locución *f* expression
locura *f* folly
locutor,-a *mf* radio announcer
lodo *m* mud
lograr to succeed (in), manage; to achieve; to obtain
logrerismo *m* desire for easy gain
loma *f* (long, low) hill
lomo *m* back
loza *f* earthenware
lucha *f* combat, struggle
luchar to struggle, fight
luego *adv* then, next; **luego de** after; **luego que** as soon as; **desde luego** of course
lugar *m* place; **lugar común** commonplace; **dar lugar a** to give rise to; **en lugar de** in place (instead) of
lujo *m* luxury; **de lujo** deluxe
lujoso,-a *adj* luxurious, magnificent
lumínico,-a *adj* (pertaining to) light

LL

llamado,-a *adj* so-called
llamar to call; to knock; to attract (attention); **llamar a gritos** to shout
llamativo,-a *adj* flashy, gaudy
llameante *adj* flaming, flashing
llana *f* trowel
llano,-a *adj* smooth; level; paroxytone (accented on the next to the last syllable)

llanta *f* tire
llave *f* key
llegar a to arrive at, reach; to get; to go so far as; to be able; **llegar antes** to appeal more readily; **llegar con retraso** to arrive late
llenar to fill; to overwhelm
llevar to bear; to lead; to be; to take; to direct; **llevar a buen término** to carry out, complete; **llevar a cabo** to carry out, complete; **llevábamos andadas** we had walked; **llevar envuelto** to imply; to include; **llevar implícito** to imply
llevarse to take away, carry off; to bear oneself; to get along; **llevarse bien** to get along well (with someone); **llevarse (algo) puesto** to wear (something) out of the store
llover (ue) to rain
lluvia *f* rain

M

macizo,-a *adj* substantial, considerable
macho *m* male; *col* he-man
madrileño,-a *adj* (pertaining to) Madrid, Madrilenian
madrina *f* godmother
madrugada *f* early morning
madurez *f* maturity
maduro,-a *adj* ripe; mature; **poco maduro** immature
Magallanes Magellan (Portuguese navigator)
magnetófono *m* tape recorder
majo,-a *adj* good-looking; all dressed up
mal *m* misfortune; ill, harm, evil; sickness
maldad *f* deviltry, naughtiness
maldecir to curse
maledicencia *f* slander, evil gossip
maldiciente *mf* detractor, slanderer
maldición *f* curse
maleta *f* suitcase, valise
malevolencia *f* ill will, malevolence
malgastar to waste
malograrse to turn out badly, come to naught
maloliente *adj* stinking
malquistarse con to end one's friendship with

malsano,-a *adj* unhealthy
Malvinas *f pl* Falkland Islands
manantial *m* spring
máncer *m* son of a prostitute
mancha *f* stain, spot; patch of color
mandamiento *m* command, order
mandar to send; to order; **mandar a paseo** *col* to send to the devil
mandato *m* order, command
mando *m* command
manejar to drive
manera *f* manner, way; habit; **de esa manera** in that way; **de manera que** so; **de manera tan directa** so very directly
mango *m* handle
manía *f* obsession
manifestante *mf* demonstrator
manifestarse (ie) to express oneself; to exist
manifiesto *m* manifesto
maniobra *f* maneuver
mano *f* hand; **a la mano** handy, at hand; **dar la mano a** to shake hands with; **traer entre manos** to be about; **venirse a las manos** to come to blows
mansión *f* dwelling, abode
manta *f* blanket
mantel *m* tablecloth
mantener to support; **mantener en secreto** to keep secret
mantenerse to keep, stay; to survive; to be; **mantenerse a flote** to stay out of trouble
mantequería *f* creamery; grocery store
mantilla *f* head scarf
manto *m* cloak
manubrio *m* handle, crank
manzana *f* block
maña *f* skill; craftiness, cunning
mañoso,-a *adj* skillful
maquinal *adj* automatic
maquinaria *f* machinery
mar *m & f* sea; **hacerse a la mar** to set sail
marca *f* record (in sports)
marco *m* frame, framework
marchar to walk, move forward
marcharse to leave, go
marchitarse to wilt
marearse to get seasick
marido *m* husband

marioneta *f* marionette, puppet
mármol *m* marble
marrullería *f* cajolery, trick
martillear to hammer out
más *adv* more; that is not all; **es más** that is not all; **nada más que** only; **ni más ni menos** nothing more than
mascar to chew
máscara *f* mask
masculinizar to make masculine
mata *f* (under)brush
matadero *m* slaughter house
matasellos *m* postmark
materia *f* matter, material; course (school); **materias primas** raw materials; **en materia de** in matters of
materialmente *adv* physically; literally
matiz *m* shade (of color or meaning); shading; tone
matización *f* shading
matonismo *m* bullying, browbeating
matricularse to enroll
matutino,-a *adj* morning
máxima *f* maxim, axiom
máximo,-a *adj* highest; best
mayor *adj* older, elder; greater, greatest; best; further; **(ser) mayor de edad** (to be) of age
mayordomo *m* butler
mayormente *adv* especially
mazorca *f* ear of corn
media *f* stocking; **medias caladas** patterned stockings
medianamente *adv* (only) fairly
mediano,-a *adj* average
medianoche *f* midnight
mediante *prep* by (means of); through
mediar to intervene
médico *m* physician
medida *f* measure; measurement; **a medida que** as
medido,-a *adj* restrained
medio,-a *adj* half; intermediate; average; **a medias** half-and-half; *m* environment; means; **medio ambiente** environment; **de por medio** in the way; **en medio de** in the midst of; **por medio de** by means of
mediodía *m* midday, noon
medir (i) to measure
medroso,-a *adj* fearful, dreadful
mefistofélico,-a *adj* diabolic

mejor *adj* better, best; **a lo mejor** chances are
mejora *f* improvement
mejorar to improve
melindre *m* (bit of) prudery, finicky gesture
memorial *m* written statement
mendigar to beg
menester *adj* necessary
menesteroso,-a *adj* needy; *mf* charity case, pauper
mengua *f* want, lack
menguado,-a *adj* meager, insufficient
menor *adj* lesser; slightest
menos *adv* less; **al menos** at least; **a menos que** unless; **cada vez menos** less and less; **los menos** the fewest, the minority; **ni mucho menos** much less; **por lo menos** at least
menoscabo *m* loss; detriment
mente *f* mind
mentir (ie) to lie
mentira *f* lie
mentiroso,-a *mf* liar
menudo,-a *adj* small; **a menudo** frequently
mercaderías *f pl* merchandise
mercado *m* market
mercancía *f* merchandise
mercantil *adj* mercenary
merced *f* mercy; favor; **a merced de** at the mercy of
merecer to deserve
meridiano *m* meridian; **en todos los meridianos** all over the world
mesada *f* monthly allowance
meseta *f* plateau
mestizo,-a *mf* half-breed
mesura *f* restraint, moderation, self-containment
mesurado,-a *adj* grave, dignified
meta *f* goal, final destination
metáfora *f* metaphor
metamorfosear to metamorphose
meterse to introduce itself; to meddle
metro *m* subway
mezcla *f* mixture
mezclar to mix
mezquindad *f* meanness, stinginess
miedo *m* fear
mientes *f pl* mind; **parar mientes en** to notice

mientras (que) *conj* while; **mientras tanto** meanwhile

miga *f* crumb; **hacer buenas migas con** to get along with

milagroso,-a *adj* miraculous, unbelievable

militar to militate

millonario *m* millionaire; **a lo millonario** like a millionaire

mimar to spoil

mimbre *m* wicker

minero *m* miner

mínimo,-a *adj* minimal; *m* minimum, modicum; **en lo más mínimo** the slightest bit

ministerio *m* cabinet; **ministerio de trabajo** labor office

minoría *f* minority

minucia *f* small detail, trifle

minucioso,-a *adj* detailed

minúsculo,-a *adj* tiny, small

mirada *f* glance, look; eyes

miserable *adj* wretched; despicable

miseria *f* misery, wretchedness

mismidad *f* self; personality

mismo,-a *adj* same; **lo mismo . . . que** both . . . and

míster *m* gringo

mitigar to allay, appease; to temper, reduce

mitin *m* meeting

mito *m* myth

mocetón *m* strapping young fellow

mocita *f* young girl

moda *f* fashion, style; **a la moda** stylish; **poner de moda** to make fashionable

modales *m pl* manners

modalidad *f* manner, method

modelar to model; **ha ido modelando** has gradually given form (direction)

modificar to modify

modificativo *m* modifier

modismo *m* idiomatic expression

modo *m* way, manner; mode; **a modo de** like, by way of; **del mismo modo** in the same manner; **de modo que** so that; **de modo semejante** in a similar way; **de otro modo** otherwise; **en modo alguno** in any way whatsoever

mojar to wet, drench

mole *f* bulk, mass, (large) size

molestar to bother

molestia *f* annoyance, discomfort; bother, trouble

molesto,-a *adj* annoying, uncomfortable; bothered, annoyed

molino *m* mill

moneda *f* coin; **moneda corriente** currency, common knowledge

mongoloide *adj* Mongoloid

monje *m* monk

mono,-a *adj col* cute, nice

montado,-a *adj* mounted; **montado en** riding (a bicycle)

montador,-a *adj* assembly

montar to assemble; to weigh, be important

monte *m* mountain; (back)woods

montés *adj* mountain

montículo *m* hillock

monto *m* sum

montón *m* pile; **(ser) del montón** (to be) quite ordinary, run-of-the-mill

moral *f* ethics, morals

morir (ue) to die

mortífero,-a *adj* deadly

mosca *f* fly

mostrador *m* counter

mostrar (ue) to reveal

motín *m* riot

motivo *m* motive, cause, reason; **con motivo de** because of, on the occasion of

moto *f* motorcycle

motocarro *m* three-wheeled delivery vehicle

mover (ue) to move; **mover a risa** to provoke laughter

moverse (ue) to move; **moverse mejor** to be more at home

movido,-a *adj* blurred (photo)

móvil *m* motive, cause

movimiento *m* motion

mucho,-a *adj* a lot of; *adv* much, a great deal; **lo mucho que** how much

mudar to change

mudarse to move (from one house to another)

mudo,-a *adj* mute, silent

mueble *m* piece of furniture

mueca *f* face, grimace

muerte *f* death

muerto,-a *adj* dead; flat, dull

muestra *f* sample

multa *f* fine; **poner (una) multa** to give a fine
multitudinario,-a *adj* multitudinous
mundano,-a *adj* wordly, mundane
mundo *m* world; universe; **todo el mundo** everybody
municipalidad *f* city hall
muralla *f* wall
murmurar to gossip
musculoso,-a *adj* muscular

N

nacer to be born; **nacer de** to originate in; **bien nacido** of noble birth
nacimiento *m* birth, being born
nada *pron indef* nothing; **nada más que** only
nadar to swim
naranja *m* orange (color)
nariz *f* nose
natal *adj* native
natalidad *f* birth rate
naturaleza *f* nature
naturalidad *f* naturalness
naturalizarse to become naturalized
naufragio *m* shipwreck
nave *f* ship
navegar to sail
neblina *f* fog
necesidad *f* need
necesitado,-a *adj* needy
necio,-a *adj* silly, stupid
negado,-a *adj* repressed
negar (ie) to deny, contradict
negarse (ie) a to refuse
negociante *m* businessman
negocio *m* (business) establishment; **negocios** *m pl* business, affairs
negruzco,-a *adj* blackish
neoidealista *adj* neo-idealistic
neumático *m* tire
neutro,-a *adj* neuter; *m* neuter expression
nevera *f* icebox, refrigerator
nexo *m* connection, tie, link
ni *conj* neither; **ni por** not (even) for
nieto *m* grandson
nieve *f* snow
niñez *f* boyhood
nivel *m* level

noctambulear to walk by night
noche *f* night; **de noche** at night, in the nighttime; **de la noche a la mañana** overnight
nombramiento *m* appointment
nombrar to name; to call
nombre *m* name; **nombre de pila** first name; **nombre propio** proper noun; **a su nombre** of his own
¡nones! *interj* nothing doing!
norma *f* norm
norte *m* north
norteño,-a *adj* northern
nota *f* grade, mark; **sacar buenas notas** to get good grades
notario *m* notary public
notoriamente *adv* manifestly, considerably
notorio,-a *adj* notorious; evident
nouvelle vague French for "new wave" (generation)
novato *m* beginner; freshman
novedad *f* novelty; change
novedoso,-a *adj* novel
novia *f* bride
novio *m* groom
nubarrón *m* large, dark cloud
nube *f* cloud; **estar por las nubes** to be sky-high
nulo,-a *adj* null, worthless
nurse *f* governess
nutrirse de to feed on

O

obeso,-a *adj* obese, excessively fat
obligado,-a *adj* obliged, forced
obligatorio,-a *adj* required
obligatoriamente *adv* necessarily
obra *f* work; **obra maestra** masterpiece
obrar to work, act; to proceed, operate; to be
obrero *m* workman
obsequiosidad *f* obsequiousness; kindness, deference
observación *f* remark
observar to observe; **obsérvese** please note
obsesionado,-a *adj* obsessed
obseso,-a *adj* possessed
obstante: no obstante nevertheless

obstinación *f* obstinacy
ocasionar to cause, give
occiso,-a *mf* victim
ocio *m* leisure
ocioso,-a *adj* idle, unoccupied
octosílabo,-a *adj* eight-syllable
ocultación *f* concealment
ocultar to hide, conceal
oculto,-a *adj* hidden, out of sight
ocupado,-a *adj* busy
ocuparse de to attend to, become engaged in
ocurrencia *f* bright idea; witticism
ocurrir to happen; **así ocurre** such is the case; **no ocurre así** such is not the case
odre *m* wineskin
ofensa *f* insult
oferta *f* offer; supply
oficio *m* trade; occupation; **de oficio** professional
ofrecimiento *m* offer
oído *m* ear
oír to hear
ojalá *interj* I wish (that), etc.
ojeada *f* glance
ojo *m* eye; **¡ojo!** be careful; **buen ojo** *col* knack; **un abrir y cerrar de ojos** a jiffy
ola *f* wave
oleoducto *m* pipe line
oligárquico,-a *adj* oligarchic
olor *m* smell
olvidar(se) to forget; **olvidársele a uno** to slip one's mind
olvido *m* forgetfulness; oversight, neglect; being forgotten; **echar en el olvido** to put out of one's mind
omnímodo,-a *adj* all-embracing
omnívoro,-a *adj* omnivorous, all-devouring
ópalo *m* opal
operar to function; to produce; **se opera** takes place
operario *m* workman; machine operator
opinar to voice an opinion
oponerse a to object to, oppose
optar por to choose, decide
optativo,-a *adj* optative (expressing desire)
óptimo,-a *adj* (which is) best, ideal
opuesto,-a *adj* opposite
ora . . . ora *conj* whether . . . or

oración *f* sentence
orador *m* speaker
orbe *m* world
orbital *adj* orbital
orden *m* order; mode; nature
ordenador,-a *adj* ordering, controlling
ordenanza *f* ordinance
ordenar to order, tell; to arrange
ordinariez *f col* coarseness
oreja *f* ear
organillo *m* organ grinder; hurdy-gurdy
órgano *m* organ-pipe cactus
orgullo *m* pride
orgulloso,-a *adj* proud
origen *m* origin; **dar origen a** to give rise to; **país de origen** native country
originario,-a *adj* original
originarse to originate, have one's origin
orilla *f* shore; edge
ornato *m* adornment
orondo,-a *adj* very round; self-satisfied
ortografía *f* orthography, spelling
osadía *f* boldness; daring innovation
osado,-a *adj* bold, daring
oscilación *f* hesitation, wavering
oscilar to fluctuate
oscuro,-a *adj* obscure
ostensible *adj* visible
ostentoso,-a *adj* ostentatious
otoño *m* autumn
otorgar to authorize; to give; to grant, agree
otro,-a *adj* (an)other; **otra cosa** something else
oyente *mf* listener

P

padrino *m* godfather
paga *f* pay, wages
pagar to pay for, cover
pagaré *m* promissory note, I.O.U.
pagarse de to become fond of; **pagado de sí mismo** self-satisfied
país *m* country
paisaje *m* landscape
paja *f* straw
pájaro *m* bird; **buen pájaro** fine fellow (ironical)
palabra *f* word; **medias palabras** hints
palabrota *f* vulgarity, dirty word

palaciego,-a *adj* courtly
palanca *f* lever; **palanca de velocidades** gearshift
paleto *m* country cousin, yokel
palito *m* rod
paliza *f* spanking, whipping
palmada *f* pat
palpar to feel
pandereta *f* tambourine
pantalla *f* (movie) screen
pantano *m* marsh; reservoir
pantera *f* panther
panzudo,-a *adj* fat-bellied
pañuelo *m* handkerchief
papel *m* paper; role; **desempeñar un papel** to play a role; **papel sonoro** music roll
papilla *f* pap, food for an infant
paquete *m* package
paquidérmico,-a *adj* pachydermic
par *adj* equal; **a la par que** at the same time that
paradigmático,-a *adj* model
paradojal *adj* paradoxical
paraguas *m* umbrella
paraíso *m* paradise
paraje *m* place, spot
parálisis *f* paralysis
parar to stop; **parar mientes en** to notice
pararse to stop
pardo *m* brown
pardusco,-a *adj* greyish; drabbish
parecer to seem (to be); *m* opinion; look(s), countenance
parecerse a to resemble
parecido,-a *adj* similar; **sensación parecida** a sensation like that; *m* resemblance, likeness
pared *f* wall
parentesco *m* relationship
pariente *mf* relative
parlamentario *m* member of parliament
parlotear to jabber
Parnaso Mount Parnassus (poets' paradise)
paro *m* shutdown; **paro forzoso** layoff
parquímetro *m* parking meter
párrafo *m* paragraph
parrilla *f* grill
parte *f* part; **en gran parte** to a large extent; **por otra parte** on the other hand; **por parte de** by, on the part of, at the hands of; **por una parte** on one hand
participar to communicate, inform
particular *adj* peculiar; private; **¿qué tiene de particular?** what's (so) special about it?
partida *f* record; **partida de nacimiento** birth certificate; **partida doble** double entry (accounting)
partido *m* party; match
partir to leave; to start; **partir de** to have its origin in; **a partir de** starting with
pasado *m* past
pasajero,-a *adj* passing, temporary; *mf* passenger
pasar to happen; **pasar de** to go beyond; **pasar hambre** to go hungry; **pasar las horas** to spend one's time; **pasar por** to be considered; **pasar trabajos** to have an ordeal; **no pasar de ser** to be no more than
pasarse to spend (time)
pasatiempo *m* pastime
pascuas *f pl* Christmas holiday; **más alegre que unas pascuas** as happy as a lark
pasear to stroll
paseo *m* walk, stroll; ride; **mandar a paseo** to send to the devil
pasión *f* feeling, vehemence, emotion; infatuation, love affair
pasmado,-a *adj* astonished, in astonishment
paso *m* step; jam, fix; **paso inferior** underpass; **abrirse paso** to make one's (own) way; **a cada paso** constantly; **ceder el paso** to yield the right of way; **dicho sea de paso** let it be said in passing; **salir del paso** to get out of a squeeze
pasteles *m pl* French pastry
patena *f* paten (silver plate used in the Eucharist); **limpio como una patena** as clean as a whistle
patente *adj* apparent, evident
pathos Greek for "suffering, passion"
patín *m* skate
patria *f* homeland, native land
patrocinar to sponsor
patrón *m* pattern, model; boss; owner

paulatino,-a *adj* slow, gradual
pavimentar to pave
pavor *m* terror
pavoroso,-a *adj* frightful
payaso *m* clown
pazguato *m* simpleton
peatón *m* pedestrian
pecador,-a *adj* sinful
pecar de to be guilty of
pedazo *m* piece; **hacer pedazos** to tear to pieces
pedir (i) to ask for, request; to call for, require
pedrada *f* blow from a stone
pedrusco *m* hail
pegar to hit, beat
pegarse to get stuck
pelea *f* fight; match
película *f* film
peligro *m* danger
peligrosidad *f* dangerousness
peligroso,-a *adj* dangerous
pelmazo *m* bore
peluquería *f* hairdresser's
peluquero *m* barber
pena *f* punishment, penalty; sorrow; hardship, trouble; **valer la pena** to be worth while
pendiente *m* earring; *f* slope
penetrar to enter (into); to engulf; to come in
pensamiento *m* thought
pensar (ie) to think, consider; to intend; **mal pensado** evil-minded; unwise
penumbra *f* half-light
penuria *f* dearth, scarcity; **penurias de la vida** trials and tribulations
peor *adj* worse, worst
pequeñez *f* smallness; triviality
perder (ie) to lose; to waste (time); **perder el juicio** to lose one's mind; **perder el sentido** to faint; **perder vigencia** to be accepted no longer; **echar a perder** to ruin
perderse to lose; to get lost
pérdida *f* loss
perdonavidas *m* bully
perecer to perish
peregrino,-a *adj* strange; singular
perenne *adj* ever-present, constant
perentorio,-a *adj* peremptory
perezoso,-a *adj* lazy

perfeccionamiento *m* improvement; supplement
perfectible *adj* susceptible of improvement
perfectivo,-a *adj* perfective (which denotes completed actions)
perfil *m* profile; outline
periodístico,-a *adj* journalistic
periquete *m* jiffy
perito,-a *mf* expert
perjudicar to harm, impair
perjudicarse to be hurt, damaged
perjuicio *m* harm; **en perjuicio de** to the detriment of
permanecer to remain, stay
perra *f* bitch; **perra gorda** ten-cent coin
perseguir (i) to persecute
persona *f* person; **persona alguna** nobody; **por su persona** as far as he himself is concerned
personaje *m* character
personal *m* personnel
perspectiva *f* prospect
pertenecer to belong
perteneciente *adj* belonging
pertinaz *adj* persistent
perturbación *f* disturbance
perturbador,-a *adj* disturbing
perturbar to disturb
pesadez *f* heaviness, clumsiness
pesadilla *f* nightmare
pesado,-a *adj* heavy; dull
pesar to weigh; to grieve; *m* regret; **a pesar de** in spite of
pesca *f* fishing
pescador,-a *mf* fisherman
pescar to fish (for), catch
pésimo,-a *adj* very bad; abominable, wretched
peso *m* weight; **de peso** serious, important
petición *f* request, petition
peyorativo,-a *adj* depreciatory, pejorative
picar to break up (the surface)
pico *m* peak
pictórico,-a *adj* pictorial
pie *m* foot; **al pie de la letra** exactly, literally; **dar pie a** to give cause for
piedad *f* pity, mercy
piedra *f* stone
piel *f* skin

pieza *f* play (theater); **de una pieza** strong, willful

pilón *m* loaf (of sugar)

pillo *m* rascal

pincel *m* (painter's) brush

pintar to paint

pintarrajear to daub, paint gaudily

pintura *f* painting

piropo *m* flirtatious remark, compliment

pisar to step on

piscina *f* swimming pool

piso *m* floor; apartment

pista *f* clew

plana *f* (printed) page

plano,-a *adj* flat; *m* chart, plan, map; level; area, field

planta *f* floor (level); **planta baja** first floor

plantado,-a *adj* standing firm; **dejar plantado** to stand (someone) up, leave in the lurch

plantear to pose, raise (a question)

plantígrado *m* plantigrade (animal which walks on the whole sole of the foot)

plateado,-a *adj* silver-plated

plato *m* dish, course

playa *f* beach

plaza *f* square; place, seat

plazo *m* time limit; period; **a plazos** on the installment plan

plebeyez *f* plebeianism

plegable *adj* folding, collapsible

plenitud *f* fullness

pleno,-a *adj* full, complete; right in the middle of; **en pleno verano** right in the middle of summer

pliegue *m* fold, crease

plisar to pleat

pluma *f* pen

pluscuamperfecto *m* pluperfect

población *f* population

poblado *m* community

pobre *adj* poor; **a lo pobre** in poor man's style

pobreza *f* poverty

poco,-a *adj* little; *pl* few

poder (ue) to be able; **en poder de** in the hands of; **no poder con** not to be able to stand, cope with

poderío *m* might

podrido *p p de* **pudrir(se)**

poeta *m* poet; **a lo poeta** like a poet

polémica *f* controversy

policiaco,-a *adj* police

policromía abundance of colors

política *f* policy

político *m* politician

póliza *f* policy (insurance); **póliza de seguros** insurance policy

polonés,-a *adj* Polish

polvo *m* dust; **polvos** *m pl* face powder

pólvora *f* (gun) powder

ponderado,-a *adj* prudent

ponderar to exaggerate, enhance

ponderativo, a *adj* enhancing; intensifying

poner to put; to assume; **poner de moda** to make fashionable; **poner de relieve** to make stand out; **poner en la calle** to fire, dismiss; **poner en vigor** to put into effect; **poner (una) multa** to fine; **poner sus cinco sentidos en** to be all eyes and ears for

ponerse to put on; to set (the sun); **ponerse a** to begin to; **ponerse de acuerdo** to come to an agreement, to agree; **ponerse en comunicación con** to get in touch with; **ponerse en ridículo** to make a fool of oneself

popularizarse to become popular

por *prep* by; through; for; about; because (*with infinitive after* **por**); **por si** just in case

pormenor *m* detail

porqué *m* reason (why), motive

portaaviones *m* aircraft carrier

portador *m* bearer

porte *m* bearing; dress; **de buen porte** stately

portezuela *f* (small) door

porvenir *m* future

posada *f* inn; **las posadas** Mexican Christmas tradition

positivista *adj* positivistic

posponer to place after; to hold in less esteem

postergar to postpone

posterior *adj* rear

postín *m* show; **de mucho postín** showy, pretentious

postizo,-a *adj* artificial

postulado *m* postulate, proposition

postulante *mf* petitioner

potable *adj* drinkable; **agua potable** drinking water
potencia *f* power
potencialidad *f* capacity
potente *adj* powerful; powerfully
potestativo,-a *adj* optional
pragmático,-a *adj* pragmatical, practical
precario,-a *adj* precarious
precaverse de to guard against
precavido,-a *adj* cautious, precautious
preceder to go before
preceptista *mf* preceptist, rule-maker
precioso,-a *adj* valuable; *col* pretty, beautiful
precipitación *f* haste
precisar to state precisely, make specific
precisión *f* accurate statement, thought
preciso,-a *adj* exact; necessary
precoz *adj* precocious
predicado,-a *adj* predicate; *m* predicate
predicar to preach
predilección *f* liking, preference
predilecto,-a *adj* favorite
preestreno *m* preview
preferentemente *adv* preferentially, preferably
pregonar to hawk
preguntón,-a *adj* inquisitive
premio *m* prize; **sacar un premio** to win a prize
premisa *f* premise
prenda *f* quality (of a person); **prenda de vestir** article of clothing
prender to seize; **prender fuego a** to set fire to
prensa *f* press; newspaper
preocupación *f* worry, concern
preocupar to worry, disturb
preocuparse por (de) to worry about, be concerned with
preparativo *m* preparation
preparatorio,-a *adj* preparatory, preliminary
presa *f* piece of game, prey
presagiar to foretell
prescindir de to do without; to dispense with
prescribir to prescribe, require
presencia *f* appearance; *pl* actualities
presenciar to witness
presentar to introduce; **presentar examen** to take an exam

presentarse to appear
presente *adj* present; living; **tener presente(s)** to bear in mind
presentimiento *m* premonition
preservar to protect
presidiario *m* prisoner, convict
presidio *m* penitentiary
preso *m* prisoner
préstamo *m* loan; loan word
prestar to lend; to give; **prestar atención** to pay attention; **dar prestado** to loan
prestidigitador *m* magician
presuponer to assume (the existence of)
presupuestar to budget
presupuesto *m* budget
presuroso,-a *adj* hasty, quick
pretender to try; to claim, want
pretendiente *m* suitor
pretensión *f* attempt, effort; claim
pretérito,-a *adj* past
prevención *f* precaution
prevenir (ie) to warn
previo,-a *adj* prior; preliminary
primario,-a *adj* principal, fundamental; primitive
primavera *f* spring
primaveral *adj* spring
primerizo,-a *adj* fundamental
primero,-a *adj* first; early
primitivizar to cause to regress
primitivo,-a *adj* original
primo,-a *mf* cousin
primordial *adj* primary, fundamental
primoroso,-a *adj* careful; delicate; elegant, exquisite
principalísimo,-a *adj* very important
principia Latin for "principles"
principiante *mf* beginner
principio *m* beginning; principle; **a principios de** in the early days of; **al principio** at first
prisa *f* urgency; **darse prisa** to hurry
privar de to deprive of
privatización *f neol* non-collective orientation of one's life
pro *m&f* advantage; **en pro y en contra** its pros and its cons
probar (ue) to prove; to test
problemizar *neol* to besiege with problems
proceder to originate, come (from); to behave

procedimiento *m* procedure
prócer *m* leader, hero
proclítico,-a *adj* proclitic (which leans on the following word)
procurar (que) to try, strive (to make), strive (so that)
prodigioso,-a *adj* marvelous
productor,-a *adj* manufacturing
profano *m* layman
profesorado *m* faculty
profundidad *f* depth
programático,-a *adj* preconceived (as a program)
progresista *adj* progressive
prohibir to forbid
prójimo *m* fellow man
prolijo,-a *adj* lengthy
prometedor,-a *adj* promising
promover (ue) to promote
pronombre *m* pronoun
pronosticar to predict
pronto *adv* soon; de pronto suddenly
pronunciar to utter
propaganda *f* advertising
propagandístico,-a *adj* advertising
propenso,-a *adj* inclined
propiamente *adv* properly (speaking)
propicio,-a *adj* favorable
propiedad *f* property; propiety, correctness; propiedad horizontal condominium apartment
propietario *m* proprietor, owner
propinar to give
propio,-a (de, a) *adj* suitable, proper; characteristic; very; himself; respeto propio self-respect
proponerse to intend
proporcionar to give
proposición *f* proposal
propósito *m* purpose, plan, goal; a propósito de concerning, in connection with
propuesta *f* proposal
propulsante *m* propellant
propulsar to propel
propulsión *f* propulsión; propulsión a chorro jet propulsion
proseguir (i) to continue; to pursue, have; proseguir su ruta to continue on one's way
prosista *mf* prose writer

protegido *m* protégée
protocolar *adj* protocolary, official
protocolario,-a *adj* formal, official
provecho *m* benefit; profit; sacar provecho de to take advantage of, derive benefit from
provechoso,-a *adj* beneficial, advantageous; valuable
proveer de to provide, supply (with)
proveniente (de) *adj* coming from
provisto *p p de* proveer
próximo,-a *adj* next; near; años próximos most recent years
proyectar to plan; to devise; to show (film)
proyecto *m* plan; planning; proyecto de ley (legislative) bill
prudente *adj* wise; poco prudente ill-advised, unwise
prueba *f* proof
prurito *m* itch; eagerness, urge
pudor *m* shyness; sense of decency
pudrirse to rot
pueblo *m* people; town; *adj* (of the) common people, (belonging to the) masses
puente *m* bridge
pueril *adj* childish
puerto *m* port
pues *adv* then; well; pues que for, since
puesto *m* position; stand; puesto que since
¡puf! *interj* phew!; ugh!
pujanza *f* vigor
pulimento *m* polish
pulir to polish, refine
pulmón *m* lung; pulmón de acero iron lung
pulpo *m* octopus
puntilloso,-a *adj* punctilious, touchy
punto *m* dot, period; punto de llegada stopping point; punto de mira standpoint; punto muerto neutral (gear); punto de partida starting point; puntos suspensivos suspension marks; de punto knitted
puñal *m* dagger
pureza *f* purity
puro,-a *adj* pure; sheer; de puro boba que es because she's a downright fool; *m* cigar

Q

quebrada *f* gorge, ravine
quebrantar to break; **quebrantado de salud** broken in health
quebrar (ie) to break; to go bankrupt, go broke
quedar to be; to remain, be left; **quedar en** to agree; **quedar en ridículo** to look ridiculous; **quedar fuera** to be excluded; **nos han quedado** we now have
quedarse to remain; to become; **quedarse bizco** *col* to be dazzled; **quedarse corto** to be overly modest; **quedársele a uno** to leave something (behind)
quehacer *m* task
queja *f* complaint
quejarse de to complain about
quemar to burn
quemazón *f* itch; bargain sale; prairie fire
querella *f* complaint
querer (ie) to want; to love; **querer decir** to mean (to say); **quiera que (o) no** whether one likes it or not
quiebra *f* break
quieto,-a *adj* still
quijotismo *m* exaggerated idealism
quilate *m* carat
quimérico,-a *adj* chimeric, fanciful
quinqué *m* oil lamp
quinquenal *adj* five-year (plan)
quisquillosidad *f* touchiness; fastidiousness
quitar to remove; to prevent
quizá(s) *adv* perhaps

R

rábano *m* radish
rabia *f* wrath
radical *adj* ultimate, extreme; *m* root of a word
radicar to reside
radiografía *f* X-ray, radiograph
ráfaga *f* gust (of wind)
raíz *f* root
rajarse to split, crack; to go to pieces; *Am* to back down, break one's word
rama *f* branch
ramo *m* bouquet
rancio,-a *adj* old
rango *m* standing

ranura *f* slot
raquítico,-a *adj* rickety
raro,-a *adj* strange, odd
ras *m* evenness; **a ras de** even with
rascacielos *m* skyscraper
rasgo *m* trait
rasurar to shave
ratero *m* pickpocket
rato *m* while, moment; **ratos perdidos** spare moments
raya *f* line; crease
¡rayos! *interj* holy smokes!; for heaven's sake!
razón *f* reason; **a razón de** at the rate of; **con razón** and rightly (so); **dar la razón a** to approve (what someone says); **dar razón de** to explain, give an account of; **tener razón** to be right
razonar to reason (out)
reacción *f* jet
reaccionar to react
reactor *m* jet engine; jet (plane)
real *m* Spanish coin today worth twenty-five céntimos
realidad *f* reality; **en realidad** as a matter of fact
realista *adj* realistic
realización *f* implementation
realizar to carry out, realize; to make, do
reasfaltar to lay asphalt again
rebaja *f* reduction (in price), bargain
rebanada *f* slice
rebasar to pass beyond, exceed
rebatir to refute
rebelarse to rebel, revolt
rebelde *adj* rebellious
rebosar de to overflow with
rebotar to rebound
recalcar to emphasize, stress
recatarse to be reserved; to be cautious
recato *m* modesty, decency
recelo *m* distrust; fear
receptor *adj* receiving; *m* receiver
recibo *m* receipt
recinto *m* place, enclosure
recíprocamente *adv* mutually
reclamación *f* complaint
reclamar to call for
reclamo *m* claim, complaint
recluido,-a *adj* cloistered

recobrar to recover
recoger to pick up
recogimiento *m* (capacity for) self-communion
reconocer to recognize; to admit
reconvención *f* remonstrance
recordar (ue) to remember
recorrer to travel, cover, walk around (through)
recorrido *m* route
recostarse (ue) to recline
recreo *m* recreation; **casa de recreo** weekend house
rectilíneo,-a *adj* rectilinear
recto,-a *adj* straight; right; righteous
rector *m* president (university)
recuento *m* count; **recuento de seguridad** count-down
recuerdo *m* memory
recuperación *f* recovery
recuperar to recover
recurrir to have recourse
recurso *m* recourse, means, expedient; *pl* resources, means
recusable *adj* questionable
recusar to challenge, put in doubt
rechazar to reject
rechinar to screech, grate
redactar to compose, write
redactor *m* editor
redondeadamente *adv* fully; adequately
redondo,-a *adj* round
reducido,-a (a) *adj* forced to
reduplicación *f* reinforcement
reemplazar to replace
reemplazo *m* replacement
referente *m* person or thing spoken of
referido,-a (a) *adj* referring to, used in connection with
referirse (ie) a to refer to; **por lo que se refiere a** as for
reflejar to reflect
reflejo *m* reflection
reflexionar to think, meditate
reflexivo,-a *adj* pensive, meditative
refluir to flow back
reforzar (ue) to reinforce
reforzativo,-a *adj* reinforcing (element)
refregar (ie) to rub
refrenar to restrain, contain
refresco *m* cold drink
refugiarse to take shelter, refuge

regalar to present, give as a present
regalo *m* gift, present
regañar to scold
regaño *m* scolding
regar (ie) to sprinkle
regata *f* boat race
regatear to begrudge
regentar to manage
régimen *m* regime, organization; government (grammar); (normal) rate
regir (i) to govern
registrar to search; to record, enter
regla *f* rule
reglamentar to regulate
reglamento *m* rule
regordete *adj* plump
regresar to return
regular *adj* ordinary, so-so
rehuir to shrink from, avoid
reingresar to re-enter
reino *m* kingdom; world
reir(se) (i) to laugh
reiterado,-a *adj* repeated
reiterativo,-a *adj* reiterative (showing repetition)
relación *f* relationship; **mundo de relación** world of (personal) relations
relacionar to relate, connect
relámpago *m* lightning, flash
relativo,-a *adj* relative; *m* relative pronoun; **en lo relativo a** as regards
relato *m* story, narration
relieve *m* relief; **poner de relieve** to make stand out
religiosa *f* nun
reloj *m* clock
remate *m* end
remedio *m* remedy; **no hay remedio** there is no escaping it; **poner remedio a** to remedy
remolque *m* trailer
remontarse to soar; to go back (in time)
remorder (ue) to sting; to cause remorse to
remordimiento *m* remorse
remozarse to rejuvenate
remudar to change, replace
renacentista *mf* Renaissance artist
renacer to be born anew
rencor *m* rancor, intense ill will
rendimiento *m* yield, output; performance

rendir (i) to return, yield
renegar (ie) de to deny (a faith)
renombrado,-a *adj* renowned
renombre *m* renown
renovar (ue) to renew
renta *f* income
rentabilidad *f* yield
rentable *adj* profitable
renuncia *f* resignation
renunciar to resign (a position); renunciar a to renounce, give up
reñir (i) to quarrel; estar reñido con to be incompatible with
reojo: de reojo out of the corner of one's eye
reparar en to notice
repartir to divide (up); to distribute
repaso *m* review
repente: de repente suddenly
repentino,-a *adj* sudden
repertorio *m* repertory
repicar to ring
repiqueteo *m* ringing, pealing (bells)
repleto,-a *adj* replete, very full; loaded
repliegue *m* fold, crease
reportar to bring
reposado,-a *adj* relaxed, reposeful
reposo *m* repose, rest; leisure
reprender to reprimand
reprensión *f* scolding
represa *f* dam
reprimir to repress
reprobación *f* reproof
reprobar (ue) to censure
reprochable *adj* reprehensible
reproche *m* reproach
repuesto *m* spare part
repugnancia *f* strong dislike, aversion
requisito *m* requirement
resaltar to stand out
resbaladizo,-a *adj* slippery
resbalar to skid
resbalón *m* skid; misstep, mistake
resentido,-a *adj* resentful
reserva *f* (mental) reservation
resfriarse to catch cold
resguardar to defend, protect, safeguard
resguardo *m* defense, protection
residencia *f* dormitory
residuo *m* residue, remains; residual effects
resignarse to resign oneself

resolver (ue) to solve
resolverse (ue) a to decide
resonancia *f* resonance; a toda resonancia at full volume
respectar to concern
respecto *m* reference; respecto de regarding, in (with) respect to
respetar to respect
respeto *m* respect; respeto propio self-respect
respetuoso,-a *adj* respectful
respirar to breathe
resplandeciente *adj* resplendent
resplandor *m* radiance
responder to correspond
responso *m* prayer (for the dead)
respuesta *f* answer
restante *adj* remaining
restar to take away, subtract
resto *m* rest; *m pl* remains
restringir to restrict
resucitar to revive
resuelto,-a *adj* solved; resolute, resolved
resultar to prove to be, turn out (to be), be; to become; to be the result
resumen *m* summary; en resumen summing up, in short
resumir to sum up
resurgir to revive, reappear
reticencia *f* evasion, half-truth
retirar to remove
retomar to take up again
retoques *m pl* touching-up
retorcer (ue) to twist
retorcimiento *m* twisting, curving
retornar to return, give back
retraso *m* retardation; tardiness; con retraso late
retratarse to paint a self-portrait
retratista *mf* portraitist
retrato *m* portrait
retrete *m* toilet
retroceso *m* retrocession; backward movement
retropropulsión *f* jet propulsion
retumbar to resound
reunión *f* gathering
reunir to collect, raise (money)
reunirse to meet; reunirse con to join
revelador,-a *adj* revealing
reventar (ie) to blow out (tire); to annoy
reverencia *f* bow

reverso *m* back (side)

revés *m* reverse; **al revés** the other way around

revestir (i) to cover; to adorn; to disguise

revisar to check, inspect

revista *f* magazine

revivir to come back to life

revuelto,-a *adj* complicated; disordered

rey *m* king

rezar to say, read (a sign)

ridiculez *f* absurdity

ridículo,-a *adj* ridiculous; **ponerse en ridículo** to make a fool of oneself; **quedar en ridículo** to look ridiculous

rienda *f* rein

riesgo *m* risk

rigidez *f* inflexibility

rigor *m* rigor; **en rigor** as a matter of fact, strictly speaking

riguroso,-a *adj* rigorous, strict

rincón *m* corner

riña *f* fight, brawl

riqueza *f* wealth

risa *f* laugh; **mover a risa** to provoke laughter

ristra *f* string (of onions)

risueño,-a *adj* smiling

robinsonescamente *adv neol* like Robinson Crusoe

roble *m* oak

robo *m* stealing

robustez *f* strength

rococó *m* rococo (a form of baroque)

rodante *adj* on wheels, rolling

rodar (ue) to roll

rodear to surround

rodeo *m* roundabout way; evasion; subterfuge; **andar con rodeos** to beat around the bush

rogar (ue) to beg, plead

rojizo,-a *adj* reddish

rojo *m* red

rollo *m* roll

romance *m* ballad

romper to break; to tear; **romper con** to go against, violate

romperse to break

ronda *f Am* ring-around-a-rosy

ropa *f* clothes; **ropa blanca** underclothes

rosa *m* rose (color)

rosáceo,-a *adj* rose-colored

rosado,-a *adj* rose

rostro *m* face

roto *p p de* **romper**; *m Am* low-class Chilean

rótulo *m* sign

rotundo,-a *adj* flat, categorical

rozar to brush; **rozarse** to be very close, be alike

rubor *m* blush, flush

ruborizarse to blush

ruca *f Am* Indian thatched hut

rudeza *f* coarseness, crudeness

rueda *f* wheel

ruego *m* plea

ruido *m* noise

ruidoso,-a *adj* noisy

ruindad *f* meanness, vileness

rumbo *m* direction, course; **rumbo mental** orientation

rumor *m* sound, noise

ruta *f* route; trajectory; **proseguir su ruta** to continue on his way

S

saber to know, find out; *m* learning, knowledge

sabiduría *f* wisdom

sabiendas: a sabiendas de que knowing (full well) that

sabio,-a *adj* wise; *m* wise man, learned man

sablazo *m* saber wound; **dar un sablazo** to hit for a loan

sabor *m* taste, flavor

sabroso,-a *adj* tasty, savory; pleasant

sacar to take out, remove; **sacar buenas notas** to get good grades; **sacar en limpio** to deduce; **sacar provecho** to derive benefit; **sacar una foto** to take a picture; **sacar un premio** to win a prize

sacarina *f* saccharine; **con sacarina** euphemistically

sacerdote *m* priest

sacristía *f* sacristy

sacudida *f* jolt; upheaval

sacudir to shake (clean)

sala *f* room; **sala de estar** sitting room

salado,-a *adj* salt(ed), salty; witty

salario *m* wages

salchicha *f* sausage

salida *f* departure; exit; **dar salida** to let go out; **de salida** escaping

salir to leave, go out; to rise (sun); **salir del paso** to get out of a squeeze; **salir disparado** to be fired; **salir mal** to do badly, fail (an exam)

salirse to slip out; to leak; **salirse con la suya** to (insist on) having one's own way; **salirse de** to exceed, go beyond

salitre *m* saltpeter (potassium nitrate)

salón *m* salon, drawing room

saltamontes *m* grasshopper

saltar to jump (over); to fly

salud *f* health

saludable *adj* wholesome, beneficial

saludar to greet

saludo *m* greeting

salvador,-a *adj* beneficial

salvo *prep* except

sangriento,-a *adj* bloody

sano,-a *adj* healthy; **sano y salvo** safe and sound

santiamén *m* twinkling of an eye, jiffy

santo,-a *adj* holy

satelitario,-a *adj* satellite

secarse to dry

seco,-a *adj* dry; **a secas** just; **en seco** suddenly, short

secretaría *f* secretariate, office of the secretary

secreto *m* secret; **mantener en secreto** to keep secret

secuela *f* aftermath

sede *f* headquarters

sedentario,-a *adj* sedentary, confining

seductor,-a *adj* captivating

seguida: **en seguida** at once

seguidamente *adv* day after day

seguir (i) to follow, pursue; **seguir su camino** to go on one's way

según *prep* according to

seguridad *f* certainty

seguro,-a *adj* sure; **de seguro (que)** surely

selección *f* choice

selva *f* jungle

sello *m* stamp

semáforo *m* signal light

semblante *m* face, mien; look

sembrar (ie) to sow; to spread

semejante *adj* similar; such (a); *m* fellow being

semejanza *f* likeness, similarity; **guardar semejanza** to resemble

semejarse a to resemble

semilla *f* sccd

sencillez *f* simplicity

sencillo,-a *adj* simple

senda *f* path

sendero *m* path

seno *m* bosom, heart

sensibilidad *f* sensitiveness

sensible *adj* noticeable; deplorable; sensitive

sensiblería *f* (exaggerated) sentimentality

sensu stricto Latin for "in the strict sense"

sentar (ie) to seat; **sentarle (mal) a uno** to (ill) become one; **dar por sentado** to take for granted

sentarse (ie) to sit down

sentencioso,-a *adj* sententious, aphoristic

sentido *m* sense; meaning; direction; **perder el sentido** to faint; **poner sus cinco sentidos en** to be all eyes and ears for; **tener sentido** to make sense

sentir (ie) to hear; to regret; to conceive; **sentir ganas** to feel like; *m* feeling, sensibility

sentirse (ie) to feel (+ *adj or adv*)

señalar to point out (at); to designate; to indicate

señalización *f* system of signals

señalizar to equip with signals

señas *f pl* address; description

señor *m* gentleman; **grandes señores** nobles

señorito *m* playboy

separado: **por separado** separately

ser to be; **ser de** to become of; **a no ser que** unless; **es decir** that is (to say); **es más** furthermore; **es que** it is because; **esto es** that is (to say); **no sea que** lest; **no ser más que** to be only; **no ser sino** to be only; **sea . . . o** whether . . . or; *m* being; **ser figura** figure notion; **ser número** number notion

serenarse to calm down

serenidad *f* calm

serie *f* series

serio,-a *adj* serious; **en serio** seriously

servicio *m* service; **puesto al servicio de** made available to

servidor,-a *mf* servant
servil *adj* slavish; base, low
servilismo *m* servility
servir (i) to serve; to occupy; servir de to serve as
servirse (i) to be so kind as to; sírvase + *inf* please; servirse de to make use of
sesión *f* session; de sesión continua continuous (show)
seso *m* brain(s); intelligence; avivar el seso to sharpen up
sesquipedal *adj* six-syllable
si *conj* if; si bien although
sí yes; indeed; himself (herself, etc.); por sí mismo on one's own, by himself; por sí solo by itself
siempre *adv* always; siempre que whenever; provided that
siervo *m* slave; humble servant
siglo *m* century
significación *f* meaning, significance
significado *m* meaning; significance
significar to mean; to imply
significativo,-a *adj* significant; by way of meaning
siguiente *adj* following
silbar to whistle
silencio *m* silence; guardar silencio to keep quiet
silvestre *adj* wild; unattended, in a primitive state
silla *f* chair
simiente *f* seed; germ
símil *m* simile
similar *adj* similar; *pl* others (of a similar nature)
simoun Arabic for "sand-laden wind"
simpatía *f* friendliness; congeniality, cordiality
simpático,-a *adj* pleasant, charming, appealing
simpatizar con to get on well with
simpleza *f* stupidity
simplismo *m* stupidity
simplista *adj* simplistic, fond of simplifying
simulado,-a *adj* pretended, fake
sincronismo *m* synchronism
sinfonola *f* nickelodeon, juke box
singularizar to single out
singularizarse to stand out
siniestro,-a *adj* foreboding ill

sinnúmero *m* great many
sino *conj* but; except; no ser sino to be only
sinóptico,-a *adj* synoptic (giving a general view, summary)
sintonizar to tune (in)
sinuoso,-a *adj* winding
siquiera *adv* at least; ni siquiera not even
sismológico,-a *adj* seismologic (pertaining to earthquakes and their study)
sistémico,-a *adj* systemic, common to a system
situar to place
smoking *m* tuxedo
soberano,-a *adj* superb, supreme
soberbia *f* haughtiness, arrogance
soberbio,-a *adj* proud, arrogant
sobrado,-a *adj* more than enough, abundant; con sobradísima razón with excellent reason, most rightly
sobrante *adj* left-over, remaining
sobrar to be left over
sobrecarga *f* overload; surcharge
sobreentenderse to be understood, implied
sobreentendido,-a *adj* understood, implied
sobremanera *adv* exceedingly, beyond measure
sobrenatural *adj* supernatural
sobrepasar to exceed, excel, surpass
sobreponerse a to overcome
sobresaliente *adj* outstanding, promising
sobresaltar to frighten, startle
sobrevenir (ie) to set in, supervene
sobreviviente *mf* survivor
sobrevivir to survive
sobrio,-a *adj* sober, serious, moderate
socavoncillo *m* settling
sociedad *f* society; sociedad anónima corporation
socio *m* member
socorrer to help, aid
socorro *m* help
solar *m* plot of ground, lot
soleado,-a *adj* sunny
soledad *f* solitude; loneliness; lonely place
soler (ue) to be accustomed; yo suelo dar I usually give
solicitante *mf* applicant
solicitar to request

solicitud *f* request; application
solitario,-a *adj* alone
solo,-a *adj* sole; alone; simple; single; **a solas** all alone
soltar (ue) to let loose, let go, release; **soltar una carcajada** to burst out laughing
soltero,-a *adj* unmarried, single; *m* bachelor
solterona *f* spinster, old maid
solucionar to solve
solvencia *f* solvency; reliability
sombra *f* shade; dark
someter to submit, subject
someterse to yield, submit
son *m* rhythm and dance popular in Latin America
sonar (ue) to sound, ring
sondeo *m* probing
sonido *m* sound
sonoro,-a *adj* sonorous, resounding
sonreír (i) to smile
sonrisa *f* smile
soñar (ue) con to dream of; **soñar despierto** to daydream
soplar to blow
soplo *m* blowing; gust
soportar to bear, endure, (with)stand
sordera *f* deafness
sosegado,-a *adj* quiet, calm
sospecha *f* suspicion
sostener to maintain, contend; to support
sostenerse to exist
suavemente *adv* mildly
suavidad *f* smoothness; gentleness; **con suavidad** softly, gently
suavizar to make milder, soften
subalterno,-a *mf* subordinate
subconsciencia *f* subconscious
subconsciente *m* subconscious
subdesarrollado,-a *adj* underdeveloped
subentendido,-a *adj* implied, understood
subida *f* rise
subir to go up, climb; to draw up; **subir a la playa** to beach
súbito,-a *adj* sudden; *adv* suddenly
subjetivismo *m* subjectivism (individual state of thought or feeling)
sublevarse to rise up, revolt
sublime *adj* noble, lofty
subrayado *m* emphasis

subrayar to underline; to stress, emphasize
substantividad *f* substantiveness
substitutivo *m* substitute
subvención *f* subsidy
succión *f* attraction
sucedáneo *m* substitute
suceder to happen; to succeed, follow
suceso *m* incident; event
sucio,-a *adj* dirty
suegra *f* mother-in-law
suela *f* sole (of shoe)
sueldo *m* pay, salary
suelo *m* ground; **venirse al suelo** to topple, collapse
suelto,-a *adj* loose (fitting); *m* news item
sueño *m* sleep; dream; **tener sueño** to be sleepy
suerte *f* luck; fate, (good) fortune
sufrido,-a *adj* long-suffering
sufrimiento *m* suffering
sufrir to suffer; to put up with
sugerir (ie) to suggest
sugestión *f* hypnosis
suicida *adj* suicidal; tending toward suicide
sui juris Latin for "(to be) one's own master, independent"
sujeto,-a (a) *adj* subject to, governed by; *m* subject; individual
suma *f* sum; **en suma** in short
sumar to add (up)
sumarse to be brought together
suministrar to supply
sumirse to sink
sumo,-a *adj* great; extreme; highest
superar to overcome; to surpass
superficial *adj* external
superficie *f* surface
superhombre *m* superman
superior (a) *adj* best; bigger, larger (than); higher
supermercado *m* supermarket
superpoblación *f* overpopulation
superpoblado,-a *adj* overpopulated
superponer to superpose
superproducción *f* overproduction
supersensible *adj* supersensitive
supervivencia *f* survival
súplica *f* petition; supplication
suplir to supply

suponer to suppose; to imply
supradicho,-a *adj* above-mentioned
suprimir to eliminate, omit
supuesto *m* hypothesis, assumption
surco *m* furrow; mark
surgir to arise, be born, appear; to rise
surtidor *m* mechanical purveyor, vending machine
surtir to supply; to have (effect)
suscitar to awaken, cause
sustantivación *f* substantivization
sustantival *adj* substantive
sustantivar to substantivize
sustantividad *f* concreteness; substantiveness
sustantivo *m* noun
sustento *m* sustenance
sutil *adj* subtle
sutileza *f* subtlety
suyo: de suyo by nature

T

tablas *f pl* boards, stage
taburete *m* stool
tacañería *f* stinginess
taco *m col* curse (word), oath
tacón *m* heel
tajada *f* slice
tajante *adj* sharp
tal *adj* such (a); **tal como** just as, such as
talante *m* mien; will
talonario *m* book (of checks, tickets, receipts)
tallar to carve
tamaño *m* size
tampoco *adv* (n)either
tanto,-a *adj* so much; **tanto como** as well as; **tanto . . . como** both . . . and; **entre tanto** meanwhile; **por (lo) tanto** therefore; **pues no tanto** not quite (so much); **un tanto** somewhat
tapia *f* adobe wall
taquigráfico,-a *adj* stenographic
tara *f* dead weight
tardar to be long; **a más tardar** at the latest
tarde *adv* late; **tarde o temprano** sooner or later
tarea *f* task, job
tasa *f* tax; rate

taxista *mf* taxi driver
técnica *f* technique; technics
tecnológico,-a *adj* technological
techo *m* roof
tejado *m* (tile) roof
tejedor,-a *mf* weaver
televisor *m* television set
telón *m* curtain
tema *m* subject (of discussion)
temblor *m* shaking, tremor
temer to fear
temerario,-a *adj* reckless; foolhardy
temor *m* fear
tempestad *f* storm
templado,-a *adj* mild
temporada *f* spell; season
temprano *adv* early
tender (ie) a to tend
tenebroso,-a *adj* dark, gloomy
tener (ie) to have; to hold; **tener buenas aldabas** to have pull; **tener conciencia de** to be aware of; **tener disposición de** to be inclined; **tener en cuenta** to take into account; **tener éxito** to be successful, succeed; **tener la culpa** to be to blame; **tener lugar** to take place; **tener más años** to be older; **tener pocos deseos de** not to feel like; **tener por** to consider; **tener presente(s)** to bear in mind; **tener razón** to be right; **tener sentido** to make sense; **aquí tiene Vd.** here is; **no tener nada que ver con** to have nothing to do with
teniente *m* lieutenant
tenor *m* tone, character
tenue *adj* tenuous, faint
teñir (i) to dye, tinge
teorizante *mf* theorist
tercio,-a *adj* (one-)third; *m* regiment (*archaic*)
tergiversar to distort, twist
terminación *f* end; ending
terminante *adj* peremptory, categorical
término *m* end; term; **en primer término** in the first place; **en el término de** within; **llevar a buen término** to complete
ternura *f* tenderness
terramicina *f* terramycin
terrateniente *mf* landholder, landowner
terremoto *m* earthquake
terrenal *adj* earthly

terreno,-a *adj* earthly; *m* ground; lot, piece of land; light
terrestre *adj* terrestrial
terrorífico,-a *adj* horror
tertulia *f* social gathering
tesón *m* tenacity
tesoro *m* treasure
testador,-a *mf* testator
testamento *m* will, testament
testigo *m* witness
tibio,-a *adj* lukewarm
tiempo *m* weather; tense (of verb); tempo; **a un tiempo** at one and the same time
tienda *f* store, shop; tent
tierno,-a *adj* tender(ly)
tierra *f* land; **tierra de adopción** adopted land
tieso,-a *adj* stiff
tijeras *f pl* scissors
timbre *m* bell
tinieblas *f pl* darkness
tino *m* knack; insight
tío *m* uncle; fellow, guy
tiovivo *m* merry-go-round
tipo *m* fellow, guy, chap
tirador *m* rifleman
tiránico,-a *adj* tyrannical
tirar to throw
tiro *m* shot; **tiro al blanco** target practice
tirón *m* jerk, tug
titilante *adj* twinkling
titular to (en)title; *m* headline
título *m* title; (college) degree
tocadiscos *m* record player
tocante *adj* touching; **(en lo) tocante a** concerning
tocar to touch; **tocarle a uno** to fall to one
todavía *adv* still, yet; even
todo,-a *adj* all; **ante todo** before all else
tolerar to put up with
toma *f* gathering
tomar to take, receive; to make (decision); **tomar actitudes** to take on a certain pose; **tomar el sol** to get some sun; **tomar su derecha** to stay to the right
tomarse to eat
tónica *f* keynote
tónico,-a *adj* tonic; **acento tónico** primary stress

tono *m* tone; **tono menor** minor key; **a tono con** in harmony with
tontería *f* foolishness, nonsense
tonto,-a *adj* dumb
topar con to run across
tópico *m* platitude, commonplace belief
torcer (ue) to twist; **no dar su brazo a torcer** to be persistent
torcerse (ue) to become twisted
tormenta *f* storm; *f pl* turmoil, convulsions
tormentoso,-a *adj* stormy
tornarse en to become, change into
toro *m* bull
torpe *adj* clumsy; dull; crude, ugly
torpeza *f* awkwardness, dullness; stupidity
tortuoso,-a *adj* devious
tos *f* cough
tosco,-a *adj* coarse, crude
tosquedad *f* coarseness, uncouthness
totalitarismo *m* totalitarianism
totalizante *adj* all-embracing
trabajador,-a *adj* hard-working
trabajo *m* work; **pasar trabajos** to have an ordeal
traducción *f* translation
traducir to translate; to express
traer to bring; **traer entre manos** to be about
traganíqueles *adj* nickel-swallowing
tragar to swallow
traición *f* betrayal
traidor *m* traitor
traje *m* suit; **traje de domingo** Sunday dress; **traje de etiqueta** formal attire
trama *f* plot
trámite *m* procedure, step; *m pl* transactions
tramo *m* piece, array, stretch, section
trampa *f* trap
tranquilidad *f* peace; **con tranquilidad** peacefully
tranquilo,-a *adj* calm; **estar tranquilo** to have peace of mind
transacción *f* compromise
transatlántico *m* ocean liner
transcurrir to unfold
transeúnte *mf* stroller, passer-by
transigir con to come to terms with
transistor *m* transistor (radio)
tránsito *m* traffic; passing

translación *f* transference
transportador *m* carrier, mover
transporte *m* transportation
tranvía *m* trolley
tras (de) *prep* after; behind
transcendencia *f* importance; transcendency
trascender (ie) to extend (beyond)
trasgo *m* goblin
trashumante *adj* nomadic
traslación *f* transference
trasladar to move, transfer
traslucir to shine (show) through; **dejar traslucir** to reveal
traspasar to pass beyond
trasplante *m* transplantation
trasponer to transfer
trasto *m* piece of furniture, junk
trastorno *m* disturbance
tratado *m* treatise
tratar to treat; to deal with
tratarse de to be (a question of)
trato *m* treatment; title; (social) contact
través: a través de through; across
travesía *f* voyage
trayectoria *f* course
trazar to draw; to trace
trecho *m* stretch (time or space)
tren *m* train; **tren de carga** freight train; **tren de vida** way of living
trenza *f* braid; *Am* string
trifulca *f* row
trigo *m* wheat
tripulante *m* crew member
tripular to man a ship
triquiñuela *f* trick
triturar to grind (up); to fracture, tear to bits
trocar en to change into
trompazo *m* blow (on the face or head)
tronco *m* trunk
tropezar (ie) to stumble
tropiezo *m* stumbling block; difficulty
tropilla *f Am* herd, drove
trucha *f* trout
trueno *m* thunder (clap)
tunante *m* bum; rascal
turco,-a *adj* Turkish
tutela *f* tutelage; authority

U

ulterior *adj* ultimate, final
ulterioridad *f* subsequency
últimamente *adv* recently
último,-a *adj* last; **por último** finally
ultramar *m* overseas
ultramarinos *m pl* groceries
ululante *adj* wailing
unicidad *f* oneness; uniqueness
único,-a *adj* only (one); unique; single
unidad *f* oneness
unilateral *adj* one-sided
unir to join
uno: uno que otro (an) occasional; **una que otra vez** occasionally
uña *f* fingernail
urbe *f* metropolis
urgencia *f* urgent need
uso *m* use; practice, usage, custom; **de uso doméstico** household
útil *adj* useful
utilidad *f* practicality, usefulness; *f pl* profits
utilitarismo *m* utilitarianism
utilizar to use
utopismo *m* utopianism

V

vaciarse to become empty
vacío,-a *adj* empty; *m* vacuum; void
vacuidad *f* vacuity, emptiness
vado *m* ford (of river)
vago,-a *adj* vague
vaguedad *f* vagueness
valer to be worth; to be important; to be the same as; **valer la pena** to be worth while; **valer por** to be equivalent to; **¡cuánto vale . . .!** how important it is . . .!
validez *f* validity
valiente *adj* brave
valija *f* suitcase
valioso,-a *adj* valuable
valor *m* value; **valores** *m pl* securities
valorativo,-a *adj* evaluating; **juicio valorativo** value judgment

vanidoso,-a *adj* conceited
vapor *m* steamship
varón *m* male, man
vasco,-a *adj* Basque
vasija *f* receptacle, vessel
vaso *m* glass; depository
váter *m* toilet
vatio *m* watt
vecindario *m* neighborhood
vecino,-a *adj* nearby; *mf* neighbor; resident
veintitantos *adj pl* twenty odd
vejación *f* vexation, annoyance
vejestorio *m col* old dodo
vejez *f* oldness; old age
vela *f* candle
velado,-a *adj* veiled, hidden
velar to veil, cover, conceal
velazqueño,-a *adj* pertaining to Velázquez
vencer to overcome, conquer; to expire (time limit)
vendaval *m* strong wind
venidero,-a *adj* coming
venirse (ie): venirse abajo to cave in; venirse a las manos to come to blows; venirse al suelo to topple, collapse
ventaja *f* advantage
ventajoso,-a *adj* advantageous
ventana *f* window
ventanilla *f* window (of a car)
ver to see, look and see; de buen ver good-looking; no tener nada que ver con to have nothing to do with
vera *f* side, edge (of road)
veraneante *mf* (summer) vacationist
verano *m* summer
verbalista *adj* given to words
verbenero,-a *adj* festive
verdad *f* truth; de verdad really; en verdad really
verde *m* green (color)
verdebotella *adj* dark green
verdinegro,-a *adj* dark green
verdoso,-a *adj* greenish
verduras *f pl* vegetables
vereda *f* path
vergonzoso,-a *adj* shameful
vergüenza *f* shame
verificarse to take place
vernáculo,-a *adj* vernacular, common (language)

verse to see oneself; to be
verter (ie) to pour; to translate
verterse (ie) en to be expressed in
vértice *m* vertex
vertiginoso,-a *adj* very rapid; dizzy, giddy
vértigo *m* dizziness, giddiness; whirling
vestido *m* clothing; costume
vestidura *f* vestment
vestimenta *f* dress, clothes
vestir (i) to dress
vez *f* time; a la vez at the same time; a su vez in turn; a veces at times; cada vez más more and more; cada vez mayor greater and greater; de una vez por todas once and for all; de vez en cuando from time to time; en vez de instead of; hacer las veces de to take the place of, serve as; las más veces most often; mayor cada vez greater and greater; por esta vez just this once; por última vez for the last time; rara vez seldom; repetidas veces repeatedly; una que otra vez occasionally
vía *f* way; por vía intuitiva in an intuitive way, through intuition
viajante *mf* travelling salesman (or woman)
viajar to travel
viaje *m* trip
viajero,-a *mf* traveller
vialidad *f* highway service
vianda *f* food
viciar to contaminate
vicio *m* defect, weakness; error; vice
vida *f* life; vida interior contemplation; en mi vida never
vidrio *m* glass; pane
viejo,-a *adj* old
viento *m* wind; al viento in the wind
vientre *m* belly
viga *f* rafter, beam
vigencia *f* force; vogue, use; de vigencia current; perder vigencia to be accepted no longer
vigente *adj* effective, real
vigilar to watch over
vigor *m* vigor; poner en vigor to put into effect
villancico *m* carol
villorrio *m* small country town

vinagre *m* vinegar
vincular to tie, bind
vino *m* wine
violáceo,-a *adj* violet-colored
violado,-a *adj* violet
violentar to do violence to, run counter to
violeta *m* violet (color)
virar to veer; virar en redondo to make a U-turn
viril *adj* masculine
virilizar to render masculine
virtual *adj* apparent but not real
virtud *f* virtue; en virtud de by virtue of, as a result of
visceral *adj* visceral
visión *f* view, impression
visita *f* visitor (on a social call)
visitador,-a *mf* inspector; official visitor
visitante *mf* visitor (at times unexpected)
visón *m* mink
víspera *f* evening before, eve
vista *f* sight; glance; a la vista apparent, evident; a la vista de within the sight of
visto *p p de* ver; estar mal visto to be looked upon with disapproval
vistoso,-a *adj* showy, flashy; colorful
vital *adj* of life; living
vitualla *f* victuals, provisions
vivaz *adj* vigorous, active
víveres *m pl* supplies
vivienda *f* dwelling, home
vivo,-a *adj* lively
vocablo *m* word; term
vocación *f* calling, vocation; tendency; vocación genérica predilections characteristic of man or woman
vocal *f* vowel
vociferar to shout
volante *m* steering wheel
volar (ue) to fly
volitivo,-a *adj* volitive (pertaining to the will)
voluble *adj* fickle
volumen *m* volume; a todo volumen full blast

voluntad *f* will
vómer *m* plowshare bone
voraz *adj* voracious
voz *f* voice; word; en voz alta aloud, in a loud tone
vuelo *m* flight
vuelta *f* turn; a la vuelta de cada esquina at every corner; dar una vuelta to take a walk
vulgar *adj* popular, common; vulgar (coarse)
vulgarizar to make vulgar, cheapen
vulgata *adj* Latin for "vernacular, common"
vulgo *m* common people

W

wáter *m* toilet

Y

ya *adv* already; ya no no longer; ya que since; ya sea whether it be; no ya not just
yanquización *f* Americanization
yate *m* yacht
yergue *pres de* erguir(se)
yerno *m* son-in-law
yesero *m* plasterer
yo *m* ego
yuxtaponer to juxtapose, place side by side

Z

zafio,-a *adj* crude, uncouth
¡zambomba! *interj* good gosh!; great Scot!
zanahoria *f* carrot
zapato *m* shoe
¡zas! *interj* bang!; crash!
zorra *f* fox

Índice analítico